# LE CAPITAINE FRACASSE

ŒUVRES DE THÉOPHILE GAUTIER

*nrf*

# THÉOPHILE GAUTIER

## Le capitaine Fracasse

PRÉSENTÉ PAR
PAUL GUIMARD

LE LIVRE DE POCHE

# PRÉFACE

Il faut être excessivement myope pour ne pas remarquer un certain air de famille entre Théophile Gautier et Buffalo Bill : le même front large et dégagé, les mêmes cheveux tombant sur les épaules, la même moustache robuste... Gautier porte la barbe plus longue que Bill, mais c'est le même poil romantique et dru, la même fougue en tout cas et deux tempéraments moins dissemblables qu'il n'y paraît. En quelques milliers d'articles, le grand Théo a scalpé les grosses têtes de son temps et Buffalo Bill eût adoré ce splendide Western qu'est Le Capitaine Fracasse.

« Sur le revers d'une de ces collines décharnées qui bossuent les Landes, entre Dax et Mont-de-Marsan, s'élevait, sous le règne de Louis XIII, une de ces gentilhommières si communes en Gascogne et que les villageois décorent du nom de château... »

« Sur le revers d'un de ces canyons désolés qui ravinent l'Arizona entre Phœnix et Santa Fé, s'élevait, au temps de la ruée vers l'Ouest, une de ces baraques en bois si communes dans les Rocheuses et que les pionniers décorent du nom de ranch... »

La transposition, comme on voit, s'opère en souplesse; il suffit dès lors que le baron de Sigognac devienne Kit Carson, le duc de Vallombreuse, Bugsy Longstone et ainsi de suite pour qu'on aperçoive clairement tout ce que John Ford et ses enfants doivent à Théophile Gautier.

Donc... dans une de ces baraques en bois si communes dans les Rocheuses vit pauvrement un jeune homme de très bonne race, Kit Carson, dont le père

*portait un des plus vieux noms de l'Arizona. Le ranch,
jadis prospère, avait été ruiné par la fièvre aphteuse et
Kit parvenait tout juste à subsister grâce au dévouement d'un vieil esclave noir, Peter (Pierre dans la ver-
sion française), qui avait fait de son jeune maître la
meilleure gâchette de la région.*

*Les hasards de la ruée vers l'Ouest amènent au ranch
une troupe de comédiens ambulants parmi lesquels se
trouve une glamourous starlette, Isabelle, qui donne
des représentations aux chercheurs d'or. Isabelle chante
Go down, old Hannah, mieux que Ma Rayney elle-
même.*

*Pour échapper à sa condition misérable et poussé
aussi par un doux sentiment, Kit Carson abandonne
son ranch en ruine et s'embarque à bord des chariots
(Sweet Chariot) de la troupe. Cet avatar lui permet de
faire d'une pierre deux coups : vivre dans l'intimité
d'Isabelle et se tailler une belle réputation artistique
sous le pseudonyme de Captain Fracass.*

*Bien des aventures attendent nos héros. Une nuit,
en quittant l'auberge-salon de Chirriguirri (ce nom
Apache est de Théophile Gautier), la caravane est attaquée par de farouches Indiens commandés par Agos-
tin-Sitting-Bull. Kit Carson, grâce à sa science du long
rifle, sauve ses compagnons. Plus loin, un fils de famille débauché, Bugsy Vallombreuse, aidé de rangers
en rupture de légalité, tente d'enlever Isabelle à pied,
à cheval et en voiture. Une fois encore, Kit s'interpose
et consacre la victoire du bien sur le mal. Chevau-
chées, coups de main, coups de théâtre, coups fourrés
se succèdent jusqu'à la happy end où la blonde hé-
roïne, reconnue fille d'un grand shérif, épouse Kit
Carson subitement enrichi par la découverte d'une
mine d'or à fleur de terre.*

*Tel est le schéma d'un livre, conçu vers 1830, écrit
en 1863 et dont les cinq cents pages sont un résumé
de tout ce que le cinéma nous a proposé dans cet excellent genre du Western. On voit que son éthique et son
esthétique sont essentiellement françaises. A l'West,
rien de nouveau.*

*Mais le bon Théo, s'il avait écrit La Chevauchée
fantastique en place du Capitaine Fracasse, eût privé
son livre de sa vertu magique, ce style Louis XIII
dont raffolaient les Jeune-France romantiques. Par
style Louis XIII, Théophile Gautier et ses amis, Nerval*

*en tête, désignaient une période assez confuse à che-*
*val sur le XVI^e et le XVII^e siècle, approximativement*
*de Ronsard inclus au trône de Louis XIV exclu. Epoque*
*turbulente et admirable où entre deux frondes, deux*
*duels et deux amours, un cardinal de Retz, par*
*exemple, arrachait de son grand feutre à la Velasquez*
*une plume d'aigle pour écrire, avec une désinvolture*
*royale, ces pages de feu, de grâce, d'esprit et d'insolence*
*qui sont parmi les plus belles de la langue française;*
*époque superbe où l'on ne s'arrêtait de comploter que*
*pour sauter à cheval, où l'on guérissait ses blessures*
*en mangeant des pâtés d'alouette en croûte, où l'on*
*ne cessait de se battre que pour aimer, d'aimer que*
*pour mourir, où les robes des monseigneurs et les ver-*
*tugadins des marquises se confondaient dans les mêmes*
*alcôves, où les gendarmes étaient des mousquetaires,*
*l'une des dernières époques de notre histoire où les*
*hommes aient su s'habiller, où les femmes aient su*
*vivre, où la prose libre, large et magnifique était*
*« pleine de ces grandes manières de dire castillanes,*
*de ces bonnes façons de gentilhomme... dont on ne*
*retrouvera le secret que lorsqu'on reprendra l'épée et*
*les plumes au chapeau ».*

*Dans sa préface, Théophile Gautier pose une série*
*de questions pleines de mélancolie :*

*« Voici un roman dont l'annonce figurait il y*
*a une trentaine d'années déjà — le temps marche si*
*vite! — sur la couverture des livres de Renduel, l'édi-*
*teur à la mode alors... nous avons enfin payé cette*
*lettre de change de jeunesse tirée sur l'avenir... Oh!*
*que de poussière sur de frais souvenirs, que de lettres*
*jaunies si parfumées autrefois, que de billets signés*
*de mains qui n'écriront plus... Pourquoi aller reprendre*
*au fond du passé ce vieux rêve presque oublié?... »*

*C'est trop de modestie. Le Capitaine Fracasse ne*
*sent ni le pensum ni le pastiche, et si le pauvre Théo*
*l'écrivit effectivement sous la menace des huissiers*
*c'est aux historiens de le savoir, pas aux critiques.*
*Pas une phrase de ce somptueux feuilleton ne suggère*
*l'idée d'un effort ou d'une contrainte. La jeunesse y*
*éclate à chaque ligne. Si l'on songe qu'en 1863, Théo-*
*phile Gautier était un vieil homme pauvre, chargé de*
*deux sœurs physiquement et économiquement faibles,*
*harcelé par les épuisantes besognes du journalisme*
*alimentaire, on reste ébloui par cette liberté d'allure,*

*cette virtuosité, ce panache. N'y songerait-on pas que l'impression serait la même.*

Le Capitaine Fracassse *est autre chose et beaucoup plus qu'un « amusant feuilleton picaresque imité de* Scarron »*. (Kléber Haedens). Lisez d'un trait le premier chapitre, huit ou neuf cents lignes d'une description au microscope qui fait irrésistiblement penser à Robbe-Grillet écrivant pour John Ford. Ces deux références montrent assez que ce roman qui fêtera demain son centenaire est resté très jeune pour son âge.*

Paul GUIMARD.

# I

## LE CHÂTEAU DE LA MISÈRE

Sur le revers d'une de ces collines décharnées qui bossuent les Landes, entre Dax et Mont-de-Marsan, s'élevait, sous le règne de Louis XIII, une de ces gentilhommières si communes en Gascogne, et que les villageois décorent du nom de château.

Deux tours rondes, coiffées de toits en éteignoir, flanquaient les angles d'un bâtiment, sur la façade duquel deux rainures profondément entaillées trahissaient l'existence primitive d'un pont-levis réduit à l'état de sinécure par le nivelage du fossé, et donnaient au manoir un aspect assez féodal, avec leurs échauguettes en poivrière et leurs girouettes à queue d'aronde. Une nappe de lierre enveloppant à demi l'une des tours tranchait heureusement par son vert sombre sur le ton gris de la pierre déjà vieille à cette époque.

Le voyageur qui eût aperçu de loin le castel dessinant ses faîtages pointus sur le ciel, au-dessus des genêts et des bruyères, l'eût jugé une demeure convenable pour un hobereau de province; mais, en approchant, son avis se fût modifié. Le chemin qui menait de la route à l'habitation s'était réduit, par l'envahissement de la mousse et des végétations parasites, à un étroit sentier blanc semblable à un galon terni sur un manteau râpé. Deux ornières remplies d'eau de pluie et habitées par des grenouilles témoignaient qu'anciennement des voitures avaient passé par là; mais la sécurité de ces batraciens montrait une longue possession et la certitude de n'être pas dérangés. — Sur la bande frayée à travers les mauvaises herbes, et détrempée par une averse récente, on ne voyait aucune empreinte de pas humain, et les brindilles de broussailles, chargées de gouttelettes brillantes, ne paraissaient pas avoir été écartées depuis longtemps.

De larges plaques de lèpre jaune marbraient les tuiles brunies et désordonnées des toits, dont les chevrons pourris avaient cédé par places; la rouille empêchait de tourner les girouettes, qui indiquaient toutes un vent différent; les lucarnes étaient bouchées par des volets de bois déjeté et fendu. Des pierrailles remplissaient les barbacanes des tours; sur les douze fenêtres de la façade, il y en avait huit barrées par des planches; les deux autres montraient des vitres bouillonnées, tremblant, à la moindre pression de la bise, dans leur réseau de plomb. Entre ces fenêtres, le crépi, tombé par écailles comme les squames d'une peau malade, mettait à nu des briques disjointes, des moellons effrités aux pernicieuses influences de la lune; la porte, encadrée d'un linteau de pierre, dont les rugosités régulières indiquaient une ancienne ornementation émoussée par le temps et l'incurie, était surmontée d'un blason fruste que le plus habile héraut d'armes eût été impuissant à déchiffrer et dont les lambrequins se contournaient fantasquement, non sans de nombreuses solutions de continuité. Les vantaux de la porte offraient encore, vers le haut, quelques restes de peinture sang de bœuf et semblaient rougir de leur état de délabrement; des clous à tête de diamant contenaient leurs ais fendillés et formaient des symétries interrompues çà et là. Un seul battant s'ouvrait et suffisait à la circulation des hôtes évidemment peu nombreux du castel, et contre le jambage de la porte s'appuyait une roue démantelée et tombant en javelle, dernier débris d'un carrosse défunt sous le règne précédent. Des nids d'hirondelles oblitéraient le faîte des cheminées et les angles de fenêtres, et, sans un mince filet de fumée qui sortait d'un tuyau de briques et se tortillait en vrille comme dans ces dessins de maisons que les écoliers griffonnent sur la marge de leurs livres de classe, on aurait pu croire le logis inhabité: maigre devait être la cuisine qui se préparait à ce foyer, car un soudard avec sa pipe eût produit des flocons plus épais. C'était le seul signe de vie que donnât la maison, comme ces mourants dont l'existence ne se révèle que par la vapeur de leur souffle.

En poussant le vantail mobile de la porte, qui ne

:édait pas sans protester et tournait avec une évidente
mauvaise humeur sur ses gonds oxydés et criards, on
se trouvait sous une espèce de voûte ogivale plus
ancienne que le reste du logis, et divisée par quatre
boudins de granit bleuâtre se rencontrant à leur point
d'intersection à une pierre en saillie où se revoyaient,
un peu moins dégradées, les armoiries sculptées à l'extérieur, trois cigognes d'or sur champ d'azur, ou
quelque chose d'analogue, car l'ombre de la voûte ne
permettait pas de les bien distinguer. Dans le mur
étaient scellés des éteignoirs en tôle noircis par les
torches, et des anneaux de fer où s'attachaient autrefois les chevaux des visiteurs, événement bien rare
aujourd'hui, à en croire la poussière qui les souillait.

De ce porche, sous lequel s'ouvraient deux portes,
l'une conduisant aux appartements du rez-de-chaussée,
l'autre à une salle qui avait pu jadis servir de salle des
gardes, on débouchait dans une cour triste, nue et
froide, entourée de hautes murailles rayées de longs
filaments noirs par les pluies d'hiver. Dans les angles
de la cour, parmi les gravats tombés des corniches
ébréchées, poussaient l'ortie, la folle avoine et la ciguë,
et les pavés étaient encadrés d'herbe verte.

Au fond, une rampe côtoyée de garde-fous en pierre
ornés de boules surmontées de pointes menait à un jardin situé en contrebas de la cour. Les marches rom-
pues et disjointes faisaient bascule sous le pied ou
n'étaient retenues que par les filaments des mousses et
des plantes pariétaires; sur l'appui de la terrasse
avaient crû des joubardes, des ravenelles et des artichauts sauvages.

Quant au jardin lui-même, il retournait doucement à
l'état de hallier ou de forêt vierge. A l'exception d'un
carré où se pommelaient quelques choux aux feuilles
veinées et vert-de-grisées, et qu'étoilaient des soleils
d'or au cœur noir, dont la présence témoignait d'une
sorte de culture, la nature reprenait ses droits sur cet
espace abandonné et en effaçait les traces du travail
de l'homme qu'elle semble aimer à faire disparaître.

Les arbres non taillés projetaient en tous sens des
branches gourmandes. Les buis, destinés à marquer
le dessin des bordures et des allées, étaient devenus
des arbustes, ne subissant plus le ciseau depuis longues
années. Des graines apportées par le vent avaient
germé au hasard et se développaient avec cette robus-

tesse vivace, particulière aux mauvaises herbes, à la
place qu'avaient occupée les jolies fleurs et les plantes
rares. Les ronces, aux ergots épineux, se croisaient
d'un bord à l'autre des sentiers et vous accrochaient
au passage pour vous empêcher d'aller plus loin et
vous dérober ce mystère de tristesse et de désolation.
La solitude n'aime pas être surprise en déshabillé et
sème autour d'elle toutes sortes d'obstacles.

Pourtant, si l'on eût persisté, sans redouter les égratignures des broussailles et les soufflets des branches,
à suivre jusqu'au bout l'antique allée devenue plus obstruée et plus touffue qu'une sente dans les bois, on
serait arrivé à une espèce de niche de rocaille figurant
un antre rustique. Aux plantes semées jadis entre l'interstice des roches, tels qu'iris, glaïeuls, lierre noir, il
s'en était ajouté d'autres, persicaires, scolopendres,
lambruches sauvages qui pendaient comme des barbes,
et voilaient à demi une statue de marbre représentant
une divinité mythologique, Flore ou Pomone, laquelle
avait dû être fort galante en son temps et faire honneur
à l'ouvrier, mais qui était camarde comme la Mort,
ayant le nez cassé. La pauvre déesse portait en sa corbeille, au lieu de fleurs, des champignons moisis et
d'aspect vénéneux; elle-même semblait avoir été empoi-
sonnée, car des taches de mousse brune tigraient son
corps jadis si blanc. A ses pieds croupissait, sous une
couche verte de lentilles d'eau dans une conque de
pierre, une flaque brune, résidu des pluies; car le
mufle de lion, qu'on pouvait encore discerner au besoin, ne vomissait plus l'eau, n'en recevant pas des
conduits bouchés ou détruits.

Ce cabinet grotesque, comme on disait alors, témoignait, tout ruiné qu'il était, d'une certaine aisance disparue et du goût pour les arts des anciens possesseurs
du castel. Convenablement décrassée et restaurée, la
statue eût laissé voir le style florentin de la Renais-
sance à la manière des sculpteurs italiens venus en
France à la suite de maître Roux ou du Primatice,
époque probable des splendeurs de la famille maintenant déchue.

La grotte s'appuyait à une muraille verdie et salpê-
trée, où s'entrecroisaient encore des restes de treillages rompus, et destinés sans doute à masquer les
parois du mur, lors de sa construction, sous un rideau
de plantes grimpantes et feuillues. Cette muraille, à

peine visible à travers le. frondaisons désordonnées
des arbres démesurément grandis, fermait le jardin de
ce côté. Au-delà s'étendait la lande avec son horizon
triste et bas, pommelé de bruyères.

En revenant vers le castel, on apercevait la façade
opposée plus ravagée et plus dégradée que celle qui
vient d'être décrite, les derniers maîtres ayant tâché
de garder au moins l'apparence, et concentré leurs
faibles ressources sur ce côté.

Dans l'écurie, où vingt chevaux eussent pu tenir à
l'aise, un maigre bidet, dont la croupe saillait en
protubérances osseuses, tirait d'un râtelier vide quelques brins de paille du bout de ses dents jaunes et
déchaussées, et de temps en temps tournait vers la
porte un œil enchâssé dans une orbite au fond de
laquelle les rats de Montfaucon n'eussent pas trouvé
le plus léger atome de graisse. Au seuil du chenil, un
chien unique, flottant dans sa peau trop large où ses
muscles détendus se dessinaient en lignes flasques, sommeillait le museau posé sur l'oreiller peu rembourré de
ses pattes; il paraissait tellement habitué à la solitude
du lieu qu'il avait renoncé à toute surveillance, et ne
s'inquiétait point comme les chiens, même assoupis,
ont coutume de le faire, au moindre bruit qui se fait
entendre.

Lorsqu'on voulait pénétrer dans l'habitation, on rencontrait un énorme escalier à rampe de bois taillée
en balustre. Cet escalier n'avait que deux paliers, le
logis ne renfermant pas plus de deux étages. — Il était
en pierre jusqu'au premier, en briques et en bois à
partir de là. Sur les murs, des grisailles dévorées par
l'humidité semblaient avoir voulu simuler le relief
d'une architecture richement ornée, avec les ressources du clair-obscur et de la perspective. On y devinait encore une suite d'Hercules terminés en gaine supportant une corniche à modillons d'où partait, en
s'arrondissant, un berceau de feuillages festonnés de
pampres laissant apercevoir un ciel passé de couleur.
et géographié d'îles inconnues par l'infiltration des
eaux de la pluie. Entre les Hercules, dans des niches
peintes, se pavanaient des bustes d'empereurs romains
et autres personnages illustres de l'histoire; mais tout
cela si vague, si fané, si détruit, si disparu que c'était
plutôt le spectre d'une peinture qu'une peinture réelle,
et qu'il en faudrait parler avec des ombres de mots,

les vocables ordinaires étant trop substantiels pour
cela. Les échos de cette cage vide semblaient tout étonnés de répéter le bruit d'un pas.

Une porte verte, dont la serge avait jauni et n'était
plus retenue que par quelques clous dédorés, donnait
passage dans une pièce qui avait pu servir de salle à
manger aux temps fabuleux où l'on mangeait dans ce
logis désert. Une grosse poutre divisait le plafond en
deux compartiments rayés de soliveaux apparents dont
l'interstice avait été revêtu autrefois d'une couche de
couleur bleue effacée par la poussière et les toiles
d'araignée que la tête-de-loup n'allait jamais troubler
à cette hauteur. Au-dessus de la cheminée de forme
antique, un massacre de cerf dix cors épanouissait
son bois, et le long des murailles grimaçaient sur les
toiles rembrunies des portraits enfumés représentant
des capitaines cuirassés ayant leur casque à côté d'eux
ou tenu par un page, et fixant sur vous des yeux profondément noirs, seuls vivants dans leurs figures
mortes; des seigneurs en simarre de velours, la tête
posée sur des rotondes roides d'empois comme des
chefs de saint Jean Baptiste sur des plats d'argent; des
douairières en costume à la vieille mode, effrayantes
de lividité et prenant, par la décomposition des couleurs, des apparences de stryges, de lamies et d'em-
pouses. Ces peintures, faites par des barbouilleurs de
province, prenaient de la barbarie même du travail
un aspect hétéroclite et formidable. Quelques-unes
étaient sans cadre; d'autres avaient des bordures d'un
or terni et rougi. Toutes portaient à leur angle le blason de la famille et l'âge du personnage représenté;
mais, que le chiffre fût bas ou élevé, il n'existait pas
une différence bien appréciable entre ces têtes aux
lumières jaunes, aux ombres carbonisées, enfumées de
vernis et saupoudrées de poussière; deux ou trois de
ces toiles chancies et couvertes d'une fleur de moisissure présentaient des tons de cadavre en décomposition, et prouvaient, de la part du dernier descendant
de ces hommes de race et d'épée, une indifférence complète à l'endroit des effigies de ses nobles aïeux. Le
soir, cette galerie muette et immobile devait se trans-
former, aux reflets incertains des lampes, en une file
de fantômes terrifiants et ridicules à la fois.

Rien n'est plus triste que ces portraits oubliés dans
ces chambres désertes; reproductions à demi effacées

elles-mêmes de formes depuis longtemps dissoutes sous terre.

Tels qu'ils étaient, ces fantômes peints étaient des hôtes bien appropriés à la solitude désolée du logis. Des habitants réels eussent paru trop vivants pour cette maison morte.

Au milieu de la salle figurait une table en poirier noirci, aux pieds tournés en spirales comme des colonnes salomoniques, que les tarets avaient piquée de milliers de trous sans être troublés dans leur travail silencieux. Une fine couche grise, sur laquelle le doigt eût pu tracer des caractères, en couvrait la surface, et montrait qu'on n'y mettait pas souvent le couvert.

Deux dressoirs ou crédences de même matière, ornés de quelques sculptures et probablement achetés en même temps que la table à des époques plus heureuses, se faisaient pendant d'un côté de la salle à l'autre; des faïences éguelées, des verreries disparates et deux ou trois rustiques figurines de Bernard Palissy représentant des anguilles, des poissons, des crabes et des coquillages émaillés sur un fond de verdure, garnissaient misérablement le vide des planches.

Cinq ou six chaises recouvertes de velours qui avait pu jadis être incarnadin, mais que les années et l'usage rendaient d'un roux pisseux, laissaient échapper leur bourre par les déchirures de l'étoffe et boitaient sur des pieds impairs comme des vers scazons ou des soudards éclopés s'en retournant chez eux après la bataille. A moins d'être un esprit, il n'eût point été prudent de s'y asseoir, et, sans doute, ces sièges ne servaient que lorsque le conciliabule des ancêtres sortis de leurs cadres venaient prendre place à la table inoccupée, et devant un souper imaginaire causaient entre eux de la décadence de la famille pendant les longues nuits d'hiver si favorables aux agapes de spectres.

De cette salle on pénétrait dans une autre un peu moins grande. Une de ces tapisseries de Flandre appelées « verdures » garnissait les murailles. Que ce mot tapisserie n'éveille en votre imagination aucune idée de luxe inopportun. Celle-ci était usée, élimée, passée de ton; les lés décousus faisaient cent hiatus et ne tenaient plus que par quelques fils et la force de l'habitude. Les arbres décolorés étaient jaunes d'un côté et bleus de l'autre. Le héron, debout sur une patte

au milieu des roseaux, avait considérablement souffert
des mites. La ferme flamande, avec son puits festonné
de houblon, ne se discernait presque plus, et, de la
figure blafarde du chasseur à la poursuite des halbrans,
la bouche rouge et l'œil noir, apparemment d'un meilleur teint que les autres nuances, avaient seuls
conservé le colori primitif, comme un cadavre à la
pâleur de cire dont on a vermillonné la bouche et
ravivé les sourcils. L'air jouait entre le mur et le
tissu détendu et lui imprimait des ondulations sus-
pectes. Hamlet, prince de Danemark, s'il eût causé
dans cette chambre, eût tiré son épée et piqué Polo-
nius derrière la tapisserie en criant : un rat! Mille
petits bruits, imperceptibles chuchotements de la solitude, qui rendent le silence plus sensible, inquiétaient
l'oreille et l'esprit du visiteur assez hardi pour pénétrer jusque-là. Les souris grignotaient faméliquement
quelques bouts de laine à l'envers de la basse lisse. Les
vers râpaient le boïs des poutres avec un bruit de
lime sourde, et l'horloge de la mort frappait l'heure
sur les panneaux des boiseries.

Quelquefois un ais de meuble craquait inopinément,
comme si la solitude ennuyée étirait ses jointures, et
vous causait, malgré vous, un tressaillement nerveux.
Un lit à colonnes en quenouille, fermé par des rideaux
de brocatelle coupés à tous leurs plis et dont les
ramages verts et blancs se confondaient dans une même
teinte jaunâtre, occupait un coin de la pièce, et l'on
n'eût osé en relever les pentes de peur d'y trouver dans
l'ombre quelque larve accroupie ou quelque forme
roide dessinant, sous la blancheur du drap, un nez
pointu, des pommettes osseuses, des mains jointes et
des pieds placés comme ceux des statues allongées sur
des tombeaux; tant les choses faites pour l'homme et
d'où l'homme est absent prennent vite un air surnaturel! On eût pu supposer aussi qu'une jeune princesse
enchantée y reposait d'un sommeil séculaire comme la
Belle au bois dormant, mais les plis avaient une rigidité trop sinistre et trop mystérieuse pour cela et s'opposaient à toute idée galante.

Une table en bois noir avec les incrustations de
cuivre qui se détachaient, un miroir trouble et louche,
dont le tain avait coulé, las de ne pas refléter de figure
humaine, un fauteuil de tapisserie au petit point,
ouvrage de patience et de loisir mené à fin par quelque

aïeule, mais qui ne laissait plus discerner que quelques fils d'argent parmi les soies et les laines déteintes, complétaient l'ameublement de cette chambre, à la rigueur habitable pour un homme qui n'eût craint ni les esprits ni les revenants.

Ces deux pièces répondaient aux deux fenêtres non condamnées de la façade. Un jour blême et verdâtre y descendait à travers les vitres dépolies dont le dernier nettoyage remontait bien à cent ans et qui semblaient étamées en dehors. De grands rideaux, fripés dans leurs cassures et qui se seraient déchirés si on eût voulu les faire glisser sur leurs tringles dévorées de rouille, diminuaient encore cette lumière de crépuscule et ajoutaient à la mélancolie du lieu.

En ouvrant la porte qui se trouvait au fond de cette dernière chambre, on tombait en pleines ténèbres, on abordait le vide, l'obscur et l'inconnu. Peu à peu, cependant, l'œil s'habituait à cette ombre traversée de quelques jets livides filtrant à travers les jointures des planches qui bouchaient les fenêtres, et découvrait confusément une enfilade de chambres délabrées, au parquet disjoint semé de vitres brisées, aux murailles nues ou à demi couvertes de quelques lambeaux de tapisseries effrangée, aux plafonds laissant paraître les lattes et passer l'eau du ciel, admirablement disposés pour les sanhédrins de rats et les états généraux de chauves-souris. En quelques endroits, il n'eût pas été sûr de s'avancer, car le plancher ondulait et pliait sous le pas, mais jamais personne ne s'aventurait dans cette Thébaïde d'ombre, de poussière et de toiles d'araignée. Dès le seuil, une odeur de relent, un parfum de moisissure et d'abandon, le froid humide et noir particulier aux lieux sombres vous montaient aux narines comme lorsqu'on lève la pierre d'un caveau et qu'on se penche sur son obscurité glaciale. En effet, c'était le cadavre du passé qui tombait lentement en poudre dans ces salles où le présent ne mettait pas le pied, c'étaient les années endormies qui se berçaient comme dans des hamacs aux toiles grises des encoignures.

Au-dessus, dans les greniers, gîtaient, pendant le jour, les hiboux, les chouettes et les choucas avec leurs oreilles de plume, leurs têtes de chat et leurs rondes prunelles phosphorescentes. Le toit effondré en vingt endroits laissait entrer et sortir librement ces aimables oiseaux, aussi à l'aise là que dans les ruines de

Montlhéry ou du château Gaillard. Chaque soir, l'essaim poudreux s'envolait en piaulant et en poussant des clameurs qui eussent ému les superstitieux pour aller chercher au loin une nourriture qu'il n'eût pas trouvée dans cette tour de la faim.

Les pièces du rez-de-chaussée ne contenaient rien qu'une demi-douzaine de bottes de paille, des râpes de maïs et quelques menus instruments de jardinage. Dans l'une d'elles se voyait une paillasse gonflée de feuilles sèches de blé de Turquie, avec une couverture de laine bise qui paraissait être le lit de l'unique valet du manoir.

Comme le lecteur doit être las de cette promenade à travers la solitude, la misère et l'abandon, menons-le à la seule pièce un peu vivante du château désert, à la cuisine, dont la cheminée envoyait au ciel ce léger nuage blanchâtre mentionné dans la description extérieure du castel.

Un maigre feu léchait de ses langues jaunes la plaque de la cheminée, et de temps en temps atteignait le fond d'un coquemar de fonte pendu à la crémaillère, et sa faible réverbération allait piquer dans l'ombre une paillette rougeâtre au bord des deux ou trois casseroles attachées au mur. Le jour qui tombait par le large tuyau montant jusqu'au toit, sans faire de coude, s'assoupissait sur les cendres en teintes bleuâtres et faisait paraître le feu plus pâle, en sorte que dans cet âtre froid la flamme même semblait gelée. Sans la précaution du couvercle il eût plu dans la marmite, et l'orage eût allongé le bouillon.

L'eau lentement échauffée avait fini par se mettre à gronder, et le coquemar râlait dans le silence comme une personne asthmatique : quelques feuilles de chou, débordant avec l'écume, indiquaient que la portion cultivée du jardin avait été prise à contribution pour ce brouet plus que spartiate.

Un vieux chat noir, maigre, pelé comme un manchon hors d'usage et dont le poil tombé laissait voir par places la peau bleuâtre, était assis sur son derrière aussi près du feu que cela était possible sans se griller les moustaches, et fixait sur la marmite ses prunelles vertes traversées d'une pupille en forme d'I avec un air de surveillance intéressée. Ses oreilles avaient été coupées au ras de la tête et sa queue au ras de l'échine, ce qui lui donnait la mine de ces chimères japonaises

qu'on place dans les cabinets parmi les autres curio-
sités, ou bien encore de ces animaux fantastiques à qui
les sorcières, allant au sabbat, confient le soin d'écumer
le chaudron où bouillent leurs philtres.

Ce chat tout seul, dans cette cuisine, semblait faire
la soupe pour lui-même, et c'était sans doute lui qui
avait disposé sur la table de chêne une assiette à bouquets verts et rouges, un gobelet d'étain, fourbi sans
doute avec ses griffes tant il était rayé, et un pot de
grès sur les flancs duquel se dessinaient grossière-
ment, en traits bleus, les armoiries du porche, de la
clef de voûte et des portraits.

Qui devait s'asseoir à ce modeste couvert apporté
dans ce manoir sans habitants? Peut-être l'esprit familier de la maison, le *genius loci,* le Kobold fidèle au
logis adopté, et le chat noir à l'œil si profondément
mystérieux attendait sa venue pour le servir la serviette sur la patte.

La marmite bouillait toujours, et le chat restait
immobile à son poste, comme une sentinelle qu'on a
oublié de relever. Enfin un pas se fit entendre, pas
lourd et pesant, celui d'une personne âgée; une petite
toux préalable résonna, le loquet de la porte grinça,
et un bonhomme, moitié paysan moitié domestique, fit
son entrée dans la cuisine.

A l'apparition du nouveau venu, le chat noir, qui
semblait lié de longue date avec lui, quitta les cendres
de l'âtre et se vint frotter amicalement contre ses
jambes. arquant le dos, ouvrant et refermant ses
griffes, en faisant sortir de sa gorge ce murmure
enroué qui est le plus haut signe de satisfaction chez
la race féline.

« Bien, bien, Béelzébuth », dit le vieillard en se
courbant pour passer à deux ou trois reprises sa main
calleuse sur le dos pelé du chat, afin de n'être pas en
reste de politesse avec un animal; « je sais que tu
m'aimes, et nous sommes assez seuls ici, mon pauvre
maître et moi, pour n'être pas insensibles aux caresses
d'une bête dénuée d'âme, mais qui pourtant semble
vous comprendre. »

Ces mutuelles politesses achevées, le chat se mit à
marcher devant l'homme en le guidant du côté de la
cheminée. comme pour lui remettre la direction de la
marmite, qu'il regardait d'un air de convoitise famélique le plus attendrissant du monde, car Béelzébuth

commençait à vieillir, il avait l'oreille moins fine, l'œil moins perçant, la patte moins leste qu'autrefois, et les ressources que lui offrait jadis la chasse aux oiseaux et aux souris diminuaient sensiblement; aussi ne quittait-il pas de la prunelle ce ragoût dont il espérait avoir sa part et qui lui faisait se pourlécher les babines par anticipation.

Pierre, c'était le nom du vieux serviteur, prit une poignée de bourrées, la jeta sur le feu à demi mort; les brindilles craquèrent et se tordirent, et bientôt la flamme, poussant un flot de fumée, se dégagea vive et claire au milieu d'une joyeuse mousqueterie d'étincelles. On eût dit que les salamandres prenaient leurs ébats et dansaient des sarabandes dans les flammes. Un pauvre grillon pulmonique, tout réjoui de cette chaleur et de cette clarté, essaya même de battre la mesure avec sa timbale, mais il n'y put parvenir et ne produisit qu'un son enroué.

Pierre s'assit sous le manteau de la cheminée, festonnée d'un vieux lambrequin de serge verte découpé à dents de loup et tout jauni par la fumée, sur un escabeau de bois, ayant Béelzébuth à côté de lui.

Le reflet du feu éclairait sa figure, que les années, le soleil, le grand air et les intempéries des saisons avaient boucanée pour ainsi dire et rendue plus foncée que celle d'un Indien caraïbe; quelques mèches de cheveux blancs, s'échappant de son béret bleu et plaqués sur les tempes, faisaient encore ressortir les tons de brique de son teint basané; des sourcils noirs contrastaient avec sa chevelure de neige. Comme les gens de la race basque, il avait la figure allongée et le nez en bec d'oiseau de proie. De grandes rides perpendiculaires et semblables à des coups de sabre sillonnaient ses joues de haut en bas.

Une sorte de livrée aux galons déteints, et d'une couleur qu'un peintre de profession aurait eu de la peine à définir, recouvrait à demi sa veste de chamois miroitée et noircie par endroits au frottement de la cuirasse, ce qui produisait sur le fond jaune de la peau des teintes comme celles qui verdissent au ventre d'une perdrix faisandée; car Pierre avait été soldat, et quelques restes de son harnais militaire étaient utilisés dans sa toilette civile. Ses grègues demi-larges laissaient voir la trame et la chaîne d'une étoffe aussi claire qu'un canevas à broder, et il eût été impossible de savoir si elles avaient été en drap, en ratine ou en serge. Toute villosité avait disparu dès longtemps de ces culottes chauves; jamais menton d'eunuque ne fut plus glabre. Des reprises assez visibles, et faites par une main plus habituée à tenir l'épée que l'aiguille, fortifiaient les endroits faibles, et témoignaient du soin qu'apportait le possesseur de ce vêtement à en pousser la longévité jusqu'aux dernières limites. Pareilles à Nestor, ces grègues séculaires avaient vécu trois âges d'homme. De fortes probabilités portent à croire qu'elles avaient été rouges, mais ce point important n'est pas absolument prouvé.

Des semelles de corde rattachées par des lacets bleus à un bas de laine dont le pied était coupé servaient de chaussures à Pierre et rappelaient les alpargatas espagnoles. Ces grossiers cothurnes avaient sans doute été choisis comme plus économiques que le soulier à bouffette ou la botte à pont-levis; car une stricte, froide et propre pauvreté se trahissait dans les moindres détails de l'ajustement du bonhomme et jusque dans sa pose d'une résignation morne. Le dos appuyé au pan intérieur de la cheminée, il avait croisé au-dessus de son genou ses grosses mains rougies de tons violacés comme des feuilles de vigne à la fin de l'automne, et faisait un pendant immobile au chat. Béelzébuth, accroupi dans la cendre, en face de lui, d'un air famélique et piteux, suivait avec une attention profonde le bouillonnement asthmatique de la marmite.

« Le jeune maître tarde bien à venir aujourd'hui », murmura Pierre, en voyant à travers les vitres enfumées et jaunes de l'unique fenêtre qui éclairât la cuisine diminuer et s'éteindre la dernière barre lumineuse du couchant au bord d'un ciel rayé de nuages lourds et gros de pluie. « Quel plaisir peut-il trouver à se promener seul ainsi dans les landes? Il est vrai que ce château est si triste qu'on ne saurait s'ennuyer davantage ailleurs. »

Un aboi joyeusement enroué se fit entendre; le cheval frappa du pied dans son écurie et fit grincer sur le bord de sa mangeoire la chaîne qui l'attachait; le chat noir interrompit le bout de toilette qu'il faisait en passant sa patte humectée préalablement de salive sur ses bajoues et au-dessus de ses oreilles écourtées, et fit quelques pas vers la porte en animal affectueux et poli qui connaît ses devoirs et s'y conforme.

Le battant s'ouvrit; Pierre se leva, ôta respectueusement son béret, et le nouveau venu fit son apparition dans la salle, précédé du vieux chien dont nous avons déjà parlé, et qui essayait une gambade et retombait lourdement, appesanti par l'âge. Béelzébuth ne témoignait pas à Miraut l'antipathie que ses pareils professent d'ordinaire pour la gente canine. Il le regardait au contraire fort amicalement, en roulant ses prunelles vertes et en faisant le gros dos. On voyait qu'ils se connaissaient de longue main et se tenaient souvent compagnie dans la solitude du château.

Le baron de Sigognac, car c'était bien le seigneur de ce castel démantelé qui venait d'entrer dans la cuisine, était un jeune homme de vingt-cinq ou vingt-six ans, quoique au premier abord on lui en eût attribué peut-être davantage, tant il paraissait grave et sérieux. Le sentiment de l'impuissance, qui suit la pauvreté, avait fait fuir la gaieté de ses traits et tomber cette fleur printanière qui veloute les jeunes visages. Des auréoles de bistre cerclaient déjà ses yeux meurtris, et ses joues creuses accusaient assez fortement la saillie des pommettes; ses moustaches, au lieu de se retrousser gaillardement en crocs, portaient la pointe basse et semblaient pleurer auprès de sa bouche triste; ses cheveux, négligemment peignés, pendaient par mèches noires au long de sa face pâle avec une absence de coquetterie rare dans un jeune homme qui eût pu passer pour beau, et montraient une renonciation absolue à toute idée de plaire. L'habitude d'un chagrin secret avait fait prendre des plis douloureux à une physionomie qu'un peu de bonheur eût rendue charmante, et la résolution naturelle à cet âge y paraissait plier devant une mauvaise fortune inutilement combattue.

Quoique agile et d'une constitution plutôt robuste que faible, le jeune Baron se mouvait avec une lenteur apathique, comme quelqu'un qui a donné sa démission de la vie. Son geste était endormi et mort, sa contenance inerte, et l'on voyait qu'il lui était parfaitement égal d'être ici ou là, parti ou revenu.

Sa tête était coiffée d'un vieux feutre grisâtre, tout bossué et tout rompu, beaucoup trop large, qui lui descendait jusqu'aux sourcils et le forçait, pour y voir, à relever le nez. Une plume, que ses barbes rares faisaient ressembler à une arête de poisson, s'adaptait au

chapeau, avec l'intention visible d'y figurer un
panache, et retombait flasquement par-derrière comme
honteuse d'elle-même. Un col d'une guipure antique,
dont tous les jours n'étaient pas dus à l'habileté de
l'ouvrier et auquel la vétusté ajoutait plus d'une découpure, se rabattait sur son justaucorps dont les plis
flottants annonçaient qu'il avait été taillé pour un
homme plus grand et plus gros que le fluet Baron. Les
manches de son pourpoint cachaient les mains comme
les manches d'un froc, et il entrait jusqu'au ventre
dans ses bottes à chaudron, ergotées d'un éperon de
fer. Cette défroque hétéroclite était celle de feu son
père, mort depuis quelques années, et dont il achevait
d'user les habits, déjà mûrs pour le fripier à l'époque
du décès de leur premier possesseur. Ainsi accoutré
de ces vêtements, peut-être fort à la mode au commencement de l'autre règne, le jeune Baron avait l'air à la
fois ridicule et touchant; on l'eût pris pour son propre
aïeul. Quoiqu'il professât pour la mémoire de son père
une vénération toute filiale et que souvent les larmes
lui vinssent aux yeux en endossant ces chères reliques,
qui semblaient conserver dans leurs plis les gestes et
les attitudes du vieux gentilhomme défunt, ce n'était
pas précisément par goût que le jeune Sigognac s'affu-
blait de la garde-robe paternelle, Il ne possédait pas
d'autres vêtements et avait été tout heureux de déterrer au fond d'une malle cette portion de son héritage.
Ses habits d'adolescent étaient devenus trop étroits.
Au moins il tenait à l'aise dans ceux de son père. Les
paysans, habitués à les vénérer sur le dos du vieux
Baron, ne les trouvaient pas ridicules sur celui du fils,
et ils les saluaient avec la même déférence; ils n'aper-
cevaient pas plus les déchirures du pourpoint que les
lézardes du château. Sigognac, tout pauvre qu'il fût,
était toujours à leurs yeux le seigneur, et la décadence
de cette famille ne les frappait pas comme elle eût
fait des étrangers; et c'était cependant un spectacle
assez grotesquement mélancolique que de voir passer
le jeune Baron dans ses vieux habits, sur son vieux
cheval, accompagné de son vieux chien, comme ce
chevalier de la Mort de la gravure d'Albert Dürer.

Le Baron s'assit en silence devant la petite table,
après avoir répondu d'un geste de main bienveillant
au salut respectueux de Pierre.

Celui-ci détacha la marmite de la crémaillère, en

versa le contenu sur son pain taillé d'avance dans
une écuelle de terre commune qu'il posa devant le
Baron; c'était ce potage vulgaire qu'on mange encore
en Gascogne, sous le nom de garbure; puis il tira de
l'armoire un bloc de miasson tremblant sur une serviette saupoudrée de farine de maïs et l'apporta sur la
table avec la planchette qui la soutenait. Ce mets
local avec la garbure graissée par un morceau de lard
dérobé, sans doute, à l'appât d'une souricière, vu son
exiguïté, formait le frugal repas du Baron, qui mangeait d'un air distrait entre Miraut et Béelzébuth, tous
deux en extase et le museau en l'air de chaque côté
de sa chaise, attendant qu'il tombât sur eux quelques
miettes du festin. De temps à autre le Baron jetait à
Miraut, qui ne laissait pas arriver le morceau à terre,
une bouchée de pain à laquelle il avait fait toucher la
tranche de lard pour lui donner au moins le parfum
de la viande. La couenne échut au chat noir, dont la
satisfaction se traduisit par des grondements sourds
et une patte étendue en avant, toutes griffes dehors,
comme prête à défendre sa proie.

Ce maigre régal terminé, le Baron parut tomber
dans des réflexions douloureuses, ou tout au moins
dans une distraction dont le sujet n'avait rien
d'agréable. Miraut avait posé sa tête sur le genou de
son maître et fixait sur lui des yeux voilés par l'âge
d'une fleur bleuâtre, mais que semblait vouloir percer
une étincelle d'intelligence presque humaine. On eût
dit qu'il comprenait les pensées du Baron et cherchait à lui témoigner sa sympathie. Béelzébuth faisait
ronfler son rouet aussi bruyamment que Berthe la
filandière, et poussait de petits cris plaintifs pour attirer vers lui l'attention envolée du Baron. Pierre se
tenait debout à quelque distance, immobile comme ces
longues et roides statues de granit qu'on voit aux
porches des cathédrales, respectant la rêverie de son
maître et attendant qu'il lui donnât quelque ordre.

Pendant ce temps la nuit s'était faite, et de grandes
ombres s'entassaient dans les recoins de la cuisine,
comme des chauves-souris qui s'accrochent aux angles
des murailles par les doigts de leurs ailes membra-
neuses. Un reste de feu, qu'avivait la rafale engouffrée
dans la cheminée, colorait de reflets bizarres le groupe
réuni autour de la table avec une sorte d'intimité triste
qui faisait ressortir encore la mélancolique solitude du

château. D'une famille jadis puissante et riche il ne
restait qu'un rejeton isolé, errant comme une ombre
dans ce manoir peuplé par ses aïeux; d'une livrée
nombreuse il n'existait plus qu'un seul domestique,
serviteur par dévouement, qui ne pouvait être remplacé; d'une meute de trente chiens courants il ne survivait qu'un chien unique, presque aveugle et tout gris
de vieillesse, et un chat noir servait l'âme au logis
désert.

Le Baron fit signe à Pierre qu'il voulait se retirer.
Pierre, se baissant au foyer, alluma un éclat de bois
de pin enduit de résine, sorte de chandelle écono-
mique qu'emploient les pauvres paysans, et se mit à
précéder le jeune seigneur; Miraut et Béelzébuth se
joignirent au cortège : la lueur fumeuse de la torche
faisait vaciller sur les murailles de l'escalier les
fresques pâlies et donnait une apparence de vie aux
portraits enfumés de la salle à manger dont les yeux
noirs et fixes semblaient un regard de pitié douloureuse sur leur descendant.

Arrivé à la chambre à coucher fantastique que nous
avons décrite, le vieux serviteur alluma une petite
lampe de cuivre à un bec dont la mèche se repliait
dans l'huile comme un ténia dans l'esprit-de-vin à la
montre d'un apothicaire, et se retira suivi de Miraut.
Béelzébuth, qui jouissait de ses grandes entrées, s'installa sur un des fauteuils. Le Baron s'affaissa sur l'autre,
accablé par la solitude, le désœuvrement et l'ennui.

Si la chambre avait l'air d'une chambre à revenants
pendant le jour, c'était encore bien pis le soir à
la clarté douteuse de la lampe. La tapisserie prenait
des tons livides, et le chasseur, sur un fond de verdure
sombre, devenait, ainsi éclairé, un être presque réel.
Il ressemblait, avec son arquebuse en joue, à un assassin guettant sa victime, et ses lèvres rouges ressortaient plus étrangement encore sur son visage pâle.
On eût dit une bouche de vampire empourprée de
sang.

La lampe saisie par l'atmosphère humide grésillait
et jetait des lueurs intermittentes, le vent poussait des
soupirs d'orgue à travers les couloirs, et des bruits
effrayants et singuliers se faisaient entendre dans les
chambres désertes.

Le temps était devenu mauvais, et de larges gouttes
de pluie, poussées par la rafale, tintaient sur les vitres

secouées dans leurs mailles de plomb. Quelquefois le vitrage semblait près de ployer et de s'ouvrir, comme si l'on eût fait une pesée à l'extérieur. C'était le genou de la tempête qui s'appuyait sur le frêle obstacle. Parfois, pour ajouter une note de plus à l'harmonie, un des hiboux nichés sous la toiture exhalait un piaulement semblable au cri d'un enfant égorgé, ou, contrarié par la lumière, venait heurter à la fenêtre avec un grand bruit d'ailes.

Le châtelain de ce triste manoir, habitué à ces lugubres symphonies, n'y faisait aucune attention. Béelzébuth seul, avec l'inquiétude naturelle aux animaux de son espèce, agitait à chaque bruit les racines de ses oreilles coupées et regardait fixement dans les angles obscurs, comme s'il y eût aperçu, de ses prunelles nyctalopes, quelque chose d'invisible à l'œil humain. Ce chat visionnaire, au nom et à la mine diaboliques, eût alarmé un moins brave que le Baron; car il avait l'air de savoir bien des choses apprises dans ses courses nocturnes, à travers les galetas et les chambres inhabitées du castel; plus d'une fois il avait dû faire, au bout du corridor, des rencontres qui eussent blanchi les cheveux d'un homme.

Sigognac prit sur la table un petit volume dont la reliure ternie portait estampé l'écusson de sa famille, et se mit à en tourner les feuilles d'un doigt nonchalant. Si ses yeux parcouraient exactement les lignes, sa pensée était ailleurs ou ne prenait qu'un intérêt médiocre aux odelettes et aux sonnets amoureux de Ronsard, malgré leurs belles rimes et leurs doctes inventions renouvelées des Grecs. Bientôt il jeta le livre et se mit à déboutonner son pourpoint lentement comme un homme qui n'a pas envie de dormir et se couche, de guerre lasse, parce qu'il ne sait que faire et veut essayer de noyer l'ennui dans le sommeil. Les grains de poussière tombent si tristement dans le sablier par une nuit noire et pluvieuse au fond d'un château ruiné qu'entoure un océan de bruyères, sans un seul être vivant à dix lieues à la ronde!

Le jeune Baron, unique survivant de la famille Sigognac, avait, en effet, bien des motifs de mélancolie. Ses aïeux s'étaient ruinés de différentes manières, soit par le jeu, soit par la guerre ou par le vain désir de briller, en sorte que chaque génération avait légué à l'autre un patrimoine de plus en plus diminué.

Les fiefs, les métairies, les fermes et les terres qui
relevaient du château s'étaient envolés pièce à pièce;
et le dernier Sigognac, après des efforts inouïs pour
relever la fortune de la famille, efforts sans résultats
parce qu'il est trop tard pour boucher les voies d'eau
d'un navire lorsqu'il sombre, n'avait laissé à son fils
que ce castel lézardé et les quelques arpents de terre
stérile qui l'entouraient; le reste avait dû être abandonné aux créanciers et aux juifs.

La pauvreté avait donc bercé le jeune enfant de ses
mains maigres, et ses lèvres s'étaient suspendues à
une mamelle tarie. Privé tout jeune de sa mère morte
de tristesse dans ce château délabré, en songeant à
la misère qui devait peser plus tard sur son fils et
lui fermer toute carrière, il ne connaissait pas les
douces caresses et les tendres soins dont la jeunesse
est entourée, même dans les familles les moins heureuses. La sollicitude de son père, qu'il regrettait
pourtant, ne s'était guère traduite que par quelques
coups de pied au derrière, ou l'ordre de lui donner
le fouet. En ce moment, il s'ennuyait si fort qu'il eût
été heureux de recevoir une de ces admonestations
paternelles dont le souvenir lui faisait venir les larmes
aux yeux; car un coup de pied de père à fils, c'est
encore une relation humaine et, depuis quatre ans que
le Baron dormait allongé sous sa dalle dans le caveau
de famille des Sigognac, il vivait au milieu d'une
solitude profonde. Sa jeune fierté répugnait à
paraître parmi la noblesse de la province aux fêtes
et aux chasses sans l'équipage convenable à sa
qualité.

Qu'eût-on dit, en effet, de voir le baron de Sigognac
accoutré comme un gueux de l'Hostière ou comme un
cueilleur de pommes du Perche? Cette considération
l'avait empêché d'aller offrir ses services comme
domestique à quelque prince. Aussi beaucoup de gens
croyaient-ils que les Sigognac étaient éteints, et l'oubli, qui pousse sur les morts encore plus vite que
l'herbe, effaçait cette famille autrefois importante et
riche, et bien peu de personnes savaient qu'il existât
encore un rejeton de cette race amoindrie.

Depuis quelques instants, Béelzébuth paraissait
inquiet, il levait la tête comme s'il subodorait quelque
chose d'inquiétant; il se dressait contre la fenêtre et
appuyait ses pattes aux carreaux. cherchant à percer

le noir sombre de la nuit rayé de hachures pressées de pluie; son nez se fronçait et s'agitait.

Un hurlement prolongé de Miraut s'élevant au milieu du silence vint bientôt confirmer la pantomime du chat; il se passait décidément quelque chose d'insolite aux environs du castel, d'ordinaire si tranquille.

Miraut continuait d'aboyer avec toute l'énergie que lui permettait son enrouement chronique. Le Baron, pour être prêt à tout événement, reboutonna le pourpoint qu'il allait quitter et se dressa sur ses pieds.

« Qu'a donc Miraut, lui qui ronfle comme le chien des Sept-Dormants, sur la paille de sa niche, dès que le soleil est couché, pour faire un pareil vacarme? Est-ce qu'un loup rôderait autour des murailles? » dit le jeune homme en ceignant une épée à lourde coquille de fer qu'il détacha du mur et dont il boucla le ceinturon à son dernier trou, car la bande de cuir coupée pour la taille du vieux Baron eût fait deux fois le tour de celle du fils.

Trois coups frappés assez violemment à la porte du castel retentirent à intervalles mesurés et firent gémir les échos des chambres vides.

Qui pouvait à cette heure venir troubler la solitude du manoir et le silence de la nuit? Quel voyageur malavisé heurtait à cette porte qui ne s'était pas ouverte depuis si longtemps pour un hôte, non par manque de courtoisie de la part du maître, mais par l'absence des visiteurs?

Qui demandait à être reçu dans cette auberge de la famine, dans cette cour plénière du Carême, dans cet hôtel de misère et de lésine?

## II

### LE CHARIOT DE THESPIS

SIGOGNAC descendit l'escalier, protégeant sa lampe avec sa main contre les courants d'air qui menaçaient de l'éteindre. Le reflet de la flamme pénétrait ses phalanges amincies et les teignait d'un rouge diaphane, en sorte que, quoique ce fût la nuit et qu'il marchât suivi d'un chat noir au lieu de précéder le soleil, il méritait l'épithète appliquée par le bon Homère aux doigts de l'Aurore.

Il abaissa la barre de la porte, entrouvrit le battant mobile, et se trouva en face d'un personnage au nez duquel il porta sa lampe. Eclairée par ce rayon, une assez grotesque figure se dessina sur le fond d'ombre : un crâne couleur de beurre rance luisait sous la lumière et la pluie. Des cheveux gris plaqués aux tempes, un nez cardinalisé de purée septembrale, tout fleuri de bubelettes, s'épanouissant en bulbe entre deux petits yeux vairons recouverts de sourcils très épais et bizarrement noirs, des joues flasques, martelées de tons vineux et traversées de fibrilles rouges, une bouche lippue d'ivrogne et de satyre, un menton à verrue où s'implantaient quelques poils revêches et durs comme des crins de vergette composaient un ensemble de physionomie digne d'être sculptée en mascaron sous la corniche du Pont-Neuf. Une certaine bonhomie spirituelle tempérait ce que ces traits pouvaient présenter de peu engageant au premier coup d'œil. Les angles plissés des yeux et les commissures des lèvres remontées vers les oreilles indiquaient d'ailleurs l'intention d'un sourire gracieux. Cette tête de fantoche, servie sur une fraise de blancheur équivoque, surmontait un corps pendu dans une souquenille noire qui saluait en arc de cercle avec une affectation de politesse exagérée.

Les saluts accomplis, le burlesque personnage, prévenant sur les lèvres du Baron la question qui allait en jaillir, prit la parole d'un ton légèrement emphatique et déclamatoire :

« Daignez m'excuser, noble châtelain, si je viens frapper moi-même à la poterne de votre forteresse sans me faire précéder d'un page ou d'un nain sonnant du cor, et cela à une heure avancée. Nécessité n'a pas de loi et force les gens du monde les plus polis à des barbarismes de conduite.

— Que voulez-vous? interrompit assez sèchement le Baron ennuyé par le verbiage du vieux drôle.

— L'hospitalité pour moi et mes camarades, des princes et des princesses, des Léandres et des Isabelles, des docteurs et des capitaines qui se promènent de bourgs en villes sur le chariot de Thespis, lequel chariot, traîné par des bœufs à la manière

antique, est maintenant embourbé à quelques pas de
votre château.

— Si je comprends bien ce que vous dites, vous
êtes des comédiens de province en tournée et vous
avez dévié du droit chemin?

— On ne saurait mieux élucider mes paroles,
répondit l'acteur, et vous parlez de cire. Puis-je espé-
rer que Votre Seigneurerie m'accorde ma requête?

— Quoique ma demeure soit assez délabrée et que je
n'aie pas grand-chose à vous offrir, vous y serez toujours un peu moins mal qu'en plein air par une pluie
battante. »

Le Pédant, car tel paraissait être son emploi dans
la troupe, s'inclina en signe d'assentiment.

Pendant ce colloque, Pierre, éveillé par les abois de
Minaut, s'était levé et avait rejoint son maître sous le
porche. Mis au fait de ce qui se passait, il alluma une
lanterne, et tous trois se dirigèrent vers la charrette
embourbée.

Le Léandre et le Matamore poussaient à la roue, et
le Roi piquait les bœufs de son poignard tragique. Les
femmes, enveloppées de leurs manteaux, se désespé-
raient, geignaient et poussaient de petits cris. Ce renfort inattendu et surtout l'expérience de Pierre eurent
bientôt fait franchir le mauvais pas au lourd chariot,
qui, dirigé sur un terrain plus ferme, atteignit le château, passa sous la voûte ogivale et fut rangé dans la
cour.

Les bœufs dételés allèrent prendre place à l'écurie à
côté du bidet blanc; les comédiennes sautèrent à bas
de la charrette faisant bouffer leurs jupes fripées, et
montèrent, guidée par Sigognac, dans la salle à manger, la pièce la plus habitable de la maison. Pierre
trouva au fond du bûcher un fagot et quelques brassées de broussailles qu'il jeta dans la cheminée et qui
se mirent à flamber joyeusement. Quoiqu'on ne fût
encore qu'au début de l'automne, un peu de feu était
nécessaire pour sécher les vêtements humides de ces
dames; d'ailleurs la nuit était fraîche et l'air sifflait
par les boiseries disjointes de cette pièce inhabitée.

Les comédiens, bien qu'habitués par leur vie errante
aux gîtes les plus divers, regardaient avec étonnement cet étrange logis que les hommes semblaient
avoir abandonné depuis longtemps aux esprits et qui
faisait naître involontairement des idées d'histoires

tragiques; pourtant ils n'en témoignaient, en personnes bien élevées, ni terreur ni surprise.

« Je ne puis vous donner que le couvert, dit le jeune Baron, mon garde-manger ne renferme pas de quoi faire souper une souris. Je vis seul en ce manoir, ne recevant jamais personne, et vous voyez, sans que je vous le dise, que la fortune n'habite pas céans.

— Qu'à cela ne tienne, répliqua le Pédant; si, au théâtre, l'on nous sert des poulets de carton et des bouteilles de bois tourné, nous nous précautionnons, pour la vie ordinaire, de mets plus substantiels. Ces viandes creuses et ces boissons imaginaires iraient mal à nos estomacs, et, en qualité de munitionnaire de la troupe, je tiens toujours en réserve quelque jambon de Bayonne, quelque pâté de venaison, quelque longe de veau de Rivière, avec une douzaine de flacons de vin de Cahors et de Bordeaux.

— Bien parlé, Pédant, exclama le Léandre; va chercher les provisions, et, si ce seigneur le permet et daigne souper avec nous, dressons ici même la table du festin. Il y a dans ces buffets assez de vaisselle, et ces dames mettront le couvert. »

Au signe d'acquiescement que fit le Baron tout étourdi de l'aventure, l'Isabelle et la donna Sérafina, assises toutes deux près de la cheminée, se levèrent et rangèrent les plats sur la table préalablement essuyée par Pierre et recouverte d'une vieille nappe usée, mais blanche.

Le Pédant reparut bientôt portant un panier de chaque main, et plaça triomphalement au milieu de la table une forteresse de pâté aux murailles blondes et dorées, qui renfermait dans ses flancs une garnison de becfigues et de perdreaux. Il entoura ce fort gastronomique de six bouteilles, pour ouvrages avancés, qu'il fallait emporter avant de prendre la place. Une langue de bœuf fumée et une tranche de jambon complétèrent la symétrie.

Béelzébuth, qui s'était perché sur le haut d'un buffet et suivait curieusement de l'œil ces préparatifs extra- ordinaires, tâchait de s'approprier, au moins par l'odo- rat, toutes ces choses exquises étalées en abondance. Son nez couleur de truffe aspirait profondément les émanations parfumées; ses prunelles vertes jubilaient et scintillaient, une petite bave de convoitise argentait son menton. Il aurait bien voulu s'approcher de la

table et prendre sa part de cette frairie à la Gargantua si en dehors des sobriétés érémitiques de la maison; mais la vue de tous ces nouveaux visages l'épou-
vantait et sa poltronnerie combattait sa gourmandise.

Ne trouvant pas la lueur de la lampe suffisamment
rayonnante, le Matamore était allé chercher dans la
charrette deux flambeaux de théâtre, en bois entouré
de papier doré et munis chacun de plusieurs bougies,
renfort qui produisit une illumination assez magnifique. Ces flambeaux, dont la forme rappelait celle du
chandelier à sept branches de l'Ecriture, se plaçaient
ordinairement sur l'autel de l'hyménée, au dénouement
des pièces à machines, ou sur la table du festin, dans
la *Marianne* de Mairet et l'*Hérodiade* de Tristan.

A leur clarté et à celle des bourrées flambantes, la
chambre morte avait repris une espèce de vie. De
faibles rougeurs coloraient les joues pâles des portraits, et si les douairières vertueuses, engoncées dans
leurs collerettes et roides sous leur vertugadin, prenaient un air pincé à l'aspect des jeunes comédiennes
folâtrant dans ce grave manoir, en revanche les guerriers et les chevaliers de Malte sémblaient leur sourire du fond de leur cadre et se trouver heureux
d'assister à pareille fête, à l'exception de deux ou trois
vieilles moustaches grises boudant obstinément sous
leur vernis jaune, et gardant, malgré tout, les mines
rébarbatives dont le peintre les avait dotées.

Un air plus tiède et plus vivace circulait dans cette
vaste salle, où l'on ne respirait habituellement que
l'humidité moisie du sépulcre. Le délabrement des
meubles et des tentures était moins visible, et le
spectre pâle de la misère semblait avoir abandonné le
château pour quelques instants.

Sigognac, à qui cette surprise avait d'abord été désagréable, se laissait aller à une sensation de bien-être
inconnue. L'Isabelle, donna Sérafina, et même la Soubrette, lui troublaient doucement l'imagination et lui
faisaient l'effet plutôt de divinités descendues sur la
terre que de simples mortelles. C'étaient, en effet, de
fort jolies femmes et qui eussent préoccupé de moins
novices que notre jeune Baron. Tout cela lui produisait l'effet d'un rêve, et il craignait à tout moment de
se réveiller.

Le Baron donna la main à donna Sérafina, qu'il fit
asseoir à sa droite. Isabelle prit place à gauche, la

Soubrette se mit en face, la Duègne s'établit à côté du
Pédant, Léandre et le Matamore s'assirent où ils vou-
lurent. Le jeune maître du château put alors étudier
tout à son aise les physionomies de ses hôtes vivement éclairées et ressortant avec un plein relief. Son
examen porta d'abord sur les femmes, dont il ne serait
pas hors de propos de tirer ici un léger crayon, tandis que le Pédant pratique une brèche aux remparts
du pâté.

La Sérafina était une jeune femme de vingt-quatre
à vingt-cinq ans, à qui l'habitude de jouer les grandes
coquettes avait donné l'air du monde et autant de
manège qu'à une dame de cour. Sa figure, d'un oval
un peu allongé, son nez légèrement aquilin, ses yeux
gris à fleur de tête, sa bouche rouge, dont la lèvre
inférieure était coupée par une petite raie, comme
celle d'Anne d'Autriche, et ressemblait à une cerise,
lui composaient une physionomie avenante et noble à
laquelle contribuaient encore deux cascades de cheveux châtains descendant par ondes au long de ses
joues, où l'animation et la chaleur avaient fait paraître
de jolies couleurs roses. Deux longues mèches, appelées moustaches et nouées chacune par trois rosettes
de ruban noir, se détachaient capricieusement des
crépelures et en faisaient valoir la grâce vaporeuse
comme des touches de vigueur que donne un peintre
au tableau qu'il termine. Son chapeau de feutre à bord
rond, orné de plumes dont la dernière se contournait
en panache sur les épaules de la dame et les autres
se recroquevillaient en bouillons, coiffait cavalière-
ment la Sérafina; un col d'homme rabattu, garni d'un
point d'Alençon et noué d'une bouffette noire, de même
que les moustaches, s'étalait sur une robe de velours
vert à manches crevées, relevées d'aiguillettes et de
brandebourgs, et dont l'ouverture laissait bouillonner
le linge; une écharpe de soie blanche, posée en ban-
doulière, achevait de donner à cette mise un air
galant et décidé.

Ainsi attifée, Sérafina avait une mine de Penthési-
lée et de Marphise très propres aux aventures et aux
comédies de cape et d'épée. Sans doute tout cela
n'était pas de la première fraîcheur, l'usage avait
miroité par places le velours de la jupe, la toile de
Frise était un peu fripée, les dentelles eussent paru
rousses au grand jour; les broderies de l'écharpe, à

les regarder de près, rougissaient et trahissaient le
clinquant; plusieurs aiguillettes avaient perdu leurs
ferrets, et la passementerie éraillée des brandebourgs
se défilait par endroits; les plumes énervées battaient
flasquement sur les bords du feutre, les cheveux étaient
un peu défrisés, et quelques fétus de paille, ramassés
dans la charrette, se mêlaient assez pauvrement à leur
opulence.

Ces petites misères de détail n'empêchaient pas
donna Sérafina d'avoir un port de reine sans royaume.
Si son habit était fané, sa figure était fraîche, et, d'ailleurs, cette mise paraissait la plus éblouissante du
monde au jeune baron de Sigognac, peu habitué à de
pareilles magnificences, et qui n'avait jamais vu que
des paysannes vêtues d'une jupe de bure et d'une cape
de callemande. Il était, du reste, trop occupé des yeux
de la belle pour faire attention aux éraillures de son
costume.

L'Isabelle était plus jeune que la donna Sérafina,
ainsi que l'exigeait son emploi d'ingénue; elle ne
poussait pas non plus aussi loin la braverie du costume
et se bornait à une élégante et bourgeoise simplicité,
comme il convient à la fille de Cassandre. Elle avait
le visage mignon, presque enfantin encore, de beaux
cheveux d'un châtain soyeux, l'œil voilé par de longs
cils, la bouche en cœur et petite, et un air de modestie
virginale, plus naturel que feint. Un corsage de taffetas gris, agrémenté de velours noir et de jais, s'allongeait en pointe sur une jupe de même couleur; une
fraise, légèrement empesée, se dressait derrière sa
jolie nuque où se tordaient de petites boucles de cheveux follets, et un fil de perles fausses entourait son
col; quoique au premier abord elle attirât moins l'œil
que la Sérafina, elle le retenait plus longtemps. Si elle
n'éblouissait pas, elle charmait, ce qui a bien son
avantage.

La Soubrette méritait en plein l'épithète de *morena*
que les Espagnols donnent aux brunes. Sa peau se
colorait de tons dorés et fauves comme celle d'une
gitana. Ses cheveux drus et crespelés étaient d'un noir
d'enfer, et ses prunelles d'un brun jaune pétillaient
d'une malice diabolique. Sa bouche, grande et d'un
rouge vif, laissait luire par éclairs blancs une denture
qui eût fait honneur à un jeune loup. Du reste, elle
était maigre et comme consumée d'ardeur et d'esprit,

mais de cette maigreur jeune et bien portante qui ne fait point mal à voir. A coup sûr, elle devait être aussi experte à recevoir et à remettre un poulet à la ville qu'au théâtre; mais elle devait bien compter sur ses charmes, la dame qui se servait d'une pareille Dariolette! En passant par ses mains, plus d'une déclaration d'amour n'était pas arrivée à son adresse, et le galant oublieux s'était attardé dans l'antichambre. C'était une de ces femmes que leurs compagnes trouvent laides, mais qui sont irrésistibles pour les hommes et semblent pétries avec du sel, du piment et des cantharides, ce qui ne les empêche pas d'être froides comme des usuriers lorsqu'il s'agit de leurs intérêts. Un costume fantasque, bleu et jaune avec un bavolet de fausse dentelle, composait sa toilette.

Dame Léonarde, la mère noble de la troupe, était vêtue tout de noir comme une duègne espagnole. Des coiffes d'étamine encadraient sa figure grasse à plusieurs mentons, pâlie et comme usée par quarante ans de fard. Des tons d'ivoire jauni et de vieille cire blêmissaient son embonpoint malsain, venu plutôt de l'âge que de la santé. Ses yeux, sur lesquels descendait une paupière molle, avaient une expression d'astuce, et faisaient comme deux taches noires dans sa figure blafarde. Quelques poils commençaient à obombrer les commissures de ses lèvres, quoiqu'elle les arrachât soigneusement avec des pinces. Le caractère féminin avait presque disparu de cette figure, dans les rides de laquelle on eût retrouvé bien des histoires, si l'on eût pris la peine de les y chercher. Comédienne depuis son enfance, dame Léonarde en savait long sur une carrière dont elle avait successivement rempli tous les emplois jusqu'à celui de duègne, accepté si difficilement par la coquetterie, toujours mal convaincue des ravages du temps. Léonarde avait du talent, et, toute vieille qu'elle était, savait se faire applaudir, même à côté des jeunes et jolies, toutes surprises de voir les bravos s'adresser à cette sorcière.

Voilà pour le personnel féminin. Les principaux emplois de la comédie s'y trouvaient représentés, et, s'il manquait un personnage, on racolait en route quelque comédien errant ou quelque amateur de théâtre, heureux de se charger d'un petit rôle, et d'approcher ainsi des Angéliques et des Isabelles. Le personnel mâle se composait du Pédant déjà décrit, et sur lequel il n'est pas nécessaire de revenir, du Léandre, du Scapin, du Tyran tragique et du Tranche-montagne.

Le Léandre, obligé par état de rendre douces comme brebis les tigresses les plus hyrcaniennes, de duper les Truffaldins, d'écarter les Ergastes et de passer à travers les pièces toujours superbe et triomphant, était un garçon de trente ans que les soins excessifs qu'il prenait de sa personne faisaient paraître beaucoup plus jeune. Ce n'est pas une petite affaire que de représenter, pour les spectatrices, l'amant, cet être mystérieux et parfait, que chacune façonne à sa guise d'après *L'Amadis* ou *L'Astrée*. Aussi messer Léandre se graissait-il le museau de blanc de baleine, et s'enfarinait-il chaque soir de poudre de talc; ses sourcils, dont il arrachait avec des pinces les poils rebelles, semblaient une ligne tracée à l'encre de Chine, et finissaient en queue de rat. Des dents, brossées à outrance et frottées d'opiat, brillaient comme des perles d'Orient dans ses gencives rouges, qu'il découvrait à tout propos, méconnaissant le proverbe grec qui dit que rien n'est plus sot qu'un sot rire. Ses camarades prétendaient que, même à la ville, il mettait une pointe de rouge pour s'aviver l'œil. Des cheveux noirs, soigneusement calamistrés, se tordaient au long des joues en spirales brillantes un peu alanguies par la pluie, ce dont il prenait occasion pour leur redonner du tour avec le doigt, et montrer ainsi une main fort blanche, où scintillait un solitaire beaucoup trop gros pour être vrai. Son col rabattu laissait voir un cou rond et blanc, rasé de si près que la barbe n'y paraissait pas. Un flot de linge assez propre bouillonnait entre sa veste et ses chausses tuyautées d'un monde de rubans dont la conservation paraissait l'occuper beaucoup. En regardant la muraille, il avait l'air de mourir d'amour, et ne demandait point à boire sans pâmer. Il ponctuait ses phrases de soupirs et faisait, en parlant des choses les plus indifférentes, des clins d'yeux, des airs penchés et des mines à crever de rire; mais les femmes trouvaient cela charmant.

Le Scapin avait une tête de renard, futée, pointue, narquoise : ses sourcils remontaient sur son front en accent circonflexe, découvrant un œil émerillonné toujours en mouvement, et dont la prunelle jaune tremblotait comme une pièce d'or sur du vif-argent; des

pattes d'oie de rides malignes se plissaient à chaque
coin de ses paupières pleines de mensonges, de ruses
et de fourberies; ses lèvres, minces et flexibles,
remuaient perpétuellement, et montraient, à travers un
sourire équivoque, des canines aiguës d'aspect assez
féroce; et, quand il ôtait sa barrette rayée de blanc et
de rouge, ses cheveux coupés en brosse accusaient les
contours d'une tête bizarrement bossuée. Ces cheveux
étaient fauves et feutrés comme du poil de loup, et complétaient le caractère de bête malfaisante répandu sur
sa physionomie. On était tenté de regarder aux mains
de ce drôle pour voir s'il ne s'y trouvait pas des calus
causés par le maniement de la rame, car il avait bien
l'air d'avoir passé quelques saisons à écrire ses mé-
moires sur l'Océan avec une plume de quinze pieds.
Sa voix fausse, tantôt haute, tantôt basse, procédait par
brusques changements de tons et glapissements bizarres,
qui surprenaient et faisaient rire sans qu'on en eût
envie; ses mouvements inattendus et comme déterminés
par la détente subite d'un ressort caché, présentaient
quelque chose d'illogique et d'inquiétant, et paraissaient servir plutôt à retenir l'interlocuteur qu'à exprimer une pensée ou un sentiment. C'était la pantomime
du renard évoluant avec rapidité, et faisant cent tours
de passe-passe sous l'arbre du haut duquel le dindon
fasciné le regarde avant de se laisser choir.

Il portait une souquenille grise par-dessus son costume, dont on entrevoyait les zébrures, soit qu'il n'eût
pas eu le temps de se déshabiller après sa dernière
représentation, soit que sa garde-robe exiguë ne lui
permit pas d'avoir habit de ville et habit de théâtre au
grand complet.

Quant au Tyran, c'était un fort bon homme que la
nature avait doué, sans doute par plaisanterie, de tous
les signes extérieurs de la férocité. Jamais âme plus
débonnaire ne revêtit une enveloppe plus rébarbative.
De gros sourcils charbonnés, larges de deux doigts,
noirs comme s'ils eussent été en peau de taupe, se re-
joignant à la racine du nez, des cheveux crépus, une
barbe épaisse montant jusqu'aux yeux, et qu'il ne taillait point pour n'avoir pas à s'en adapter une postiche
lorsqu'il jouait les Hérodes et les Polyphontes, un teint
basané comme un cuir de Cordoue lui faisaient une
physionomie truculente et formidable comme les
peintres aiment à en donner aux bourreaux et à leurs

aides dans les écorchements de saint Barthélemy ou les
décollations de saint Jean Baptiste. Une voix de taureau à faire trembler les vitres et remuer les verres sur
la table ne contribuait pas peu à entretenir la terreur
qu'inspirait cet aspect de Croquemitaine rehaussé par
un pourpoint de velours noir d'une mode surannée;
aussi obtenait-il un succès d'épouvante en hurlant les
vers de Garnier et de Scudéry. Il était, du reste, entri-
paillé comme il faut, et capable de bien remplir un
trône.

Le Tranche-montagne, lui, était maigre, hâve, noir et
sec comme un pendu d'été. Sa peau semblait un parchemin collé sur des os, un grand nez recourbé en bec
d'oiseau de proie, et dont l'arête mince luisait comme
de la corne, élevait sa cloison entre les deux côtés de
sa figure aiguisée en navette, et encore allongée par une
barbiche pointue. Ces deux profils collés l'un contre
l'autre avaient beaucoup de peine à former une face,
et les yeux, pour s'y loger, se retroussaient à la chinoise vers les tempes. Les sourcils à demi rasés se
contournaient en virgule noire au-dessus d'une prunelle inquiète, et les moustaches, d'une longueur démesurée, poissées et maintenues à chaque bout par un
cosmétique, remontaient en arc de cercle et poignar-
daient le ciel; les oreilles écartées de la tête figuraient
assez bien les deux anses d'un pot, et donnaient de la
prise aux croquignoles et aux nasardes. Tous ces traits
extravagants, tenant plutôt de la caricature que du naturel, semblaient avoir été sculptés par une fantaisie
folâtre dans un manche de rebec ou copiés d'après
ces coquecigrues et chimères pantagruéliques qui
tournent le soir aux lanternes des pâtissiers; ses grimaces de matamore étaient devenues, à la longue, sa
physionomie habituelle, et, sorti de la coulisse, il marchait fendu comme un compas, la tête rejetée en
arrière, le poing sur la hanche et la main à la coquille
de l'épée. Un justaucorps jaune, bombé en cuirasse,
agrémenté de vert et tailladé de crevés à l'espagnole
disposés dans le sens des côtes, une golille empesée
soutenue de fils de fer et de carton, large comme la
table ronde et où les douze pairs eussent pu prendre
leur repas, des hauts-de-chausses bouillonnés et ratta-
chés d'aiguillettes, des bottes de cuir blanc de Russie,
où ses jambes de coq ballottaient comme des flûtes
dans leur étui quand le ménétrier les remporte, une

rapière démesurée qu'il ne quittait jamais, et dont la poignée de fer, fenestrée à jour, pesait bien cinquante livres, formaient l'accoutrement du drôle, accoutrement sur lequel il drapait, pour plus de braverie, une couverture dont son épée relevait le bord. Disons, pour ne rien omettre, que deux pennes de coq, bifurquées comme un cimier de cocuage, adornaient grotesquement son feutre gris allongé en chausse à filtrer.

L'artifice de l'écrivain a cette infériorité sur celui du peintre qu'il ne peut montrer les objets que successivement. Un coup d'œil suffirait à saisir dans un tableau où l'artiste les aurait groupées autour de la table les diverses figures dont le dessin vient d'être donné; on les y verrait avec les ombres, les lumières, les attitudes contrastées, le coloris propre à chacun et une infinité de détails d'ajustement qui manquent à cette description, cependant déjà trop longue, bien qu'on ait tâché de la faire la plus brève possible; mais il fallait vous faire lier connaissance avec cette troupe comique tombée si inopinément dans la solitude du manoir de Sigognac.

Le commencement du repas fut silencieux; les grands appétits sont muets comme les grandes passions! mais, les premières furies apaisées, les langues se dénouèrent. Le jeune Baron, qui peut-être ne s'était pas rassasié depuis le jour où il avait été sevré, bien qu'il eût la meilleure envie du monde de paraître amoureux et romanesque devant la Sérafina et l'Isabelle, mangeait ou plutôt engloutissait avec une ardeur qui n'eût pas laissé soupçonner qu'il eût soupé déjà. Le Pédant, que cette fringale juvénile amusait, empilait sur l'assiette du sieur de Sigognac des ailes de perdrix et des tranches de jambon, aussitôt disparues que des flocons de neige sur une pelle rouge. Béelzébuth, emporté par la gourmandise, s'était déterminé, malgré ses terreurs, à quitter le poste inattaquable qu'il occupait sur la corniche du dressoir, et s'était fait ce raisonnement triomphal qu'il serait difficile de lui tirer les oreilles puisqu'il n'en possédait pas, et qu'on ne pourrait se livrer sur lui à cette plaisanterie vulgaire de lui affûter une casserole au derrière, puisque la queue absente interdisait ce genre de facétie plus digne de polissons que de gens de bonne compagnie, comme le paraissaient les hôtes réunis autour de cette table chargée de mets d'une succulence et d'un parfum inusités.

Il s'était approché, profitant de l'ombre, ventre à terre, et tellement aplati que les jointures de ses pattes formaient des coudes au-dessus de son corps, comme une panthère noire guettant une gazelle, sans que personne eût pris garde à lui. Parvenu jusqu'à la chaise du baron de Sigognac, il s'était redressé et, pour attirer l'attention du maitre, il lui jouait sur le genou un air de guitare avec ses dix griffes. Sigognac, indulgent pour l'humble ami qui avait souffert de si longues famines à son service, le faisait participer à sa bonne fortune en lui passant sous la table des os et des reliefs accueillis avec une reconnaissance frénétique. Miraut, qui avait trouvé moyen de s'introduire dans la salle du festin sur les pas de Pierre, eut aussi plus d'un bon lopin pour sa part.

La vie semblait revenue à cette habitation morte; il y avait de la lumière, de la chaleur et du bruit. Les comédiennes, ayant bu deux doigts de vin, pépiaient comme des perruches sur leurs bâtons et se complimentaient sur leurs succès réciproques. Le Pédant et le Tyran disputaient sur la préexcellence du poème comique et du poème tragique; l'un soutenant qu'il était plus difficile de faire rire les honnêtes gens que de les effrayer par des contes de nourrice qui n'avaient de mérite que l'antiquité; l'autre prétendant que la scurrilité et la bouffonnerie dont usaient les faiseurs de comédies ravalaient fort leur auteur. Le Léandre avait tiré un petit miroir de sa poche, et se regardait avec autant de complaisance que feu Narcissus le nez dans sa source. Contrairement à l'usage du Léandre, il n'était pas amoureux de l'Isabelle; ses visées allaient plus haut. Il espérait, par ses grâces et ses manières de gentilhomme, donner dans l'œil à quelque inflammable douairière, dont le carrosse à quatre chevaux viendrait le prendre à la sortie du théâtre et le conduire à quelque château où l'attendrait la sensible beauté, dans le négligé le plus galant, en face d'un régal des plus délicats. Cette vision s'était-elle réalisée quelquefois? Léandre l'affirmait... Scapin le niait, et c'était entre eux le sujet de contestations interminables. Le damné valet, malicieux comme un singe, prétendait que le pauvre homme avait beau jouer de la prunelle, lancer des regards assassins dans les loges, rire de façon à montrer ses trente-deux dents, tendre le jarret, cambrer sa taille, passer un petit peigne dans les crins de sa perruque et changer de linge à chaque représentation, dût-il se passer de déjeuner pour payer la lavandière, mais qu'il n'était pas parvenu encore à donner la plus légère envie de sa peau à la moindre baronne, même âgée de quarante-cinq ans, couperosée et constellée de signes moustachus.

Scapin, voyant Léandre occupé à cette contemplation, avait adroitement remis cette querelle sur le tapis, et le bellâtre furieux offrit d'aller chercher parmi ses bagages un coffre rempli de poulets flairant le musc et le benjoin, à lui adressés par une foule de personnes de qualité, comtesses, marquises et baronnes, toutes folles d'amour, en quoi le fat ne se vantait pas tout à fait, ce travers de donner dans les histrions et les baladins régnant assez par les morales relâchées du temps. Sérafina disait que, si elle était une de ces dames, elle ferait donner les étrivières au Léandre pour son impertinence et son indiscrétion; et Isabelle jurait par badinerie que, s'il n'était pas plus modeste, elle ne l'épouserait pas à la fin de la pièce. Sigognac, quoique la male honte le tînt à la gorge, et qu'il n'en laissât sortir que des phrases embrouillées, admirait fort l'Isabelle, et ses yeux parlaient pour sa bouche. La jeune fille s'était aperçue de l'effet qu'elle produisait sur le jeune Baron, et lui répondait par quelques regards langoureux, au grand déplaisir du Tranche-montagne, secrètement amoureux de cette beauté, quoique sans espoir, vu son emploi grotesque. Un autre plus adroit et plus audacieux que Sigognac eût poussé sa pointe; mais notre pauvre Baron n'avait point appris les belles manières de la cour dans son castel délabré, et, quoiqu'il ne manquât ni de lettres ni d'esprit, il paraissait en ce moment assez stupide.

Les dix flacons avaient été religieusement vidés, et le Pédant renversa le dernier, en faisant rubis sur l'ongle; ce geste fut compris par le Matamore, qui descendit à la charrette chercher d'autres bouteilles. Le Baron, quoiqu'il fût déjà un peu gris, ne put s'empêcher de porter à la santé des princesses un rouge-bord qui l'acheva.

Le Pédant et le Tyran buvaient en ivrognes émérites qui, s'ils ne sont jamais tout à fait de sang-froid, ne sont non plus jamais tout à fait ivres; le Tranche-montagne était sobre à la façon espagnole, et eût vécu comme ces hidalgos qui dînent de trois olives poche-

tées et soupent d'un air de mandoline. Cette frugalité
avait une raison : il craignait, en mangeant et en bu-
vant trop, de perdre la maigreur phénoménale qui était
son meilleur moyen comique. S'il engraissait, son
talent diminuait, et il ne subsistait qu'à la condition
de mourir de faim, aussi était-il dans des transes per-
pétuelles, et regardait-il souvent à la boucle de son
ceinturon pour s'assurer si, d'aventure, il n'avait pas
grossi depuis la veille. Volontaire Tantale, abstème
comédien, martyr de la maigreur, anatomie disséquée
par elle-même, il ne touchait aux mets que du bout
des dents. et, s'il eût appliqué des jeûnes à un but
pieux, il eût été en paradis comme Antoine et Macaire.
La Duègne s'ingurgitait solides et liquides d'une manière formidable; ses flasques bajoues et ses fanons
tremblaient au branle d'une mâchoire encore bien garnie. Quant à la Sérafina et à l'Isabelle, n'ayant pas
d'éventail sous la main, elles bâillaient à qui mieux
mieux, derrière le rempart diaphane de leurs jolis
doigts. Sigognac, quoiqu'un peu étourdi par les fumées
du vin, s'en aperçut et leur dit :

« Mesdemoiselles, je vois, bien que la civilité vous
fasse lutter contre le sommeil, que vous mourez d'envie de dormir. Je voudrais bien pouvoir vous donner
à chacune une chambre tendue avec ruelle et cabinet,
mais mon pauvre castel tombe en ruine comme ma race
dont je suis le dernier. Je vous cède ma chambre, la
seule à peu près où il ne pleuve pas; vous vous y arran-
gerez toutes deux avec madame; le lit est large, et une
nuit est bientôt passée. Ces messieurs resteront ici, et
s'accommoderont des fauteuils et des bancs. Surtout,
n'allez pas avoir peur des ondulations de la tapisserie,
ni des gémissements du vent dans la cheminée, ni des
sarabandes des souris; je puis vous certifier que, quoique le lieu soit assez lugubre, il n'y revient point de
fantômes.

— Je joue les Bradamante et ne suis pas poltronne.
Je rassurerai la timide Isabelle, dit la Sérafina en riant;
quant à notre duègne, elle est un peu sorcière, et si
le diable vient, il trouvera à qui parler. »

Sigognac prit une lumière et conduisit les dames
dans la chambre à coucher, qui leur parut, en effet,
très fantastique d'aspect, car la lampe tremblotante,
agitée par le vent, faisait vaciller des ombres bizarres
sur les poutres du plafond, et des formes monstrueuses

semblaient s'accroupir dans les angles non éclairés.

« Cela ferait une excellente décoration pour un cinquième acte de tragédie », dit la Sérafina, en promenant ses regards autour d'elle, tandis qu'Isabelle ne pouvait comprimer un frisson, moitié de froid, moitié de terreur, en se sentant enveloppée par cette atmosphère de ténèbres et d'humidité. Les trois femelles se glissèrent sans se déshabiller sous la couverture. Isabelle se mit entre la Sérafina et la Duègne pour que, si quelque patte pelue de fantôme ou d'incube sortait de dessous le lit, elle rencontrât d'abord une de ses camarades. Les deux braves s'endormirent bientôt, mais la craintive jeune fille resta longtemps les yeux ouverts et fixés sur la porte condamnée, comme si elle eût pressenti au-delà des mondes de fantômes et de terreurs nocturnes. La porte ne s'ouvrit cependant pas, et aucun spectre n'en déboucha vêtu d'un suaire et secouant ses chaînes, quoique des bruits singuliers se fissent entendre parfois dans les appartements vides; mais le sommeil finit par jeter sa poudre d'or sous les paupières de la peureuse Isabelle, et son souffle égal se joignit bientôt à celui plus accentué de ses compagnes.

Le Pédant dormait à poings fermés, le nez sur la table, en face du Tyran, qui ronflait comme un tuyau d'orgue et grommelait, en rêvant, quelques hémistiches d'alexandrins. Le Matamore, la tête appuyée sur le rebord d'un fauteuil et les pieds allongés sur les chenets, s'était roulé dans sa cape grise, et ressemblait à un hareng dans du papier. Pour ne pas déranger sa frisure, Léandre tenait la tête droite et dormait tout d'une pièce. Sigognac s'était campé dans un fauteuil resté vacant, mais les événements de la soirée l'avaient trop agité pour qu'il pût s'assoupir.

Deux jeunes femmes ne font pas ainsi irruption dans la vie d'un jeune homme sans la troubler, surtout lorsque ce jeune homme a vécu jusque-là triste, chaste, isolé, sevré de tous les plaisirs de son âge par cette dure marâtre qu'on appelle la misère.

On dira qu'il n'est pas vraisemblable qu'un garçon de vingt ans ait vécu sans amourette; mais Sigognac était fier, et, ne pouvant se présenter avec l'équipage assorti à son rang et à son nom, il restait chez lui. Ses parents, dont il eût pu réclamer les services sans honte, étaient morts. Il s'enfonçait tous les jours plus profondément dans la retraite et l'oubli. Il avait bien quelquefois,

pendant ses promenades solitaires, rencontré **Yolande**
de Foix, montée sur sa blanche haquenée, qui courait
le cerf en compagnie de son père et de jeunes seigneurs. Cette étincelante vision passait bien souvent
dans ses rêves; mais quel rapport pouvait jamais exis-
ter entre la belle et riche châtelaine et lui, pauvre
hobereau ruiné et mal en point? Loin de chercher à
être remarqué d'elle, il s'était, lors de ses rencontres,
effacé le plus qu'il avait pu, ne voulant pas donner à
rire par son feutre bossué et piteux, son plumet mangé
des rats, ses habits passés et trop larges, son vieux
bidet pacifique, plus propre à servir de monture à un
curé de campagne qu'à un gentilhomme; car rien n'est
plus triste, pour un cœur bien situé, que de paraître
ridicule à ce qu'il aime, et il s'était fait, pour étouffer
cette passion naissante, tous les froids raisonnements
qu'inspire la pauvreté. Y avait-il réussi?... C'est ce que
nous ne pouvons dire. Il le croyait, du moins, et avait
repoussé cette idée comme une chimère; il se trouvait
assez malheureux, sans ajouter à ses douleurs les tourments d'un amour impossible.

La nuit se passa sans autre incident qu'une frayeur
de l'Isabelle causée par Béelzébuth, qui s'était pelo-
tonné sur sa poitrine, en manière de Smarra, et ne
voulait point se retirer, trouvant le coussin fort doux.

Quant à Sigognac, il ne put fermer l'œil, soit qu'il
n'eût point l'habitude de dormir hors de son lit, soit
que le voisinage de jolies femmes lui fantasiât la cervelle. Nous croirions plutôt qu'un vague projet commençait à se dessiner dans son esprit et le tenait éveillé
et perplexe. La venue de ces comédiens lui semblait un
coup du sort et comme une ambassade de la Fortune
pour l'inviter à sortir de cette masure féodale où ses
jeunes années moisissaient dans l'ombre et s'étiolaient
sans profit.

Le jour commençait à se lever, et déjà des lueurs
bleuâtres filtrant par les vitres à mailles de plomb faisaient paraître la lumière des lampes près de s'éteindre
d'un jaune livide et malade. Les visages des dormeurs
s'éclairaient bizarrement à ce double reflet et se découpaient en deux tranches de couleurs différentes,
comme les surcots du moyen âge. Le Léandre prenait
des tons de cierge jauni et ressemblait à ces saint Jean
de cire emperruqués de soie et dont le fard est tombé
malgré la montre de verre. Le Tranche-montagne, les

yeux fermés exactement, les pommettes saillantes, les muscles des mâchoires tendus, le nez effilé comme s'il eût été pincé par les maigres doigts de la mort, avait l'air de son propre cadavre. Des rougeurs violentes et des plaques apoplectiques marbraient la trogne du Pédant; les rubis de son nez s'étaient changés en améthystes, et sur ses lèvres épaisses s'épanouissait la fleur bleue du vin. Quelques gouttes de sueur, roulant à travers les ravines et les contrescarpes de son front, s'étaient arrêtées aux broussailles de ses sourcils grisonnants; les joues molles pendaient flasquement. L'hébétation d'un sommeil lourd rendait hideuse cette face qui, éveillée et vivifiée par l'esprit, paraissait joviale; incliné ainsi sur le bord de la table, le Pédant faisait l'effet d'un vieil égipan crevé de débauche au revers d'un fossé à la suite d'une bacchanale. Le Tyran se maintenait assez bien avec sa figure blafarde et sa barbe de crin noir; sa tête d'Hercule bonasse et de bourreau paterne ne pouvait guère changer. La Soubrette supportait aussi passablement la visite indiscrète du jour; elle n'était point trop défaite. Ses yeux cerclés d'une meurtrissure un peu plus brune, ses joues martelées de quelques marbrures violâtres trahissaient seuls la fatigue d'une nuit mal dormie. Un lubrique rayon de soleil, se glissant à travers les bouteilles vides, les verres à demi pleins et les victuailles effondrées, allait caresser le menton et la bouche de la jeune fille comme un faune qui agace une nymphe endormie. Les chastes douairières de la tapisserie au teint bilieux tâchaient de rougir sous leur vernis à la vue de leur solitude violée par ce campement de bohèmes, et la salle du festin présentait un aspect à la fois sinistre et grotesque.

La Soubrette s'éveilla la première sous ce baiser matinal; elle se dressa sur ses petits pieds, secoua ses jupes comme un oiseau ses plumes, passa la paume de ses mains sur ses cheveux pour leur redonner quelque lustre, et, voyant que le baron de Sigognac était assis sur son fauteuil, l'œil clair comme un basilic, elle se dirigea de son côté, et le salua d'une jolie révérence de comédie.

« Je regrette, dit Sigognac en rendant le salut à la Soubrette, que l'état de délabrement de cette demeure, plus faite pour loger des fantômes que des êtres vivants, ne m'ait pas permis de vous recevoir d'une façon plus convenable; j'aurais voulu vous faire reposer entre des draps de toile de Hollande, sous une courtine de damas des Indes au lieu de vous laisser morfondre sur ce siège vermoulu.

— Ne regrettez rien, monsieur, répondit la Soubrette; sans vous nous aurions passé la nuit dans un chariot embourbé, à grelotter sous une pluie battante, et le matin nous aurait trouvés fort mal en point. D'ailleurs, ce gîte que vous dédaignez est magnifique à côté des granges ouvertes à tous les vents, où nous sommes souvent forcés de dormir sur des bottes de paille, tyrans et victimes, princes et princesses, Léandres et soubrettes, dans notre vie errante de comédiens allant de bourgs en villes. »

Pendant que le Baron et la Soubrette échangeaient ces civilités, le Pédant roula par terre avec un fracas d'ais brisés. Son siège, las de le porter, s'était rompu, et le gros homme, étendu à jambes rebindaines, se démenait comme une tortue retournée en poussant des gloussements inarticulés. Dans sa chute, il s'était rattrapé machinalement au bord de la nappe et avait déterminé une cascade de vaisselle dont les flots rebondissaient sur lui. Ce fracas réveilla en sursaut toute la compagnie. Le Tyran, après s'être étiré les bras et frotté les yeux, tendit une main secourable au vieux comique et le remit en pied.

« Un pareil accident n'arriverait pas au Matamore, dit l'Hérode avec une sorte de grognement caverneux qui lui servait de rire; il tomberait dans une toile d'araignée sans la rompre.

— C'est vrai, répliqua l'acteur ainsi interpellé en dépliant ses longs membres articulés comme des pattes de faucheux, tout le monde n'a pas l'avantage d'être un Polyphème, un Cacus, une montagne de chair et d'os comme toi, ni un sac à vin, un tonneau à deux pieds comme Blazius. »

Ce vacarme avait fait apparaître sur le seuil de la porte l'Isabelle, la Sérafina et la Duègne. Ces deux jeunes femmes, quoiqu'un peu fatiguées et pâlies, étaient charmantes encore à la lumière du jour. Elles semblèrent à Sigognac les plus rayonnantes du monde, bien qu'un observateur méticuleux eût pu trouver à reprendre à leur élégance un peu fripée et défraîchie; mais que signifient quelques rubans fanés, quelques lés d'étoffe éraillés et miroités, quelques

misères et quelques incongruités de toilette lorsque
celles qui les portent sont jeunes et jolies? D'ailleurs,
les yeux du Baron, accoutumés au spectacle des
choses vieilles, poussiéreuses, passées de ton et délabrées, n'étaient pas capables de discerner de pareilles
vétilles. La Sérafina et l'Isabelle lui paraissaient attifées superbement au milieu de ce château sinistre où
tout tombait de vétusté. Ces gracieuses figures lui
donnaient la sensation d'un rêve.

Quant à la Duègne, elle jouissait, grâce à son âge,
du privilège d'une immuable laideur; rien ne pouvait
altérer cette physionomie de buis sculpté où luisaient
des yeux de chouette. Le soleil ou les bougies lui
étaient indifférents.

En ce moment, Pierre entra pour remettre la salle
en ordre, jeter du bois dans la cheminée, où quelques
tisons consumés blanchissaient sous une robe de
peluche, et faire disparaître les restes du festin, si
répugnants la faim satisfaite.

La flamme qui brilla dans l'âtre, léchant une
plaque de fonte aux armes de Sigognac peu habituée
à de pareilles caresses, réunit en un cercle toute la
bande comique, qu'elle illuminait de ses lueurs vives.
Un feu clair et flambant est toujours agréable après
une nuit sinon blanche, du moins grise, et le malaise,
qui se lisait sur toutes les figures en grimaces et en
meurtrissures plus ou moins visibles, s'évanouit
complètement, grâce à cette influence bienfaisante.
Isabelle tendait vers la cheminée les paumes de ses
petites mains, teintes de reflets roses, et, vermillon-
née de ce léger fard, sa pâleur ne se voyait pas.
Donna Sérafina, plus grande et plus robuste, se tenait
debout derrière elle, comme une sœur aînée qui,
moins fatiguée, laisse s'asseoir sa jeune sœur. Quant
au Tranche-montagne, perché sur une de ses jambes
héronnières, il rêvait à demi éveillé comme un oiseau
aquatique au bord d'un marais, le bec dans son
jabot, le pied replié sous le ventre. Blazius, le pédant,
passant sa langue sur ses lèvres, soulevait les bouteilles les unes après les autres pour voir s'il y restait
quelque perle de liqueur.

Le jeune Baron avait pris à part Pierre pour savoir
s'il n'y aurait pas moyen d'avoir dans le village
quelques douzaines d'œufs pour faire déjeuner les
comédiens, ou quelques poulets à qui on tordrait le

col, et le vieux domestique s'était éclipsé pour
s'acquitter de la commission au plus vite, la
troupe ayant manifesté l'intention de partir de bonne
heure pour faire une forte étape et ne pas arriver
trop tard à la couchée.

« Vous allez faire un mauvais déjeuner, j'en ai
bien peur, dit Sigognac à ses hôtes, et il faudra vous
contenter d'une chère pythagoricienne; mais encore
vaut-il mieux mal déjeuner que de ne pas déjeuner
du tout, et il n'y a pas, à six lieues à la ronde, le
moindre cabaret ni le moindre bouchon. L'état de ce
château vous dit que je ne suis pas riche, mais,
comme ma pauvreté ne vient que des dépenses qu'ont
fait mes ancêtres à la guerre pour la défense de nos
rois, je n'ai point à en rougir.

— Non, certes, monsieur, répondit l'Hérode de sa
voix de basse, et tel qui se targue de ses biens serait
embarrassé d'en dire la source. Quand le traitant
s'habille de toile d'or, la noblesse a des trous à son
manteau, mais par ces trous on voit l'honneur.

— Ce qui m'étonne, ajouta Blazius, c'est qu'un
gentilhomme accompli, comme paraît l'être monsieur,
laisse ainsi se consumer sa jeunesse au fond d'une
solitude où la Fortune ne peut venir le chercher,
quelque envie qu'elle en ait; si elle passait devant ce
château, dont l'architecture pouvait avoir fort bonne
mine il y a deux cents ans, elle continuerait son chemin, le croyant inhabité. Il faudrait que monsieur le
Baron allât à Paris, l'œil et le nombril du monde, le
rendez-vous des beaux esprits et des vaillants, l'Eldorado et le Chanaan des Espagnols français et des
Hébreux chrétiens, la terre bénite éclairée par les
rayons du soleil de la cour. Là, il ne manquerait pas
d'être distingué selon son mérite et de se pousser,
soit en s'attachant à quelque grand, soit en faisant
quelque action d'éclat dont l'occasion se trouverait
infailliblement. »

Ces paroles du bonhomme, malgré l'amphigouri et
les phrases burlesques, réminiscences involontaires de
ses rôles de pédant, n'étaient pas dénuées de sens.
Sigognac en sentait la justesse, et il s'était dit souvent tout bas. pendant ses longues promenades à travers les landes, ce que Blazius lui disait tout haut.

Mais l'argent lui manquait pour entreprendre un si
long voyage, et il ne savait comment s'en procurer.

Quoique brave, il était fier et avait plus peur d'un sourire que d'un coup d'épée. Sans être bien au courant des modes, il se sentait ridicule dans ses accoutrements délabrés et déjà vieux sous l'autre règne. Selon l'usage des gens rendus timides par la pénurie, il ne tenait aucun compte de ses avantages et ne voyait sa situation que par les mauvais côtés. Peut-être aurait-il pu se faire aider de quelques anciens amis de son père en les cultivant un peu, mais c'était là un effort au-dessus de sa nature, et il serait plutôt mort assis sur son coffre, mâchant un cure-dent comme un hidalgo espagnol, à côté de son blason, que de faire une demande quelconque d'avance ou de prêt. Il était de ceux-là qui, l'estomac vide devant un excellent repas où on les invite, feignent d'avoir dîné, de peur d'être soupçonnés de faim.

« J'y ai bien songé quelquefois, mais je n'ai point d'amis à Paris, et les descendants de ceux qui ont pu connaître ma famille lorsqu'elle était plus riche et remplissait des fonctions à la cour, ne se soucieront pas beaucoup d'un Sigognac hâve et maigre, arrivant avec bec et ongles du haut de sa tour ruinée pour prendre sa part de la proie commune. Et puis, je ne vois pas pourquoi je rougirais de le dire, je n'ai point d'équipage, et je ne saurais paraître sur un pied digne de mon nom; je ne sais même, en réunissant toutes mes ressources et celles de Pierre, si je pourrais arriver jusqu'à Paris.

— Mais vous n'êtes pas obligé, répliqua Blazius, d'entrer triomphalement dans la grande ville, comme un César romain monté sur un char traîné par un quadrige de chevaux blancs. Si notre humble char à bœufs ne révolte pas l'orgueil de Votre Seigneurie, venez avec nous à Paris, puisque notre troupe s'y rend. Tel brille présentement qui a fait son entrée pédestrement, avec son paquet au bout de sa rapière et tenant ses souliers à la main de peur de les user. »

Une faible rougeur monta aux pommettes de Sigognac, moitié de honte, moitié de plaisir. Si, d'une part, l'orgueil de race se révoltait en lui à l'idée d'être l'obligé d'un pauvre saltimbanque, de l'autre, sa naturelle bonté de cœur était touchée d'une offre faite franchement et qui répondait si bien à son secret désir. Il craignait, en outre, s'il refusait à Blazius, de blesser l'amour-propre du comédien, et peut-être de manquer une occasion qui ne se représenterait jamais. Sans doute la pensée du descendant des Sigognac pêle-mêle dans le chariot de Thespis avec des histrions nomades avait quelque chose de choquant en soi qui devait faire hennir les licornes et rugir les lions lampassés de gueules de l'armorial; mais, après tout, le jeune Baron avait suffisamment boudé contre son ventre derrière ses murailles féodales.

Il flottait, incertain entre le oui et le non, et pesait ces deux monosyllabes décisifs dans la balance de la réflexion, lorsque Isabelle, s'avançant d'un air gracieux et se plaçant devant le Baron et Blazius, dit cette phrase qui mit fin aux incertitudes du jeune homme :

« Notre poète, ayant fait un héritage, nous a quittés, et monsieur le Baron pourrait le remplacer, car j'ai trouvé, sans le vouloir, en ouvrant un Ronsard qui était sur la table, près de son lit, un sonnet surchargé de ratures, qui doit être de sa composition; il ajusterait nos rôles, ferait les coupures et les additions nécessaires, et, au besoin, écrirait une pièce sur l'idée qu'on lui donnerait. J'ai précisément un canevas italien où se trouverait un joli rôle pour moi, si quelqu'un voulait donner du tour à la chose. »

En disant cela, l'Isabelle jetait au Baron un regard si doux, si pénétrant que Sigognac n'y put résister. L'arrivée de Pierre, apportant une forte omelette au lard et un quartier assez respectable de jambon, interrompit ces propos. Toute la troupe prit place autour de la table et se mit à manger de bon appétit. Quant à Sigognac, il toucha, par pure contenance, les mets placés devant lui; sa sobriété habituelle n'était pas capable de repas si rapprochés, et, d'ailleurs, il avait l'esprit préoccupé de plusieurs façons.

Le repas terminé, pendant que le bouvier tournait les courroies du joug autour des cornes de ses bœufs, Isabelle et Sérafina eurent la fantaisie de descendre au jardin, qu'on apercevait de la cour.

« J'ai peur, dit Sigognac, en leur offrant la main pour franchir les marches descellées et moussues, que vous ne laissiez quelques morceaux de votre robe aux griffes des ronces, car si l'on dit qu'il n'y a pas de rose sans épines, il y a, en revanche, des épines sans rose. »

Le jeune Baron disait cela de ce ton d'ironie mélancolique qui lui était ordinaire lorsqu'il faisait allusion à sa pauvreté; mais, comme si le jardin déprécié se fût piqué d'honneur, deux petites roses sauvages, ouvrant à demi leurs cinq pétales autour de leurs pistils jaunes, brillèrent subitement sur une branche transversale qui barrait le chemin aux jeunes femmes. Sigognac les cueillit et les offrit galamment à l'Isabelle et à la Sérafina, en disant : « Je ne croyais pas mon parterre si fleuri que cela; il n'y pousse que de mauvaises herbes, et l'on n'y peut faire que des bouquets d'ortie et de ciguë; c'est vous qui avez fait éclore ces deux fleurettes, comme un sourire sur la désolation, comme une poésie parmi les ruines. »

Isabelle mit précieusement l'églantine dans son corsage, en jetant au jeune homme un long regard de remerciement qui prouvait le prix qu'elle attachait à ce pauvre régal. Sérafina, mâchant la tige de la fleur, la tenait à sa bouche, comme pour en faire lutter le rose pâle avec l'incarnat de ses lèvres.

On alla ainsi jusqu'à la statue mythologique dont le fantôme se dessinait au bout de l'allée, Sigognac écartant les frondaisons qui auraient pu fouetter au passage la figure des visiteuses. La jeune ingénue regardait avec une sorte d'intérêt attendri ce jardin en friche si bien en harmonie avec ce château en ruine. Elle songeait aux tristes heures que Sigognac avait dû compter dans ce séjour de l'ennui, de la misère et de la solitude, le front appuyé contre la vitre, les yeux fixés sur le chemin désert, sans autre compagnie qu'un chien blanc et qu'un chat noir. Les traits plus durs de Sérafina n'exprimaient qu'un froid dédain masqué de politesse; elle trouvait décidément ce gentilhomme par trop délabré, quoiqu'elle eût un certain respect pour les gens titrés.

« C'est ici que finissent mes domaines, dit le Baron, arrivé devant la niche de rocaille où moisissait Pomone. Jadis, aussi loin que la vue peut s'étendre du haut de ces tourelles lézardées, le mont et la plaine, le champ et la bruyère appartenaient à mes ancêtres; mais il m'en reste juste assez pour attendre l'heure où le dernier des Sigognac ira rejoindre ses aïeux dans le caveau de famille, désormais leur seule possession.

— Savez-vous que vous êtes lugubre de bon matin! »

répondit Isabelle, touchée par cette réflexion qu'elle
avait faite elle-même, et prenant un air enjoué pour
dissiper le nuage de tristesse étendu sur le front de
Sigognac; « la Fortune est femme, et, quoiqu'on la
dise aveugle, du haut de sa roue, elle distingue parfois dans la foule un cavalier de naissance et de
mérite; il ne s'agit que de se trouver sur son passage.
Allons, décidez-vous, venez avec nous, et peut-être,
dans quelques années, les tours de Sigognac, coiffés
d'ardoises neuves, restaurées et blanchies, feront une
aussi fière figure qu'elles en font une piteuse; et puis,
vraiment, cela me chagrinerait de vous laisser dans
ce manoir à hiboux », ajouta-t-elle à mi-voix, assez
bas pour que Sérafina ne pût l'entendre.

La douce lueur qui brillait dans les yeux d'Isabelle
triompha de la répugnance du Baron. L'attrait d'une
aventure galante déguisait à ses propres yeux ce que
ce voyage fait de la sorte pouvait avoir d'humiliant.
Ce n'était pas déroger que de suivre une comédienne
par amour et de s'atteler comme soupirant au chariot
comique; les plus fins cavaliers ne s'en fussent pas
fait scrupule. Le dieu porte-carquois oblige volontiers
les dieux et les héros à mille actions et déguisements
bizarres : Jupiter prit la forme d'un taureau pour
séduire Europe; Hercule fila sa quenouille aux pieds
d'Omphale; Aristote le prud'homme marchait à quatre
pattes, portant sur son dos sa maîtresse, qui voulait
aller à philosophe (plaisant genre d'équitation!),
toutes choses contraires à la dignité divine et
humaine. Seulement Sigognac était-il amoureux d'Isabelle? Il ne cherchait pas à approfondir la chose,
mais il sentit qu'il éprouverait désormais une horrible
tristesse à rester dans ce château, vivifié un moment
par la présence d'un être jeune et gracieux.

Aussi eut-il bien vite pris son parti, il pria les
comédiens de l'attendre un peu et, tirant Pierre à
part, il lui confia son projet. Le fidèle serviteur,
quelque peine qu'il eût à se séparer de son maître, ne
se dissimulait pas les inconvénients d'un plus long
séjour à Sigognac. Il voyait avec peine s'éteindre
cette jeunesse dans ce corps morne et cette tristesse
indolente, et quoiqu'une troupe de baladins lui sem-
blât un singulier cortège pour un seigneur de Sigognac, il préférait encore ce moyen de tenter la fortune à l'atonie profonde qui, depuis deux ou trois ans

surtout, s'emparait du jeune Baron. Il eut bientôt
rempli une valise du peu d'effets que possédait son
maître, réuni dans une bourse de cuir les quelques
pistoles disséminées dans les tiroirs du vieux bahut,
auxquelles il eut soin d'ajouter, sans rien dire, son
humble pécule, dévouement modeste dont peut-être le
Baron ne s'aperçut pas, car Pierre, outre les divers
emplois qu'il cumulait au château, avait encore celui
de trésorier, une véritable sinécure.

Le cheval blanc fut sellé, car Sigognac ne voulait
monter dans la charrette des comédiens qu'à deux ou
trois lieues du château, pour dissimuler son départ; il
avait, de la sorte, l'air d'accompagner ses hôtes; Pierre
devait suivre à pied et ramener la bête à l'écurie.

Les bœufs étaient attelés et tâchaient, malgré le
joug pesant sur leur front, de relever leurs mufles
humides et noirs, d'où pendaient des filaments de
bave argentée! l'espèce de tiare de sparterie rouge et
jaune dont ils étaient coiffés et les caparaçons de toile
blanche qui les enveloppaient en matière de chemise,
pour les préserver de la piqûre des mouches, leur
donnaient un air fort mithriaque et fort majestueux.
Debout devant eux, le bouvier, grand garçon hâlé et
sauvage comme un pâtre de la campagne romaine,
s'appuyait sur la gaule de son aiguillon, dans une pose
qui rappelait, bien à son insu sans doute, celle des
héros grecs sur les bas-reliefs antiques. Isabelle et
Sérafina s'étaient assises sur le devant du char pour
jouir de la vue de la campagne; la Duègne, le Pédant
et le Léandre occupaient le fond, plus curieux de
continuer leur sommeil que d'admirer la perspective
des Landes. Tout le monde était prêt; le bouvier toucha ses bêtes, qui baissèrent la tête, s'arc-boutèrent
sur leurs jambes torses et se précipitèrent en avant;
le char s'ébranla, les ais gémirent, les roues mal grais-
sées crièrent, et la voûte du porche résonna sous le
piétinement lourd de l'attelage. On était parti.

Pendant ces préparatifs, Béelzébuth et Miraut,
comprenant qu'il se passait quelque chose d'insolite,
allaient et venaient d'un air effaré et soucieux, cherchant dans leurs obscures cervelles d'animaux à se
rendre compte de la présence de tant de gens dans
un lieu ordinairement si désert. Le chien courait
vaguement de Pierre à son maître, les interrogeant de
son œil bleuâtre et grommelant après les inconnus. Le

chat, plus réfléchi, flairait d'un nez circonspect les
roues, examinait d'un peu plus loin les bœufs, dont
la masse lui imposait, et qui, par un mouvement de
corne imprévu, lui faisaient prudemment exécuter un
saut en arrière; puis il allait s'asseoir sur son derrière,
en face du vieux cheval blanc avec lequel il avait des
intelligences, et semblait lui faire des questions; la
bonne bête penchait sa tête vers le chat, qui levait la
sienne, et brochant ses barres grises hérissées de longs
poils, sans doute pour broyer quelque brin de four-
rage engagé dans ses vieilles dents, semblait véritablement parler à son ami félin. Que lui disait-il?
Démocrite, qui prétendait traduire le langage des animaux, eût pu seul le comprendre; toujours est-il que
Béelzébuth, après cette conversation tacite, qu'il
communiqua à Miraut par quelques clignements d'œil
et deux ou trois petits cris plaintifs, parut être fixé
sur le motif de tout ce remue-ménage. Quand le Baron
fut en selle et eut rassemblé les courroies de la bride,
Miraut prit la droite et Béelzébuth la gauche du cheval, et le sire de Sigognac sortit du château de ses
pères entre son chien et son chat. Pour que le prudent matou se fût décidé à cette hardiesse si peu habituelle à sa race, il fallait qu'il eût deviné quelque
résolution suprême.

Au moment de quitter cette triste demeure, Sigognac
se sentit le cœur oppressé douloureusement. Il
embrassa encore une fois du regard ces murailles
noires de vétusté et vertes de mousse dont chaque
pierre lui était connue; ces tours aux girouettes rouillées qu'il avait contemplées pendant tant d'heures
d'ennui de cet œil fixe et distrait qui ne voit rien; les
fenêtres de ces chambres dévastées qu'il avait parcourues comme le fantôme d'un château maudit, ayant
presque peur du bruit de ses pas; ce jardin inculte
où sautelait le crapaud sur la terre humide, où se glissait la couleuvre parmi les ronces; cette chapelle au
toit effondré, aux arceaux croulants, qui obstruait de
ses décombres les dalles verdies, sous lesquelles reposaient côte à côte son vieux père et sa mère, gracieuse
image, confuse comme le souvenir d'un rêve, à peine
entrevue aux premiers jours de l'enfance. Il pensa
aussi aux portraits de la galerie qui lui avaient tenu
compagnie dans sa solitude et souri pendant vingt ans
de leur immobile sourire; au chasseur de halbrans de

la tapisserie, à son lit à quenouilles, dont l'oreiller
s'était si souvent mouillé de ses pleurs; toutes ces
choses vieilles, misérables, maussades, rechignées,
poussiéreuses, somnolentes, qui lui avaient inspiré tant
de dégoût et d'ennui, lui paraissaient maintenant
pleines d'un charme qu'il avait méconnu. Il se trouvait
ingrat envers ce pauvre vieux castel démantelé qui
pourtant l'avait abrité de son mieux et s'était, malgré
sa caducité, obstiné à rester debout pour ne pas
l'écraser de sa chute, comme un serviteur octogénaire
qui se tient sur ses jambes tremblantes tant que le
maître est là; mille amères douceurs, mille tristes plaisirs, mille joyeuses mélancolies lui revenaient en
mémoire; l'habitude, cette lente et pâle compagne de
la vie, assise sur le seuil accoutumé, tournait vers lui
ses yeux noyés d'une tendresse morne en murmurant
d'une voix irrésistiblement faible un refrain d'enfance,
un refrain de nourrice, et il lui sembla, en franchissant le porche, qu'une main invisible le tirait par son
manteau pour le faire retourner en arrière. Quand
il déboucha de la porte, précédant le chariot, une
bouffée de vent lui apporta une fraîche odeur de
bruyères lavées par la pluie, doux et pénétrant arôme
de la terre natale; une cloche lointaine tintait, et les
vibrations argentines arrivaient sur les ailes de la
même brise avec le parfum des landes. C'en était trop,
et Sigognac, pris d'une nostalgie profonde, quoiqu'il
fût à peine à quelques pas de sa demeure, fit un mouvement pour tourner bride; le vieux bidet ployait déjà
son col dans le sens indiqué avec plus de prestesse
que son âge ne semblait le permettre; Miraut et Béelzébuth levèrent simultanément la tête, comme ayant
conscience des sentiments de leur maître, et, suspendant leur marche, arrêtèrent sur lui des prunelles
interrogatrices. Mais cette demi-conversion eut un
résultat tout différent de celui qu'on eût pu attendre,
car il fit rencontrer le regard de Sigognac avec celui
d'Isabelle, et la jeune fille chargea le sien d'une langueur si caressante et d'une muette prière si intelli-
gible que le Baron se sentit pâlir et rougir; il oublia
complètement les murs lézardés de son manoir, et le
parfum de la bruyère, et la vibration de la cloche, qui
cependant continuait toujours ses appels mélancoliques, donna une brusque saccade de bride à son cheval, et le fit se porter en avant d'une vigoureuse pres-

sion de bottes. Le combat était fini; Isabelle avait
vaincu.

Le chariot s'engagea dans la route dont on a parlé
à la première de ces pages, faisant fuir des ornières
pleines d'eau les rainettes effarées. Quand on eut
rejoint la route et que les bœufs, sur un terrain plus
sec, purent faire mouvoir moins lentement la lourde
machine à laquelle ils étaient attelés, Sigognac passa
de l'avant-garde à l'arrière-garde, ne voulant pas marquer une assiduité trop visible auprès d'Isabelle, et
peut-être aussi pour s'abandonner plus librement aux
pensées qui agitaient son âme.

Les tours en poivrière de Sigognac étaient déjà
cachées à demi derrière les touffes d'arbres; le Baron
se haussa sur sa selle pour les voir encore, et, en
ramenant les yeux à terre, il aperçut Miraut et Béelzébuth, dont les physionomies dolentes exprimaient
toute la douleur que peuvent montrer des masques
d'animaux. Miraut, profitant du temps d'arrêt nécessité
par la contemplation des tourelles du manoir, roidit
ses vieux jarrets détendus et essaya de sauter jusqu'au
visage de son maître, afin de le lécher une dernière
fois. Sigognac, devinant l'intention de la pauvre bête,
le saisit à hauteur de sa botte, par la peau trop large
de son col, l'attira sur le pommeau de sa selle, et
baisa le nez noir et rugueux comme une truffe de
Miraut, sans essayer de se soustraire à la caresse
humide dont l'animal reconnaissant lustra la moustache de l'homme. Pendant cette scène, Béelzébuth,
plus agile et s'aidant de ses griffes acérées encore,
avait escaladé de l'autre côté la botte et la cuisse de
Sigognac, et présentait au niveau de l'arçon sa tête
noire essorillée, faisant un ronron formidable et roulant ses grands yeux jaunes; il implorait aussi un signe
d'adieu. Le jeune Baron passa deux ou trois fois sa
main sur le crâne du chat, qui se haussait et se poussait pour mieux jouir du grattement amical. Nous
espérons qu'on ne rira pas de notre héros, si nous
disons que les humbles preuves d'affection de ces
créatures privées d'âme, mais non de sentiment, lui
firent éprouver une émotion bizarre, et que deux
larmes montées du cœur avec un sanglot tombèrent
sur la tête de Miraut et de Béelzébuth et les bapti-
sèrent amis de leur maître, dans le sens humain du
terme.

Les deux animaux suivirent quelque temps de l'œil Sigognac, qui avait mis sa monture au trot pour rejoindre la charrette, et, l'ayant perdu de vue à un détour de la route, reprirent fraternellement le chemin du manoir.

L'orage de la nuit n'avait pas laissé, sur le terrain sablonneux des landes, les traces qui dénotent les pluies abondantes dans les campagnes moins arides; le paysage, rafraîchi seulement, offrait une sorte de beauté agreste. Les bruyères, nettoyées de leur couche de poudre par l'eau du ciel, faisaient briller au bord des talus leurs petits bourgeons violets. Les ajoncs reverdis balançaient leurs fleurs d'or; les plantes aquatiques s'étalaient sur les mares renouvelées; les pins eux-mêmes secouaient moins funèbrement leur feuillage sombre et répandaient un parfum de résine; de petites fumées bleuâtres montaient gaiement du sein d'une touffe de châtaigniers trahissant l'habitation de quelque métayer, et sur les ondulations de la plaine déroulée à perte de vue on apercevait, comme des taches, des moutons disséminés sous la garde d'un berger rêvant sur ses échasses. Au bord de l'horizon, pareils à des archipels de nuages blancs ombrés d'azur, apparaissaient les sommets lointains des Pyrénées à demi estompés par les vapeurs légères d'une matinée d'automne.

Quelquefois la route se creusait entre deux escarpements dont les flancs éboulés ne montraient qu'un sable blanc comme de la poudre de grès, et qui portaient sur leur crête des tignasses de broussailles, de filaments enchevêtrés fouettant au passage la toile du chariot. En certains endroits le sol était si meuble qu'on avait été obligé de le raffermir par des troncs de sapin posés transversalement, occasion de cahots qui faisaient pousser des hauts cris aux comédiennes. D'autres fois il fallait franchir, sur des ponceaux tremblants, les flaques d'eau stagnante et les ruisseaux qui coupaient le chemin. A chaque endroit périlleux, Sigognac aidait à descendre de voiture Isabelle, plus timide ou moins paresseuse que Sérafina et la Duègne. Quant au Tyran et à Blazius, ils dormaient insouciamment, ballottés entre les coffres, en gens qui en avaient bien vu d'autres. Le Matamore marchait à côté de la charrette pour entretenir, par l'exercice, sa maigreur phénoménale dont il avait le plus grand soin, et à le

voir de loin levant ses longues jambes, on l'eût pris
pour un faucheux marchant dans les blés. Il faisait de
si énormes enjambées qu'il était souvent obligé de
s'arrêter pour attendre le reste de la troupe; ayant
pris dans ses rôles l'habitude de porter la hanche en
avant et de marcher fendu comme un compas, il ne
pouvait se défaire de cette allure ni à la ville ni à la
campagne, et ne faisait que des pas géométriques.

Les chars à bœufs ne vont pas vite, surtout dans
les landes, où les roues ont parfois du sable jusqu'au
moyeu, et dont les routes ne se distinguent de la terre
vague que par des ornières d'un ou deux pieds
de profondeur; et quoique ces braves bêtes, courbant leur col nerveux, se poussassent courageusement
contre l'aiguillon du bouvier, le soleil était déjà assez
haut monté sur l'horizon qu'on n'avait fait que deux
lieues, des lieues de pays, il est vrai, aussi longues qu'un
jour sans pain, et pareilles aux lieues qu'au bout de
quinze jours durent marquer les stations amoureuses des
couples chargés par Pantagruel de poser des colonnes
milliaires dans son beau royaume de Mirebalais. Les
paysans qui traversaient la route, chargés d'une botte
d'herbe ou d'un fagot de bourrée, devenaient moins
nombreux, et la lande s'étalait dans sa nudité déserte
aussi sauvage qu'un despoblado d'Espagne ou qu'une
pampa d'Amérique. Sigognac jugea inutile de fatiguer
plus longtemps son pauvre vieux roussin, il sauta à
terre et jeta les brides au domestique, dont les traits
basanés laissaient apercevoir à travers vingt couches
de hâle la pâleur d'une émotion profonde. Le moment
de la séparation du maître et du serviteur était arrivé,
moment pénible, car Pierre avait vu naître Sigognac
et remplissait plutôt auprès du Baron le rôle d'un
humble ami que celui d'un valet.

« Que Dieu conduise Votre Seigneurie, dit Pierre en
s'inclinant sur la main que lui tendait le Baron, et lui
fasse relever la fortune des Sigognac; je regrette
qu'elle ne m'ait pas permis de l'accompagner.

— Qu'aurais-je fait de toi, mon pauvre Pierre, dans
cette vie inconnue où je vais entrer? Avec si peu de
ressources, je ne puis véritablement charger le hasard
du soin de deux existences. Au château, tu vivras toujours à peu près; nos anciens métayers ne laisseront
pas mourir de faim le fidèle serviteur de leur maître.
D'ailleurs, il ne faut pas mettre la clef sous la porte

du manoir des Sigognac et l'abandonner aux orfraies
et aux couleuvres comme une masure visitée par la
mort et hantée des esprits; l'âme de cette antique
demeure existe encore en moi, et, tant que je vivrai,
il restera près de son portail un gardien pour empêcher les enfants de viser son blason avec les pierres
de leur fronde. »

Le domestique fit un signe d'assentiment, car il
avait, comme tous les anciens serviteurs attachés aux
familles nobles, la religion du manoir seigneurial, et
Sigognac, malgré ses lézardes, ses dégradations et ses
misères, lui paraissait encore un des plus beaux châteaux du monde.

« Et puis, ajouta en souriant le Baron, qui aurait
soin de Bayard, de Miraut et de Béelzébuth?

— C'est vrai, maître », répondit Pierre; et il prit la
bride de Bayard, dont Sigognac flattait le col avec des
plamussades en manière de caresse et d'adieu.

En se séparant de son maître, le bon cheval hennit
à plusieurs reprises, et longtemps encore Sigognac put
entendre, affaibli par l'éloignement, l'appel affectueux
de la bête reconnaissante.

Sigognac, resté seul, éprouva la sensation des gens
qui s'embarquent et que leurs amis quittent sur la
jetée du port; c'est peut-être le moment le plus amer
du départ; le monde où vous viviez se retire, et vous
vous hâtez de rejoindre vos compagnons de voyage,
tant l'âme se sent dénuée et triste, et tant les yeux ont
besoin de l'aspect d'un visage humain : aussi allon-
gea-t-il le pas pour rejoindre le chariot qui roulait
péniblement en faisant crier le sable où ses roues traçaient des sillons comme des socs de charrue dans la
terre.

En voyant Sigognac marcher à côté de la charrette,
Isabelle se plaignit d'être mal assise et voulut
descendre pour se dégourdir un peu les jambes,
disait-elle, mais en réalité dans la charitable intention
de ne pas laisser le jeune seigneur en proie à la
mélancolie, et de le distraire par quelques joyeux propos.

Le voile de tristesse qui couvrait la figure de Sigognac se déchira comme un nuage traversé d'un rayon
de soleil, lorsque la jeune fille vint réclamer l'appui de
son bras afin de faire quelques pas sur la route unie
en cet endroit.

Ils cheminaient ainsi l'un près de l'autre, Isabelle récitant à Sigognac quelques vers d'un de ses rôles dont elle n'était pas contente et qu'elle voulait lui faire retoucher, lorsqu'un soudain éclat de trompe retentit à droite de la route dans les halliers, les branches s'ouvrirent sous le poitrail des chevaux abattant les gaulis, et la jeune Yolande de Foix apparut au milieu du chemin dans toute sa splendeur de Diane chasseresse. L'animation de la course avait amené un incarnat plus riche à ses joues, ses narines roses palpitaient, et son sein battait plus précipitamment sous le velours et l'or de son corsage. Quelques accrocs à sa longue jupe, quelques égratignures aux flancs de son cheval prouvaient que l'intrépide amazone ne redoutait ni les fourrés ni les broussailles; quoique l'ardeur de la noble bête n'eût pas besoin d'être excitée, et que des nœuds de veines gonflées d'un sang généreux se tordissent sur son col blanc d'écume, elle lui chatouillait la croupe du bout d'une cravache dont le pommeau était formé d'une améthyste gravée à son blason, ce qui faisait exécuter à l'animal des sauts et des courbettes, à la grande admiration de trois ou quatre gentilshommes richement costumés et montés, qui applaudissaient à la grâce hardie de cette nouvelle Bradamante.

Bientôt Yolande, rendant la main à son cheval, fit cesser ces semblants de défense et passa rapidement devant Sigognac, sur qui elle laissa tomber un regard tout chargé de dédain et d'aristocratique insolence.

« Voyez donc, dit-elle aux trois godelureaux qui galopaient après elle, le baron de Sigognac qui s'est fait chevalier d'une bohémienne! »

Et le groupe passa avec un éclat de rire dans un nuage de poussière. Sigognac eut un mouvement de colère et de honte, et porta vivement la main à la garde de son épée; mais il était à pied, et c'eût été folie de courir après des gens à cheval, et d'ailleurs il ne pouvait provoquer Yolande en duel. Une œillade langoureuse et soumise de la comédienne lui fit bientôt oublier le regard hautain de la châtelaine.

La journée s'écoula sans autre incident, et l'on arriva vers les quatre heures au lieu de la dînée et de la couchée.

La soirée fut triste à Sigognac; les portraits avaient l'air encore plus maussade et plus rébarbatif qu'à l'ordinaire, ce qu'on n'eût pas cru possible; l'escalier retentissait plus sonore et plus vide, les salles semblaient s'être agrandies et dénudées. Le vent piaulait étrangement dans les corridors, et les araignées descendaient du plafond au bout d'un fil, inquiètes et curieuses. Les lézardes des murailles bâillaient largement comme des mâchoires distendues par l'ennui; la vieille maison démantelée paraissait avoir compris l'absence du jeune maître et s'en affliger.

Sous le manteau de la cheminée, Pierre partageait son maigre repas entre Miraut et Béelzébuth, à la lueur fumeuse d'une chandelle de résine, et dans l'écurie on entendait Bayard tirer sa chaine et tirer contre sa mangeoire.

<br>

# III

## L'AUBERGE DU SOLEIL BLEU

C'ÉTAIT un pauvre ramassis de cahutes, qu'en tout autre lieu moins sauvage on n'eût pas songé à baptiser du nom de hameau, que l'endroit où les bœufs fatigués s'arrêtèrent d'eux-mêmes, secouant d'un air de satisfaction les longs filaments de bave pendant de leurs mufles humides.

Le hameau se composait de cinq ou six cabanes éparses sous des arbres d'une assez belle venue, dont un peu de terre végétale, accrue par les fumiers et les détritus de toutes sortes, avait favorisé la croissance. Ces maisons faites de torchis, de pierrailles, de troncs à demi équarris, de bouts de planches, couvertes de grands toits de chaume brunis de mousse et tombant presque jusqu'à terre, avec leurs hangars où traînaient quelques instruments aratoires déjetés et souillés de boue, semblaient plus propre à loger des animaux immondes que des créatures façonnées à l'image de Dieu; aussi quelques cochons noirs les partageaient-ils avec leurs maîtres sans montrer le moindre dégoût, ce qui prouvait peu de délicatesse de la part de ces sangliers intimes.

Devant les portes se tenaient quelques marmots au gros ventre, aux membres grêles, au teint fiévreux, vêtus de chemises en guenilles, trop courtes par-derrière ou par-devant, ou même d'une simple brassière lassée d'une ficelle, nudité qui ne paraissait gêner leur innocence non plus que s'ils eussent habité le paradis terrestre. A travers les broussailles de leur chevelure vierge du peigne brillaient, comme des yeux d'oiseau de nuit à travers les branchages, leurs prunelles phosphorescentes de curiosité. La crainte et le désir se disputaient dans leur contenance; ils auraient bien voulu s'enfuir et se cacher derrière quelque haie, mais le chariot et son chargement les retenaient sur place par une sorte de fascination.

Un peu en arrière sur le seuil de sa chaumine, une femme maigre, au teint hâve, aux yeux bistrés, berçait entre ses bras un nourrisson famélique. L'enfant pétrissait de sa petite main déjà brune une gorge tarie un peu plus blanche que le reste de la poitrine et rappelant encore la jeune femme dans cet être dégradé par la misère. La femme regardait les comédiens avec la fixité morne de l'abrutissement, sans paraître bien se rendre compte de ce qu'elle voyait. Accroupie à côté de sa fille, la grand-mère, plus courbée et plus ridée qu'Hécube, l'épouse de Priam, roi de l'Ilion, rêvassait le menton sur les genoux et les mains entrecroisées sur les os des jambes, en la position de quelque antique idole égyptiaque. Des phalanges formant jeu d'osselets, des lacis de veines saillantes, des nerfs tendus comme des cordes de guitare faisaient ressembler ces pauvres vieilles mains tannées à une préparation anatomique anciennement oubliée dans l'armoire par un chirurgien négligent. Les bras n'étaient plus que des bâtons sur lesquels flottait une peau parcheminée, plissée aux articulations de rides transversales pareilles à des coups de hachoir. De longs bouquets de poils hérissaient le menton; une mousse chenue obstruait les oreilles; les sourcils, comme des plantes pariétaires à l'entrée d'une grotte, pendaient devant la caverne des orbites où sommeillait l'œil à demi voilé par la flasque pellicule de la paupière. Quant à la bouche, les gencives l'avaient avalée, et sa place n'était reconnaissable que par une étoile de rides concentriques.

A la vue de cet épouvantail séculaire, le Pédant, qui marchait à pied, se récria :

« Oh! l'horrifique, désastreuse et damnable vieille! A côté d'elle les Parques sont des poupines; elle est si confite en vétusté, si obsolète et moisie qu'aucune fontaine de Jouvence ne la pourrait rajeunir. C'est la propre mère de l'Eternité; et quand elle naquit, si jamais elle vint au monde, car sa nativité a dû précéder la création, le Temps avait déjà la barbe blanche. Pourquoi maître Alcofribas Nasier ne l'a-t-il pas vue avant de pourtraire sa sibylle de Panzoust ou sa vieille émouchetée par le lion avec une queue de renard? Il eût su alors ce qu'une ruine humaine peut contenir de rides, lézardes, sillons, fossés, contrescarpes, et il en eût fait une magistrale description. Cette sorcière a été sans doute belle en son avril, car ce sont les plus jolies filles qui font les plus horribles vieilles. Avis à vous, mesdemoiselles, continua Blazius en s'adressant à l'Isabelle et à la Sérafina, qui s'étaient rapprochées pour l'entendre; quand je songe qu'il suffirait d'une soixantaine d'hivers jetés sur vos printemps pour faire de vous d'aussi ordes, abominables et fantasmatiques vieilles que cette momie échappée de sa boîte, cela m'afflige en vérité et me fait aimer ma vilaine trogne, qui ne saurait être muée ainsi en larve tragique, mais dont, au contraire, les ans perfectionnent comiquement la laideur. »

Les jeunes femmes n'aiment pas qu'on leur présente, même dans le lointain le plus nuageux, la perspective d'être vieilles et laides, ce qui est la même chose. Aussi les deux comédiennes tournèrent-elles le dos au Pédant avec un petit haussement d'épaules dédaigneux, comme accoutumées à de pareilles sottises, et, se rangeant près du chariot dont on déchargeait les malles, parurentelles fort occupées du soin qu'on ne brutalisât point leurs effets; il n'y avait pas de réponse à faire au Pédant. Blazius, en sacrifiant d'avance sa propre laideur, avait supprimé toute réplique. Il usait souvent de ce subterfuge pour faire des piqûres sans en recevoir.

La maison devant laquelle les bœufs s'étaient arrêtés avec cet instinct des animaux qui n'oublient jamais l'endroit où ils ont trouvé provende et litière était une des plus considérables du village. Elle se tenait avec une certaine assurance au bord de la route d'où les autres chaumines se retiraient honteuses de leur délabrement, et masquant leur nudité de quelques poignées de feuillages comme de pauvres filles laides surprises au bain. Sûre d'être la plus belle maison de l'endroit, l'auberge semblait vouloir provoquer les regards, et son enseigne tendait les bras en travers du chemin, comme pour arrêter les passants « à pied et à cheval ».

Cette enseigne, projetée hors de la façade par une sorte de potence en serrurerie à laquelle au besoin l'on eût pu suspendre un homme, consistait en une plaque de tôle rouillée grinçant à tous les vents sur sa tringle.

Un barbouilleur de passage y avait peint l'astre du jour, non avec sa face et sa perruque d'or, mais avec un disque et des rayons bleus à la manière de ces « ombres de soleil » dont l'art héraldique parsème quelquefois le champ de ses blasons. Quelle raison avait fait choisir « le soleil bleu » pour montre de cette hôtellerie? Il y a tant de soleils d'or sur les grandes routes qu'on ne les distingue plus les uns des autres, et un peu de singularité ne messied pas en fait d'enseigne. Ce motif n'était pas le véritable, quoiqu'il pût sembler plausible. Le peintre qui avait tracé cette image ne possédait plus sur sa palette que du bleu, et pour se ravitailler en couleurs il eût fallu qu'il fît un voyage jusques à quelque ville d'importance. Aussi prêchait-il la préexcellence de l'azur au-dessus des autres teintes, et peignait-il en cette nuance céleste des lions bleus, des chevaux bleus et des coqs bleus sur les enseignes de diverses auberges, de quoi les Chinois l'eussent loué, qui estiment d'autant plus l'artiste qu'il s'éloigne de la nature.

L'auberge du *Soleil bleu* avait un toit de tuiles, les unes brunies, les autres d'un ton vermeil encore qui témoignaient de réparations récentes, et prouvaient qu'au moins il ne pleuvait pas dans les chambres.

La muraille tournée vers la route était plâtrée d'un crépi à la chaux qui en dissimulait les gerçures et les dégradations, et donnait à la maison un certain air de propreté. Les poutrelles du colombage, formant des X et des losanges, étaient accusées par une peinture rouge à la mode basque. Pour les autres faces l'on avait négligé ce luxe, et les tons terreux du pisé apparaissaient tout crûment. Moins sauvage ou moins pauvre que les autres habitants du hameau, le maître du logis avait fait quelques concessions aux délicatesses de la vie civilisée. La fenêtre de la belle chambre avait des vitres, chose rare à cette époque et en ce pays; les autres baies contenaient un cadre tendu de canevas ou de papier huilé, ou se bouchaient d'un volet peint du même rouge sang de bœuf que les charpentes de la façade.

Un hangar attenant à la maison pouvait abriter suffisamment les coches et les bêtes. — D'abondantes chevelures de foin passaient entre les barreaux des crèches comme à travers les dents d'un peigne énorme, et de longues auges, creusées dans de vieux troncs de sapin plantés sur des piquets, contenaient l'eau la moins fétide qu'avaient pu fournir les mares voisines.

C'était donc avec raison que maître Chirriguirri prétendait qu'il n'existait pas à dix lieues à la ronde une hôtellerie si commode en bâtiments, si bien fournie en provisions et victuailles, si flambante de bon feu, si douillette en couchers, si assortie en draperies et vaisselles que l'hôtellerie du *Soleil bleu;* et en cela il ne se trompait pas et ne trompait personne, car la plus proche auberge était éloignée de deux journées de marche au moins.

Le baron de Sigognac éprouvait malgré lui quelque honte à se trouver mêlé à cette troupe de comédiens ambulants, et il hésitait à franchir le seuil de l'auberge; car, pour lui faire honneur, Blazius, le Tyran, le Matamore et le Léandre lui laissaient l'avantage du pas, lorsque l'Isabelle, devinant l'honnête timidité du Baron, s'avança vers lui avec une petite mine résolue et boudeuse :

« Fi! monsieur le Baron, vous êtes à l'endroit des femmes d'une réserve plus glaciale que Joseph et qu'Hippolyte. Ne m'offrirez-vous point le bras pour entr'er dans cette hôtellerie? »

Sigognac, s'inclinant, se hâta de présenter le poing à l'Isabelle, qui appuya sur la manche râpée du Baron le bout de ses doigts délicats, de manière à donner à cette légère pression la valeur d'un encouragement. Ainsi soutenu, le courage lui revint, et il pénétra dans l'auberge d'un air de gloire et de triomphe; — cela lui était égal que toute la terre le vît. En ce plaisant royaume de France, celui qui accompagne une jolie femme ne saurait être ridicule et ne fait que jaloux.

Chirriguirri vint au-devant de ses hôtes et mit son logis à la disposition des voyageurs avec une emphase qui sentait le voisinage de l'Espagne. Une veste de cuir à la façon des Marégates, cerclée aux hanches par un

ceinturon à boucle de cuivre, faisait ressortir les
formes vigoureuses de son buste; mais un bout de
tablier retroussé par un coin, un large couteau plongé
dans une gaine de bois tempéraient ce que sa mine
pouvait avoir d'un peu farouche, et mêlaient à l'ancien *contrabandista* une portion de cuisinier rassurante; de même que son sourire bénin balançait l'effet
inquiétant d'une profonde cicatrice qui, partant du
milieu du front, s'allait perdre sous des cheveux coupés en brosse. Cette cicatrice que Chirriguirri, en se
penchant pour saluer le béret à la main, présentait forcément aux regards, se distinguait de la peau par une
couleur violacée et une dépression des chairs qui
n'avaient pu combler tout à fait l'horrible hiatus. —
Il fallait être un solide gaillard pour n'avoir point
laissé fuir son âme par une semblable fêlure; aussi
Chirriguiri était-il un gaillard solide, et son âme, sans
doute, n'était point pressée d'aller voir ce que lui réservait l'autre monde. Des voyageurs méticuleux et timorés
eussent trouvé peut-être le métier d'aubergiste bien
pacifique pour un hôtelier de cette tournure; mais,
comme nous l'avons dit, le *Soleil bleu* était la seule
hôtellerie logeable dans ce désert.

La salle dans laquelle pénétrèrent Sigognac et les
comédiens n'était pas aussi magnifique que Chirriguirri
l'assurait : le plancher consistait en terre battue, et,
au milieu de la chambre, une espèce d'estrade formée
de grosses pierres composait le foyer. Une ouverture
pratiquée au plafond, et barrée d'une tringle de fer
d'où pendait une chaîne s'agrafant à la crémaillère,
remplaçait la hotte et le tuyau de cheminée, de sorte
que tout le haut de la pièce disparaissait à demi dans
le brouillard de fumée dont les flocons prenaient lentement un chemin de l'ouverture, si par hasard le vent
ne les rabattait pas. Cette fumée avait recouvert les
poutres de la toiture d'un glacis de bitume pareil à
ceux qu'on voit dans les vieux tableaux et contrastant
avec le crépi de chaux tout récent des murailles.

Autour du foyer, sur trois faces seulement, pour laisser au cuisinier la libre approche de la marmite, des
bancs de bois s'équilibraient sur les rugosités du plancher calleux comme la peau d'une monstrueuse orange,
à l'aide de tessons de pot ou de fragments de brique.
Çà et là flânaient quelques escabeaux formés de trois
pieux s'ajustant dans une planchette que l'un d'eux

traversait, de manière à soutenir un morceau de bois
transversal qui pouvait à la rigueur servir de dossier
à des gens peu soucieux de leurs aises, mais qu'un
sybarite eût assurément regardé comme un instrument
de torture. Une espèce de huche, pratiquée dans une
encoignure, complétait cet ameublement où la rudesse
du travail n'avait d'égale que la grossièreté de la matière. Des éclats de bois de sapin, plantés dans des
fiches de fer, jetaient sur tout cela une lumière rouge
et fumeuse dont les tourbillons se réunissaient à une
certaine hauteur aux nuages du foyer. Deux ou trois
casseroles accrochées le long du mur comme des boucliers aux flancs d'une trirème, si cette comparaison
n'est pas trop noble et trop héroïque pour un pareil
sujet, s'illuminaient vaguement à cette lueur et lançaient à travers l'ombre des reflets sanguinolents. Sur
une planche, une outre à demi dégonflée s'affaissait
dans une attitude flasque et morte comme un torse
décapité. Du plafond tombait sinistrement au bout d'un
croc de fer une longue flèche de lard, qui, parmi les
flocons de fumée montant de l'âtre, prenait une alarmante apparence de pendu.

Certes le taudis, malgré les prétentions de l'hôte,
était lugubre à voir, et un passant isolé aurait pu, sans
être précisément poltron, se sentir l'imagination tra-
vaillée de fantaisies maussades et craindre de trouver
dans l'ordinaire du lieu quelqu'un de ces pâtés de
chair humaine faits aux dépens des voyageurs solitaires; mais la troupe des comédiens était trop nombreuse pour que de semblables terreurs pussent venir
à ces braves histrions accoutumés d'ailleurs, par leur
vie errante, aux plus étranges logis.

A l'angle d'un des bancs, lorsque les comédiens
entrèrent, sommeillait une petite fille de huit à neuf
ans, ou du moins qui ne paraissait avoir que cet âge,
tant elle était maigre et chétive. Appuyée des épaules
au dossier du banc, elle laissait choir sur sa poitrine
sa tête d'où pleuvaient de longues mèches de cheveux
emmêlés qui empêchaient de distinguer ses traits. Les
nerfs de son col mince comme celui d'un oiseau plumé
se tendaient et semblaient avoir de la peine à empêcher la masse chevelue de rouler à terre. Ses bras abandon-
nés pendaient de chaque côté du corps, les mains
ouvertes, et ses jambes, trop courtes pour atteindre le
sol, restaient en l'air un pied croisé sur l'autre. Ces

jambes, fines comme des fuseaux, étaient devenues
d'un rouge brique par l'effet du froid, du soleil et des
intempéries. De nombreuses égratignures, les unes
cicatrisées, les autres fraîches, révélaient des courses
habituelles à travers les buissons et les halliers. Les
pieds, petits et délicats de forme, avaient des bottines
de poussière grise, la seule chaussure sans doute qu'ils
eussent jamais portée.

Quant au costume, il était des plus simples et se
composait de deux pièces : une chemise de toile si
grossière que les barques en ont de plus fine pour leur
voilure, et une cotte de futaine jaune à la mode ara-
gonaise, taillée jadis dans le morceau le moins usé
d'une jupe maternelle. L'oiseau brodé de diverses couleurs qui orne d'ordinaire ces sortes de jupons faisait
partie du lé levé pour la petite, sans doute parce que
les fils de la laine avaient soutenu un peu l'étoffe délabrée. Cet oiseau ainsi posé produisait un effet singulier, car son bec se trouvait à la ceinture et ses pattes
au bord de l'ourlet, tandis que son corps, fripé et
dérangé par les plis, prenait des anatomies bizarres et
ressemblait à ces volatiles chimériques des bestiaires
ou des vieilles mosaïques byzantines.

L'Isabelle, la Sérafina et la Soubrette prirent place
sur ce banc, et leur poids réuni à celui bien léger de
la petite fille suffisait à peine pour contrebalancer la
masse de la Duègne, assise à l'autre bout. Les hommes
se distribuèrent sur les autres banquettes, laissant par
déférence un espace vide entre eux et le baron de
Sigognac.

Quelques poignées de bourrée avaient ravivé la
flamme, et le pétillement des branches sèches qui se
tordaient dans le brasier réjouissait les voyageurs, un
peu courbaturés de la fatigue du jour, et ressentant à
leur insu l'influence de la malaria qui régnait dans ce
canton entouré d'eaux croupies que le sol imperméable
ne peut résorber.

Chirriguirri s'approcha d'eux courtoisement et avec
toute la bonne grâce que lui permettait sa mine naturellement rébarbative.

« Que servirai-je à Vos Seigneuries? Ma maison est
approvisionnée de tout ce qui peut convenir à des
gentilshommes. Quel dommage que vous ne soyez pas
arrivés hier, par exemple! J'avais préparé une hure de
sanglier aux pistaches, si délicieuse au fumet, si confite

en épices, si délicate à la dégustation qu'il n'en est malheureusement pas resté de quoi mastiquer une dent creuse!

— Cela est en effet bien douloureux, dit le Pédant en se pourléchant les babines de sensualité à ces délices imaginaires; la hure aux pistaches me plait sur tous autres régals; bien volontiers je m'en serais donné une indigestion.

— Et qu'eussiez-vous dit de ce pâté de venaison dont les seigneurs que j'hébergeai ce matin ont dévoré jusqu'à la croûte après avoir mis à sac l'intérieur de la place, sans faire quartier ni merci?

— J'eusse dit qu'il était excellent, maître Chirriguirri, et j'aurais loué comme il convient le mérite non pareil du cuisinier; mais à quoi sert de nous allumer cruellement l'appétit par des mets fallacieux digérés à l'heure qu'il est, car vous n'y avez pas épargné le poivre, le piment, la muscade et autres éperons à boire. Au lieu de ces plats défunts dont la succulence ne peut être révoquée en doute, mais qui ne sauraient nous sustenter, récitez-nous les plats du jour, car l'aoriste est principalement fâcheux en cuisine, et la faim aime à table l'indicatif présent. Foin du passé! c'est le désespoir et le jeûne; le futur, au moins, permet à l'estomac des rêveries agréables. Par pitié, ne racontez plus ces gastronomies anciennes à de pauvres diables affamés et recrus comme des chiens de chasse.

— Vous avez raison, maître, le souvenir n'est guère substantiel, dit Chirriguirri avec un geste d'assentiment; mais je ne puis m'empêcher d'être aux regrets de m'être ainsi imprudemment dégarni de provisions. Hier mon garde-manger regorgeait, et j'ai commis, il n'y a pas plus de deux heures, l'imprudence d'envoyer au château mes six dernières terrines de foies de canard; des foies admirables, monstrueux! de vraies bouchées de roi!

— Oh! quelle noce de Cana et de Gamache l'on ferait de tous les mets que vous n'avez plus et qu'ont dévorés des hôtes plus heureux! Mais c'est trop nous faire languir; avouez-nous sans rhétorique ce que vous avez, après nous avoir si bien dit ce que vous n'aviez pas.

— C'est juste. J'ai de la garbure, du jambon et de la merluche », répondit l'hôtelier essayant une pudique rougeur, comme une honnête ménagère prise au dépourvu à qui son mari amène trois ou quatre amis à dîner.

« Alors, s'écria en chœur la troupe famélique, donnez-nous de la merluche, du jambon et de la garbure.

— Mais aussi, quelle garbure! poursuivit l'hôtelier reprenant son aplomb et faisant sonner sa voix comme la fanfare d'une trompette; des croûtons mitonnés dans la plus fine graisse d'oie, des choux frisés d'un goût ambroisien, tels que Milan n'en produisit jamais de meilleurs, et cuits avec un lard plus blanc que la neige au sommet de la Maladetta; un potage à servir sur la table des dieux!

— L'eau m'en vient à la bouche. Mais servez vite, car je crève de male rage de faim, dit le Tyran avec un air d'ogre subodorant la chair fraîche.

— Zagarriga, dressez vite le couvert dans la belle chambre », cria Chirriguirri à un garçon peut-être imaginaire, car il ne donna pas signe de vie, malgré l'intonation pressante employée par le patron.

« Quant au jambon, j'espère que Vos Seigneuries en seront satisfaites; il peut lutter contre les plus exquis de la Manche et de Bayonne; il est confit dans le sel gemme, et sa chair, entrelardée de blanc et de rose, est la plus appétissante du monde.

— Nous le croyons comme précepte d'Evangile, dit le Pédant exaspéré; mais déployez vivement cette merveille jambonique, ou bien il va se passer ici des scènes de cannibalisme comme sur les galions et caravelles naufragés. Nous n'avons pas commis de crimes ainsi que le sieur Tantalus pour être torturés par l'apparence de mets fugitifs!

— Vous parlez comme de cire, reprit Chirriguirri du ton le plus tranquille. Holà! ho! toute la marmitonnerie, qu'on se démène, qu'on s'évertue, qu'on se précipite! Ces nobles voyageurs ont faim et ne sauraient attendre! »

La marmitonnerie ne bougea, non plus que le Zagarriga susnommé, sous le prétexte plus spécieux que valable qu'elle n'existait pas et n'avait jamais existé. Tout le domestique de l'auberge consistait en une grande fille hâve et déchevelée, nommée la Mionnette; mais cette valetaille idéale qu'il interpellait sans cesse maître Chirriguirri donnait, selon lui, bon air à l'auberge, l'animait, la peuplait, et justifiait le prix élevé de l'écot. A force d'appeler par leurs noms ces serviteurs chimériques, l'aubergiste du *Soleil bleu* était parvenu à croire à leur existence, et il s'étonnait presque qu'ils ne réclamassent point leurs gages, discrétion dont il leur savait gré d'ailleurs.

Devinant au sourd chaplis de vaisselle qui se faisait dans la pièce voisine que le couvert n'était pas encore mis, l'hôtelier, pour gagner du temps, entreprit l'éloge de la merluche, thème assez stérile, et qui demandait certains efforts d'éloquence. Heureusement Chirriguirri était accoutumé à faire valoir les mets insipides par les épices de sa parole.

« Vos Grâces pensent sans doute que la merluche est un régal vulgaire, et en cela elles n'ont pas tort; mais il y a merluche et merluche. Celle-ci a été pêchée sur le banc même de Terre-Neuve par le plus hardi marin du golfe de Gascogne. C'est une merluche de choix, blanche, de haut goût, point coriace, excellente dans une friture d'huile d'Aix, préférable au saumon, au thon, au poisson-épée. Notre Saint-Père le pape, puisse-t-il nous accorder ses indulgences, n'en consomme pas d'autre en carême; il en use aussi les vendredis et les samedis, et tels autres jours maigres quand il est fatigué de sarcelles et de macreuses. Pierre Lestorbat, qui m'approvisionne, fournit aussi Sa Sainteté. De la merluche du Saint-Père, cela, Capdédious! n'est pas à mépriser, et Vos Seigneuries sont gens à n'en pas faire fi! autrement elles ne seraient pas bonnes catholiques.

— Aucun de nous ne tient pour la vache à Colas, répondit le Pédant, et nous serions flattés de nous ingurgiter cette merluche papale; mais, Corbacche! que ce mirifique poisson daigne sauter de la friture dans l'assiette, ou nous allons nous dissiper en fumée comme larves et lémures quand chante le coq et retourne le soleil.

— Il ne serait point décent de manger la friture avant le potage, ce serait mettre culinairement la charrue devant les bœufs, fit maître Chirriguirri d'un air de suprême dédain, et Vos Seigneuries sont trop bien élevées pour se permettre des incongruités semblables. Patience, la garbure a besoin encore d'un bouillon ou deux.

— Cornes du diable et nombril du pape! beugla le Tyran, je me contenterais d'un brouet lacédémonien s'il était servi sur l'heure! »

Le baron de Sigognac ne disait rien et ne témoignait aucune impatience; il avait mangé la veille! Dans les longues disettes de son château de la faim, il s'était de longue main rompu aux abstinences érémitiques, et cette fréquence de repas étonnait son sobre estomac. Isabelle, Sérafina ne se plaignaient pas, car la montre de voracité ne sied point aux jeunes dames, lesquelles sont censées se repaître de rosée et suc de fleurs comme avettes. Le Matamore, soigneux de sa maigreur, semblait enchanté, car il venait de resserrer son ceinturon d'un point, et l'ardillon de la boucle claquait librement dans le trou du cuir. Le Léandre bâillait et montrait les dents. La Duègne s'était assoupie, et sous son menton penché regorgeaient en boudins trois plis de chair flasque.

La petite fille, qui dormait à l'autre bout du banc, s'était réveillée et redressée. On pouvait voir son visage qu'elle avait dégagé de ses cheveux qui semblaient avoir déteint sur son front tant il était fauve. Sous le hâle de la figure perçait une pâleur de cire, une pâleur mate et profonde. Aucune couleur aux joues, dont les pommettes saillaient. Sur les lèvres bleuâtres, dont le sourire malade découvrait des dents d'une blancheur nacrée, la peau se fendillait en minces lamelles. Toute la vie paraissait réfugiée dans les yeux.

La maigreur de sa figure faisait paraître ces yeux énormes, et la large meurtrissure de bistre qui les entourait comme une auréole leur donnait un éclat fébrile et singulier. — Le blanc en paraissait presque bleu, tant les prunelles y tranchaient par leur brun sombre, et tant la double ligne de cils était épaisse et fournie. En ce moment ces yeux étranges exprimaient une admiration enfantine et une convoitise féroce, et ils se tenaient opiniâtrément fixés sur les bijoux de l'Isabelle et de la Sérafina, dont la petite sauvage, sans doute, ne soupçonnait pas le peu de valeur. La scintillation de quelques passementeries d'or faux, l'orient trompeur d'un collier en perles de Venise l'éblouissaient et la tenaient comme en une sorte d'extase. Évidemment elle n'avait, de sa vie, rien vu de si beau. Ses narines se dilataient, une faible rougeur lui montait aux joues, un rire sardonique voltigeait sur ses lèvres pâles, interrompu de temps à autre par un claquement de dents fiévreux, rapide et sec.

Heureusement personne de la compagnie ne regar-

dait ce pauvre petit tas de haillons secoué d'un tremblement nerveux, car on eût été effrayé de l'expression
farouche et sinistre imprimée sur les traits de ce
masque livide.

Ne pouvant maîtriser sa curiosité, l'enfant étendit sa
main brune, délicate et froide comme une main de
singe, vers la robe de l'Isabelle, dont ses doigts pal-
pèrent l'étoffe avec un sentiment visible de plaisir et
une titillation voluptueuse. Ce velours fripé, miroité à
tous ses plis, lui semblait le plus neuf, le plus riche
et le plus moelleux du monde.

Quoique le tact eût été bien léger, Isabelle se retourna
et vit l'action de la petite, à qui elle sourit maternelle-
ment. Se sentant sous un regard, l'enfant avait repris
subitement une niaise physionomie puérile n'indiquant
qu'une stupeur idiote, avec une science instinctive de
mimique qui eût fait honneur à une comédienne
consommée dans la pratique de son art, et, d'une voix
dolente, elle dit en son patois :

« C'est comme la chape de la Notre-Dame sur l'autel! »

Puis, baissant ses cils dont la frange noire lui descendait jusque sur les pommettes, elle appuya ses
épaules au dossier de la banquette, joignit ses mains,
croisa ses pouces et feignit de s'endormir comme acca-
blée par la fatigue.

Mionnette, la grande fille hagarde, vint annoncer que
le souper était prêt, et l'on passa dans la salle voisine.

Les comédiens firent de leur mieux honneur au menu
de maître Chirriguirri, et, sans y trouver les exquisités
promises, assouvirent leur faim, et surtout leur soif
par de longues accolades à l'outre presque désenflée,
comme une cornemuse d'où le vent serait sorti.

Ils allaient se lever de table lorsque des abois de
chiens et un bruit de pieds de chevaux se firent
entendre près de l'auberge. Trois coups frappés à la
porte avec une autorité impatiente signalèrent un voyageur qui n'avait pas l'habitude de faire le pied de
grue. La Mionnette se précipita vers l'huis, tira le
loquet, et un cavalier, lui jetant presque le battant à la
figure, entra au milieu d'un tourbillon de chiens qui
faillirent renverser la servante et se répandirent dans
la salle sautant, gambadant, cherchant les reliefs sur les
assiettes desservies et en une minute accomplissant

avec leurs langues la besogne de trois laveuses de vaisselle.

Quelques coups de fouet vigoureusement appliqués
sur l'échine, sans distinction d'innocents et de cou-
pables, calmèrent comme par enchantement cette agitation; les chiens se réfugièrent sous les bancs, hale-
tants, tirant la langue, posèrent leurs têtes sur leurs
pates ou s'arrondirent en boule, et le cavalier, faisant
bruyamment résonner les molettes de ses éperons,
entra dans la chambre où mangeaient les comédiens
avec l'assurance d'un homme qui est toujours chez lui
quelque part qu'il se trouve. Chirriguirri le suivait, le
béret à la main, d'un air obséquieux et presque craintif, lui qui cependant n'était pas timide.

Le cavalier, debout sur le seuil de la chambre, toucha légèrement le bord de son feutre et parcourut d'un
œil tranquille le cercle des comédiens qui lui rendaient son salut.

Il pouvait avoir trente ou trente-cinq ans; les cheveux blonds frisés en spirale encadraient sa tête san-
guine et joviale, dont les tons roses tournaient au rouge
sous l'impression de l'air et des exercices violents. Ses
yeux, d'un bleu dur, brillaient à fleur de tête; son nez,
un peu retroussé du bout, se terminait par une facette
nettement coupée. Deux petites moustaches rousses,
cirées aux pointes et tournées en croc, se tortillaient
sous ce nez comme des virgules, faisant symétrie à une
royale en feuille d'artichaut. Entre les moustaches et
la royale s'épanouissait une bouche dont la lèvre supérieure un peu mince corrigeait ce que l'inférieure,
large, rouge et striée de lignes perpendiculaires, aurait
pu avoir de trop sensuel. Le menton se rebroussait
brusquement, et sa courbe faisait saillir le bouquet de
poils de la barbiche. Le front qu'il découvrit en jetant
son feutre sur un escabeau présentait des tons blancs
et satinés, préservé qu'il était habituellement des
ardeurs du soleil par l'ombre du chapeau, et indiquait
que ce gentilhomme, avant qu'il eût quitté la cour
pour la campagne, devait avoir le teint fort délicat.
En somme, la physionomie était agréable, et la gaieté
du franc compagnon y tempérait à propos la fierté du
noble. Le costume du nouveau venu montrait par son
élégance que du fond de la province le marquis, c'était
son titre, n'avait pas rompu ses relations avec les bons
faiseurs et les bonnes faiseuses.

Un col de point coupé dégageait son col et se rabattait sur une veste de drap couleur citron agrémentée
d'argent, très courte et laissant déborder entre elle et
le haut-de-chausses un flot de linge fin. Les manches
de cette veste, ou plutôt de cette brassière, découvraient la chemise jusqu'au coude; le haut-de-chausses
bleu, orné d'une sorte de tablier en canons de rubans
paille, descendait un peu au-dessus du genou, où des
bottes molles ergotées d'éperons d'argent le rejoignaient. Un manteau bleu galonné d'argent, posé sur
le coin de l'épaule, et retenu par une ganse, complétait ce costume, un peu trop coquet peut-être pour la
saison et le pays, mais que nous justifierons d'un mot;
le marquis venait de suivre la chasse avec la belle
Yolande, et il s'était adonisé de son mieux, voulant
soutenir son ancienne réputation de braverie, car il
avait été admiré au Cours-la-Reine parmi les raffinés
et les gens du bel air.

« La soupe à mes chiens, un picotin d'avoine à mon
cheval, un morceau de pain et de jambon pour moi,
un rogaton quelconque à mon piqueur », dit le marquis jovialement en prenant place au bout de la table,
près de la Soubrette, qui, voyant un beau seigneur si
bien nippé, lui avait décoché une œillade incendiaire
et un sourire vainqueur.

Maître Chirriguirri plaça une assiette d'étain et un
gobelet devant le marquis; — la Soubrette, avec la
grâce d'une Hébé, lui versa une large rasade, qu'il
avala d'un trait. Les premières minutes furent consa-
crées à réduire au silence les abois d'une faim de
chasseur, la plus féroce des faims, égale en âpreté à
celle que les Grégeois nomment *boulimie;* puis le marquis promena son regard autour de la table, et remarqua parmi les comédiens, assis près d'Isabelle, le baron
de Sigognac, qu'il connaissait de vue, et qu'il avait
croisé en passant avec la chasse devant le char
à bœufs.

Isabelle souriait au Baron, qui lui parlait bas, de ce
sourire languissant et vague, caresse de l'âme, témoignage de sympathie plutôt qu'expression de gaieté,
auquel ne sauraient se méprendre ceux qui ont un
peu l'habitude des femmes, et cette expérience ne manquait pas au marquis. La présence de Sigognac dans
cette troupe de bohèmes ne le surprit plus, et le
mépris que lui inspirait l'équipement délabré du

pauvre Baron diminua de beaucoup. Cette entreprise
de suivre sa belle sur le chariot de Thespis à travers
le hasard des aventures comiques ou tragiques lui
parut d'une imaginative galante et d'un esprit délibéré. Il fit un signe d'intelligence à Sigognac pour lui
marquer qu'il l'avait reconnu et comprenait son dessein ; mais en véritable homme de cour il respecta
son incognito, et ne parut plus s'occuper que de la
Soubrette, à qui il débitait des galanteries superla-
tives, moitié vraies, moitié moqueuses, qu'elle acceptait
de même avec des éclats de rire propres à montrer
jusqu'au gosier sa denture magnifique.

Le marquis, désireux de pousser une aventure qui
se présentait si bien, jugea à propos de se dire tout
à coup fort épris du théâtre et bon juge en matière de
comédie. — Il se plaignit de manquer en province de
ce plaisir propre à exercer l'intellect, affiner le langage, augmenter la politesse et perfectionner les
mœurs, et, s'adressant au Tyran, qui paraissait le chef
de la troupe, il lui demanda s'il n'avait pas d'engage-
ments qui l'empêchassent de donner quelques représentations des meilleures pièces de son répertoire au
château de Bruyères, où il serait facile de dresser un
théâtre dans la grand-salle ou dans l'orangerie.

Le Tyran, souriant d'un air bonasse dans sa large
barbe de crin, répondit que rien n'était plus facile,
et que sa troupe, une des plus excellentes qui cou-
russent la province, était au service de Sa Seigneurie,
depuis le Roi jusqu'à la Soubrette, ajouta-t-il avec une
feinte bonhomie.

« Voilà qui tombe on ne peut mieux, répondit le
marquis, et pour les conditions il n'y aura point de
difficulté ; vous fixerez vous-même la somme ; on ne
marchande point avec Thalie, laquelle est une muse
fort considérée d'Apollon, et aussi bien vue à la cour
qu'à la ville et en province, où l'on n'est pas si Topi-
nambou qu'on affecte de le croire à Paris. »

Cela dit, le marquis, après un coup de genou signifi-
catif à la Soubrette, qui ne s'en effaroucha point,
quitta la table, enfonça son feutre jusqu'au sourcil,
salua la compagnie de la main, et repartit au milieu
des jappements de sa meute ; il prenait les devants
pour préparer au château la réception des comédiens.

Il se faisait déjà tard, et l'on devait repartir le
matin de très bonne heure, car le château de Bruyères

était assez éloigné, et si un cheval barbe peut, par les chemins de traverse, franchir aisément une distance de trois ou quatre lieues, un chariot pesamment chargé et traîné sur une grande route sablonneuse par des bœufs déjà fatigués y met un espace de temps beaucoup plus considérable.

Les femmes se retirèrent dans une espèce de soupente, où l'on avait jeté des bottes de paille; les hommes restèrent dans la salle, s'accommodant du mieux qu'ils purent sur les bancs et les escabeaux.

## IV

## BRIGANDS POUR LES OISEAUX

RETOURNONS maintenant à la petite fille que nous avons laissée endormie sur le banc d'un sommeil trop profond pour ne pas être simulé. Son attitude nous semble à bon droit suspecte, et la féroce convoitise avec laquelle ses yeux sauvages se fixaient sur le collier de perles d'Isabelle demande à ce qu'on surveille ses démarches.

En effet, dès que la porte se fut refermée sur les comédiens, elle souleva lentement ses longues paupières brunes, promena son regard inquisiteur dans tous les coins de la chambre, et quand elle se fut bien assurée qu'il n'y avait plus personne, elle se laissa couler du rebord de la banquette sur ses pieds, se dressa, rejeta ses cheveux en arrière par un mouvement qui lui était familier, et se dirigea vers la porte, qu'elle ouvrit sans faire plus de bruit qu'une ombre. Elle la referma avec beaucoup de précaution, prenant garde que le loquet ne retombât trop brusquement, puis elle s'éloigna à pas lents jusqu'à l'angle d'une haie qu'elle tourna.

Sûre alors d'être hors de vue du logis, elle prit sa course, sautant les fossés d'eau croupie, enjambant les sapins abattus et bondissant sur les bruyères comme une biche ayant une meute après elle. Les longues mèches de sa chevelure lui flagellaient les joues comme des serpents noirs, et parfois, retombant au front, lui interceptaient la vue; alors, sans ralentir la rapidité de son allure, elle les repoussait avec la paume de la main derrière son oreille et faisait un geste d'impatience mutine; mais ses pieds agiles semblaient n'avoir pas besoin d'être guidés par la vue, tant ils connaissaient le chemin.

L'aspect du lieu, autant qu'on pouvait le démêler à la lueur livide d'une lune à moitié masquée et portant pour touret de nez un nuage de velours noir, était particulièrement désolé et lugubre. Quelques sapins, que l'entaille destinée à leur soutirer la résine rendait semblables à des spectres d'arbres assassinés, étalaient leurs plaies rougeâtres sur le bord d'un chemin sablonneux, dont la nuit ne parvenait pas à éteindre la blancheur. Au-delà, de chaque côté de la route, s'étendaient les bruyères d'un violet sombre, où flottaient des bancs de vapeurs grisâtres auxquelles les rayons de l'astre nocturne donnaient un air de fantômes en procession, bien fait pour porter la terreur en des âmes superstitieuses ou peu habituées aux phénomènes de la nature dans ces solitudes.

L'enfant, accoutumée sans doute à ces fantasmagories du désert, n'y faisait aucune attention et continuait sa course. Elle arriva enfin à une espèce de monticule couronné de vingt ou trente sapins qui formaient là comme une sorte de bois. Avec une agilité singulière, et qui ne trahissait aucune fatigue, elle franchit l'escarpement assez roide et gagna le sommet du tertre. Debout sur l'élévation, elle promena quelque temps autour d'elle ses yeux pour qui l'ombre ne semblait pas avoir de voiles, et, n'apercevant que l'immensité solitaire, elle mit deux de ses doigts dans sa bouche et poussa, à trois reprises, un de ces sifflements que le voyageur, traversant les bois la nuit, n'entend jamais sans une angoisse secrète, bien qu'il les suppose produits par des chats-huants craintifs ou toute autre bestiole inoffensive.

Une pause sépparait chacun des cris, que sans cela l'on eût pu confondre avec les ululations des orfraies, des bondrées et des chouettes, tant l'imitation était parfaite.

Bientôt un monceau de feuilles parut s'agiter, fit le gros dos, se secoua comme une bête endormie qu'on réveille, et une forme humaine se dressa lentement devant la petite.

« C'est toi, Chiquita, dit l'homme. Quelle nouvelle ? Je ne t'attendais plus et faisais un somme. »

L'homme qu'avait réveillé l'appel de Chiquita était un gaillard de vingt-cinq ou trente ans, de taille moyenne, maigre, nerveux et paraissant propre à toutes les mauvaises besognes ; il pouvait être braconnier, contrebandier, faux saunier, voleur et coupe-jarrets, honnêtes industries qu'il pratiquait les unes après les autres ou toutes à la fois, selon l'occurrence.

Un rayon de lune tombant sur lui d'entre les nuages, comme le jet de lumière d'une lanterne sourde, le détachait en clair du fond sombre des sapins, et eût permis, s'il se fût trouvé là quelque spectateur, d'examiner sa physionomie et son costume d'une truculence caractéristique. Sa face, basanée et cuivrée comme celle d'un sauvage caraïbe, faisait briller par le contraste ses yeux d'oiseau de proie et ses dents d'une extrême blancheur, dont les canines très pointues ressemblaient à des crocs de jeune loup. Un mouchoir ceignait son front comme le bandeau d'une blessure, et comprimait les touffes d'une chevelure drue, bouclée et rebelle, hérissée en huppe au sommet de la tête ; un gilet de velours bleu, décoloré par un long usage et agrémenté de boutons faits de piécettes soudées à une tige de métal, enveloppait son buste ; des grègues de toile flottaient sur ses cuisses, et des alpargatas faisaient s'entrecroiser leurs bandelettes autour de ses jambes aussi fermes et sèches que des jambes de cerf. Ce costume était complété par une large ceinture de laine rouge montant des hanches aux aisselles, et entourant plusieurs fois le corps. Au milieu de l'estomac, une bosse indiquait le garde-manger et le trésor du malandrin ; et, s'il se fût retourné, on eût pu voir dans son dos, dépassant les deux bords de la ceinture, une immense navaja de Valence, une de ces navajas allongées en poisson, dont la lame se fixe en tournant un cercle de cuivre, et porte sur son acier autant de stries rouges que le brave dont elle est l'arme a commis de meurtres. Nous ne savons combien la navaja d'Agostin comptait de cannelures écarlates, mais à la mine du drôle il était permis, sans manquer à la charité, de les supposer nombreuses.

Tel était le personnage avec qui Chiquita entretenait des relations mystérieuses.

« Eh bien, Chiquita, dit Agostin en passant avec un geste amical sa rude main sur la tête de l'enfant, qu'as-tu remarqué à l'auberge de maître Chirriguirri?

— Il est venu, répondit la petite, un chariot plein de voyageurs; on a porté cinq grands coffres sous le hangar, qui semblaient assez lourds, car il fallait deux hommes pour chacun.

— Hum! fit Agostin, quelquefois les voyageurs mettent des cailloux dans leurs bagages pour se créer de la considération auprès des hôteliers; cela s'est vu.

— Mais, répondit Chiquita, les trois jeunes dames qui sont avec eux ont des galons en passementeries d'or sur leurs habits. L'une d'elles, la plus jolie, a autour du cou un rang de gros grains blancs d'une couleur argentée, et qui brillent à la lumière; oh! c'est bien beau! bien magnifique!

— Des perles! bon cela, dit entre ses dents le bandit, pourvu qu'elles ne soient pas fausses! On travaille d'un si merveilleux goût à Murano, et les galants du jour ont des morales si relâchées!

— Mon bon Agostin, poursuivit Chiquita d'un ton de voix câline, si tu coupes le cou à la belle dame, tu me donneras le collier.

— Cela t'irait bien, en effet, et congruerait merveilleusement à ta tignasse ébouriffée, à ta chemise en toile à torchon et à ta jupe jaune serin.

— J'ai fait si souvent le guet pour toi, j'ai tant couru afin de t'avertir quand le brouillard s'élevait de terre, et que la rosée mouillait mes pauvres pieds nus. T'ai-je jamais fait attendre ta nourriture dans tes cachettes, même lorsque la fièvre me faisait claquer du bec comme une cigogne au bord d'un marécage et que je pouvais à peine me traîner à travers les halliers et les broussailles?

— Oui, répondit le brigand, tu es brave et fidèle; mais nous ne le tenons pas encore, ce collier. Combien as-tu compté d'hommes?

— Oh! beaucoup. Un gros et fort avec une large barbe au milieu du visage, un vieux, deux maigres, un qui a l'air d'un renard et un autre qui semble un gentilhomme, bien qu'il ait des habits mal en point.

— Six hommes, fit Agostin devenu rêveur en supputant sur ses doigts. Hélas! ce nombre ne m'eût pas

effrayé autrefois; mais je reste seul de ma bande.
Ont-ils des armes, Chiquita?

— Le gentilhomme a son épée et le grand maigre
sa rapière.

— Pas de pistolets ni d'arquebuse?

— Je n'en ai pas vu, reprit Chiquita, à moins qu'ils
ne les aient laissés dans le chariot; mais Chirriguirri
ou la Mionnette m'aurait fait signe.

— Allons, risquons le coup, et dressons l'embuscade, dit Agostin en prenant sa résolution. Cinq
coffres, des broderies d'or, un collier de perles. J'ai
travaillé pour moins. »

Le brigand et la petite fille entrèrent dans le bois
de sapins; et, parvenus à l'endroit le plus secret, ils
se mirent activement à déranger des pierres et des
brassées de broussailles, jusqu'à ce qu'ils eussent mis
à nu cinq ou six planches saupoudrées de terre.
Agostin souleva les planches, les jeta de côté, et
descendit jusqu'à mi-corps dans la noire ouverture
qu'elles laissaient béante. Etait-ce l'entrée d'un sou-
terrain ou d'une caverne, retraite ordinaire du brigand? la cachette où il serrait les objets volés?
l'ossuaire où il entassait les cadavres de ses victimes?

Cette dernière supposition eût paru la plus vraisemblable au spectateur, si la scène eût eu d'autres
témoins que les choucas perchés dans la sapinière.

Agostin se courba, parut fouiller au fond de la fosse,
se redressa tenant entre les bras une forme humaine
d'une roideur cadavérique, qu'il jeta sans cérémonie
sur le bord du trou. Chiquita ne parut éprouver
aucune frayeur à cette exhumation étrange, et tira le
corps par les pieds à quelque distance de la fosse,
avec plus de force que sa frêle apparence ne permettait d'en supposer. Agostin, continuant son lugubre
travail, sortit encore de cet Haceldama cinq cadavres
que la petite fille rangea auprès du premier, souriant
comme une jeune goule prête à faire ripaille dans un
cimetière. Cette fosse ouverte, ce bandit arrachant à
leur repos les restes de ses victimes, cette petite fille
aidant à cette funèbre besogne, tout cela, sous l'ombre
noire des sapins, composait un tableau fait pour inspirer l'effroi aux plus braves.

Le bandit prit un des cadavres, le porta sur la crête
de l'escarpement, le dressa, et le fit tenir debout en
fichant en terre le pieu auquel le corps était lié. Ainsi

maintenu, le cadavre singeait assez à travers l'ombre l'apparence d'un homme vivant.

« Hélas! à quoi en suis-je réduit par le malheur des temps, dit Agostin avec un han de saint Joseph. Au lieu d'une bande de vigoureux drôles, maniant le couteau et l'arquebuse comme des soldats d'élite, je n'ai plus que des mannequins couverts de guenilles, des épouvantails à voyageurs, simples comparses de mes exploits solitaires! Celui-ci, c'était Matasierpes, le vaillant Espagnol, mon ami de cœur, un garçon charmant, qui avec sa navaja traçait des croix sur la figure des gavaches aussi proprement qu'avec un pinceau trempé dans du rouge; bon gentilhomme d'ailleurs, hautain comme s'il était issu de la propre cuisse de Jupiter, présentant le coude aux dames pour descendre de coche et détroussant les bourgeois d'une façon grandiose et royale! Voilà sa cape, sa golille et son sombrero à plume incarnadine que j'ai pieusement dérobés au bourreau comme des reliques, et dont j'ai revêtu l'homme de paille qui remplace ce jeune héros digne d'un meilleur sort. Pauvre Matasierpes! cela le contrariait d'être pendu, non qu'il se souciât du trépas; mais comme noble, il prétendait avoir le droit d'être décapité. Par malheur, il ne portait pas sa généalogie dans sa poche, et il lui fallut expirer perpendiculairement. »

Retournant près de la fosse, Agostin prit un autre mannequin coiffé d'un béret bleu :

« Celui-là, c'est Isquibaïval, un fameux, un vaillant, plein de cœur à l'ouvrage, mais il avait quelquefois trop de zèle et se laissait aller à tout massacrer : il ne faut pas détruire la pratique, que diable! Du reste, peu âpre au butin, toujours content de sa part. Il dédaignait l'or et n'aimait que le sang; brave nature! Et quelle belle attitude il eut sous la barre du tortionnaire, lorsqu'il fut roué en pleine place d'Orthez! Régulus et saint Barthélemy ne firent pas meilleure contenance dans les tourments. C'était ton père, Chiquita, honore sa mémoire et dis une prière pour le repos de son âme. »

La petite fit un signe de croix, et ses lèvres s'agitèrent comme murmurant les paroles sacrées.

Le troisième épouvantail avait le pot en tête et rendait entre les bras d'Agostin un bruit de ferraille. Un plastron de fer luisait vaguement sur son buffle en lambeaux, et des targettes brimbalaient sur ses cuisses. Le bandit fourbit l'armure de sa manche pour lui rendre son éclat.

« Un éclair de métal qui flamboie dans l'ombre inspire parfois une terreur salutaire. On croit avoir affaire à des gens d'armes en vacance. Un vieux routier, celui-là! travaillant sur le grand chemin comme sur le champ de bataille, avec sang-froid, méthode et discipline. Une pistolade en pleine figure me le ravit. Quelle irréparable perte! Mais je vengerai bien sa mort! »

Le quatrième fantôme, drapé d'un manteau en dents de scie, fut comme les autres honoré d'une oraison funèbre. Il avait rendu l'âme à la question, ne voulant pas convenir, par modestie, de ses hauts faits, et refusant avec une constance héroïque de livrer les noms de ses camarades à la justice trop curieuse.

Le cinquième, représentant Florizel de Bordeaux, n'obtint pas de myriologie d'Agostin, mais un simple regret mêlé d'espérance. Florizel, la main la plus légère de la province pour tirer sur les ponts la soie ou la laine, ne se balançait pas comme les autres, moins heureux, aux chaînes du gibet, lavé de la pluie et piqué des corbeaux. Il voyageait aux frais de l'Etat sur les galères du roi dans les mers océanes et méditerranées. Ce n'était qu'un filou parmi les brigands, un renard dans une bande de loups; mais il avait des dispositions, et, perfectionné à l'école de la chiourme, il pouvait devenir un sujet d'importance; on n'est pas parfait du premier coup. Agostin attendait impatiemment que cet aimable personnage s'échappât du bagne et lui revînt.

Gros et court, vêtu d'une souquenille cerclée par une large ceinture de cuir, coiffé d'un chapeau à larges bords, le sixième mannequin fut planté un peu en avant des autres comme un chef d'escouade.

« Tu mérites cette place d'honneur, fit Agostin en s'adressant à l'épouvantail, patriarche du grand chemin, Nestor de la tire, Ulysse de la pince et du croc, ô grand Lavidalotte, mon guide et mon maître, toi qui me reçus parmi les chevaliers de la belle Etoile, et qui, de mauvais écolier que j'étais, me fis bandit émérite. Tu m'appris à parler le narquois, à me déguiser de vingt manières diverses, comme feu Protéus quand il était pressé des gens; à ficher le couteau dans le nœud d'une planche à trente pas de distance; à moucher une chandelle d'un coup de pistolet; à passer comme la bise à travers les serrures; à me promener invisible par les logis, de même que si j'eusse eu une main de gloire en ma possession; à trouver les cachettes les plus absconses, et cela sans baguette de coudrier! Que de bonnes doctrines j'ai reçues de toi, grand homme! et comme tu me fis voir, par raisons éloquemment déduites, que le travail était fait pour les sots! Pourquoi faut-il que la fortune marâtre t'ait réduit à mourir de faim dans cette caverne, dont les issues étaient gardées et où les sergents n'osaient pénétrer; car nul ne se soucie, pour brave qu'il soit, d'affronter le lion en son antre même; mourant, il peut encore abattre cinq ou six compagnons, de sa griffe ou de sa dent! Allons, toi à qui, indigne, j'ai succédé, commande sagement cette petite troupe chimérique et falote, ces mannequins, spectres des braves que nous avons perdus, et qui, bien que défunts, rempliront encore, comme le Cid mort, leur office de vaillants. Vos ombres, glorieux bandits, suffiront à détrousser ces bélîtres. »

Sa besogne terminée, le bandit alla se planter sur la route pour juger de l'effet de la mascarade. Les brigands de paille avaient l'air suffisamment horrifique et féroce, et l'œil de la peur pouvait s'y tromper dans l'ombre de la nuit ou le crépuscule du matin, à cette heure louche où les vieux saules, avec leurs tronçons de branche, prennent au rebord des fossés la physionomie d'hommes vous montrant le poing ou brandissant des coutelas.

« Agostin, dit Chiquita, tu as oublié d'armer tes mannequins!

— C'est vrai, répondit le brigand. A quoi donc pensais-je? Les plus beaux génies ont leurs distractions; mais cela peut se réparer. »

Et il mit au bout de ces bras inertes de vieux fûts d'arquebuse, des épées rouillées, ou même de simples bâtons couchés en joue; avec cet arsenal, la troupe avait au bord des talus un aspect suffisamment formidable.

« Comme la traite est longue du village à la dînée, ils partiront sans doute à trois heures du matin; et, quand ils passeront devant l'embuscade, l'aube commencera à poindre, instant favorable, car il ne faut à nos hommes ni trop de lumière ni trop d'ombre. Le jour les trahirait, la nuit les cacherait. En attendant, faisons un somme. Le grincement des roues non grais-sées du chariot, ce bruit qui met en fuite les loups épouvantés, s'entend de loin et nous réveillera. Nous autres qui ne dormons jamais que d'un œil comme les chats, nous serons bien vite sur pied. »

Cela dit, Agostin s'étendit sur quelques jonchées de bruyères. Chiquita s'allongea près de lui pour profiter de la *capa de muestra* valencienne qu'il s'était jetée dessus comme couverture et procurer un peu de cha-leur à ses pauvres petits membres tremblants de fièvre. Bientôt la tiédeur l'envahit, ses dents cessèrent de claquer, et elle partit pour le pays des songes. Nous devons avouer que dans ses rêves enfantins ne vole-taient pas de beaux chérubins roses cravatés d'ailes blanches, ne bêlaient pas des moutons savonnés et ornés de faveurs, ne s'élevaient pas des palais de caramel à colonnes d'angélique. Non; Chiquita voyait la tête coupée d'Isabelle qui tenait entre ses dents le collier de perles, et, sautant par bonds désordonnés et brusques, cherchait à le dérober aux mains tendues de l'enfant. Ce rêve agitait Chiquita, et Agostin, à demi réveillé aux soubresauts, murmurait parmi un ronfle-ment :

« Si tu ne te tiens pas tranquille, je t'envoie d'un coup de pied, au bas du talus, gigoter avec les gre-nouilles. »

Chiquita, qui savait Agostin homme de parole, se le tint pour dit et ne bougea plus. Le souffle de leurs respirations égales fut bientôt le seul bruit qui trahît la présence d'êtres vivants dans cette morne soli-tude.

Le brigand et sa petite complice buvaient à pleines gorgées à la coupe noire du sommeil, au milieu de la lande, quand à l'auberge du *Soleil bleu* le bouvier, frappant le sol de son aiguillon, vint avertir les comé-diens qu'il était temps de se mettre en route.

On s'arrangea comme on put dans le chariot, sur les malles qui formaient des angles désordonnés, et le Tyran se compara au sieur Polyphème, couché sur une crête de montagne, ce qui ne l'empêcha pas de ronfler bientôt comme un chantre; les femmes s'étaient blot-ties au fond, sous la banne, où les toiles ployées des décors représentaient une espèce de matelas, compa-

rativement moelleux. Malgré le grincement affreux
des roues, qui sanglotaient, miaulaient, rauquaient,
râlaient, tout le monde s'endormit d'un sommeil
pénible, entremêlé de rêves incohérents et bizarres, où
les bruits du chariot se transformaient en ululations
de bêtes féroces ou en cris d'enfants égorgés.

Sigognac, l'esprit agité par la nouveauté de l'aventure et le tumulte de cette vie bohémienne, si différente du silence claustral de son château, marchait à
côté du char. Il songeait aux grâces adorables d'Isabelle, dont la beauté et la modestie semblaient plutôt
d'une demoiselle née que d'une comédienne errante,
et il s'inquiétait de savoir comment il s'y prendrait
pour s'en faire aimer, ne se doutant pas que la chose
était déjà faite, et que la douce créature, touchée au
plus tendre de l'âme, n'attendait pour lui donner son
cœur autre chose, sinon qu'il le lui demandât. Le
timide Baron arrangeait dans sa tête une foule d'incidents terribles ou romanesques, de dévouements
comme on en voit dans les livres de chevalerie, pour
amener ce formidable aveu dont la pensée seule lui
serrait la gorge; et cependant, cet aveu qui lui coûtait
tant, la flamme de ses yeux, le tremblement de sa voix,
ses soupirs mal étouffés, l'empressement un peu
gauche dont il entourait Isabelle, les réponses
distraites qu'il faisait aux comédiens l'avaient déjà
prononcé de la façon la plus claire. La jeune femme,
quoiqu'il ne lui eût pas dit un mot d'amour, ne s'y
était pas trompée.

Le matin commençait à grisonner. Une étroite bande
de lumière pâle s'allongeait au bord de la plaine, dessinant en noir d'une manière distincte, malgré l'éloignement, les bruyères frissonnantes et même la pointe
des herbes. Quelques flaques d'eau, égratignées par
le rayon, brillaient çà et là comme les morceaux d'une
glace brisée. De légers bruits s'éveillaient, et des
fumées montaient dans l'air tranquille, révélant à de
grandes distances la reprise de l'activité humaine au
milieu de ce désert. Sur la zone lumineuse, dont la
teinte tournait au rose, une forme bizarre se profilait,
qui de loin ressemblait à un compas tenu par un géo-
mètre invisible et mesurant la lande. C'était un berger
monté sur ses échasses, marchant à pas de faucheux
à travers les marécages et les sables.

Ce spectacle n'était pas nouveau pour Sigognac, et

il y faisait peu d'attention; mais, si fort qu'il fût enfoncé dans sa rêverie, il ne put s'empêcher d'être préoccupé par un petit point brillant qui scintillait sous l'ombre encore fort noire du bouquet de sapins où nous avons laissé Agostin et Chiquita. Ce ne pouvait être une luciole; la saison où l'amour illumine les vers luisants de son phosphore était passée depuis plusieurs mois. Etait-ce l'œil d'un oiseau de nuit borgne? car il n'y avait qu'un point lumineux. Cette supposition ne satisfaisait pas Sigognac; on eût dit le pétillement d'une mèche d'arquebuse allumée.

Cependant le chariot marchait toujours, et, en se rapprochant de la sapinière, Sigognac crut démêler sur le bord de l'escarpement une rangée d'êtres bizarres plantés comme en embuscade et dont les premiers rayons du soleil levant ébauchaient vaguement les formes; mais, à leur parfaite immobilité, il les prit pour de vieilles souches et se prit à rire en lui-même de son inquiétude, et il n'éveilla pas les comédiens comme il en avait d'abord eu l'idée.

Le chariot fit encore quelques tours de roue. Le point brillant sur lequel Sigognac tenait toujours les yeux fixés se déplaça. Un long jet de feu sillonna un flot de fumée blanchâtre; une forte détonation se fit entendre, et une balle s'aplatit sous le joug des bœufs, qui se jetèrent brusquement de côté, entraînant le chariot, qu'un tas de sable retint heureusement au bord du fossé.

A la détonation et à la secousse, toute la troupe s'éveilla en sursaut; les jeunes femmes se mirent à pousser des cris aigus. La vieille seule, faite aux aventures, garda le silence et prudemment glissa deux ou trois doublons serrés dans sa ceinture entre son bas et la semelle de son soulier.

Debout, à la tête du char d'où les comédiens s'efforçaient de sortir, Agostin, sa cape de Valence roulée sur son bras, sa navaja au poing, criait d'une voix tonnante :

« La bourse ou la vie! toute résistance est inutile; au moindre signe de rébellion ma troupe va vous arquebuser! »

Pendant que le bandit posait son ultimatum de grand chemin, le Baron, dont le généreux cœur ne pouvait admettre l'insolence d'un pareil maroufle, avait tranquillement dégainé et fondait sur lui l'épée haute.

Agostin parait les bottes du Baron avec son manteau et épiait l'occasion de lui lancer sa navaja; appuyant le manche du couteau à la saignée, et, balançant le bras d'un mouvement sec, il envoya la lame au ventre de Sigognac, à qui bien en prit de n'être pas obèse. Une légère retraite de côté lui fit éviter la pointe meurtrière; la lame alla tomber à quelques pas plus loin. Agostin pâlit, car il était désarmé, et il savait que sa troupe d'épouvantail ne pouvait lui être d'aucun secours. Cependant, comptant sur un effet de terteur. Il cria : « Feu! vous autres! » Les comédiens, craignant l'arquebusade, firent un mouvement de retraite et se réfugièrent derrière le chariot, où les femmes piaillaient comme des geais plumés vifs. Sigognac lui-même, malgré son courage, ne put s'empêcher de baisser un peu la tête.

Chiquita, qui avait suivi toute la scène cachée par un buisson dont elle écartait les branches, voyant la périlleuse situation de son ami, rampa comme une couleuvre sur la poudre du chemin, ramassa le couteau sans qu'on prit garde à elle, et, se redressant d'un bond, remit la navaja au bandit. Rien n'était plus fier et plus sauvage que l'expression qui rayonnait sur la tête pâle de l'enfant; des éclairs jaillissaient de ses yeux sombres, ses narines palpitaient comme des ailes d'épervier, ses lèvres entrouvertes laissaient voir deux rangées de dents féroces comme celles qui luisent dans le rictus d'un animal acculé. Toute sa petite personne respirait indomptablement la haine et la révolte.

Agostin balança une seconde fois le couteau, et peut-être le baron de Sigognac eût-il été arrêté au début de ses aventures, si une main de fer n'avait saisi fort opportunément le poignet du bandit. Cette main, serrant comme un étau dont on tourne la vis, écrasait les muscles, froissait les os, faisait gonfler les veines et venir le sang dans les ongles. Agostin essaya de se débarrasser par des secousses désespérées; il n'osait se retourner, car le Baron l'eût lardé dans le dos, et il parait encore les coups de son bras gauche, et pourtant il sentait que sa main prise s'arracherait de son bras avec ses nerfs s'il persistait à le délivrer. La douleur devint si violente que ses doigts engourdis s'entrouvrirent et lâchèrent l'arme.

C'était le Tyran qui, passant derrière Agostin, avait

rendu ce bon office à Sigognac. Tout à coup il poussa
un cri :

« Mordious! est-ce qu'une vipère me pique; j'ai
senti deux crocs pointus m'entrer dans la jambe! »

En effet, Chiquita lui mordait le mollet comme un
chien pour le faire retourner; le Tyran, sans lâcher
prise, secoua la petite fille et l'envoya rouler à dix
pas sur le chemin. Le Matamore, reployant ses longs
membres articulés comme ceux d'une sauterelle, se
baissa, ramassa le couteau, le ferma et le mit dans sa
poche.

Pendant cette scène, le soleil émergeait petit à petit
de l'horizon; une portion de son disque d'or rose se
montrait au-dessus de la ligne des landes, et les mannequins, sous ce rayon véridique, perdaient de plus en
plus leur apparence humaine.

« Ah ça! il paraît, dit le Pédant, que les arquebuses
de ces messieurs ont fait long feu à cause de l'humidité de la nuit. En tout cas, ils ne sont guère braves,
car ils laissent leur chef dans l'embarras et ne
bougent non plus que des Termes mythologiques!

— Ils ont de bonnes raisons pour cela, répliqua le
Matamore en escaladant le talus, ce sont des hommes
de paille habillés de guenilles, armés de ferrailles,
excellents pour éloigner les oiseaux des cerises et des
raisins. »

En six coups de pieds il fit rouler au milieu de la
route les six grotesques fantoches, qui s'épatèrent sur
la poudre avec ces gestes irrésistiblement comiques
de marionnettes dont on a abandonné les fils. Ainsi
disloqués et aplatis, les mannequins parodiaient d'une
façon aussi bouffonne que sinistre les cadavres étalés
sur les champs de bataille.

« Vous pouvez descendre, mesdames, dit le Baron
aux comédiennes, il n'y a plus rien à craindre; ce
n'était qu'un péril en peinture. »

Désolé du mauvais succès d'une ruse qui habituellement lui réussissait, tant est grande la couardise des
gens, et tant la peur grossit les objets, Agostin penchait la tête d'un air piteux. Près de lui se tenait
Chiquita effarée, hagarde et furieuse comme un oiseau
de nuit surpris par le jour. Le bandit craignait que
les comédiens, qui étaient en nombre, ne lui fissent un
mauvais parti ou ne le livrassent à la justice; mais
la farce des mannequins les avait mis en belle humeur,

et ils s'esclaffaient de rire comme un cent de mouches. Le rire n'est point cruel de sa nature; il distingue l'homme de la bête, et il est, suivant Homérus, l'apanage des dieux immortels et bienheureux qui rient olympiquement tout leur saoul pendant les loisirs de l'éternité.

Aussi le Tyran, qui était bonasse de sa nature, desserra-t-il les doigts, et, tout en maintenant le bandit, lui dit-il de sa grosse voix tragique, dont il gardait parfois les intonations dans le langage familier :

« Drôle, tu as fait peur à ces dames, et pour cela tu mériterais d'être pendu haut et court; mais si, comme je le crois, elles te font grâce, car ce sont de bonnes âmes, je ne te conduirai pas au prévôt. Le métier d'argousin ne me ragoûte pas; je ne tiens pas à pourvoir la potence de gibier. D'ailleurs, ton stratagème est assez picaresque et comique. C'est un bon tour pour extorquer des pistoles aux bourgeois poltrons. Comme acteur expert aux ruses et subterfuges, je l'apprécie, et ton imaginative m'induit à l'indulgence. Tu n'es point platement et bestialement voleur, et ce serait dommage de t'interrompre en une si belle carrière.

— Hélas! répondit Agostin, je n'ai pas le choix d'une autre, et suis plus à plaindre que vous ne pensez; il ne reste plus que moi de ma troupe aussi bien composée naguère que la vôtre; le bourreau m'a pris mes premiers, seconds et troisièmes rôles; il faut que je joue tout seul ma pièce sur le théâtre du grand chemin, affectant des voix diverses, habillant des mannequins pour faire croire que je suis soutenu par une bande nombreuse. Ah! c'est un sort plein de mélancolie! avec cela, il ne passe personne sur ma route, elle est si mal famée, si coupée de fondrières, si dure aux piétons, chevaux et carrosses; elle ne vient de nulle part et ne mène à rien; mais je n'ai pas le moyen d'en acheter une meilleure. Chaque chemin un peu fréquenté a sa compagnie. Les fainéants qui travaillent s'imaginent que tout est rose dans la vie du voleur; il y a beaucoup de chardons. Je voudrais bien être honnête; mais comment me présenter aux portes des villes avec une mine si truculente et une toilette si sauvagement déguenillée! Les dogues me sauteraient aux jambes et les sergents au collet, si j'en avais un. Voilà mon coup manqué, un coup bien machiné,

monté bien soigneusement, qui devait me faire vivre
deux mois et me donner de quoi acheter une capeline
à cette pauvre Chiquita. Je n'ai pas de bonheur, et
suis né sous une étoile enragée. Hier, j'ai dîné en
serrant ma ceinture d'un cran. Votre courage intempestif m'ôte le pain de la bouche, et puisque je n'ai
pu vous voler, au moins faites-moi l'aumône.

— C'est juste, répondit le Tyran, nous t'empêchons
d'exercer ton industrie, et nous te devons un dédommagement. Tiens, voilà deux pistoles pour boire à
notre santé. »

Isabelle prit dans le chariot un grand morceau
d'étoffe dont elle fit présent à Chiquita. « Oh! c'est le
collier de grains blancs que je voudrais », dit l'enfant avec un regard d'ardente convoitise. La comédienne le défit et le passa au cou de la petite voleuse
éperdue et ravie. Chiquita roulait en silence les grains
blancs sous ses doigts brunis, penchant la tête et
tâchant d'apercevoir le collier sur sa petite poitrine
maigre, puis elle releva brusquement sa tête, secoua
ses cheveux en arrière, fixa ses yeux étincelants sur
Isabelle, et dit avec un accent profond et singulier :
« Vous êtes bonne; je ne vous tuerai jamais! »

D'un bond, elle franchit le fossé, courut jusqu'à un
petit tertre où elle s'assit, contemplant son trésor.

Pour Agostin, après avoir salué, il ramassa ses
mannequins démantibulés, les reporta dans la sapinière, et les inhuma de nouveau pour une meilleure
occasion. Le chariot, que le bouvier avait rejoint, car
à la détonation de l'arquebuse il s'était bravement
enfui, laissant ses voyageurs se débrouiller comme ils
l'entendraient, se remit pesamment en marche.

La Duègne retira les doublons de ses souliers et les
réintégra mystérieusement au fond de sa pochette.

« Vous vous êtes conduit comme un héros de
roman, dit Isabelle à Sigognac, et sous votre sauvegarde on voyage en sûreté; comme vous avez bravement poussé ce bandit que vous deviez croire soutenu
par une bande bien armée!

— Ce péril est bien peu de chose, à peine une
algarade, répondit modestement le Baron; pour vous
protéger je fendrais des géants du crâne à la ceinture,
je mettrais en déroute tout un ost de Sarrasins, je
combattrais parmi des tourbillons de flamme et de
fumée des orques, des endriagues et des dragons, je

traverserais des forêts magiques, pleines d'enchantements, je descendrais aux enfers comme Enéas et sans
rameau d'or. Aux rayons de vos beaux yeux tout me
deviendrait facile, car votre présence ou votre pensée
seulement m'infuse quelque chose de surhumain. »

Cette rhétorique était peut-être un peu exagérée, et,
comme dirait Longin, asiatiquement hyperbolique,
mais elle était sincère. Isabelle ne douta pas un instant
que Sigognac n'accomplît en son honneur toutes'ces
fabuleuses prouesses, dignes d'Amadis des Gaules,
d'Esplandion et de Florimart d'Hyrcanie. Elle avait
raison; le sentiment le plus vrai dictait ces emphases
au Baron, d'heure en heure plus épris. L'amour ne
trouve jamais pour s'exprimer de termes assez forts.
Sérafina, qui avait entendu les phrases de Sigognac,
ne put s'empêcher de sourire, car toute jeune femme
trouve volontiers ridicules les protestations d'amour
qu'on adresse à une autre, et qui, en changeant de
route, lui sembleraient les plus naturelles du monde.
Elle eut un instant l'idée d'essayer le pouvoir de ses
charmes et de disputer Sigognac à son amie; mais
cette velléité dura peu. Sans être précisément intéressée, Sérafina se disait que la beauté était un diamant
qui devait être enchâssé dans l'or. Elle possédait le
diamant, mais l'or manquait, et le Baron était si
désastreusement râpé qu'il ne pouvait fournir ni la
monture ni même l'écrin. La grande coquette rengaina
donc l'œillade préparée, se disant que de telles amou-
rettes étaient bonnes seulement pour des ingénues, et
non pour des premiers rôles, et elle reprit sa mine
détachée et sereine.

Le silence s'établit dans le chariot, et le sommeil
commençait à jeter du sable sous les paupières des
voyageurs lorsque le bouvier dit :

« Voilà le château de Bruyères! »

# V

## CHEZ MONSIEUR LE MARQUIS

Aux rayons d'une belle matinée, le château de
Bruyères se développait de la façon la plus avanta-

geuse du monde. Les domaines du marquis, situés sur l'ourlet de la lande, se trouvaient en pleine terre végétale, et le sable infertile poussait ses dernières vagues blanches contre les murailles du parc. Un air de prospérité, formant un parfait contraste avec la misère des alentours, réjouissait agréablement la vue dès qu'on y mettait le pied; c'était comme une île Macarée au milieu d'un océan de désolation.

Un saut-de-loup, revêtu d'un beau parement de pierre, déterminait l'enceinte du château sans le masquer. Dans un fossé miroitait en carreaux verts une eau brillante et vive dont aucune herbe aquatique n'altérait la pureté, et qui témoignait d'un soigneux entretien. Pour la traverser se présentait un pont de briques et de pierre assez large pour que deux carrosses y pussent rouler de front, et garni de garde-fous à balustres. Ce pont aboutissait à une magnifique grille en fer battu, vrai monument en serrurerie que l'on aurait cru façonné du propre marteau de Vulcain. Les portes s'accrochaient à deux piliers de métal quadrangulaires, travaillés et fouillés à jour, simulant un ordre d'architecture et portant une architrave au-dessus de laquelle s'épanouissait un buisson de rinceaux contournés, d'où partaient des feuillages et des fleurs se recourbant avec des symétries antithétiques. Au centre de ce fouillis ornemental rayonnait le blason du marquis, qui portait d'or à la fasce bretessée et contre-bretessée de gueules, avec deux hommes sauvages pour support. De chaque côté de la grille se hérissaient sur des volutes en accolades pareilles à ces traits de plume que les calligraphes tracent sur le vélin, des artichauts de fer aux feuilles aiguës, destinés à empêcher les maraudeurs agiles de sauter du pont sur le terre-plein intérieur par les angles de la grille. Quelques fleurs et quelques ornements dorés, se mêlant d'une manière discrète à la sévérité du métal, ôtaient à cette serrurerie son aspect défensif pour ne lui laisser qu'une apparence de richesse élégante. C'était une entrée presque royale, et, quand un valet à la livrée du marquis en eut ouvert les portes, les bœufs qui traînaient le chariot hésitèrent à la franchir, comme éblouis par ces magnificences et honteux de leur rusticité. Il fallut une piqûre d'aiguillon pour les décider. Ces braves bêtes trop modestes ne savaient pas que labourage est nourricier de noblesse.

En effet, par une grille semblable, il n'eût dû entrer que des carrosses à trains dorés, à caisses drapées de velours, à portières avec glaces de Venise ou mantelets en cuir de Cordoue; mais la comédie a ses privilèges, et le char de Thespis pénètre partout.

Une allée sablée de la largeur du pont conduisait au château, traversant un jardin ou parterre planté selon la dernière mode. Des bordures de buis rigoureusement taillées y dessinaient des cadres où se déployaient, comme sur une pièce de damas, des ramages de verdure d'une symétrie parfaite. Les ciseaux du jardinier ne permettaient pas à une feuille de dépasser l'autre, et la nature, malgré ses rébellions, était obligée de s'y faire l'humble servante de l'art. Au milieu de chaque compartiment, se dressait dans une attitude mythologique et galante, une statue de déesse ou de nymphe en style flamand italianisé. Des sables de diverses couleurs servaient de fond à ces dessins végétaux qu'on n'eût pas plus régulièrement tracés sur le papier.

A la moitié du jardin une allée de même largeur se croisait avec la première, non pas à angles droits, mais en aboutissant à une sorte de rond-point dont le centre était occupé par une pièce d'eau, ornée d'une rocaille servant de piédestal à un Triton enfant qui soufflait une fusée de cristal liquide avec sa conque.

Sur les côtés du parterre régnaient des charmilles palissadées, tondues à vif et que l'automne commençait à dorer. Une industrie savante avait fait de ces arbres, qu'il eût été difficile de reconnaître pour tels, un portique à arcades qui laissaient par leurs baies apercevoir des perspectives et des fuites ménagées à souhait pour le plaisir des yeux sur les campagnes environnantes.

Le long de l'allée principale, des ifs taillés en pyramides, en boules, en pots à feu, alternés de distance en distance, découpaient leur feuillage sombre toujours vert et se tenaient rangés comme une haie de serviteurs sur le passage des hôtes.

Toutes ces magnificences émerveillaient au plus haut degré les pauvres comédiens, qui, rarement, avaient été admis en de pareils séjours. Sérafine, guignant ces splendeurs du coin de l'œil, se promettait bien de couper l'herbe sous le pied à la Soubrette et de ne pas permettre à l'amour du marquis de déroger; cet

Alcandre lui semblait revenir de droit à la grande coquette. Depuis quand voit-on la suivante avoir la préséance sur la dame? La Soubrette, sûre de ses charmes, niés des femmes mais reconnus des hommes sans conteste, se regardait déjà presque comme chez elle, non sans raison; elle se disait que le marquis l'avait particulièrement distinguée, et que d'une œillade assassine adressée en plein cœur lui venait subitement ce goût de comédie. Isabelle, qu'aucune visée ambitieuse ne préoccupait, tournait la tête vers Sigognac assis derrière elle dans le chariot, où une sorte de pudeur l'avait fait se réfugier, et de son vague et charmant sourire elle cherchait à dissiper l'involontaire mélancolie du Baron. Elle sentait que le contraste du riche château de Bruyères et du misérable castel de Sigognac devait produire une impression douloureuse sur l'âme du pauvre gentilhomme, réduit par la mauvaise fortune à suivre les aventures d'une charretée de comédiens errants, et, avec son doux instinct de femme, elle jouait tendrement autour de ce brave cœur blessé, digne en tout point d'une meilleure chance.

Le Tyran remuait dans sa tête, comme des billes dans un sac, le chiffre des pistoles qu'il demanderait pour gage de sa troupe, ajoutant un zéro à chaque tour de roue. Blazius le Pédant, passant sa langue de Silène sur ses lèvres altérées d'une soif inextinguible, songeait libidineusement aux muids, quartauts et poinçons de vin des meilleurs crus que devaient contenir les celliers du château. Le Léandre, raccommodant d'un petit peigne d'écaille l'économie un peu compromise de sa perruque, se demandait, avec un battement de cœur, si ce féerique manoir renfermait une châtelaine. Question d'importance! Mais la mine hautaine et bravache, quoique joviale du marquis, modérait un peu les audaces qu'il se permettait déjà en imagination.

Rebâti à neuf sous le règne précédent, le château de Bruyères se déployait en perspective au bout du jardin dont il occupait presque toute la largeur. Le style de son architecture rappelait celui des hôtels de la place Royale de Paris. Un grand corps de logis et deux ailes revenant en équerre, de façon à former une cour d'honneur, composaient une ordonnance fort bien entendue et majestueuse sans ennui. Les murs de briques rouges reliés aux angles de chaînes en pierre faisaient ressortir les cadres des fenêtres également taillés dans une belle pierre blanche. Des linteaux de même matière accusaient la division des étages au nombre de trois. Au claveau des fenêtres, une tête de femme sculptée, à joues rebondies, à coiffure attifée coquettement, souriait d'un air de bonne humeur et de bienvenue. Des balustres pansus soutenaient l'appui des balcons. Les vitres nettes, brillantes laissaient, à travers la scintillation du soleil levant qu'elles réfléchissaient, transparaître vaguement d'amples rideaux de riches étoffes.

Pour rompre la ligne du corps de logis central, l'architecte, habile élève d'Androuet du Cerceau, avait projeté en saillie une sorte de pavillon plus orné que le reste de l'édifice et contenant la porte d'entrée où l'on accédait par un perron. Quatre colonnes couplées d'ordre rustique, aux assises alternativement rondes et carrées, ainsi qu'on en voit dans les peintures du sieur Pierre-Paul Rubens, si fréquemment employé par la reine Marie de Médicis, supportaient une corniche blasonnée, comme la grille, des armes du marquis et formant la plate-forme d'un grand balcon à balustrade de pierre, sur lequel s'ouvrait la maîtresse fenêtre du grand salon. Des bossages vermiculés à refends ornaient les jambages et l'arcade de la porte fermée de deux vantaux de chêne curieusement sculpté et verni dont les ferrures luisaient comme de l'acier ou de l'argent.

Les hauts toits d'ardoises délicatement imbriquées et papelonnées traçaient sur le ciel clair des lignes agréablement correctes, qu'interrompaient avec symétrie de grands corps de cheminées, sculptés sur chaque face de trophées et autres attributs. De gros bouquets de plomb d'un enjolivement touffu se dressaient à chaque angle de ces toits d'un bleu violâtre, où par places luisait joyeusement le soleil. Des cheminées, quoiqu'il fût de bonne heure et que la saison n'exigeât pas encore rigoureusement du feu, s'échappaient de petites vrilles de fumée légère, témoignant d'une vie heureuse, abondante, active. Dans cette abbaye de Thélème les cuisines étaient déjà éveillées. Montés sur des chevaux robustes, des gardes-chasse apportaient du gibier pour le repas du jour; les tenanciers amenaient des provisions que recevaient des officiers de bouche. Des laquais traversaient la cour, allant porter ou exécuter des ordres.

Rien n'était plus gai à l'œil que l'aspect de ce château, dont les murs de briques et de pierres neuves semblaient avoir les couleurs dont la santé fleurit un visage bien portant. Il donnait l'idée d'une prospérité ascendante, en plein accroissement, mais non subite comme il plaît aux caprices de la Fortune, en équilibre sur sa roue d'or qui tourne, d'en distribuer à ses favoris d'un jour. Sous ce luxe neuf se sentait une richesse ancienne.

Un peu en arrière du château, de chaque côté des ailes, s'arrondissaient de grands arbres séculaires, dont les cimes se nuançaient de teintes safranées, mais dont le feuillage inférieur gardait encore de vigoureuses frondaisons. C'était le parc, qui s'étendait au loin, vaste, ombreux, profond, seigneurial, attestant la prévoyance et la richesse des ancêtres. Car l'or peut faire pousser rapidement des édifices, mais il ne saurait accélérer la croissance des arbres, dont peu à peu les rameaux s'augmentent comme ceux de l'arbre généalogique des maisons qu'ils couvrent et protègent de leur ombre.

Certes le bon Sigognac n'avait jamais senti les dents venimeuses de l'envie mordre son honnête cœur et y infiltrer ce poison vert qui bientôt s'insinue dans les veines, et, charrié avec le sang jusques au bout des plus minces fibrilles, finit par corrompre les meilleurs caractères du monde. Cependant il ne put refouler tout à fait un soupir en songeant qu'autrefois les Sigognac avaient le pas sur les Bruyères, pour être de noblesse plus antique et déjà notoire au temps de la première croisade. Ce chateau frais, neuf, pimpant, blanc et vermeil comme les joues d'une jeune fille, adorné de toutes recherches et magnificences, faisait une satire involontairement cruelle du pauvre manoir délabré, effondré, tombant en ruine au milieu du silence et de l'oubli, nid à rats, perchoir de hiboux, hospice d'araignées, près de s'écrouler sur son maître désastreux qui l'avait quitté au dernier moment, pour ne pas être écrasé sous sa chute. Toutes les années d'ennui et de misère que Sigognac y avait passées défilèrent devant ses yeux, les cheveux souillés de cendre, couvertes de livrées grises, les bras ballants, dans une attitude de désespérance profonde et la bouche contractée par le rictus du bâillement. Sans le jalouser, il ne pouvait s'empêcher de trouver le marquis bien heureux.

En s'arrêtant devant le perron, le chariot tira Sigognac de cette rêverie qui n'avait rien de fort réjouissant. Il chassa du mieux qu'il put ces mélancolies
intempestives, résorba, par un effort de courage viril,
une larme qui germait furtivement au coin de son œil,
et sauta à terre d'une façon délibérée pour tendre la
main à l'Isabelle et aux comédiennes embarrassées de
leurs jupes que le vent matinal faisait ballonner.

Le marquis de Bruyères, qui de loin avait vu venir
le cortège comique, était debout sur le perron du château, en veste de velours tanné et chausses de même,
bas de soie gris et souliers blancs à bout carré, le
tout galamment passementé de rubans assortis. Il
descendit quelques marches de l'escalier en fer à cheval, comme un hôte poli qui ne regarde pas de trop
près à la condition de ses invités; d'ailleurs la présence du baron de Sigognac dans la troupe pouvait à
la rigueur justifier cette condescendance. Il s'arrêta au
troisième degré, ne jugeant pas digne d'aller plus loin,
il fit de là, aux comédiens, un signe de main amical
et protecteur.

En ce moment la Soubrette présenta à l'ouverture
de la banne sa tête maligne et futée, qui se détachait
du fond obscur étincelante de lumière, d'esprit et
d'ardeur. Ses yeux et sa bouche lançaient des éclairs.
Elle se penchait, à demi sortie du chariot, appuyée des
mains à la traverse de bois, laissant voir un peu de
sa gorge par le pli relâché de sa guimpe, et comme
attendant que l'on vînt à son secours. Sigognac,
occupé d'Isabelle, ne faisait pas attention au feint
embarras de la rusée coquine, qui leva vers le marquis
un regard lustré et suppliant.

Le châtelain de Bruyères entendit cet appel. Il
franchit vivement les dernières marches de l'escalier
et s'approcha du chariot pour accomplir ses devoirs
de cavalier servant, le poing tendu, le pied avancé en
danseur. D'un mouvement leste et coquet comme
celui d'une jeune chatte, la Soubrette s'élança au bord
du char, hésita un instant, feignit de perdre l'équilibre, entoura de son bras le col du marquis et descendit à terre avec une légèreté de plume, imprimant à
peine sur le sable ratissé la marque de ses petits pieds
d'oiseau.

« Excusez-moi, dit-elle au marquis, en simulant une
confusion qu'elle était loin d'éprouver, j'ai cru que

j'allais tomber et je me suis retenue à la branche de votre col; quand on se noie ou qu'on tombe, on se rattrape où l'on peut. Une chute, d'ailleurs, est chose grave et de mauvais augure pour une comédienne.

— Permettez-moi de considérer ce petit accident comme une faveur », répondit le seigneur de Bruyères, tout ému d'avoir senti contre son sein la poitrine savamment palpitante de la jeune femme.

Sérafine, la tête à demi tournée sur l'épaule et la prunelle glissée dans le coin externe de l'œil, avait vu cette scène presque de dos, avec cette perspicacité jalouse des rivales à qui rien n'échappe, et qui vaut les cent yeux d'Argus. Elle ne put s'empêcher de se mordre la lèvre. Zerbine (c'était le nom de la Soubrette), par un coup familièrement hardi, s'était poussée dans l'intimité du marquis et se faisait, pour ainsi dire, faire les honneurs du château au détriment des grands rôles et des premiers emplois; énormité damnable et subversive de toute hiérarchie théâtrale! « Ardez un peu cette mauricaude, il lui faut des marquis pour l'aider à descendre de charrette», fit intérieurement la Sérafine dans un style peu digne du ton maniéré et précieux qu'elle affectait en parlant; mais le dépit, entre femmes, emploie volontiers les métaphores de la halle et de la grève, fussent-elles duchesses ou grandes coquettes.

« Jean, dit le marquis à un valet qui sur un geste du maître s'était approché, faites remiser ce chariot dans la cour des communs et déposer les décorations et accessoires qu'il contient bien à l'abri sous quelque hangar; dites qu'on porte les malles de ces messieurs et de ces dames aux chambres désignées par mon intendant et qu'on leur donne tout ce dont ils pourraient avoir besoin. J'entends qu'on les traite avec respect et courtoisie. Allez. »

Ces ordres donnés, le seigneur de Bruyères remonta gravement le perron, non sans avoir lancé, avant de disparaître sous la porte, un coup d'œil libertin à Zerbine, qui lui souriait d'une façon beaucoup trop avenante au gré de donna Sérafina, outrée de l'impudence de la Soubrette.

Le char à bœufs, accompagné du Tyran, du Pédant et du Scapin, se dirigea vers une arrière-cour, et avec l'aide des valets du château on eut bientôt extrait du coffre de la voiture une place publique, un palais et

une forêt sous forme de trois longs rouleaux de vieille
toile; on en sortit aussi des chandeliers de modèle
antique pour les hymens, une coupe de bois doré, un
poignard de fer-blanc rentrant dans le manche, des
écheveaux de fil rouge destinés à simuler le sang des
blessures, une fiole à poison, une urne à contenir des
cendres et autres accessoires indispensables aux
dénouements tragiques.

Un chariot comique contient tout un monde. En
effet, le théâtre n'est-il pas la vie en raccourci, le
véritable microcosme que cherchent les philosophes
en leurs rêvasseries hermétiques? Ne renferme-t-il pas
dans son cercle l'ensemble des choses et les diverses
fortunes humaines représentées au vif par fictions
congruantes? Ces tas de vieilles hardes usées, poussiéreuses, tachées d'huile et de suif, passementées de
faux or rougi, ces ordres de chevalerie en paillon et
cailloux du Rhin, ces épées à l'antique au fourreau de
cuivre, à la lame de fer émoussé, ces casques et dia-
dèmes de forme grégeoise ou romaine ne sont-ils pas
comme la friperie de l'humanité où se viennent revêtir de costumes pour revivre un moment, à la lueur
des chandelles, les héros des temps qui ne sont plus?
Un esprit ravalé et bourgeoisement prosaïque n'eût
fait qu'un cas médiocre de ces pauvres richesses, de
ces misérables trésors dont le poète se contente pour
habiller sa fantaisie et qui lui suffisent avec l'illusion
des lumières jointe au prestige de la langue des dieux
à enchanter les plus difficiles spectateurs.

Les valets du marquis de Bruyères, en laquais de
bonne maison aussi insolents que des maîtres, touchaient du bout des doigts et avec un air de mépris
ces guenilles dramatiques qu'ils aidaient à ranger sous
le hangar, les plaçant d'après les ordres du Tyran,
régisseur de la troupe; ils se trouvaient un peu dégra-
dés de servir des histrions, mais le marquis avait
parlé; il fallait obéir, car il n'était point tendre à
l'endroit des rébellions, et il se montrait d'une générosité asiatique en fait d'étrivières.

D'un air aussi respectueux que s'il eût eu affaire
à des rois et princesses véritables, l'intendant vint, la
barrette à la main, prendre les comédiens et les
conduire à leurs logements respectifs. Dans l'aile
gauche du château se trouvaient les appartements et
chambres destinés aux visiteurs de Bruyères. Pour y

parvenir, on montait de beaux escaliers aux marches
de pierre blanche poncée avec paliers et repos bien
ménagés; on suivait de longs corridors dallés en qua-
drillage blanc et noir, éclairés d'une fenêtre à chaque
bout, sur lesquels s'ouvraient les portes des chambres
désignées d'après la couleur de leur tenture que répé-
taient les rideaux de la portière extérieure pour que
chaque hôte pût aisément reconnaître son gîte. Il y
avait la chambre jaune, la chambre rouge, la chambre
verte, la chambre bleue, la chambre grise, la chambre
tannée, la chambre de tapisserie, la chambre de cuir
de Bohême, la chambre boisée, la chambre à fresques
et telles autres appellations analogues qu'il vous plaira
d'imaginer, car une énumération plus longue serait par
trop fastidieuse et sentirait plutôt son tapissier que
son écrivain.

Toutes ces chambres étaient meublées fort proprement et garnies non seulement du nécessaire, mais
encore de l'agréable. A la Soubrette Zerbine échut la
chambre de tapisserie, une des plus galantes pour les
amours et mythologies voluptueuses dont la haute lice
était historiée; Isabelle eut la chambre bleue, cette
couleur seyant aux blondes; le rouge fut pour Sérafine,
et la tannée reçut la Duègne, comme assortie à l'âge
de la compagnonne par la sévérité refrognée de la
nuance. Sigognac fut installé dans la chambre tendue
en cuir de Bohême non loin de la porte d'Isabelle,
attention délicate du marquis; ce logis assez
magnifique ne se donnait qu'aux hôtes d'importance,
et le châtelain de Bruyères tenait à traiter particulièrement parmi ces baladins un homme de naissance,
et à lui prouver qu'il en faisait estime, tout en respectant le mystère de son incognito. Le reste de la troupe,
le Tyran, le Pédant, le Scapin, le Matamore et le
Léandre, fut distribué dans les autres logis.

Sigognac mis en possession de son gîte où l'on avait
déposé son mince bagage, tout en réfléchissant à la
bizarrerie de sa situation, regardait d'un œil surpris,
car jamais il ne s'était trouvé en pareille fête, l'appartement qu'il devait occuper pendant son séjour au
château. Les murailles, comme le nom de la chambre
l'indiquait, étaient tapissées de cuir de Bohême gaufré de fleurs chimériques et de ramages extravagants
découpant sur un fond de vernis d'or leurs corolles,
rinceaux et feuilles enluminés de couleurs à reflets

métalliques luisant comme du paillon. Cela formait
une tenture aussi riche que propre, descendant de la
corniche jusqu'à un lambris de chêne noir très bien
divisé en panneaux, losanges et caissons.

Les rideaux des fenêtres étaient de brocatelle jaune
et rouge rappelant le fond de la tenture et la couleur
dominante des fleurs. Cette même brocatelle formait
la garniture du lit, dont le chevet s'appuyait au mur
et dont les pieds s'allongeaient dans la salle de
manière à former ruelle de chaque côté. Les portières
ainsi que les meubles étaient d'une étoffe semblable
et de nuances assorties.

Des chaises à dossier carré, à pieds tournés en spirale, étoilées de clous d'or et frangées de crépine, des
fauteuils ouvrant leurs bras bien rembourrés s'étalaient le long des boiseries dans l'attente de visiteurs
et marquaient, auprès de la cheminée, la place des
causeries intimes. Cette cheminée, en marbre séran-
colin blanc et tacheté de rouge, était haute, ample et
profonde. Un feu réjouissant par cette fraîche matinée
y flambait fort à propos, éclairant de son reflet joyeux
une plaque aux armes du marquis de Bruyères. Sur
le chambranle, une petite horloge, figurant un pavillon dont le timbre simulait le dôme, indiquait l'heure
sur son cadran d'argent niellé, évidé au milieu et
laissant voir la complication intérieure des rouages.

Une table, à pieds tordus en colonnes salomoniques
et recouverte d'un tapis de Turquie, occupait le centre
de la chambre. Devant la fenêtre une toilette inclinait
son miroir de Venise à biseaux sur une nappe de guipure garnie de tout le coquet arsenal de la galanterie.

En se considérant dans cette pure glace, curieusement encadrée d'écaille et d'étain, notre pauvre Baron
ne put s'empêcher de se trouver fort mal en point et
dépenaillé d'une manière lamentable. L'élégance de la
chambre, la nouveauté et la fraîcheur des objets dont
il était entouré rendaient encore plus sensibles le ridicule et le délabrement de son costume déjà hors de
mode avant le meurtre du feu roi. Une faible rougeur,
quoiqu'il fût seul, passa sur les joues maigres du
Baron. Jusqu'alors il n'avait trouvé sa misère que
déplorable, maintenant elle lui semblait grotesque, et
pour la première fois il en eut honte. Sentiment peu
philosophique, mais excusable chez un jeune homme.

Voulant s'ajuster un peu mieux, Sigognac défit le

paquet où Pierre avait renfermé les minces hardes que possédait son maître. Il déplia les diverses pièces de vêtement qu'il contenait, et ne trouva rien à sa guise. Tantôt le pourpoint était trop long, tantôt le haut-de-chausses trop court. Les saillies des coudes et des genoux, offrant plus de prise aux frottements, se marquaient par des plaques râpées jusqu'à la corde. Entre les morceaux disjoints les coutures riaient aux éclats et montraient leurs dents de fil. Des reprises perdues, mais retrouvées depuis longtemps, bouchaient les trous avec des grillages compliqués comme ceux des judas de prison ou de portes espagnoles. Fanées par le soleil, l'air et la pluie, les couleurs de ces guenilles étaient devenues si indécises qu'un peintre eût eu de la peine à les désigner de leur nom propre. Le linge ne valait guère mieux. Des lavages nombreux l'avaient réduit à l'expression la plus ténue. C'étaient des ombres de chemises plutôt que des chemises réelles. On les eût dites taillées dans les toiles d'araignée du manoir. Pour comble de malheur, les rats, ne trouvant rien au garde-manger, en avaient rongé quelques-unes des moins mauvaises, y pratiquant avec leurs incisives autant de jours qu'à un collet de guipure, ornement intempestif dont se fût bien passée la garde-robe du pauvre Baron.

Cette inspection mélancolique absorbait si fort Sigognac qu'il n'entendit pas un coup discrètement frappé à la porte, qui s'entrebâilla, livrant passage d'abord à la tête enluminée, puis au corps obèse de messer Blazius, lequel pénétra dans la chambre avec force révérences exagérées et servilement comiques ou comiquement serviles, dénotant un respect moitié réel, moitié feint.

Quand le Pédant arriva près de Sigognac, celui-ci tenait par les deux manches et présentait à la lumière une chemise fenestrée comme la rose d'une cathédrale, et il secouait la tête d'un air piteusement découragé.

« Corbacche! dit le Pédant, dont la voix fit tressaillir le Baron surpris, cette chemise a la mine vaillante et triomphale. On dirait qu'elle est montée à l'assaut de quelque place forte sur la propre poitrine du dieu Mars, tant elle est criblée, perforée, ajourée glorieusement par mousquetades, carreaux, dards, flèches et autres armes de jet. Il n'en faut pas rougir, Baron;

ces trous sont des bouches par lesquelles se proclame l'honneur, et telle toile de Frise ou de Hollande toute neuve et goudronnée à la dernière mode de la cour cache souvent l'infamie d'un bélître parvenu, concussionnaire et simoniaque; plusieurs héros considérables, dont l'histoire rapporte au long les gestes, n'étaient point trop bien fournis en linge, témoin Ulysse, personnage grave, prudent et subtil, lequel se présenta, vêtu seulement d'une poignée d'herbes marines, à la tant belle princesse Nausicaa, comme il appert en l'Odyssée du sieur Homérus.

— Par malheur, répondit Sigognac au Pédant, mon cher Blazius, je ne ressemble à ce brave Grec, roi d'Ithaque, que par le manque de chemises. Mes exploits antérieurs ne compensent point ma misère présente. L'occasion a fait défaut à ma vaillance, et je doute que je sois jamais chanté des poètes, en vers hexamétriques. J'avoue que cela me fâche étrangement, bien que l'on ne doive pas avoir vergogne d'une pauvreté honorable, de paraître ainsi accoutré parmi cette compagnie. Le marquis de Bruyères m'a bien reconnu, quoiqu'il n'en ait fait montre, et il peut trahir mon secret.

— Cela est, en effet, on ne peut plus fâcheux, répliqua le Pédant, mais il y a un remède à tout, fors à la mort, comme dit le proverbe. Nous autres, pauvres comédiens, ombres de la vie humaine et fantômes des personnages de toute condition, à défaut de l'*être*, nous avons au moins le *paraître,* qui lui ressemble comme le reflet ressemble à la chose. Quand il nous plaît, grâce à notre garde-robe où sont tous nos royaumes, patrimoines et seigneuries, nous prenons l'apparence de princes, hauts barons, gentilshommes de fière allure et de galante mine. Pour quelques heures nous égalons en bravoure d'ajustements ceux qui s'en piquent le plus : les blondins et petits-maîtres imitent nos élégances empruntées que de fausses ils font réelles, substituant le drap fin à la serge, l'or au clinquant, le diamant à la marcassite, car le théâtre est école de mœurs et académie de la mode. En ma qualité de costumier de la troupe, je sais faire d'un pleutre un Alexandre, d'un pauvre diable recru de fortune un riche seigneur, d'une coureuse une grande dame, et, si vous ne le trouvez point mauvais, j'userai de mon industrie à votre endroit. Puisque vous avez bien voulu suivre notre sort vagabond, usez du moins de nos ressources. Quittez cette livrée de mélancolie et de misère qui obombre vos avantages naturels et vous inspire une injuste défiance de vous-même. J'ai précisément en réserve dans un coffre un habit fort propre en velours noir avec des rubans feu, qui ne sent point son théâtre et que pourrait porter un homme de cour, car c'est aujourd'hui une fantaisie fréquente chez les auteurs et poètes de mettre à la scène des aventures du temps, sous noms supposés, qui exigent des habits d'honnêtes gens et non de baladins extravagamment déguisés à l'antique ou à la romanesque. J'ai la chemisette, les bas de soie, les souliers à bouffettes, le manteau, tous les accessoires du costume qui semble taillé exprès sur votre moule comme par prévision de l'aventure. Rien n'y manque, pas même l'épée.

— Oh! pour cela, il n'est besoin, dit Sigognac, avec un geste hautain où reparaissait toute la fierté du noble qu'aucune infortune ne peut abattre. J'ai celle de mon père.

— Conservez-la précieusement, répondit Blazius, une épée est une amie fidèle, gardienne de la vie et de l'honneur de son maître. Elle ne l'abandonne pas en désastres, périls et mauvaises rencontres, comme font les flatteurs, vile engeance parasite de la prospérité. Nos glaives de théâtre n'ont ni fil ni pointe, car ils ne doivent porter que de feintes blessures dont on se guérit subitement à la fin de la pièce, et cela sans onguent, charpie ou thériaque. Celle-là vous saura défendre au besoin comme elle l'a déjà fait quand le bandit aux mannequins fit cette équipée de grande route effroyable et risible. Mais souffrez que j'aille chercher les nippes au fond de la malle qui les cèle; il me tarde de voir la chrysalide se muer en papillon. »

Ces paroles débitées avec l'emphase grotesque qui lui était habituelle et qu'il transportait de ses rôles dans la vie ordinaire, le Pédant sortit de la chambre et revint bientôt portant entre les bras un paquet assez volumineux enveloppé d'une serviette et qu'il posa respectueusement sur la table.

« Si vous voulez accepter un vieux pédant de comédie pour valet de chambre, dit Blazius en se frottant les mains d'un air de contentement, je vais vous ado-

niser et calamistrer de la belle façon. Toutes les dames
raffoleront de vous incontinent; car, soit dit sans faire
injure à la cuisine de Sigognac, vous avez assez jeûné
dans votre Tour de la Faim pour avoir la vraie physionomie d'un mourant d'amour. Les femmes ne
croient qu'aux passions maigres; les ventripotents ne
les persuadent point, eussent-ils en la bouche les
chaînes dorées, symboles d'éloquence, qui suspendaient nobles, bourgeois, manants aux lèvres d'Ogmios,
l'Hercule gaulois. C'est pour cette raison et non pour
une autre que j'ai médiocrement réussi auprès du beau
sexe et me suis rejeté de bonne heure sur la dive bouteille, laquelle ne fait point tant la renchérie et
accueille favorablement les gros hommes, comme
muids de capacité plus vaste. »

C'est ainsi que l'honnête Blazius tâchait d'égayer,
tout en l'habillant, le baron de Sigognac, car la volubilité de sa langue n'ôtait rien à l'activité de ses
mains; même au risque d'être taxé de bavard ou de
fâcheux, il préférait étourdir le jeune gentilhomme
d'un flux de paroles à le laisser sous le poids de
réflexions pénibles.

La toilette du Baron fut bientôt achevée, car le
théâtre, exigeant des changements rapides de costumes,
donne beaucoup de dextérité aux comédiens en ces
sortes de métamorphoses. Blazius, content de sa
besogne, mena par le bout du petit doigt, comme on
mène une jeune épousée à l'autel, le baron de Sigognac devant la glace de Venise posée sur la table et
lui dit : « Maintenant daignez jeter un coup d'œil sur
Votre Seigneurie. »

Sigognac aperçut dans le miroir une image qu'il prit
d'abord pour celle d'une autre personne, tant elle
différait de la sienne. Involontairement il retourna la
tête et regarda par-dessus son épaule pour voir s'il n'y
avait pas par hasard quelqu'un derrière lui. L'image
imita son mouvement. Plus de doute, c'était bien lui-
même : non plus le Sigognac hâve, triste, lamentable,
presque ridicule à force de misère, mais un Sigognac
jeune, élégant, superbe, dont les vieux habits abandon-
nés sur le plancher ressemblaient à ces peaux grises
et ternes que dépouillent les chenilles lorsqu'elles
s'envolent vers le soleil, papillons aux ailes d'or, de
cinabre et de lapis. L'être inconnu, prisonnier dans
cette enveloppe de délabrement, s'était dégagé sou-

dain et rayonnait sous la pure lumière tombant de la
fenêtre comme une statue dont on vient d'enlever le
voile en quelque inauguration publique. Sigognac se
voyait tel qu'il s'était quelquefois apparu en rêve,
acteur et spectateur d'une action imaginaire se passant dans son château rebâti et orné par les habiles
architectes du songe pour recevoir une infante adorée arrivant sur une haquenée blanche. Un sourire de
gloire et de triomphe voltigea quelques secondes
comme une lueur de pourpre sur ses lèvres pâles, et
sa jeunesse enfouie si longtemps sous le malheur
reparut à la surface de ses traits embellis.

Blazius, debout près de la toilette, contemplait son
ouvrage, se reculant pour mieux jouir du coup d'œil,
comme un peintre qui vient de donner la dernière
touche à un tableau dont il est satisfait.

« Si, comme je l'espère, vous vous poussez à la cour
et recouvrez vos biens, donnez-moi pour retraite le
gouvernement de votre garde-robe, dit-il en singeant
la courbette d'un solliciteur devant le Baron trans-
formé.

— Je prends note de la requête, répondit Sigognac
avec un sourire mélancolique; vous êtes, messer
Blazius, le premier être humain qui m'ayez demandé
quelque chose.

— On doit, après le dîner qui nous sera servi particulièrement, rendre visite à M. le marquis de Bruyères
pour lui montrer la liste des pièces que nous pouvons
jouer, et savoir de lui dans quelle partie du château
nous dresserons le théâtre. Vous passerez pour le
poète de la troupe, car il ne manque pas par les
provinces de beaux esprits qui se mettent parfois à la
suite de Thalie, dans l'espoir de toucher le cœur de
quelque comédienne; ce qui est fort galant et bien
porté. L'Isabelle est un joli prétexte, d'autant qu'elle
a de l'esprit, de la beauté et de la vertu. Les ingénues
jouent souvent plus au naturel qu'un public frivole
et vain ne les suppose. »

Cela dit, le Pédant se retira, quoiqu'il ne fût pas
fort coquet, pour aller vaquer à sa propre toilette.

Le beau Léandre, pensant toujours à la châtelaine,
s'adonisait de son mieux, dans l'espoir de cette aventure impossible qu'il poursuivait toujours, et qui, au
dire de Scapin, ne lui avait jamais valu que des
déceptions et des étrivières. Quant aux comédiennes,

à qui M. de Bruyères avait galamment envoyé quelques pièces d'étoffe de soie pour y lever, s'il était besoin, les habits de leurs rôles, on pense qu'elles eurent recours à toutes les ressources dont l'art se sert pour parer la nature, et se mirent sur le grand pied de guerre autant que leur pauvre garde-robe d'actrices ambulantes le leur permettait. Ces soins pris, on se rendit à la salle où le dîner était servi.

Impatient de sa nature, le marquis vint avant la fin du repas trouver les comédiens à table; il ne souffrit pas qu'ils se levassent, et quand on leur eut donné à laver il demanda au Tyran quelles pièces il savait.

« Toutes celles de feu Hardy, répondit le Tyran de sa voix caverneuse, la *Pyrame,* de Théophile, la *Silvie,* la *Chriséide* et le *Sylvanire,* la *Folie de Cardenio,* l'*Infidèle Confidente,* la *Philis de Scyre,* le *Lygdamon,* le *Trompeur puni,* la *Veuve,* la *Bague de l'oubli,* et tout ce qu'ont produit de mieux les plus beaux esprits du temps.

— Depuis quelques années je vis retiré de la cour et ne suis pas au courant des nouveautés, dit le marquis d'un air modeste; il me serait difficile de porter un jugement sur tant de pièces excellentes, mais dont la plupart me sont inconnues; m'est avis que le plus expédient serait de m'en fier à votre choix, lequel, appuyé de théorie et de pratique, ne saurait manquer d'être sage.

— Nous avons souvent joué une pièce, répliqua le Tyran, qui peut-être ne souffrirait pas l'impression, mais qui, pour les jeux de théâtre, reparties comiques, nasardes et bouffonneries, a toujours eu ce privilège de faire rire les plus honnêtes gens.

— N'en cherchez point d'autres, dit le marquis de Bruyères, et comment s'appelle ce bienheureux chef-d'œuvre?

— *Les Rodomontades du capitaine Matamore.*

— Bon titre, sur ma foi! la Soubrette a-t-elle un beau rôle? fit le marquis en lançant un coup d'œil à Zerbine.

— Le plus coquet et le plus coquin du monde, et Zerbine le joue au mieux. C'est son triomphe. Elle y fut toujours claquée, et cela sans cabale ni applaudisseurs apostés. »

A ce compliment directorial, Zerbine crut qu'il était de son devoir de rougir quelque peu, mais il ne lui

était pas facile d'amener un nuage de vermillon sur
sa joue brune. La modestie, ce fard intérieur, lui manquait totalement. Parmi les pots de sa toilette, il n'y
avait pas de ce rouge-là. Elle baissa les yeux, ce qui
fit remarquer la longueur de ces cils noirs, et elle leva
la main comme pour arrêter au passage des paroles
trop flatteuses pour elle, et ce mouvement mit en
lumière une main bien faite, quoique un peu bise,
avec un petit doigt coquettement détaché et des ongles
roses qui luisaient comme des agates, car ils avaient
été polis à la poudre de corail et à la peau de chamois.

Zerbine était charmante de la sorte. Ces feintes
pudicités donnent beaucoup de ragoût à la déprava-
tion véritable; elles plaisent aux libertins, bien qu'ils
n'en soient pas dupes, par le piquant du contraste. Le
marquis regardait la Soubrette d'un œil ardent et
connaisseur, et n'accordait aux autres femmes que
cette vague politesse de l'homme bien élevé qui a fait
son choix.

« Il ne s'est pas seulement informé du rôle de la
grande coquette, pensait la Sérafine outrée de dépit;
cela n'est pas congru, et ce seigneur, si riche de bien,
me semble terriblement dénué du côté de l'esprit, de
la politesse et du bon goût. Décidément il a les incli-
nations basses. Son séjour en province l'a gâté, et
l'habitude de courtiser les maritornes et les bergères
lui ôte toute délicatesse. »

Ces réflexions ne donnaient pas l'air aimable à la
Sérafine. Ses traits réguliers, mais un peu durs, qui
avaient besoin pour plaire d'être adoucis par la
mignardise étudiée des sourires et le manège des clins
d'yeux, prenaient, ainsi contractés, une sécheresse
maussade. Sans doute elle était plus belle que Zerbine,
mais sa beauté avait quelque chose de hautain, d'agres-
sif et de méchant. L'amour eût peut-être risqué l'assaut.
Le caprice, effrayé, rebroussait de l'aile.

Aussi le marquis se retira-t-il sans essayer la
moindre galanterie auprès de donna Sérafina, ni
d'Isabelle, qu'il regardait d'ailleurs comme engagée
avec le baron de Sigognac. Avant de franchir le seuil
de la porte, il dit au Tyran : « J'ai donné des ordres
pour qu'on débarrassât l'orangerie, qui est la salle la
plus vaste du château, afin d'y établir le théâtre; on
a dû y porter des planches, des tréteaux, des tapisse-

ries, des banquettes, et tout ce qui est nécessaire pour arranger une représentation à l'improviste. Surveillez les ouvriers, peu experts en pareils travaux; disposez-en comme un comité de galère de sa chiourme. Ils vous obéiront comme à moi-même. »

Le Tyran, Blazius et Scapin furent conduits à l'orangerie par un valet. C'étaient eux qui prenaient d'ordinaire ces soins d'arrangements matériels. La salle s'accommodait on ne peut mieux à une représentation théâtrale par sa forme oblongue, qui permettait de placer la scène à l'une de ses extrémités et de disposer par files dans l'espace vacant des fauteuils, chaises, tabourets et banquettes, selon le rang des spectateurs et l'honneur qu'on voulait leur faire. Les murailles en étaient peintes de treillages verts sur fond de ciel, simulant une architecture rustique avec piliers, arcades, niches, dômes, culs-de-four, le tout fort bien en perspective et guirlandé légèrement de feuillages et de fleurs pour rompre la monotonie des losanges et lignes droites. Le plafond demi-cintré représentait le vague de l'air zébré de quelques nuages blancs et virgulé d'oiseaux à couleurs vives; ce qui formait une décoration on ne peut mieux appropriée à la nouvelle destination du lieu.

Un plancher légèrement en pente fut posé sur des tréteaux à l'un des bouts de la salle. Des portants de bois destinés à soutenir les coulisses se dressèrent de chaque côté du théâtre. De grands rideaux de tapisseries jouant sur des cordes tendues devaient servir de toile, et en s'ouvrant se masser à droite et à gauche comme les plis d'un manteau d'arlequin. Une bande d'étoffe découpée à dents, comme la garniture d'un ciel de lit, composait la frise et achevait le cadre de la scène.

Pendant que le théâtre se bâtit, occupons-nous des habitants du château, sur lesquels il serait bon de donner quelques détails. Nous avons oublié de dire que le marquis de Bruyères était marié; il s'en souvenait si peu lui-même que cette omission doit nous être pardonnée. L'amour, comme on le pense bien, n'avait pas présidé à cette union. Un même nombre de quartiers de noblesse, des terres qui se convenaient admirablement l'avaient décidée. Après une très courte lune de miel, se sentant peu de sympathie l'un pour l'autre, le marquis et la marquise, en gens comme il faut, ne s'étaient pas acharnés bourgeoisement à poursuivre un bonheur impossible. D'un accord tacite, ils y avaient renoncé et vivaient ensemble séparés à l'amiable, de la façon la plus courtoise du monde et avec toute la liberté que comportent les bienséances. N'allez pas croire d'après cela que la marquise de Bruyères fût une femme laide ou désagréable. Ce qui rebute le mari peut encore faire le régal de l'amant. L'amour porte un bandeau, mais l'hymen n'en a pas. D'ailleurs nous allons vous présenter à elle, afin que vous en puissiez juger par vous-même.

La marquise habitait un appartement séparé, où le marquis n'entrait pas sans se faire annoncer. Nous commettrons cette incongruité dont les auteurs de tous les temps ne se sont pas fait faute, et, sans rien dire au petit laquais qui serait allé prévenir la camériste, nous pénétrerons dans la chambre à coucher, sûr de ne déranger personne. L'écrivain qui fait un roman porte naturellement au doigt l'anneau de Gygès, lequel rend invisible.

C'était une pièce vaste, haute de plafond et décorée somptueusement. Des tapisseries de Flandres, représentant les aventures d'Apollon, recouvraient les murailles de teintes chaudes, riches et moelleuses. Des rideaux de damas des Indes cramoisi tombaient à plis amples le long des fenêtres, et, traversés par un gai rayon de lumière, prenaient une transparence pourprée de rubis. La garniture du lit était de la même étoffe dont les lés accusés par des galons formaient des cassures régulières, miroitées de reflets. Un lambrequin pareil à celui des dais en entourait le ciel, orné aux quatre coins de gros panaches de plumes incarnadines. Le corps de la cheminée faisait une assez forte saillie dans la chambre, et il montait visible jusqu'au plafond enveloppé par la haute lice. Un grand miroir de Venise enrichi d'un cadre de cristal, dont les tailles et les carres scintillaient, illuminées de bluettes multicolores, se penchait de la moulure vers la chambre pour aller au-devant des figures. Sur les chenets, formés comme par une suite de renflements étranglés et surmontés d'une énorme boule de métal poli, brûlaient en pétillant trois bûches qui eussent pu servir de bûches de Noël. La chaleur qu'elles répandaient n'était pas superflue, à cette époque de l'année, dans une pièce de cette dimension.

Deux cabinets d'une curieuse architecture, avec colonnettes de lapis-lazuli, incrustations de pierres dures, et tiroirs à secrets, où le marquis n.. se fût pas avisé de mettre le nez, eût-il su la manière de les ouvrir, se faisaient symétrie de chaque côté d'une toilette devant laquelle Mme de Bruyères était assise sur un de ces fauteuils particuliers au règne de Louis XIII, dont le dossier présente, à la hauteur des épaules, une sorte de planchette rembourrée et garnie de crépines.

Derrière la marquise se tenaient deux femmes de chambre qui l'accommodaient, l'une offrant une pelote d'épingles et l'autre une boîte de mouches.

La marquise, bien qu'elle n'avouât que vingt-huit ans, pouvait avoir dépassé le cap de la trentaine, que les femmes ont une si naïve répugnance à franchir, comme beaucoup plus dangereux que le cap des Tempêtes dont s'épouvantent les matelots et les pilotes. De combien? personne n'eût su le dire, pas même la marquise, tant elle avait ingénieusement introduit la confusion dans cette chronologie. Les plus experts historiens en l'art de vérifier les dates n'y eussent fait que blanchir.

Mme de Bruyères était une brune dont l'embonpoint qui succède à la première jeunesse avait éclairci le teint; chez elle, les tons olivâtres de la maigreur, combattus jàdis avec le blanc de perles et la poudre de talc, faisaient place à une blancheur mate, un peu maladive le jour, mais éclatante aux bougies. L'ovale de son visage s'était empâté par la plénitude des joues, sans toutefois perdre de sa noblesse. Le menton se rattachait au col au moyen d'une ligne grassouillette assez gracieuse encore. Trop busquée peut-être pour une beauté féminine, le nez ne manquait pas de fierté, et séparait deux yeux à fleur de tête, couleur tabac d'Espagne, auxquels des sourcils en arc assez éloignés des paupières donnaient un air d'étonnement.

Ses cheveux abondants et noirs venaient de recevoir les dernières façons des mains de la coiffeuse, dont la tâche avait dû être assez compliquée à en juger par la quantié de papillotes de papier brouillard qui jonchaient le tapis autour de la toilette. Une ligne de minces boucles contournées en accroche-cœur encadraient le front et frisaient à la racine d'une masse de cheveux ramenés en arrière vers le chignon, tandis que deux énormes touffes aériées, soufflées et crespées à coups de peigne nerveux et rapides, bouffaient le long des joues, qu'elles accompagnaient avec grâce. Une cocarde de rubans passementée de jayet étoffait la lourde boucle nouée sur la nuque. Les cheveux étaient une des beautés de la marquise, qui suffisaient à toutes les coiffures sans avoir recours aux postiches et artifices de perruque, et pour cette cause se laissait volontiers approcher des dames et des cavaliers à l'heure où ses femmes l'ajustaient.

Cette nuque conduisait le regard par un contour plein et renflé à des épaules fort blanches et potelées que laissait à découvert l'échancrure du corsage et où se trouaient dans l'embonpoint deux fossette apétissantes. La gorge, sous la pression d'un corps de baleine, tendait à rapprocher ces demi-globes que les flatteurs, poètes, faiseurs de madrigaux et sonnets s'obstinent à nommer les frères ennemis, bien qu'ils se soient trop souvent réconciliés, moins farouches en cela que les frères de la Thébaïde.

Un cordonnet de soie noire, passant à travers un cœur de rubis et soutenant une petite croix de pierreries, entourait le col de la marquise, comme pour combattre les sensualités païennes éveillées par la vue de ces charmes étalés, et défendre au désir profane l'entrée de cette gorge mal fortifiée d'un frêle rempart de guipure.

Sur une jupe de satin blanc Mme de Bruyères portait une robe de soie grenat foncé, relevée de rubans noirs et de passequilles en jayet, avec des poignets ou parements renversés comme les gantelets de gens d'armes.

Jeanne, une des femmes de la marquise, lui présenta la boîte à mouches, dernier complément de toilette indispensable à cette époque pour quelqu'un qui se piquait d'élégance. Mme de Bruyères en posa une vers le coin de la bouche et chercha longtemps la place de l'autre, celle qu'on nomme assassine, parce que les plus fiers courages en reçoivent des atteintes qu'ils ne sauraient parer. Les femmes de chambre, semblant comprendre combien c'était chose grave, restaient immobiles et retenaient leur souffle pour ne pas troubler les coquettes réflexions de leur maîtresse. Enfin le doigt hésitant se fixa, et un point de taffetas, astre noir sur un ciel de blancheur, moucheta comme un signe naturel la naissance du sein gauche. C'était dire en galants hiéroglyphes qu'on ne pouvait arriver à la bouche qu'en passant par le cœur.

Satisfaite d'elle-même, après un dernier coup d'œil jeté au miroir de Venise penché sur la toilette, la marquise se leva et fit quelques pas dans la chambre; mais, se ravisant bientôt, car elle s'était aperçue qu'il lui manquait quelque chose, elle revint et prit dans un coffret une grosse montre, un œuf de Nuremberg, comme on disait alors, curieusement émaillée de diverses couleurs, constellée de brillants, et suspendue à une chaîne terminée par un crochet qu'elle agrafa dans sa ceinture, près d'un petit miroir à main encadré de vermeil.

« Madame est en beauté aujourd'hui, dit Jeanne d'une voix câline; elle est coiffée à son avantage, et sa robe lui sied on ne peut mieux.

— Tu trouves? répondit la marquise, traînant ses paroles avec une nonchalance distraite; il me semble au contraire que je suis laide à faire peur. J'ai les yeux cernés, et cette couleur me grossit. Si je me mettais en noir? Qu'en penses-tu, Jeanne? le noir fait paraître mince.

— Si madame le désire, je vais lui passer sa robe de taffetas queue-de-merle ou fleur-de-prune, ce sera l'affaire d'un instant; mais je crains que madame ne gâte une toilette bien réussie.

— Ce sera ta faute, Jeanne, si je mets les Amours en fuite et si je ne fais pas ce soir ma récolte de cœurs. Le marquis a-t-il invité beaucoup de monde à cette comédie?

— Plusieurs messagers sont partis à cheval dans diverses directions. La compagnie ne saurait manquer d'être nombreuse : on viendra de tous les châteaux des environs. Les occasions de divertissement sont si rares en ce pays!

— C'est vrai, dit la marquise en soupirant; on y vit dans une terrible frugalité de plaisirs. Et ces comédiens, les as-tu vus, Jeanne? En est-il parmi eux qui soient jeunes, de belle mine et de prestance galante?

— Je ne saurais trop dire à madame; ces gens-là ont plutôt des masques que des visages : la céruse, le fard, les perruques leur donnent de l'éclat aux chandelles et les font paraître tout autres qu'ils ne sont. Cependant il m'a semblé qu'il y en avait un point trop déchiré et qui prend des airs de cavalier; il a de belles dents et la jambe assez bien faite.

— Ce doit être l'amoureux, Jeanne, dit la marquise; on choisit pour cela le plus joli garçon de la troupe, car il serait malséant de débiter des cajoleries avec un nez en trompette et de se jeter sur des genoux cagneux pour faire une déclaration.

— Cela serait en effet fort vilain, dit en riant la suivante. Les maris sont comme ils peuvent, mais les amants doivent être sans défauts.

— Aussi j'aime ces galants de comédie, toujours fleuris de langage, experts à pousser les beaux sentiments, qui se pâment aux pieds d'une inhumaine, attestent le ciel, maudissent la fortune, tirent leur épée pour s'en percer la poitrine, jettent feux et flammes comme volcans d'amour, et disent de ces choses à ravir en extase les plus froides vertus; leurs discours me chatouillent agréablement le cœur, et il me semble parfois que c'est à moi qu'ils s'adressent. Souvent même les rigueurs de la dame m'impatientent, et je la gourmande à part moi de faire ainsi languir et sécher sur pied un si parfait amant.

— C'est que madame a l'âme bonne, répliqua Jeanne, et ne se plaît point à voir souffrir. Pour moi, je suis d'humeur plus féroce, et cela me divertirait de voir quelqu'un mourir d'amour tout de bon. Les belles phrases ne me persuadent point.

— Il te faut du positif, Jeanne, et tu as l'esprit un peu enfoncé dans la matière. Tu ne lis pas comme moi les romans et pièces de théâtre. Ne me disais-tu pas tout à l'heure que le galant de la troupe était joli garçon?

— Madame la marquise peut en juger elle-même, dit la suivante, debout près de la fenêtre : le voilà précisément qui traverse la cour, sans doute pour se rendre à l'orangerie, où l'on dresse le théâtre. »

La marquise s'approcha de la croisée et vit le Léandre marchant à petits pas, d'un air songeur, comme quelqu'un absorbé par une passion profonde. A tout hasard, il affectait cette attitude mélancolique dont les femmes se préoccupent, devinant quelque peine de cœur à consoler. Arrivé sous le balcon, il leva la tête avec un certain mouvement, qui donna à ses yeux un lumineux particulier, fixa sur la croisée un regard long, triste et chargé de désespérance de l'amour impossible, bien qu'exprimant aussi l'admiration la plus vive et la plus respectueuse. Apercevant la marquise, dont le front s'appuyait à la vitre, il ôta son chapeau de façon à balayer la terre avec la plume, et fit un de ces saluts profonds comme on en fait aux reines et aux déités, et qui marquent la distance de l'Empyrée au néant. Puis il se couvrit d'un geste plein de grâce, reprenant avec un air superbe son arrogance de cavalier, abjurée un moment aux pieds de la beauté. Ce fut net, précis et bien fait. Un véritable seigneur rompu au monde, usagé en la cour, n'eût pas mieux saisi la nuance.

Flattée de ce salut à la fois discret et prosterné, où l'on rendait si bien à son rang ce qu'on lui devait, Mme de Bruyères ne put s'empêcher d'y répondre par une faible inclination de tête accompagnée d'un imperceptible sourire.

Ces signes favorables n'échappèrent point au Léandre, et sa fatuité naturelle ne manqua pas de s'en exagérer la portée. Il ne douta pas un instant que la marquise ne fût amoureuse de lui, et son imagination extravagante se mit à bâtir là-dessus tout un roman chimérique. Il allait enfin accomplir le rêve de toute sa vie, avoir une aventure galante avec une vraie grande dame, dans un château quasi princier, lui, pauvre comédien de province, plein de talent sans doute, mais qui n'avait point encore joué devant la cour. Rempli de ces billevesées, il ne se sentait pas d'aise; son cœur se gonflait, sa poitrine se dilatait, et, la répétition finie, il rentra chez lui pour écrire un billet du style le plus hyperbolique, qu'il comptait bien faire parvenir à la marquise.

Comme tous les rôles de la pièce étaient sus, dès que les invités du marquis furent arrivés, la représentation des *Rodomontades du capitaine Matamore* put avoir lieu.

L'orangerie, transformée en salle de théâtre, offrait le plus charmant coup d'œil. Des bouquets de bougies, fixées aux murailles par des bras ou des appliques, y répandaient une clarté douce, favorable aux parures des femmes, sans nuire à l'effet de la scène. En arrière des spectateurs, sur des planches formant gradins, on avait placé les orangers, dont les feuillages et les fruits, échauffés par la tiède atmosphère de la salle, dégageaient une odeur des plus suaves, se mêlant aux parfums du musc, du benjoin, de l'ambre et de l'iris.

Au premier rang, tout près du théâtre, sur des fauteuils massifs, rayonnaient Yolande de Foix, la duchesse de Montalbon, la baronne d'Hagémeau, la marquise de Bruyères et autres personnes de qualité, dans des toilettes d'une richesse et d'une élégance décidées à ne pas se laisser vaincre. Ce n'étaient que velours, satins, toiles d'argent ou d'or, dentelles, guipures, cannetilles, ferrets de diamants, tours de perles, girandoles, nœuds de pierreries qui pétillaient aux lumières et lançaient de folles bluettes; nous ne parlons pas des étincelles bien plus vives que jetaient les diamants des yeux. A la cour même, on n'eût pu voir réunion plus brillante.

Si Yolande de Foix n'eût pas été là, plusieurs déesses mortelles auraient fait hésiter un Pâris chargé d'accorder la pomme d'or, mais sa présence rendait toute lutte inutile. Elle ne ressemblait pourtant pas à l'indulgente Vénus, mais bien plutôt à la sauvage Diane. La jeune châtelaine était d'une beauté cruelle, d'une grâce implacable, d'une perfection désespérante. Son visage, allongé et fin, ne semblait pas modelé avec de la chair, mais découpé dans l'agate ou l'onyx, tant ses traits en étaient purs, immatériels et nobles. Son col, amenuisé, flexible comme celui d'un cygne, s'unissait, par une ligne virginale, à des épaules encore un peu maigres et à une poitrine juvénile d'une blancheur neigeuse, que ne soulevaient pas les battements du cœur. Sa bouche, ondulée comme l'arc de la chasseresse, décochait la moquerie, même lorsqu'elle restait muette, et son œil bleu avait des éclairs froids à déconcerter l'aplomb des hardiesses. Cependant son attrait était irrésistible. Toute sa personne, insolemment étincelante, jetait au désir la provocation de l'impossible. Nul homme n'eût vu Yolande sans en devenir amoureux, mais être aimé d'elle était une chimère que bien peu se permettaient de caresser.

Comment était-elle habillée? Il faudrait plus de sang-froid que nous n'en possédons pour le dire. Ses vêtements flottaient autour de son corps comme une nuée lumineuse où l'on ne discernait qu'elle. Nous pensons cependant que des grappes de perles se mêlaient aux crépelures de ses cheveux blonds scintillants comme les rayons d'une auréole.

Sur des tabourets et des banquettes étaient assis, par-derrière les femmes, les seigneurs et les gentils-

hommes, pères, maris ou frères de ces beautés. Les uns
se penchaient gracieusement sur le dos des fauteuils,
murmurant quelque madrigal à une oreille indulgente,
les autres s'éventaient avec le panache de leurs feutres,
ou, debout, une main sur la hanche, campés de manière
à faire valoir leur belle prestance, promenaient sur
l'assemblée un regard satisfait. Un bruissement de
conversations voltigeait comme un léger brouillard au-
dessus des têtes, et l'attente commençait à s'impa-
tienter, lorsque trois coups solennellement frappés
retentirent et firent aussitôt régner le silence.

Les rideaux se séparèrent lentement, et laissèrent
voir une décoration représentant une place publique,
lieu vague, commode aux intrigues et aux rencontres
de la comédie primitive. C'était un carrefour, avec des
maisons aux pignons pointus, aux étages en saillie, aux
petites fenêtres maillées de plomb, aux cheminées d'où
s'échappait naïvement un tire-bouchon de fumée allant
rejoindre les nuages d'un ciel auquel un coup de balai
n'avait pu rendre toute sa limpidité première. L'une de
ces maisons, formant l'angle de deux rues qui tâchaient
de s'enfoncer dans la toile par un effort désespéré de
perspective, possédait une porte et une fenêtre *prati-
cables*. Les deux coulisses, qui rejoignaient à leur sommet une bande d'air çà et là géographié d'huile, jouis-
saient du même avantage, et, de plus, l'une d'elles avait
un balcon où l'on pouvait monter au moyen d'une
échelle invisible pour le spectateur, arrangement propice aux conversations, escalades et enlèvements à l'espagnole. Vous le voyez, le théâtre de notre petite
troupe était assez bien machiné pour l'époque. Il est
vrai que la peinture de la décoration eût semblé à des
connaisseurs un peu enfantine et sauvage. Les tuiles
des toits tiraient l'œil par la vivacité de leurs tons
rouges, le feuillage des arbres plantés devant les maisons était du plus beau vert-de-gris, et les parties
bleues du ciel étalaient un azur invraisemblable; mais
l'ensemble faisait suffisamment naître l'idée d'une place
publique chez des spectateurs de bonne volonté.

Un rang de vingt-quatre chandelles soigneusement
mouchées jetait une forte clarté sur cette honnête décoration peu habituée à pareille fête. Cet aspect magnifique fit courir une rumeur de satisfaction parmi l'au-
ditoire.

La pièce s'ouvrait par une querelle du bon bourgeois

Pandolphe avec sa fille Isabelle, qui, sous prétexte qu'elle était amoureuse d'un jeune blondin, se refusait le plus opiniâtrément du monde à épouser le capitaine Matamoros, dont son père était entiché, résistance dans laquelle Zerbine, sa suivante, bien payée par Léandre, la soutenait du bec et des ongles. Aux injures que lui adressait Pandolphe, l'effrontée Soubrette, prompte à la riposte, répondait par cent folies, et lui conseillait d'épouser lui-même Matamore s'il l'aimait tant. Quant à elle, jamais elle ne souffrirait que sa maîtresse devînt la femme de ce veillaque, de ce visage à nasardes, de cet épouvantail à mettre dans les vignes. Furieux, le bonhomme, voulant entretenir Isabelle seule, poussait Zerbine pour la faire rentrer au logis; mais elle cédait de l'épaule aux bourrades du vieillard, tout en restant en place avec un mouvement de corsage si élastique, un tordion de hanche si fripon, un froufrou de jupes si coquet qu'une ballerine de profession n'eût pu mieux faire, et à chaque tentative inutile de Pandolphe, elle riait, sans se soucier de paraître avoir la bouche grande, de ses trente-deux perles d'Orient, plus étincelantes encore aux lumières, à faire se dérider les mélancolies d'Héraclite. Une lueur diamantée luisait dans ses yeux, allumés par une couche de fard posée sous la paupière. Le carmin avivait ses lèvres, et ses jupes toutes neuves, faites avec les taffetas donnés par le marquis, se lustraient aux cassures de frissons subits, et semblaient secouer des étincelles.

Ce jeu fut applaudi de toute la salle, et le seigneur de Bruyères se disait tout bas qu'il avait eu le goût bon en jetant son dévolu sur cette perle des soubrettes.

Un nouveau personnage fit alors son entrée, regardant à droite et à gauche, comme s'il craignait d'être surpris. C'était Léandre, la bête noire des pères, des maris, des tuteurs, l'amour des femmes, des filles et des pupilles; l'amant en un mot, celui qu'on rêve, qu'on attend et qu'on cherche, qui doit tenir les promesses de l'idéal, réaliser la chimère des poèmes, des comédies et des romans, être la jeunesse, la passion, le bonheur, ne partager aucune misère de l'humanité, n'avoir jamais ni faim, ni soif, ni chaud, ni froid, ni peur, ni fatigue, ni maladie; mais toujours être prêt, la nuit, le jour, à pousser des soupirs, à roucouler des déclarations, à séduire les duègnes, à soudoyer les sui-

vantes, à grimper aux échelles, à mettre flamberge au
vent en cas de rivalité ou de surprise, et cela, rasé de
frais, bien frisé, avec des recherches de linge et d'habits, l'œil en coulisse, la bouche en cœur comme un
héros de cire! Métier terrible qui n'est pas trop récom-
pensé par l'amour de toutes les femmes.

Apercevant Pandolphe là où il ne comptait rencontrer qu'Isabelle, Léandre s'arrêta dans une pose étudiée devant les miroirs, et qu'il savait propre à mettre
en relief les avantages de sa personne : le corps portant sur la jambe gauche, la droite légèrement fléchie,
une main sur la garde de son épée, l'autre caressant le
menton de manière à faire briller le fameux solitaire,
les yeux pleins de flammes et de langueurs, la bouche
entrouverte par un faible sourire qui laissait luire
l'émail des dents. Il était vraiment fort bien : son costume, rafraîchi par des rubans neufs, son linge éblouis-
sant de blancheur, bouillonnant entre le pourpoint et
les chausses, ses souliers étroits, hauts de talons, ornés
d'une large cocarde, contribuaient à lui donner l'apparence d'un parfait cavalier. Aussi réussit-il complètement auprès des dames; la railleuse Yolande elle-
même ne le trouva point trop ridicule. Profitant de ce
jeu muet, Léandre lança par-dessus la rampe son regard
séducteur et le reposa sur la marquise avec une expression passionnée et suppliante qui la fit rougir malgré
elle; puis il le reporta vers Isabelle, éteint et distrait,
comme pour bien marquer la différence de l'amour réel
à l'amour simulé.

A la vue de Léandre, la colère de Pandolphe devint
de l'exaspération. Il fit rentrer au logis sa fille et la
soubrette, mais non pas si rapidement que Zerbine
n'eût eu le temps de glisser dans sa poche un billet à
l'adresse d'Isabelle, billet demandant un rendez-vous
nocturne. Le jeune homme, resté avec le père, lui
assura le plus poliment du monde que ses intentions
étaient honnêtes et ne tendaient qu'à serrer le plus
sacré des nœuds, qu'il était de bonne naissance, avait
l'estime des grands et quelque crédit à la cour, et que
rien, pas même la mort, ne pourrait le détourner
d'Isabelle, qu'il aimait plus que la vie; paroles charmantes, que la jeune fille écoutait avec délices, penchée de son balcon, et faisant au Léandre de jolis petits
signes d'acquiescement. Malgré cette éloquence melli-
flue, Pandolphe, avec une infatuation obstinée et sénile,

jurait ses grands dieux que le seigneur Matamore serait son gendre, ou que sa fille entrerait au couvent. De ce pas il allait chercher le tabellion pour conclure la chose.

Pandolphe éloigné, Léandre adjurait la belle, toujours à la fenêtre, car le vieillard avait fermé la porte à double tour, de consentir, pour éviter de telles extrémités, à ce qu'il l'enlevât et la menât à un ermite de sa connaissance, qui ne faisait pas de difficulté de marier les jeunes couples empêchés dans leurs amours par la volonté tyrannique des parents. A quoi la demoiselle répondait modestement, tout en avouant qu'elle n'était pas insensible à la flamme de Léandre, que l'on devait du respect à ceux de qui l'on tient le jour, et que cet ermite ne possédait peut-être pas toutes les qualités qu'il faut pour bien marier les gens; mais elle promettait de résister de son mieux et d'entrer en religion plutôt que de mettre sa main dans la patte du Matamore.

L'amoureux se retirait pour aller dresser ses batteries avec l'aide d'un certain valet, drôle retors, personnage fertile en fourberies, ruses et stratagèmes autant que le sieur Polyen. Il devait revenir le soir sous le balcon et rendre compte à sa maîtresse du succès de ses entreprises.

Isabelle fermait sa fenêtre, et le Matamore, avec cet esprit d'à-propos qui le caractérise, faisait son entrée. Son apparition attendue produisit un grand effet. Ce type favori avait le don de faire rire les plus moroses.

Quoique rien ne nécessitât une action si furibonde, Matamore, ouvrant les jambes en compas forcé et faisant des pas de six pieds, comme les mots dont parle Horace, arriva devant les chandelles et s'y planta dans une pose cambrée, outrageuse et provocante, de même que s'il eût voulu porter un défi à la salle entière. Il filait sa moustache, roulait de gros yeux, faisait palpiter sa narine et soufflait formidablement, comme s'il étouffait de colère pour quelque injure méritant la destruction du genre humain.

Matamore, en cette occasion solennelle, avait tiré du fond de son coffre un costume presque neuf qu'il ne mettait qu'aux beaux jours, et dont sa maigreur de lézard faisait ressortir encore la bizarrerie comique et l'emphase grotesquement espagnole. Ce costume consistait en un pourpoint bombé comme un corselet, et zébré de bandes diagonales alternativement jaunes et rouges qui convergeaient vers une rangée de boutons, en manière de chevrons renversés. La pointe du pourpoint descendait fort bas sur le ventre. Les bords et les entournures en étaient garnis d'un bourrelet saillant, aux mêmes couleurs; des rayures semblables à celles du pourpoint décrivaient des spirales bizarres autour des manches et de la culotte, donnant aux bras et aux cuisses un air risible de flûte à l'oignon. Si l'on s'avisait de chausser un coq de bas rouges, on aurait l'idée des tibias du Matamore. D'énormes bouffettes jaunes s'épanouissaient comme des choux sur ses souliers à crevés rouges; des jarretières à bouts flottants serraient au-dessus du genou ses jambes aussi dénuées de mollets que les pattes échassières d'un héron. Une fraise montée sur carton, dont les plis empesés dessinaient une série de 8, lui cerclait le col et le forçait à relever le menton, attitude favorable aux impertinences du rôle. Sa coiffure consistait en une sorte de feutre à la Henri IV, retroussé par un bord et accrêté de plumes rouges et blanches. Une cape déchiquetée en barbe d'écrevisse, des mêmes couleurs que le reste du costume, flottait derrière les épaules, burlesquement retroussée par une immense rapière, à laquelle le poids d'une lourde coquille faisait relever la pointe. Au bout de ce long estoc, qui eût pu servir de brochette à dix Sarrasins, pendait une rosace ouvrée délicatement en fils d'archal fort ténus, représentant une toile d'araignée, preuve convaincante du peu d'usage que faisait Matamore de ce terrible engin de guerre. Ceux d'entre les spectateurs qui avaient les yeux bons eussent même pu distinguer la petite bestiole de métal, suspendue au bout de son fil avec une quiétude parfaite et comme sûre de n'être pas dérangée dans son travail.

Matamore, suivi de son valet Scapin, que menaçait d'éborgner le bout de la rapière, arpenta deux ou trois fois le théâtre, faisant sonner ses talons, enfonçant son chapeau jusqu'au sourcil, et se livrant à cent pantomimes ridicules qui faisaient pâmer de rire les spectateurs; enfin, il s'arrêta et, se posant devant la rampe, il commença un discours plein de hâbleries, d'exagérations et de rodomontades, dont voici à peu près la teneur, et qui aurait pu prouver aux érudits que l'auteur de la pièce avait lu le *Miles gloriosus* de Plaute, aïeul de la lignée des Matamores.

« Pour aujourd'hui, Scapin, je veux bien quelques instants laisser au fourreau ma tueuse, et donner aux médecins le soin de peupler les cimetières dont je suis le grand pourvoyeur. Quand on a comme moi détrôné le Sofi de Perse, arraché par sa barbe l'Armorabaquin du milieu de son camp et tué de l'autre main dix mille Turcs infidèles, fait tomber d'un coup de pied les remparts de cent forteresses, défié le sort, écorché le hasard, brûlé le malheur, plumé comme un oison l'aigle de Jupin qui refusait de venir sur le pré à mon appel, me redoutant plus que les Titans, battu le fusil avec les carreaux de la foudre, éventré le ciel du croc de sa moustache, il est, certes, loisible de se permettre quelques récréations et badineries. D'ailleurs, l'univers soumis n'offre plus de résistance à mon courage, et la parque Atropos m'a fait savoir que, ses ciseaux s'étant ébréchés à couper le fil des destinées que moissonnait ma flamberge, elle avait été obligée de les envoyer au rémouleur. Donc, Scapin, il me faut tenir à deux mains ma vaillance, faire trêve aux duels, guerres, massacres, dévastations, sacs de villes, luttes corps à corps avec les géants, tueries de monstres à l'instar de Thésée et d'Hercule à quoi j'occupe ordinairement les férocités de mon indomptable bravoure. Je me repose. Que la mort respire! Mais à quels divertissements le seigneur Mars, qui près de moi n'est qu'un bien petit compagnon, passe-t-il ses vacances et congés? Entre les bras blancs et poupins de la dame Vénus, laquelle, comme déesse de bon entendement, préfère les gens d'armes à tous autres, fort dédaigneuse de son boiteux et cornard de mari. C'est pourquoi j'ai bien voulu condescendre à m'humaniser, et voyant que Cupidon n'osait se hasarder à décocher sa flèche à pointe d'or contre un vaillant de mon calibre, je lui ai fait un petit signe d'encouragement. Même pour que son dard pût pénétrer en ce généreux cœur de lion, j'ai dépouillé cette cotte de mailles faite des anneaux donnés par les déesses, impératrices, reines, infantes, princesses et grandes de tous pays, mes illustres amantes, tont la trempe magique me préserve en mes plus folles témérités.

— Cela signifie, dit le valet, qui avait écouté cette fulgurante tirade avec les apparences d'une contention d'esprit extrême, autant que mon faible entendement peut comprendre une éloquence si admirable en

rhétorique, si enjolivée de termes à propos et métaphores à l'asiatique que votre Vaillantissime Seigneurie a la fantaisie férue pour quelque jeune tendron de
la ville; *alias*, que vous êtes amoureux comme un
simple mortel.

— Vraiment, répliqua Matamore avec une bonhomie
nonchalante et superbe, tu as donné du nez droit dans
la chose, et tu ne manques pas d'intelligence pour un
valet. Oui, j'ai cette infirmité d'être amoureux; mais
ne crains pas qu'elle amollisse mon courage. Cela est
bon pour Samson, de se laisser tondre, et pour Alcide,
de filer la quenouille. Dalila n'eût osé me toucher le poil.
Omphale m'eût tiré les bottes. Au moindre signe de
révolte je lui aurais fait décrotter sur la table la peau
du lion Néméen comme une cape à l'espagnole. Dans
mon loisir, cette réflexion, humiliante pour un grand
cœur, m'est venue. J'ai vaincu, il est vrai, le genre
humain, mais je n'en ai réduit que la moitié. Les
femmes, par leur faiblesse, échappent à mon empire.
Il ne serait pas décent de leur couper la tête, de leur
tailler bras et jambes, de les fendre en deux jusqu'à
la ceinture, comme j'ai l'habitude de le faire avec mes
ennemis masculins. Ce sont là brutalités martiales,
que repousse la politesse. La défaite de leur cœur, la
reddition à volonté de leur âme, la mise à sac de leur
vertu me suffisent. Il est vrai que j'en ai soumis un
nombre plus grand que les sablons de la mer et les
étoiles du ciel, que je traîne après moi quatre coffres
pleins de poulets, billets doux et missives, et que je
dors sur un matelas composé de boucles brunes, châ-
taines, blondes, rousses, dont les plus pudiques m'ont
fait le sacrifice. Junon même m'a fait des avances que
j'ai rebutées parce que son immortalité était un peu
trop mûre, bien qu'elle se refasse vierge toutes les
années en la fontaine de Canathos; mais, tous ces
triomphes, je les compte comme défaites et ne veux
point d'une couronne de laurier à laquelle manque
une seule feuille; mon front en serait déshonoré. La
charmante Isabelle ose me résister, et quoique toutes
les audaces soient bienvenues près de moi, je ne saurais souffrir cette impertinence, et je veux qu'elle-
même, sur un plat d'argent, m'apporte les clefs d'or
de son cœur, à genoux, déchevelée, demandant grâce
et merci. Va sommer cette place de se rendre.
J'accorde trois minutes de réflexion : pendant cette

attente, le sablier tremblera dans la main du Temps effrayé. »

Et là-dessus, Matamore se campait dans une pose extravagamment anguleuse, dont sa maigreur excessive faisait encore ressortir le ridicule.

La fenêtre resta close aux sommations moqueuses du valet. Sûre de la bonté de ses murailles, et ne craignant pas qu'on ouvrît la brèche, la garnison, composée d'Isabelle et de Zerbine, ne donna pas signe de vie. Matamore, qui ne s'étonne de rien, s'étonna pourtant de ce silence.

« *Sangre y fuego!* Terre et ciel! Foudres et canonnades! s'écria-t-il en faisant hérisser le poil de sa lèvre comme la moustache d'un chat fâché. Ces bagasses ne bougent non plus que chèvres mortes. Qu'on arbore le drapeau, qu'on batte la chamade, ou je jette bas la maison d'une chiquenaude! Ce serait bien fait si la cruelle restait écrasée sous les ruines. Comment, Scapin, mon ami, t'expliques-tu cette défense hyrcanienne et sauvage contre mes charmes qui, comme on sait, n'ont point de rivaux en ce globe terraqué ni même en l'Olympe habité des dieux!

— Je me l'explique fort naturellement. Un certain Léandre, moins beau que vous, sans doute, mais tout le monde n'a pas le goût bon, s'est ménagé des intelligences dans la place; votre valeur s'attaque à une forteresse prise. Vous avez séduit le père, Léandre a séduit la fille. Voilà tout.

— Léandre! as-tu dit? Oh! ne répète pas ce nom exécrable et exécré, ou je vais, de male rage, décrocher le soleil, éborgner la lune, et, prenant la terre par les bouts de son essieu, la secouer de façon à produire un cataclysme diluvial comme celui de Noé ou d'Ogygès. Faire à ma barbe la cour à Isabelle, la dame de mes pensées! damnable godelureau, ruffian patibulaire, galantin de sac et de corde, où es-tu, que je te fende les naseaux, que je t'écrive des croix sur la figure, que je t'embroche, que je te larde, que je te crible, que je t'effondre, que je te désentraille, que je te piétine, que je te jette au bûcher et disperse tes cendres? Si tu paraissais pendant le paroxysme de ma fureur, le tonnerre de mes narines suffirait à t'envoyer au-delà des mondes parmi les feux élémentaires; je te lancerais si haut que tu ne retomberais jamais.

Marcher sur mes brisées, je frémis moi-même à l'idée de ce qu'une pareille audace peut amener de maux et de désastres sur la pauvre humanité. Je ne saurais punir dignement un tel crime sans fracasser du coup la planète. Léandre rival de Matamore! Par Mahom et Tervagant! Les mots épouvantés reculent et se refusent à venir exprimer une pareille énormité. On ne peut les joindre ensemble; ils hurlent quand on les prend au collet pour les rapprocher, car ils savent qu'ils auraient affaire à moi s'ils se permettaient cette licence. D'ores et en avant Léandre, ô ma langue! pardon de te faire prononcer ce nom infâme, peut se considérer comme défunt et aller lui-même commander son monument au tailleur de pierre, si toutefois j'ai la magnanimité de lui accorder les honneurs de la sépulture.

— Par le sang de Diane! dit le valet, voilà qui tombe comme de cire, le seigneur Léandre traverse précisément la place à pas comptés. Vous allez bellement lui dire son fait, et ce sera un magnifique spectacle que la rencontre de deux si fiers courages; car je ne vous cacherai pas que, parmi les maîtres d'armes et prévôts de la ville, ce gentilhomme a la renommée d'être assez bon gladiateur. Dégainez; pour moi, je ferai le guet, quand vous en serez aux mains, de peur que les sergents ne vous dérangent.

— Les étincelles de nos épées leur feront prendre le large, et ils n'oseraient, les bélîtres, entrer dans ce cercle de flammes et de sang. Reste tout près de moi, mon bon Scapin; si, d'aventure, j'étais fâcheusement navré de quelque estafilade, tu me recevrais en tes bras, répondit Matamore qui aimait beaucoup à être interrompu dans ses duels.

— Plantez-vous bravement devant lui, dit le valet en poussant son maître, et barrez-lui le passage. »

Voyant qu'il n'y avait pas moyen de faire une reculade, Matamore s'enfonça son feutre jusque sur les yeux, retroussa sa moustache, mit la main à la poignée de son immense rapière et s'avança vers Léandre, qu'il toisa des pieds à la tête, le plus insolemment qu'il put; mais c'était bravade pure, car on entendait claquer ses dents et l'on voyait flageoler et trembler ses minces jambes comme des roseaux au vent de bise. Il ne lui restait plus qu'un espoir, c'était d'intimider Léandre par des éclats de voix, des menaces et des rodomontades, des lièvres étant souvent cachés sous des peaux de lion.

« Monsieur, savez-vous que je suis le capitaine Matamoros, appartenant à la célèbre maison Cuerno et Cornazan, et allié à la non moins illustre famille Escobombardon de la Papirontonda? Je descends d'Antée par les femmes.

— Eh! descendez de la lune si cela vous amuse, répondit le Léandre avec un dédaigneux haussement d'épaules; que m'importent ces billevesées!

— Tête et ventre! monsieur; cela vous importera tout à l'heure; il est encore temps, videz la place, et je vous épargne. Votre jeunesse me touche. Regardez-moi bien. Je suis la terreur de l'univers, l'ami de la Camarde, la providence des fossoyeurs; où je passe, il pousse des croix. C'est à peine si mon ombre ose me suivre, tellement je la mène en des endroits périlleux. Si j'entre, c'est par la brèche; si je sors, c'est par un arc de triomphe; si j'avance, c'est pour me fendre; si je recule, c'est pour rompre; si je couche, c'est mon ennemi que j'étends sur le pré; si je traverse une rivière, elle est de sang, et les arches du pont sont faites avec les côtes de mes adversaires. Je me roule, avec délices, au milieu des mêlées, tuant, hachant, massacrant, taillant d'estoc et de taille, perçant de la pointe. Je jette les chevaux en l'air avec leurs cavaliers, je brise comme fétus de paille les os des éléphants. Aux assauts j'escalade les murs, en m'aidant de deux poinçons, et je plonge mon bras dans la gueule des canons pour en retirer les boulets. Le vent seul de mon épée renverse les bataillons comme gerbes sur l'aire. Quand Mars me rencontre sur un champ de bataille, il fuit, de peur que je ne l'assomme, tout dieu de la guerre qu'il est; enfin, ma vaillance est si grande, et l'effroi que j'inspire est tel, que jusqu'à présent, apothicaire du Trépas, je n'ai pu voir les braves que par le dos.

— Eh bien! vous allez en voir un en face », dit Léandre en appliquant sur un des profils du Matamore un énorme soufflet, dont l'écho burlesque retentit jusqu'au fond de la salle. Le pauvre diable pivota sur lui-même, près de tomber; un second soufflet non moins vigoureusement appliqué que le premier, mais sur l'autre joue, le remit d'aplomb.

**Pendant** cette scène, Isabelle et Zerbine avaient

reparu au balcon. La malicieuse Soubrette se tenait les côtes de rire, et sa maîtresse faisait un signe de tête amical à Léandre. Du fond de la place débouchait Pandolphe, accompagné du tabellion et qui, les dix doigts écarquillés et les yeux ronds de surprise, regardait Léandre battre le Matamore.

« Ecailles de crocodile et cornes de rhinocéros! vociféra le fanfaron, ta fosse est ouverte, malandrin, veillaque, gavache, et je vais t'y pousser. Mieux eût valu pour toi tirer la moustache aux tigres et la queue aux serpents dans les forêts de l'Inde. Agacer Matamore! Pluton, avec sa fourche, ne s'y risquerait pas. Je le déposséderais de l'enfer et j'usurperais Proserpine. Allons, ma tueuse, au vent, montrez-vous, brillez au soleil, et que votre éclair prenne pour fourreau le ventre de ce téméraire. J'ai soif de son sang, de sa moelle, de sa fressure, et je lui arracherai l'âme d'entre les dents. »

En disant cela, Matamore, avec des tensions de nerfs, des roulements de prunelles, des clappements de langue, semblait faire les plus prodigieux efforts pour extraire la lame rebelle de sa gaine. Il en suait d'ahan, mais la prudente tueuse voulait garder le logis ce jour-là, sans doute pour ne pas ternir son acier poli à l'air humide.

Fatigué de ces contorsions burlesques, le galant envoya d'un coup de pied rouler le fanfaron à l'autre bout du théâtre, et se retira après avoir salué Isabelle avec une grâce exquise.

Matamore, tombé sur le dos, remuait ses membres grêles comme une sauterelle retournée. Quand, avec l'aide de son valet et de Pandolphe, il se fut dressé sur ses pieds, et bien assuré que Léandre était parti, il s'écria d'une voix haletante et comme entrecoupée par la rage :

« De grâce, Scapin, cercle-moi avec des bardes de fer; je crève de fureur, je vais éclater comme une bombe! Et toi, lame perfide, qui trahis ton maître au moment suprême, est-ce ainsi que tu me récompenses de t'avoir toujours abreuvée du sang des plus fiers capitaines et des plus vaillants duellistes! Je ne sais à quoi il tient que je ne te brise en mille morceaux sur mon genou, comme lâche, parjure et félonne; mais tu m'as voulu faire comprendre que le vrai guerrier doit rester sur la brèche, et ne pas s'oublier en des

Capoues d'amour. En effet, cette semaine je n'ai défait aucune armée, je n'ai combattu ni orque, ni dragon, je n'ai pas fourni à la mort sa ration de cadavres, et la rouille est venue à mon glaive : rouille de honte, soudure d'oisiveté! Sous les propres yeux de ma belle ce béjaune me nargue, m'insulte et me provoque. Leçon profonde! enseignement philosophique! apologue moral! Désormais je tuerai deux ou trois hommes avant de déjeuner, pour être sûr que ma rapière joue librement. Fais-m'en souvenir.

— Léandre n'aurait qu'à revenir, dit Scapin; si nous essayions à nous tous de tirer du fourreau cet acier formidable? »

Matamore, s'arc-boutant contre un pavé, Scapin s'attelant à la coquille, Pandolphe au valet et le tabellion à Pandolphe, après quelques secousses la lame céda à l'effort des trois fantoches, qui allèrent rouler d'un côté les quatre fers en l'air, tandis que le fanfaron tombait de l'autre à jambes rebindaines, tenant encore à pleines mains le fourreau de la colichemarde.

Relevé aussitôt, il reprit la rapière, et dit avec emphase : « Maintenant Léandre a vécu; il n'a de ressources pour éviter la mort que d'émigrer en quelque planète lointaine. S'enfonçât-il au cœur de la terre, je le ramènerai à la surface pour le transpercer de mon glaive, à moins qu'il ne soit changé en pierre par mon œil horrifique et méduséen. »

Malgré cet échec, aucun doute ne vint à l'obstiné vieillard Pandolphe sur l'héroïsme du Matamore, et il persista dans l'idée saugrenue de donner pour mari à sa fille ce magnifique seigneur. Isabelle se prit à pleurer et à dire qu'elle préférait le couvent à un tel hymen; Zerbine défendit de son mieux le beau Léandre et jura par sa vertu, ô le beau serment! que ce mariage ne se ferait pas. Matamore attribua cet accueil glacé à un excès de pudeur, la passion, chez les personnes bien élevées, n'aimant pas à se laisser voir. D'ailleurs il n'avait pas encore fait sa cour, il ne s'était pas montré dans toute sa gloire, imitant en cela la discrétion de Jupiter envers Sémélé, qui, pour avoir voulu connaître son amant divin avec l'éclat de sa puissance, tomba brûlée et réduite en un petit tas de cendre.

Sans l'écouter davantage, les deux femmes rentrèrent au logis. Matamore, se piquant de galanterie,

fit chercher une guitare par son valet, appuya son
pied sur une borne, et commença à chatouiller le
ventre de son instrument pour le faire rire. Puis il se
mit à miauler un couplet de seguidille, en andalou,
avec des portements de voix si bizarres, des coups de
gosier si étranges, des notes de tête si impossibles
qu'on eût dit la sérénade de Raminagrobis sous la
gouttière de la chatte blanche.

Un pot d'eau versé par Zerbine, sous le malicieux
prétexte d'arroser des fleurs, n'éteignit pas sa furie
musicale.

« Ce sont larmes d'attendrissement tombées des beaux
yeux d'Isabelle, dit le Matamore; le héros chez moi est
doublé du virtuose, et je manie la lyre comme l'épée. »

Malheureusement, inquiété par ce bruit de sérénade,
Léandre, qui rôdait aux environs, reparut, et, ne
souffrant pas que ce faquin fît de la musique sous le
balcon de sa maîtresse, arracha la guitare des mains
du Matamore, stupide d'épouvante. Puis il lui en
donna si fort sur le crâne que la panse de l'instrument creva, et que le fanfaron, passant la tête au travers, resta pris par le col comme dans une cangue
chinoise. Léandre, ne lâchant pas le manche de la
guitare, se mit à tirer de çà, de là, avec brusques saccades, le pauvre Matamore, le cognant aux coulisses,
l'approchant des chandelles à le roussir, ce qui formait des jeux de théâtre aussi ridicules qu'amusants.
S'en étant bien diverti, il le lâcha subitement et le
laissa tomber sur le ventre. Jugez de l'air qu'avait en
cette posture l'infortuné Matamore, qui semblait coiffé
d'une poêle à frire.

Ses misères ne se bornèrent pas là. Le valet de
Léandre, avec sa fertilité d'imagination bien connue,
avait machiné des stratagèmes pour empêcher le
mariage d'Isabelle et du Matamore. Apostée par lui,
une certaine Doralice fort coquette et galante se produisit accompagnée d'un frère spadassin représenté
par le Tyran, armé de sa mine la plus féroce et portant sous le bras deux longues rapières qui dessinaient
une croix de Saint-André d'aspect terrifiant. La
demoiselle se plaignit d'avoir été compromise par le
sieur Matamoros et délaissée pour Isabelle, la fille de
Pandolphe, outrage qui demandait une réparation sanglante.

« Dépêchez vite ce coupe-jarrets, dit Pandolphe à

son futur gendre, ce ne sera qu'un jeu pour votre incomparable valeur que n'effrayerait pas tout un camp de Sarrasins. »

Bien à contrecœur Matamore se mit en garde après mille divertissantes simagrées, mais il tremblait comme un peuplier, et le spadassin, frère de Doralice, lui fit sauter l'épée des mains au premier choc du fer et le chargea du plat de la rapière jusqu'à lui faire crier grâce.

Pour achever le ridicule, dame Léonarde, vêtue en douegna espagnole, parut épongeant ses yeux de chouette d'un ample mouchoir, poussant des soupirs à fendre le roc et agitant sous le nez de Pandolphe une promesse de mariage paraphée du seing contrefait de Matamore. Un nouvel orage de coups creva sur le misérable convaincu de perfidies si compliquées, et d'une voix unanime il fut condamné à épouser la Léonarde en punition de ses hâbleries, rodomontades et couardises. Pandolphe, dégoûté de Matamore, ne fit plus difficulté d'accorder la main de sa fille à Léandre, gentilhomme accompli.

Cette bouffonnade, animée par le jeu des acteurs, fut vivement applaudie. Les hommes trouvèrent la Soubrette charmante, les femmes rendirent justice à la grâce décente d'Isabelle, et Matamore réunit tous les suffrages; il était difficile d'avoir mieux le physique de l'emploi, l'emphase plus grotesque, le geste plus fantasque et plus imprévu. Léandre fut admiré des belles dames, quoique jugé un peu fat par les cavaliers. C'était l'effet qu'il produisait d'ordinaire, et, à vrai dire, il n'en souhaitait pas d'autre, plus soucieux de sa personne que de son talent. La beauté de Sérafine ne manqua pas d'adorateurs, et plus d'un jeune gentilhomme, au risque de déplaire à sa belle voisine, jura sur sa moustache que c'était là une adorable fille.

Sigognac, caché derrière une coulisse, avait joui délicieusement du jeu d'Isabelle, bien qu'il se fût quelquefois intérieurement senti jaloux de la voix tendre qu'elle prenait en répondant à Léandre, n'étant pas encore habitué à ces feintes amours du théâtre qui cachent souvent des aversions profondes et des inimitiés réelles. Aussi, la pièce finie, il complimenta la jeune comédienne d'un air contraint dont elle s'aperçut et n'eut pas de peine à deviner la cause.

« Vous jouez les amoureuses d'une admirable sorte, Isabelle, et l'on pourrait s'y méprendre.

— N'est-ce pas mon métier? répondit la jeune fille en souriant, et le directeur de la troupe ne m'a-t-il pas engagée pour cela?

— Sans doute, dit Sigognac; mais comme vous aviez l'air sincèrement éprise de ce fat qui ne sait rien que montrer ses dents comme un chien qu'on agace, tendre le jarret et faire parade de sa belle jambe!

— C'était le rôle qui le voulait; fallait-il pas rester là comme une souche avec une mine disgracieuse et revêche? n'ai-je pas d'ailleurs conservé la modestie d'une jeune fille bien née? Si j'ai manqué en cela, dites-le-moi, je me corrigerai.

— Oh! non. Vous sembliez une pudique demoiselle, soigneusement élevée dans la pratique des bonnes mœurs, et l'on ne saurait rien reprendre à votre jeu si juste, si vrai, si décent, qu'il imite, à s'y tromper, la nature même.

— Mon cher Baron, voici que les lumières s'éteignent. La compagnie s'est retirée, et nous allons nous trouver dans les ténèbres. Jetez-moi cette cape sur les épaules et veuillez bien me conduire à ma chambre. »

Sigognac s'acquitta sans trop de gaucherie, quoique les mains lui tremblassent un peu, de ce métier nouveau pour lui de cortejo d'une femme de théâtre, et ils sortirent tous deux de la salle où il ne restait plus personne.

L'orangerie était située à quelque distance du château, un peu sur la gauche dans un grand massif d'arbres. La façade qu'on apercevait de ce côté n'était pas moins magnifique que l'autre. Comme le terrain du parc était plus bas de niveau que celui du parterre, elle se déployait par une terrasse garnie d'une rampe à balustres pansus, et coupée de distance en distance par des socles supportant des vases en faïence blanche et bleue qui contenaient des arbustes et des fleurs, les dernières de la saison.

Un escalier à double rampe descendait au parc, faisant saillie sur le mur de soutènement de la terrasse composé de grands panneaux de briques encadrés de pierre. Cette ordonnance était fort majestueuse.

Il pouvait être à peu près neuf heures. La lune s'était levée. Une vapeur légère semblable à une gaze d'argent, tout en adoucissant les contours des objets, n'empêchait point de les discerner. On voyait parfaitement la façade du château, dont quelques fenêtres s'éclairaient d'une lueur rouge, tandis que certaines vitres, frappées par les rayons de l'astre nocturne, scintillaient brusquement comme des écailles de poisson. A cette lueur, les tons roses de la brique prenaient une nuance lilas d'une extrême douceur, et les assises de pierre, des teintes gris-de-perle. Sur l'ardoise neuve des toits, comme sur de l'acier poli, glissaient des reflets blancs, et la dentelle noire de la crête se découpait sur un ciel d'une transparence laiteuse.

Des gouttes de lumière tombaient dans les feuilles des arbustes, rejaillissaient de l'émail des vases, et constellaient de diamants éparpillés la pelouse qui s'étendait devant la terrasse. Si l'on regardait au loin, spectacle non moins enchanteur, on découvrait les allées du parc se perdant, comme les paysages de Breughel de Paradis, en des fuites et brumes d'azur, au bout desquelles brillaient parfois des lueurs argentées provenant d'une statue de marbre ou d'un jet d'eau.

Isabelle et Sigognac montèrent l'escalier, et, charmés par la beauté de la nuit, firent quelques tours sur la terrasse avant de regagner leur chambre. Comme le lieu était découvert, en vue du château, la pudeur de la jeune comédienne ne conçut aucune alarme de cette promenade nocturne. D'ailleurs, la timidité du Baron la rassurait, et bien que son emploi fût celui d'ingénue, elle en savait assez sur les choses d'amour pour ne pas ignorer que le propre de la passion vraie est le respect. Sigognac ne lui avait pas fait d'aveu formel, mais elle se sentait aimée de lui et ne craignait de sa part aucune entreprise fâcheuse à l'endroit de sa vertu.

Avec le charmant embarras des amours qui commencent, ce jeune couple, se promenant au clair de lune côte à côte, le bras sur le bras, dans un parc désert, ne se disait que les choses les plus insignifiantes du monde. Qui les eût épiés eût été surpris de n'entendre que propos vagues, réflexions futiles, demandes et réponses banales. Mais, si les paroles ne trahissaient aucun mystère, le tremblement des voix, l'accent ému, les silences, les soupirs, le ton bas et

confidentiel de l'entretien accusaient les préoccupations de l'âme.

L'appartement d'Yolande, voisin de celui de la marquise, donnait sur le parc, et comme, après que ses
femmes l'eurent défaite, la belle jeune fille regardait
distraitement à travers la croisée la lune briller au-
dessus des grands arbres, elle aperçut sur la terrasse
Isabelle et Sigognac, qui se promenaient sans autre
accompagnement que leur ombre.

Certes, la dédaigneuse Yolande, fière comme une
déesse qu'elle était, n'avait que mépris pour le pauvre
baron de Sigognac, devant qui parfois à la chasse elle
passait comme un éblouissement dans un tourbillon de
lumière et de bruit, et que dernièrement même elle
avait presque insulté; mais cela lui déplut de le voir
sous sa fenêtre, près d'une jeune femme à laquelle sans
doute il parlait d'amour. Elle n'admettait pas qu'on
pût ainsi secouer son servage. On devait mourir silencieusement pour elle.

Elle se coucha d'assez mauvaise humeur et eut
quelque peine à s'endormir; ce groupe amoureux poursuivait son imagination.

Sigognac remit Isabelle à sa chambre, et comme il
allait rentrer dans la sienne, il aperçut au fond du
corridor un personnage mystérieux drapé d'un manteau couleur de muraille, dont le pan rejeté sur l'épaule
cachait la figure jusqu'aux yeux; un chapeau rabattu
dérobait son front, et ne permettait pas de distinguer
ses traits non plus que s'il eût été masqué. En voyant
Isabelle et le Baron, il s'effaça de son mieux contre le
mur; ce n'était aucun des comédiens, retirés déjà dans
leur logis. Le Tyran était plus grand, le Pédant plus
gros, le Léandre plus svelte; il n'avait la tournure ni
du Scapin ni du Matamore, reconnaissable d'ailleurs à
sa maigreur excessive que l'ampleur de nul manteau
n'eût pu dissimuler.

Ne voulant pas paraître curieux et gêner l'inconnu,
Sigognac se hâta de franchir le seuil de son logis, non
sans avoir remarqué toutefois que la porte de la
chambre des tapisseries où demeurait Zerbine restait
discrètement entrebâillée, comme attendant un visiteur
qui ne voulait point être entendu.

Quand il fut enfermé chez lui, un imperceptible craquement de souliers, le faible bruit d'un verrou fermé
avec précaution l'avertirent que le rôdeur, si soigneu-

sement embossé dans sa cape, était arrivé à bon port.

Une heure environ après, le Léandre ouvrit sa porte très doucement, regarda si le corridor était désert, et, suspendant ses pas comme une bohémienne qui exécute la danse des œufs, gagna l'escalier, le descendit plus léger et plus muet en sa marche que ces fantômes errants dans les châteaux hantés, suivit le mur en profitant de l'ombre, et se dirigea du côté du parc vers un bosquet ou salle de verdure dont le centre était occupé par une statue de l'Amour discret tenant le doigt appliqué sur la bouche. A cet endroit, sans doute désigné d'avance, Léandre s'arrêta et parut attendre.

Nous avons dit que Léandre, interprétant à son avantage le sourire dont la marquise avait reconnu le salut qu'il lui avait fait, s'était enhardi à écrire à la dame de Bruyères une lettre que Jeanne, séduite par quelques pistoles, devait secrètement poser sur la toilette de sa maîtresse.

Cette lettre était conçue ainsi, et nous la recopions pour donner une idée du style qu'employait Léandre en ces séductions de grandes dames où il excellait, disait-il.

« Madame, ou bien plutôt déesse de beauté, ne vous en prenez qu'à vos charmes incomparables de la mésaventure qu'ils vous attirent. Ils me forcent, par leur éclat, à sortir de l'ombre où j'aurais dû rester enseveli, et à m'approcher de leur lumière, de même que les dauphins viennent du fond de l'Océan aux clartés que jettent les falots des pêcheurs, encore qu'ils doivent y trouver le trépas et périr sans pitié, sous les dards aigus des harpons. Je sais trop bien que je rougirai l'onde de mon sang, mais comme aussi bien je ne puis vivre, il m'est égal de mourir. C'est là une audace bien étrange que d'élever cette prétention, réservée aux demi-dieux, de recevoir au moins le coup fatal de votre main. Je m'y risque, car, étant désespéré d'avance, il ne peut m'arriver rien de pis, et je préfère votre courroux à votre mépris ou dédain. Pour donner le coup de grâce, il faut regarder la victime, et j'aurai, en expirant sous vos cruautés, cette douceur souveraine d'avoir été aperçu. Oui, je vous aime, madame, et si c'est un crime, je ne m'en repens point. Dieu souffre qu'on l'adore; les étoiles supportent l'admiration du plus humble berger; c'est le sort des hautes perfections comme la vôtre de ne pouvoir être aimées que par des inférieurs, car elles n'ont point d'égales sur la terre : elles en ont à peine aux cieux. Je ne suis, hélas! qu'un pauvre comédien de province, mais quand même je serais duc ou prince, comblé de tous les dons de la fortune, ma tête n'atteindrait pas vos pieds, et il n'y aurait tout de même entre votre splendeur et mon néant la distance du sommet à l'abîme. Pour ramasser un cœur, il faudra toujours que vous vous baissiez. Le mien est, j'ose le dire, madame, aussi fier que tendre, et qui ne le repousserait pas trouverait en lui l'amour le plus ardent, la délicatesse la plus parfaite, le respect le plus absolu, et un dévouement sans bornes. D'ailleurs, si une telle félicité m'arrivait, votre indulgence ne descendrait peut-être pas si bas qu'elle se l'imagine. Bien que réduit par le destin adverse et la rancune jalouse d'un grand à cette extrémité de me cacher au théâtre sous le déguisement des rôles, je ne suis pas d'une naissance dont il faille rougir. Si j'osais rompre le secret que m'imposent des raisons d'Etat, on verrait qu'un sang assez illustre coule en mes veines. Qui m'aimerait ne dérogerait pas. Mais j'en ai déjà trop dit. Je ne serai toujours que le plus humble et le plus prosterné de vos serviteurs, lors même que, par une de ces reconnaissances qui dénouent les tragédies, tout le monde me saluerait comme fils de Roi. Qu'un signe, le plus léger, me fasse comprendre que ma hardiesse n'a pas excité en vous une trop dédaigneuse colère, et j'expirerai sans regret, brûlé par vos yeux, sur le bûcher de mon amour. »

Qu'aurait répondu la marquise à cette brûlante épître, qui peut-être avait servi plusieurs fois? il faudrait connaître bien à fond le cœur féminin pour le savoir. Par malheur, la lettre n'arriva pas à son adresse. Entiché de grandes dames, Léandre ne regardait point les soubrettes et n'était point galant avec elles. En quoi il avait tort, car elles peuvent beaucoup sur les volontés de leurs maîtresses. Si les pistoles eussent été appuyées de quelques baisers et lutineries, Jeanne, satisfaite en son amour-propre de femme de chambre, qui vaut bien celui d'une Reine, eût mis plus de zèle et de fidélité à s'acquitter de sa commission.

Comme elle tenait négligemment la lettre de Léandre à la main, le marquis la rencontra et lui demanda par manière d'acquit, n'étant pas de sa nature un mari curieux, quel était ce papier qu'elle portait ainsi.

« Oh! pas grand-chose, répondit-elle, une missive de M. Léandre à madame la marquise.

— De Léandre, l'amoureux de la troupe, celui qui fait le galant dans *Les Rodomontades du capitaine Matamore!* Que peut-il écrire à ma femme? sans doute il lui demande quelque gratification.

— Je ne pense point, répondit la rancunière suivante; en me remettant ce poulet, il poussait des soupirs et faisait des yeux blancs comme un amoureux pâmé.

— Donne cette lettre, fit le marquis, j'y répondrai. N'en dis rien à la marquise. Ces baladins sont parfois impertinents, et, gâtés par les indulgences qu'on a, ne savent point se tenir en leur place. »

En effet, le marquis, qui aimait assez se divertir, fit réponse au Léandre dans le même style avec une grande écriture seigneuriale, sur papier flairant le musc, le tout cacheté de cire d'Espagne parfumée et d'un blason de fantaisie, pour mieux entretenir le pauvre diable en ses imaginations amoureuses.

Quand Léandre rentra dans sa chambre après la représentation, il trouva sur sa table, au lieu le plus apparent, un pli déposé par une main mystérieuse et portant cette suscription : « A monsieur Léandre. » Il l'ouvrit tout tremblant de bonheur et lut les phrases suivantes :

« Comme vous le dites trop bien pour mon repos, les déesses ne peuvent aimer que des mortels. A onze heures, quand tout dormira sur la terre, ne craignant plus l'indiscrétion des regards humains, Diane quittera les cieux et descendra vers le berger Endymion. Ce ne sera pas sur le mont Latmus, mais dans le parc, au pied de la statue de l'Amour discret où le beau berger aura soin de sommeiller pour ménager la pudeur de l'immortelle qui viendra sans cortège de nymphes, enveloppée d'un nuage et dépouillée de ses rayons d'argent. »

Nous vous laissons à penser quelle joie folle inonda le cœur du Léandre à la lecture de ce billet, qui dépassait ses plus vaniteuses espérances. Il répandit sur sa chevelure et ses mains un flacon d'essence, mâcha un morceau de macis pour avoir l'haleine fraîche, rebrossa ses dents, tourna la pointe de ses boucles afin de les faire mieux friser et se rendit dans le parc à l'endroit indiqué, où, pour vous raconter ceci, nous l'avons laissé faisant le pied de grue.

La fièvre de l'attente et aussi la fraicheur nocturne lui causaient des frissons nerveux. Il tressaillait à la chute d'une feuille, et tendait au moindre bruit une oreille exercée à saisir au vol le murmure du souffleur. Le sable criant sous son pied lui semblait faire un fracas énorme qu'on dût entendre du château. Malgré lui, l'horreur sacrée des bois l'envahissait et les grands arbres noirs inquiétaient son imagination. Il n'avait pas peur précisément, mais ses idées prenaient une pente assez lugubre. La marquise tardait un peu, et Diane laissait trop longtemps Endymion les pieds dans la rosée.

A un certain instant il lui sembla entendre craquer une branche morte sous un pas assez lourd. Ce ne pouvait être celui de la déesse. Les déesses glissent sur un rayon et elles touchent terre sans faire ployer la pointe d'une herbe.

« Si la marquise ne se hâte pas de venir, au lieu d'un galant plein d'ardeur, elle ne trouvera plus qu'un amoureux transi, pensait Léandre; ces attentes où l'on se morfond ne valent rien aux prouesses de Cythère. » Il en était là de ses réflexions, lorsque quatre ombres massives se dégageant d'entre les arbres et de derrière le piédestal de la statue vinrent à lui d'un mouvement concerté. Deux de ces ombres qui étaient les corps de grands marauds, laquais au service du marquis de Bruyères, saisirent les bras du comédien, les lui maintinrent comme ceux des captifs qu'on veut lier, et les deux autres se mirent à le bâtonner en cadence. Les coups résonnaient sur son dos comme les marteaux sur l'enclume. Ne voulant point par ses cris attirer du monde et faire connaître sa mésaventure, le pauvre fustigé supporta héroïquement sa douleur. Mucius Scævola ne fit pas meilleure contenance le poing dans le brasier que Léandre sous le bâton.

La correction finie, les quatre bourreaux lâchèrent leur victime, lui firent une profonde salutation et se retirèrent sans avoir sonné mot.

Quelle chute honteuse! Icare tombant du haut du ciel n'en fit pas une plus profonde. Contusionné, brisé, moulu, Léandre, clopin-clopant, regagna le château, courbant le dos, se frottant les côtes; mais la vanité

chez lui était si grande que l'idée d'une mystification
ne lui vint pas. Son amour-propre trouvait plus expédient de donner à l'aventure un tour tragique. Il se
disait que, sans doute, la marquise, épiée par son mari
jaloux, avait été suivie, enlevée, avant d'arriver au
rendez-vous, et forcée, le poignard sur la gorge, à tout
avouer. Il se la représentait à genoux, échevelée,
demandant grâce au marquis, forcené de colère,
répandant des pleurs à foison et promettant pour l'avenir de mieux résister aux surprises de son cœur. Même
tout courbaturé de bastonnades, il la plaignait
de s'être mise en tel péril à cause de lui, ne se doutant pas qu'elle ignorait l'histoire et reposait à cette
heure fort tranquillement entre ses draps de toile de
Hollande, bassinés au bois de santal et à la cannelle.

En longeant le corridor, Léandre eut cette contra-
riété de voir Scapin dont la tête passait par l'hiatus
de la porte entrebâillée et qui ricanait malicieusement. Il se redressa du mieux qu'il put, mais la
maligne bête ne prit pas le change.

Le lendemain, la troupe fit ses préparatifs de départ.
On abandonna le char à bœufs comme trop lent, et le
Tyran, largement payé par le marquis, loua une grande
charrette à quatre chevaux pour emmener la bande et
ses bagages. Léandre et Zerbine se levèrent tard, pour
des raisons qu'il n'est pas besoin d'indiquer davantage, seulement l'un avait la mine dolente et piteuse,
quoiqu'il essayât de faire à mauvais jeu bon visage;
l'autre rayonnait d'ambition satisfaite. Elle se montrait même bonne princesse envers ses compagnes, et
la Duègne, symptôme grave, se rapprochait d'elle avec
des obséquiosités patelines qu'elle ne lui avait jamais
montrées. Scapin, à qui rien n'échappait, remarqua
que la malle de Zerbine avait doublé de poids par
quelque sortilège magique. Sérafine se mordait les
lèvres en murmurant le mot « créature! » que la Soubrette ne fit pas semblant d'entendre, contente pour
le moment de l'humiliation de la grande coquette.

Enfin, la charrette s'ébranla, et l'on quitta cet hospitalier château de Bruyères, que tous regrettaient,
excepté Léandre. Le Tyran pensait aux pistoles qu'il
avait reçues; le Pédant, aux excellents vins dont il
s'était largement abreuvé; Matamore, aux applaudissements qu'on lui avait prodigués; Zerbine, aux pièces
de taffetas, aux colliers d'or et autres régals; Sigognac

et Isabelle ne pensaient qu'à leur amour, et, contents
d'être ensemble, ne retournèrent pas même la tête
pour voir encore une fois à l'horizon les toits bleus et
les murs vermeils du château.

## VI

### EFFET DE NEIGE

COMME on peut le penser, les comédiens étaient satis-
faits de leur séjour au château de Bruyères. De telles
aubaines ne leur advenaient pas souvent dans leur vie
nomade; le Tyran avait distribué les parts, et chacun
remuait avec une amoureuse titillation de doigts
quelques pistoles au fond de poches habituées à servir
souvent d'auberge au diable. Zerbine, rayonnant
d'une joie mystérieuse et contenue, acceptait de bonne
humeur les brocards de ses camarades sur la puissance de ses charmes. Elle triomphait, ce dont la
Séraphine pensait enrager. Seul, Léandre, tout rompu
encore de la bastonnade nocturne qu'il avait reçue, ne
semblait pas partager la gaieté générale, bien qu'il
affectât de sourire, mais ce n'était que ris de chien
et du bout des dents, pour ainsi dire. Ses mouvements
étaient contraints, et les cahots de la voiture lui arrachaient parfois des grimaces significatives. Quand il
jugeait qu'on ne le regardait point, il se frottait de la
paume les épaules et les bras; manœuvres dissimulées
qui pouvaient donner le change aux autres comédiens,
mais n'échappaient pas à la narquoise inquisition de
Scapin, toujours à l'affût des mésaventures de Léandre,
dont la fatuité lui était particulièrement insupportable.

Un heurt de la roue contre une pierre assez grosse
que le charreton n'avait pas vue fit pousser au galant
un aïe! d'angoisse et de douleur, sur quoi Scapin
entama la conversation en feignant de le plaindre.

« Mon pauvre Léandre, qu'as-tu donc à geindre et
te lamenter de la sorte? Tu sembles tout moulu comme
le chevalier de la Triste-Figure, lorsqu'il eut cabriolé
tout nu dans la Sierra-Morena par pénitence amoureuse, à l'imitation d'Amadis sur la Roche-Pauvre. On
dirait que ton lit était fait de bâtons croisés et non

de matelas douillets avec courtes-pointes, oreillers et carreaux, en somme plus propice à rompre les membres qu'à les reposer, tant tu as la mine battue, le teint maladif et l'œil poché. De tout ceci, il appert que le seigneur Morphée ne t'a pas visité cette nuit.

— Morphée peut être resté en sa caverne, mais le petit dieu Cupidon est un rôdeur qui n'a pas besoin de lanterne pour savoir trouver une porte dans un corridor, répondit Léandre, espérant détourner les soupçons de son ennemi Scapin.

— Je ne suis qu'un valet de comédie et n'ai point l'expérience des choses galantes. Jamais je n'ai fait l'amour aux belles dames; mais j'en sais assez pour n'ignorer point que le dieu Cupidon, d'après les poètes et faiseurs de romans, se sert de ses flèches à l'endroit de ceux qu'il veut navrer et non pas du bois de son arc.

— Que voulez-vous dire? se hâta d'interrompre Léandre, inquiet du tour que prenait l'entretien, par ces subtilités et déductions mythologiques.

— Rien, sinon que tu as là sur le col, un peu au-dessus de la clavicule, bien que tu t'efforces de la cacher avec ton mouchoir, une raie noire qui demain sera bleue, après-demain verte, et ensuite jaune, jusqu'à ce qu'elle s'évanouisse en couleur naturelle, raie qui ressemble diantrement au paraphe authentique d'un coup de bâton signé sur une peau de veau ou vélin, si tu aimes mieux ce vocable.

— Sans doute, répondit Léandre, de pâle devenu rouge jusqu'à l'ourlet de l'oreille, ce sera quelque beauté morte, amoureuse de moi pendant sa vie, qui m'aura baisé en songe tandis que je dormais. Les baisers des morts impriment en la chair, comme chacun sait, des meurtrissures dont on s'étonne au réveil.

— Cette beauté défunte et fantasmatique vient bien à point, répondit Scapin, mais j'aurais juré que ce vigoureux baiser avait été appliqué par des lèvres de bois vert.

— Mauvais raillard et faiseur de gausseries que vous êtes, dit Léandre, vous poussez ma modestie à bout. Pudiquement je mets sur le compte des mortes ce qui pourrait être à meilleur droit revendiqué par les vivantes. Tout indocte et rustique que vous affectiez d'être, vous avez sans doute entendu parler de ces jolis signes, taches, meurtrissures, marques de dents,

mémoire des folâtres ébats que les amants ont coutume
d'avoir ensemble?

— *Memorem dente notam,* interrompit le Pédant,
joyeux de citer Horace.

— Cette explication me semble judicieuse, répondit Scapin, et appuyée d'autorités convenables. Pourtant la marque est si longue que cette beauté nocturne,
morte ou vivante, devait avoir en la bouche cette dent
unique que les Phorkyades se prêtaient tour à tour. »

Léandre, outré de fureur, voulut se jeter sur Scapin
et le gourmer, mais le ressentiment de la bastonnade
fut si vif dans ses côtes endolories et sur son dos rayé
comme celui d'un zèbre qu'il se rassit, remettant sa
vengeance à un temps meilleur. Le Tyran et le Pédant,
accoutumés à ces querelles dont ils se divertissaient,
les firent se raccommoder. Scapin promit de ne jamais
faire d'allusion à ces sortes de choses. « J'ôterai, dit-il,
de mon discours le bois sous toute forme, bois grume,
bois marmenteau, bois de lit et même bois de cerf. »

Pendant cette curieuse altercation, la charrette cheminait toujours, et bientôt on arriva à un carrefour.
Une grossière croix de bois fendillé par le soleil et
la pluie, soutenant un Christ dont un des bras s'était
détaché du corps, et, retenu d'un clou rouillé, pendait
sinistrement, s'élevait sur un tertre de gazon et marquait l'embranchement de quatre chemins.

Un groupe composé de deux hommes et de trois
mules était arrêté à la croisée des routes et semblait
attendre quelqu'un qui devait passer. Une des mules
comme impatiente d'être immobile, secouait sa tête
empanachée de pompons et de houppes de toutes couleurs avec un frisson argentin de grelots. Quoique des
œillères de cuir piquées de broderies l'empêchassent
de porter ses regards à droite et à gauche, elle avait
senti l'approche de la voiture; les nutations de ses
longues oreilles témoignaient d'une curiosité inquiète,
et ses lèvres retroussées découvraient ses dents.

« La colonelle remue ses cornets et montre ses gencives, dit l'un des hommes, le chariot ne doit pas être
loin maintenant. »

En effet, la charrette des comédiens arrivait au
carrefour. Zerbine, assise sur le devant de la voiture,
jeta un coup d'œil rapide sur le groupe de bêtes et de
gens dont la présence en ce lieu ne parut pas la surprendre.

« Pardieu! voilà un galant équipage, dit le Tyran, et de belles mules d'Espagne à faire leurs quinze ou vingt lieues dans la journée. Si nous étions ainsi montés, nous serions bientôt arrivés devers Paris. Mais qui diable attendent-elles donc là? C'est sans doute quelque relais préparé pour un seigneur.

— Non, reprit la Duègne, la mule est harnachée d'oreillers et couvertures comme pour une femme.

— Alors, dit le Tyran, c'est un enlèvement qui se prépare, car ces deux écuyers en livrée grise ont l'air fort mystérieux.

— Peut-être, répondit Zerbine avec un sourire d'une expression équivoque.

— Est-ce que la dame serait parmi nous? fit le Scapin; un des écuyers se dirige vers la voiture, comme s'il voulait parlementer avant d'user de violence.

— Oh! il n'en sera pas besoin, ajouta Sérafine jetant sur la Soubrette un regard dédaigneux que celle-ci soutint avec une tranquille impudence; il est des bonnes volontés qui sautent d'elles-mêmes entre les bras des ravisseurs.

— N'est pas enlevée qui veut, répliqua la Soubrette; le désir n'y suffit pas, il faut encore l'agrément. »

La conversation en était là, quand l'écuyer, faisant signe au charreton d'arrêter ses chevaux, demanda, le béret à la main, si mademoiselle Zerbine n'était pas dans la voiture.

Zerbine, vive et preste comme une couleuvre, sortit sa petite tête brune hors du tendelet et répondit elle-même à l'interrogation; puis elle sauta à terre.

« Mademoiselle, je suis à vos ordres », dit l'écuyer d'un ton galant et respectueux.

La Soubrette fit bouffer ses jupes, passa le doigt autour de son corsage, comme pour donner de l'aisance à sa poitrine, et, se tournant vers les comédiens, leur tint délibérément cette petite harangue :

« Mes chers camarades, pardonnez-moi si je vous quitte ainsi. Parfois l'Occasion vous contraint à la saisir en vous présentant sa mèche de cheveux devant la main, et de façon si opportune que ce serait sottise pure de ne pas s'y accrocher à pleins doigts; car, lâchée, elle ne revient point. Le visage de la Fortune, qui jusqu'à présent ne s'était montré pour moi que rechigné et maussade, me fait un ris gracieux. Je profite de sa bonne volonté, sans doute passagère. En mon

humble état de soubrette, je ne pouvais prétendre qu'à
des Mascarilles ou Scapins. Les valets seuls me cour-
tisaient, tandis que les maîtres faisaient l'amour aux
Lucindes, aux Léonores et aux Isabelles; c'est à peine
si les seigneurs daignaient, en passant, me prendre le
menton et appuyer d'un baiser sur la joue le demi-
louis d'argent qu'ils glissaient dans la pochette de mon
tablier. Il s'est trouvé un mortel de meilleur goût, pensant que, hors du théâtre, la soubrette valait bien la
maîtresse, et comme l'emploi de Zerbine n'exige pas
une vertu très farouche, j'ai jugé qu'il ne fallait pas
désespérer ce galant homme que mon départ contrariait fort. Or, donc, laissez-moi prendre mes malles au
fond de la voiture, et recevez mes adieux. Je vous re-
trouverai un jour ou l'autre à Paris, car je suis comédienne dans l'âme, et je n'ai jamais fait de bien longues
infidélités au théâtre. »

Les hommes prirent les coffres de Zerbine, et les
ajustèrent, se faisant équilibre, sur la mule de bât; la
Soubrette, aidée par l'écuyer qui lui tint le pied, sauta
sur la colonelle aussi légèrement que si elle eût étudié
la voltige en une académie équestre, puis frappant du
talon le flanc de sa monture, elle s'éloigna faisant un
petit geste de main à ses camarades.

« Bonne chance, Zerbine, crièrent les comédiens, à
l'exception de Sérafine, qui lui gardait rancune.

— Ce départ est fâcheux, dit le Tyran, et j'aurais
bien voulu retenir cette excellente soubrette; mais elle
n'avait d'autre engagement que sa fantaisie. Il faudra
ajuster dans les pièces les rôles de suivante en duègne
ou chaperon, chose moins plaisante à l'œil qu'un
minois fripon; mais dame Léonarde a du comique et
connaît à fond les tréteaux. Nous nous en tirerons tout
de même. »

La charrette se remit en marche d'une allure un peu
plus vive que celle du char à bœufs. Elle traversait un
pays qui contrastait par son aspect avec la physionomie des landes. Aux sables blancs avaient succédé des
terrains rougeâtres fournissant plus de sucs nourriciers
à la végétation. Des maisons de pierre, annonçant
quelque aisance, apparaissaient çà et là, entourées de
jardins clos par des haies vives déjà effeuillées où rougissait le bouton de l'églantier sauvage, et bleuissait
la baie de la prunelle. Au bord de la route, des arbres
d'une belle venue dressaient leurs troncs vigoureux et

tendaient leurs fortes branches dont la dépouille jaunie
tachetait l'herbe alentour ou courait au caprice de la
brise devant Isabelle et Sigognac, qui, fatigués de la
pose contrainte qu'ils étaient obligés de garder dans la
voiture, se délassaient en marchant un peu à pied. Le
Matamore avait pris l'avance, et dans la rougeur du soir
on l'apercevait sur la crête de la montée dessinant en
lignes sombres son frêle squelette, qui, de loin, semblait
embroché dans sa rapière.

« Comment se fait-il, disait tout en marchant Sigognac à Isabelle, que vous qui avez toutes les façons
d'une demoiselle de haut lignage par la modestie de
votre conduite, la sagesse de vos paroles et le bon
choix des termes, vous soyez ainsi attachée à cette
troupe errante de comédiens, braves gens, sans doute,
mais non de même race et acabit que vous?

— N'allez pas, reprit Isabelle, pour quelque bonne
grâce qu'on me voit, me croire une princesse infor-
tunée ou reine chassée de son royaume, réduite à cette
misérable condition de gagner sa vie sur les planches.
Mon histoire est toute simple, et puisque ma vie vous
inspire quelque curiosité, je vais vous la conter. Loin
d'avoir été amenée à l'état que je fais par catastrophes
du sort, ruines inouïes ou aventures romanesques, j'y
suis née, étant, comme on dit, enfant de la balle. Le
chariot de Thespis a été mon lieu de nativité et ma
patrie voyageuse. Ma mère, qui jouait les princesses
tragiques, était une fort belle femme. Elle prenait ses
rôles au sérieux, et même hors de la scène elle ne voulait entendre parler que de rois, princes, ducs et autres
grands, tenant pour véritables ses couronnes de clinquant et ses sceptres de bois doré. Quand elle rentrait
dans la coulisse, elle traînait si majestueusement le
faux velours de ses robes qu'on eût dit que ce fût un
flot de pourpre ou la propre queue d'un manteau royal.
Avec cette superbe elle fermait opiniâtrément l'oreille
aux aveux, requêtes et promesses de ces galantins qui
toujours volètent autour des comédiennes comme papillons autour de la chandelle. Un soir même, en sa loge,
comme un blondin voulait s'émanciper, elle se dressa
en pied, et s'écria comme une vraie Thomyris reine de
Scythie : « Gardes! qu'on le saisisse! » d'un ton si
souverain, dédaigneux et solennel que le galant, tout
interdit, se déroba de peur, n'osant pousser sa pointe.
Or, ces fiertés et rebuffades étranges en une comédienne

toujours soupçonnée de mœurs légères étant venues à
la connaissance d'un très haut et puissant prince, il les
trouva de bon goût, et se dit que ces mépris du vulgaire profane ne pouvaient procéder que d'une âme
généreuse. Comme son rang dans le monde équipollait
à celui de reine au théâtre, il fut reçu plus doucement
et d'un sourcil moins farouche. Il était jeune, beau,
parlait bien, était pressant et possédait ce grand avantage de la noblesse. Que vous dirai-je de plus? cette
fois la reine n'appela pas ses gardes, et vous voyez en
moi le fruit de ces belles amours.

— Cela, dit galamment Sigognac, explique à merveille les grâces sans secondes dont on vous voit ornée.
Un sang princier coule dans vos veines. Je l'avais
presque deviné!

— Cette liaison, continua Isabelle, dura plus longtemps que n'ont coutume les intrigues de théâtre. Le
prince trouva chez ma mère une fidélité qui venait de
l'orgueil autant que de l'amour, mais qui ne se démen-
tit point. Malheureusement des raisons d'Etat vinrent
à la traverse; il dut partir pour des guerres ou ambassades lointaines. D'illustres mariages qu'il retarda tant
qu'il put furent négociés en son nom par sa famille.
Il lui fallut céder, car il n'avait pas le droit d'interrompre, à cause d'un caprice amoureux, cette longue
suite d'ancêtres remontant à Charlemagne et de finir
en lui cette glorieuse race. Des sommes assez fortes
furent offertes à ma mère pour adoucir cette rupture
devenue nécessaire, la mettre à l'abri du besoin et sub-
venir à ma nourriture et éducation. Mais elle ne voulut rien entendre, disant qu'elle n'acceptait point la
bourse sans le cœur et qu'elle aimait mieux que le
prince lui fût redevable que non pas elle redevable au
prince; car elle lui avait donné, en sa générosité
extrême, ce que jamais il ne lui pourrait rendre. « Rien
avant, rien après », telle était sa devise. Elle continua
donc son métier de princesse tragique, mais la mort
dans l'âme, et depuis ne fit que languir jusqu'à son
trépas, qui ne tarda guère. J'étais alors une fillette de
sept ou huit ans; je jouais les enfants et les amours
et autres petits rôles proportionnés à ma taille et à
mon intelligence. La mort de ma mère me causa un
chagrin au-dessus de mon âge, et je me souviens qu'il
me fallut fouetter ce jour-là pour me forcer à jouer un
des enfants de Médée. Puis cette grande douleur

s'apaisa par les cajoleries des comédiens et comédiennes qui me dorlotaient de leur mieux et comme à l'envi, me mettant toujours quelques friandises en mon panier. Le Pédant, qui faisait partie de notre troupe et déjà me semblait aussi vieux et ridé qu'aujourd'hui, s'intéressa à moi, m'apprit la récitation, harmonie et mesure des vers, les façons de dire et d'écouter, les poses, les gestes, physionomies congruentes au discours, et tous les secrets d'un art où il excelle, quoique comédien de province, car il a de l'étude, ayant été régent de collège, et chassé pour incorrigible ivrognerie.

« Au milieu du désordre apparent d'une vie vagabonde, j'ai vécu innocente et pure, car pour mes compagnons qui m'avaient vue au berceau, j'étais une sœur ou une fille, et pour les godelureaux j'ai bien su, d'une mine froide, réservée et discrète, les tenir à distance comme il convient, continuant, hors de la scène, mon rôle d'ingénue, sans hypocrisie ni fausse pudeur. »

Ainsi, tout en marchant, Isabelle racontait à Sigognac charmé l'histoire de sa vie et aventures.

« Et le nom de ce grand, dit Sigognac, le savez-vous ou l'avez-vous oublié?

— Il serait peut-être dangereux pour mon repos de le dire, répondit Isabelle, mais il est resté gravé dans ma mémoire.

— Existe-t-il quelque preuve de sa liaison avec votre mère?

— Je possède un cachet armorié de son blason, dit Isabelle, c'est le seul joyau que ma mère ait gardé de lui à cause de sa noblesse et signification héraldique qui effaçait l'idée de valeur matérielle, et si cela vous amuse, je vous le montrerai un jour. »

Il serait par trop fastidieux de suivre étape par étape le chariot comique, d'autant plus que le voyage se faisait à petites journées, sans aventures dont il faille garder mémoire. Nous sauterons donc quelques jours, et nous arriverons aux environs de Poitiers. Les recettes n'avaient pas été fructueuses et les temps durs étaient venus pour la troupe. L'argent du marquis de Bruyères avait fini par s'épuiser, ainsi que les pistoles de Sigognac, dont la délicatesse eût souffert de ne pas soulager, dans les mesures de ses pauvres ressources, ses camarades en détresse. Le chariot, traîné par quatre bêtes vigoureuses au départ, n'avait plus qu'un seul cheval, et quel cheval! une misérable rosse qui semblait s'être nourrie, au lieu de foin et d'avoine, avec des cercles de barrique, tant ses côtes étaient saillantes. Les os de ses hanches perçaient la peau, et les muscles détendus de ses cuisses se dessinaient par de grandes rides flasques; des éparvins gonflaient ses jambes hérissées de longs poils. Sur son garrot, à la pression d'un collier dont la bourre avait disparu, s'avivaient des écorchures saigneuses et les coups de fouet zébraient comme des hachures les flancs meurtris du pauvre animal. Sa tête était tout un poème de mélancolie et de souffrance. Derrière ses yeux se creusaient de profondes salières qu'on aurait cru évidées au scalpel. Ses prunelles bleuâtres avaient le regard morne, résigné et pensif de la bête surmenée. L'insouciance des coups produite par l'inutilité de l'effort s'y lisait tristement, et le claquement de la lanière ne pouvait plus en tirer une étincelle de vie. Ses oreilles énervées, dont l'une avait le bout fendu, pendaient piteusement de chaque côté du front et scandaient, par leur oscillation, le rythme inégal de la marche. Une mèche de la crinière, de blanche devenue jaune, entremêlait ses filaments à la têtière, dont le cuir avait usé les protubérances osseuses des joues mises en relief par la maigreur. Les cartilages des narines laissaient suinter l'eau d'une respiration pénible et les barres fatiguées faisaient la moue comme des lèvres maussades.

Sur son pelage blanc, truité de roux, la sueur avait tracé des filets pareils à ceux dont la pluie raie le plâtre des murailles, agglutiné sous le ventre des flocons de poil, délavé les membres inférieurs et fait avec la crotte un affreux ciment. Rien n'était plus lamentable à voir, et le cheval que monte la Mort dans l'Apocalypse eût paru une bête fringante, propre à parader aux carrousels à côté de ce pitoyable et désastreux animal dont les épaules semblaient se disjoindre à chaque pas, et qui, d'un œil douloureux, avait l'air d'invoquer comme une grâce le coup d'assommoir de l'équarrisseur. La température commençant à devenir froide, il marchait au milieu de la fumée qu'exhalaient ses flancs et ses naseaux.

Il n'y avait dans le chariot que les trois femmes. Les hommes allaient à pied pour ne pas surcharger le triste animal, qu'il ne leur était pas difficile de suivre et même de devancer. Tous, n'ayant à exprimer que des pensées désagréables, gardaient le silence et marchaient isolés, s'enveloppant de leur cape du mieux qu'ils pouvaient.

Sigognac, presque découragé, se demandait s'il n'eût pas mieux fait de rester au castel délabré de ses pères, sauf à y mourir de faim à côté de son blason fruste dans le silence et la solitude, que de courir ainsi les hasards des chemins avec des bohèmes.

Il songeait au brave Pierre, à Bayard, à Miraut et à Béelzébuth, les fidèles compagnons de son ennui. Son cœur se serrait quoi qu'il fît, et il lui montait de la poitrine à la gorge ce spasme nerveux qui d'ordinaire se résout en larmes; mais un regard jeté sur Isabelle, pelotonnée dans sa mante et assise sur le devant de la charrette, lui raffermissait le courage. La jeune femme lui souriait; elle ne paraissait pas se chagriner de cette misère; son âme était satisfaite, qu'importaient les souffrances et les fatigues du corps?

Le paysage qu'on traversait n'était guère propre à dissiper la mélancolie. Au premier plan se tordaient les squelettes convulsifs de quelques vieux ormes tourmentés, contournés, écimés, dont les branches noires aux filaments capricieux se détaillaient sur un ciel d'un gris jaune très bas et gros de neige qui ne laissait filtrer qu'un jour livide; au second, s'étendaient des plaines dépouillées de culture, que bordaient près de l'horizon des collines pelées ou des lignes de bois roussâtres. De loin en loin, comme une tache de craie, quelque chaumine dardant une légère spirale de fumée apparaissait entre les brindilles menues de ses clôtures. La ravine d'une rigole sillonnait la terre d'une longue cicatrice. Au printemps, cette campagne, habillée de verdure, eût pu sembler agréable; mais revêtue des grises livrées de l'hiver, elle ne présentait aux yeux que monotonie, pauvreté et tristesse. De temps en temps passait, hâve et déguenillé, un paysan ou quelque vieille courbée sous un fagot de bois mort, qui, loin d'animer ce désert, en faisait au contraire ressortir la solitude. Les pies, sautillant sur la terre brune avec leur queue plantée dans leur croupion comme un éventail fermé, en paraissaient les véritables habitantes. Elles jacassaient à l'aspect du chariot comme si elles se fussent communiqué leurs réflexions sur les comédiens et dansaient devant eux d'une façon dérisoire, en méchants oiseaux sans cœur qu'elles étaient, insensibles à la misère du pauvre monde.

Une bise aigre sifflait, collant leurs minces capes sur le corps des comédiens, et leur souffletant le visage de ses doigts rouges. Aux tourbillons du vent se mêlèrent bientôt des flocons de neige, montant, descendant, se croisant sans pouvoir toucher la terre ou s'accrocher quelque part, tant la rafale était forte. Ils devinrent si pressés qu'ils formaient comme une obscurité blanche à quelques pas des piétons aveuglés. A travers ce fourmillement argenté, les objets les plus voisins perdaient leur apparence réelle et ne se distinguaient plus.

« Il paraît, dit le Pédant, qui marchait derrière le chariot pour s'abriter un peu, que la ménagère céleste plume des oies là-haut et secoue sur nous le duvet de son tablier. La chair m'en plairait davantage, et je serais bien homme à la manger sans citron ni épices.

— Voire même sans sel, répondit le Tyran; car mon estomac ne se souvient plus de cette omelette dont les œufs piaillaient quand on les cassa sur le bord du poêlon et que j'ai avalée sous le titre fallacieux et sarcastique de déjeuner, malgré les becs qui la hérissaient. »

Sigognac s'était aussi réfugié derrière la voiture, et le Pédant lui dit : « Voilà un terrible temps, monsieur le Baron, et je regrette pour vous de vous voir partager notre mauvaise fortune, mais ce sont traverses passagères, et quoique nous n'allions guère vite, cependant nous nous rapprochons de Paris.

— Je n'ai point été élevé sur les genoux de la mollesse, répondit Sigognac, et je ne suis point homme à m'effrayer pour quelques flocons de neige. Ce sont ces pauvres femmes que je plains, obligées, malgré la débilité de leur sexe, à supporter des fatigues et des privations comme nous routiers en campagne.

— Elles y sont de longue main habituées, et ce qui serait dur à des femmes de qualité ou à des bourgeoises ne leur semble pas autrement pénible. »

La tempête augmentait. Chassée par le vent, la neige courait en blanches fumées rasant le sol, et ne s'arrêtant que lorsqu'elle était retenue par quelque obstacle, revers de tertre, mur de pierrailles, clôture de haie, talus de fossé. Là, elle s'entassait avec une prodigieuse vitesse, débordant en cascade de l'autre côté de la digue temporaire. D'autres fois elle s'engouffrait dans le tournant d'une trombe et remontait au ciel en tourbillons pour en retomber par masses, que l'orage dispersait aussitôt. Quelques minutes avaient suffi pour poudrer à blanc, sous la toile palpitante de la charrette, Isabelle, Sérafine et Léonarde quoiqu'elles se fussent réfugiées tout au fond et abritées d'un rempart de paquets.

Ahuri par les flagellations de la neige et du vent, le cheval n'avançait plus qu'à grand-peine. Il soufflait, ses flancs battaient, et ses sabots glissaient à chaque pas. Le Tyran le prit par le bridon, et, marchant à côté de lui, le soutint un peu de sa main vigoureuse. Le Pédant, Sigognac et Scapin poussaient à la roue. Léandre faisait claquer le fouet pour exciter la pauvre bête : la frapper eût été cruauté pure. Quant au Matamore, il était resté quelque peu en arrière, car il était si léger, vu sa maigreur phénoménale, que le vent l'empêchait d'avancer, quoiqu'il eût pris une pierre en chaque main et rempli ses poches de cailloux pour se lester.

Cette tempête neigeuse, loin de s'apaiser, faisait de plus en plus rage, et se roulait avec furie dans les amas de flocons blancs qu'elle agitait en mille remous comme l'écume des vagues. Elle devint si violente que les comédiens furent contraints, bien qu'ils eussent grande hâte d'arriver au village, d'arrêter le chariot et de le tourner à l'opposite du vent. La pauvre rosse qui le traînait n'en pouvait plus ; ses jambes se roidissaient ; des frissons couraient sur sa peau fumante et baignée de sueur. Un effort de plus, et elle tombait morte ; déjà une goutte de sang perlait dans ses naseaux largement dilatés par l'oppression de la poitrine, et des lueurs vitrées passaient sur le globe de l'œil.

Le terrible dans le sombre n'est pas difficile à concevoir. Les ténèbres logent aisément les épouvantes, mais l'horreur blanche se fait moins comprendre. Cependant, rien de plus sinistre que la position de nos pauvres comédiens, pâles de faim, bleus de froid, aveuglés de neige et perdus en pleine grande route au milieu de ce vertigineux tourbillon de grains glacés les enveloppant de toutes parts. Tous s'étaient blottis sous la toile de la bâche pour laisser passer la rafale, et se pressaient les uns contre les autres afin de profiter de leur chaleur mutuelle. Enfin l'ouragan tomba, et la neige, suspendue en l'air, put descendre moins tumultueusement sur le sol. Aussi loin que l'œil pouvait s'étendre, la campagne disparaissait sous un linceul argenté.

« Où donc est Matamore, dit Blazius, est-ce que par hasard le vent l'aurait emporté dans la lune?

— En effet, ajouta le Tyran, je ne le vois point. Il s'est peut-être blotti sous quelque décoration au fond de la voiture. Ohé! Matamore; secoue tes oreilles si tu dors, et réponds à l'appel. »

Matamore n'eut garde de sonner mot. Aucune forme ne s'agita sous le monceau de vieilles toiles.

« Ohé! Matamore, beugla itérativement le Tyran de sa plus grosse voix tragique et d'un ton à réveiller dans leur grotte les sept dormants avec leur chien.

— Nous ne l'avons pas vu, dirent les comédiennes, et comme les tourbillons de neige nous aveuglaient, nous ne nous sommes point autrement inquiétées de son absence, le pensant à quelques pas de la charrette.

— Diantre! fit Blazius, voilà qui est étrange! pourvu qu'il ne lui soit point arrivé malheur.

— Sans doute, dit Sigognac, il se sera, pendant le plus fort de la tourmente, abrité derrière quelque tronc d'arbre, et il ne tardera pas à nous rejoindre. »

On résolut d'attendre quelques minutes, lesquelles passées, on irait à sa recherche. Rien n'apparaissait sur le chemin, et de ce fond de blancheur, quoique le crépuscule tombât, une forme humaine se fût aisément détachée même à une assez grande distance. La nuit qui descend si rapide aux courtes journées de décembre était venue, mais sans amener avec elle une obscurité complète. La réverbération de la neige combattait les ténèbres du ciel, et par un renversement bizarre il semblait que la clarté vînt de la terre. L'horizon s'accusait en lignes blanches et ne se perdait pas dans les fuites du lointain. Les arbres enfarinés se dessinaient comme des arborisations dont la gelée étame les vitres, et de temps en temps des flocons de neige secoués d'une branche tombaient pareils aux larmes d'argent des draps mortuaires, sur la noire tenture de l'ombre. C'était un spectacle plein de tristesse; un chien se mit à hurler au perdu comme pour donner une voix à la désolation du paysage et en exprimer les navrantes mélancolies. Parfois il semble que la nature, se lassant de son mutisme, confie ses peines secrètes aux plaintes du vent ou aux lamentations de quelque animal.

On sait combien est lugubre dans le silence nocturne cet aboi désespéré qui finit en râle et que semble provoquer le passage de fantômes invisibles pour l'œil humain. L'instinct de la bête, en communication avec l'âme des choses, pressent le malheur et le déplore avant qu'il soit connu. Il y a dans ce hurlement mêlé de sanglots l'effroi de l'avenir, l'angoisse de la mort et l'effarement du surnaturel. Le plus ferme courage ne l'entend pas sans être ému, et ce cri fait dresser le poil sur la chair comme ce petit souffle dont parle Job.

L'aboi, d'abord lointain, s'était rapproché, et l'on pouvait distinguer au milieu de la plaine, assis le derrière dans la neige, un grand chien noir qui, le museau levé vers le ciel, semblait se gargariser avec ce gémissement lamentable.

« Il doit être arrivé quelque chose à notre pauvre camarade, s'écria le Tyran, cette maudite bête hurle comme pour un mort. »

Les femmes, le cœur serré d'un pressentiment sinistre, firent avec dévotion le signe de la croix. La bonne Isabelle murmura un commencement de prière.

« Il faut l'aller chercher sans plus attendre, dit Blazius, avec la lanterne dont la lumière lui servira de guide et d'étoile polaire s'il est égaré du droit chemin et vague à travers champs; car, en ces temps neigeux qui recouvrent les routes de blancs linceuls, il est facile d'errer. »

On battit le fusil, et le bout de chandelle allumé au ventre de la lanterne jeta bientôt à travers les minces vitres de corne une lueur assez vive pour être aperçue de loin.

Le Tyran, Blazius et Sigognac se mirent en quête. Scapin et Léandre restèrent pour garder la voiture et rassurer les femmes, que l'aventure commençait à inquiéter. Pour ajouter au lugubre de la scène, le chien noir hurlait toujours désespérément, et le vent roulait sur la campagne ses chariots aériens, avec de sourds murmures, comme s'il portait des esprits en voyage.

L'orage avait bouleversé la neige de façon à effacer toute trace ou du moins à en rendre l'empreinte incertaine. La nuit rendait d'ailleurs la recherche difficile, et quand Blazius approchait la lanterne du sol il trouvait parfois le grand pied du Tyran moulé en creux dans la poussière blanche, mais non le pas

de Matamore, qui, fût-il venu jusque-là, n'eût marqué
non plus que celui d'un oiseau.

Ils firent ainsi près d'un quart de lieue, élevant la
lanterne pour attirer le regard du comédien perdu
et criant de toute la force de leurs poumons : « Matamore, Matamore, Matamore! »

A cet appel semblable à celui que les anciens adressaient aux défunts avant de quitter le lieu de sépulture, le silence seul répondait ou quelque oiseau
peureux s'envolait en glapissant avec une brusque palpitation d'ailes pour s'aller perdre plus dans la nuit.
Parfois un hibou offusqué de la lumière piaulait d'une
façon lamentable. Enfin, Sigognac, qui avait la vue
perçante, crut démêler à travers l'ombre, au pied d'un
arbre, une figure d'aspect fantasmatique, étrangement
roide et sinistrement immobile. Il en avertit ses
compagnons, qui se dirigèrent avec lui de ce côté en
toute hâte.

C'était bien, en effet, le pauvre Matamore. Son dos
s'appuyait contre l'arbre et ses longues jambes éten-
dues sur le sol disparaissaient à demi sous l'amoncel-
lement de la neige. Son immense rapière, qu'il ne quittait jamais, faisait avec son buste un angle bizarre, et
qui eût été risible en toute autre circonstance. Il ne
bougea pas plus qu'une souche à l'approche de ses
camarades. Inquiété de cette fixité d'attitude, Blazius
dirigea le rayon de la lanterne sur le visage de Matamore, et il faillit la laisser choir tant ce qu'il vit lui
causa d'épouvante.

Le masque ainsi éclairé n'offrait plus les couleurs
de la vie. Il était d'un blanc de cire. Le nez pincé aux
ailes par les doigts noueux de la mort luisait comme
un os de seiche; la peau se tendait sur les tempes.
Des flocons de neige s'étaient arrêtés aux sourcils et
aux cils, et les yeux dilatés regardaient comme deux
yeux de verre. A chaque bout des moustaches scintillait un glaçon dont le poids les faisait courber. Le
cachet de l'éternel silence scellait ces lèvres d'où
s'étaient envolées tant de joyeuses rodomontades, et
la tête de mort sculptée par la maigreur apparaissait
déjà à travers ce visage pâle, où l'habitude des grimaces avait creusé des plis horriblement comiques,
que le cadavre même conservait, car c'est une misère
du comédien que chez lui le trépas ne puisse garder
sa gravité.

Nourrissant encore quelque espoir, le Tyran essaya de secouer la main de Matamore, mais le bras déjà roide retomba tout d'une pièce avec un bruit sec comme le bras d'un automate dont on abandonne le fil. Le pauvre diable avait quitté le théâtre de la vie pour celui de l'autre monde. Cependant, ne pouvant admettre qu'il fût mort, le Tyran demanda à Blazius s'il n'avait pas sur lui sa gourde. Le Pédant ne se séparait jamais de ce précieux meuble. Il y restait encore quelques gouttes de vin, et il en introduisit le goulot entre les lèvres violettes du Matamore; mais les dents restèrent obstinément serrées, et la liqueur cordiale rejaillit en gouttes rouges par les coins de la bouche. Le souffle vital avait abandonné à jamais cette frêle argile, car la moindre respiration eût produit une fumée visible dans cet air froid.

« Ne tourmentez pas sa pauvre dépouille, dit Sigognac, ne voyez-vous pas qu'il est mort?

— Hélas! oui, répondit Blazius, aussi mort que Chéops sous la grande pyramide. Sans doute, étourdi par le chasse-neige et ne pouvant lutter contre la fureur de la tempête, il se sera arrêté près de cet arbre, et comme il n'avait pas deux onces de chair sur les os, il aura bientôt eu les moelles gelées. Afin de produire de l'effet à Paris, il diminuait chaque jour sa ration, et il était efflanqué de jeûne plus qu'un lévrier après les chasses. Pauvre Matamore, te voilà désormais à l'abri des nasardes, croquignoles, coup de pied et de bâton à quoi t'obligeaient tes rôles! Personne ne te rira plus au nez.

— Qu'allons-nous faire de ce corps? interrompit le Tyran. nous ne pouvons le laisser là sur le revers de ce fossé pour que les loups, les chiens et les oiseaux le déchiquettent, encore que ce soit une piteuse viande où les vers mêmes ne trouveront pas à déjeuner.

— Non certes, dit Blazius : c'était un bon et loyal camarade, et comme il n'est pas bien lourd, tu vas lui prendre la tête, moi je lui prendrai les pieds, et nous le porterons tous deux jusqu'à la charrette. Demain il fera jour, et nous l'inhumerons en quelque coin le plus décemment possible; car, à nous autres histrions, l'Eglise marâtre nous ferme l'huis du cimetière, et nous refuse cette douceur de dormir en terre sainte. Il nous faut aller pourrir aux gémonies comme chiens crevés ou chevaux morts, après avoir en notre vie amusé les plus gens de bien. Vous, monsieur le Baron, vous nous précéderez et tiendrez le falot. »

Sigognac acquiesça d'un signe de tête à cet arrangement. Les deux comédiens se penchèrent, déblayèrent la neige qui recouvrait déjà Matamore comme un linceul prématuré, soulevèrent le léger cadavre qui pesait moins que celui d'un enfant, et se mirent en marche précédés du Baron, qui faisait tomber sur leur route la lumière de la lanterne.

Heureusement personne à cette heure ne passait par le chemin, car c'eût été pour le voyageur un spectacle assez effrayant et mystérieux que ce groupe funèbre éclairé bizarrement par le reflet rougeâtre du falot, et laissant après lui de longues ombres difformes sur la blancheur de la neige. L'idée d'un crime ou d'une sorcellerie lui fût venue sans doute.

Le chien noir, comme si son rôle d'avertisseur était fini, avait cessé ses hurlements. Un silence sépulcral régnait au loin dans la campagne, car la neige a cette propriété d'amortir les sons.

Depuis quelque temps Scapin, Léandre et les comédiennes avaient aperçu la petite lumière rouge se balançant à la main de Sigognac et envoyant aux objets des reflets inattendus qui les tiraient de l'ombre sous des aspects bizarres ou formidables, jusqu'à ce qu'ils se fussent évanouis de nouveau dans l'obscurité. Montré et caché tour à tour, à cette lueur incertaine, le groupe du Tyran et de Blazius, reliés par le cadavre horizontal du Matamore, comme deux mots par un trait d'union, prenait une apparence énigmatiquement lugubre. Scapin et Léandre, mus d'une inquiète curiosité, allèrent au-devant du cortège.

« Eh bien! qu'y a-t-il? dit le valet de comédie, lorsqu'il eut rejoint ses camarades; est-ce que Matamore est malade que vous le portez de la sorte, tout brandi comme s'il eût avalé sa rapière?

— Il n'est pas malade, répondit Blazius, et jouit même d'une santé inaltérable. Goutte, fièvre, catarrhe, gravelle n'ont plus prise sur lui. Il est guéri à tout jamais d'une maladie pour laquelle aucun médecin, fût-ce Hippocrate, Galien, ou Avicenne, n'a trouvé de remède, je veux dire la vie, dont on finit toujours par mourir.

— Donc il est mort! fit le Scapin avec une intonation de surprise douloureuse en se penchant sur le visage du cadavre.

— Très mort, on ne peut plus mort, s'il y a des degrés en cet état, car il ajoute au froid naturel du trépas le froid de la gelée, répondit Blazius d'une voix troublée qui trahissait plus d'émotion que n'en comportaient les paroles.

— Il a vécu! comme s'exprime le confident du prince au récit final des tragédies, ajouta le Tyran. Mais relayez-nous un peu, s'il vous plaît. C'est votre tour. Voilà assez longtemps que nous portons le cher camarade sans espoir de bonne-manche ou de paraguante. »

Scapin se substitua au Tyran, Léandre à Blazius, quoique cette besogne de corbeau ne fût guère de son goût, et le cortège reprit sa marche. En quelques minutes on eut rejoint le chariot arrêté au milieu de la route. Malgré le froid, Isabelle et Sérafine étaient sautées à bas de la voiture, où la seule Duègne accroupie ouvrait tout grands ses yeux de chouette. A l'aspect de Matamore pâle, roidi, glacé, ayant sur le visage ce masque immobile à travers lequel l'âme ne regarde plus, les comédiennes poussèrent un cri d'épouvante et de douleur. Deux larmes jaillirent même des yeux purs d'Isabelle, promptement gelées par l'âpre bise nocturne. Ses belles mains rouges de froid se joignirent pieusement, et une fervente prière pour celui qui venait de s'engloutir si subitement dans la trappe de l'éternité monta sur les ailes de la foi dans les profondeurs du ciel obscur.

Qu'allait-on faire? La position ne laissait pas d'être embarrassante. Le bourg où l'on devait coucher était encore éloigné d'une ou deux lieues, et quand on y arriverait toutes les maisons seraient fermées depuis longtemps et les paysans couchés; d'autre part, on ne pouvait rester au milieu du chemin, en pleine neige, sans bois pour allumer du feu, sans vivres pour se réconforter, dans la compagnie fort sinistre et maussade d'un cadavre, à attendre le jour qui ne se lève que très tard pendant cette saison.

On résolut de partir. Cette heure de repos et une musette d'avoine donnée par Scapin avaient rendu un peu de vigueur au pauvre vieux cheval fourbu. Il paraissait ragaillardi et capable de fournir la traite. Matamore fut couché au fond du chariot, sous une toile.

Les comédiennes, non sans un certain frisson de peur,
s'assirent sur le devant de la voiture, car la mort fait
un spectre de l'ami avec lequel on causait tout à
l'heure, et celui qui vous égayait vous épouvante
comme une larve ou une lémure.

Les hommes cheminèrent à pied, Scapin éclairant
la route avec la lanterne dont on avait renouvelé la
chandelle, le Tyran tenant le bridon du cheval pour
l'empêcher de buter. On n'allait pas bien vite, car le
chemin était difficile; cependant au bout de deux
heures on commença à distinguer, au bas d'une
descente assez rapide, les premières maisons du village. La neige avait mis des chemises blanches aux
toits, qui les faisaient se détacher, malgré la nuit, sur
le fond sombre du ciel. Entendant sonner de loin les
ferrailles du chariot, les chiens inquiets firent
vacarme, et leurs abois en éveillèrent d'autres dans les
fermes isolées, au fond de la campagne. C'était un
concert de hurlements, les uns sourds, les autres
criards, avec solos, répliques et chœurs où toute la
chiennerie de la contrée faisait sa partie. Aussi, quand
la charrette y arriva, le bourg était-il en éveil. Plus
d'une tête embéguinée de ses coiffes de nuit se montrait encadrée par une lucarne ou le vantail supérieur
d'une porte entrouverte, ce qui facilita au Pédant les
négociations nécessaires pour procurer un gîte à la
troupe. L'auberge lui fut indiquée, ou du moins une
maison qui en tenait lieu, l'endroit n'étant pas très
fréquenté des voyageurs, qui d'ordinaire poussaient
plus avant. C'était à l'autre bout du village, et il fallut
que la pauvre rosse donnât encore un coup de collier;
mais elle sentait l'écurie, et, dans un effort suprême,
ses sabots, à travers la neige, arrachèrent des étincelles aux cailloux. Il n'y avait pas à s'y tromper; une
branche de houx, assez semblable à ces rameaux qui
trempent dans les eaux lustrales, pendait au-dessus
de la porte, et Scapin, en haussant sa lanterne,
constata la présence de ce symbole hospitalier. Le
Tyran tambourina de ses gros poings sur la porte, et
bientôt un claquement de savates descendant un escalier se fit entendre à l'intérieur. Un rayon de lumière
rougeâtre filtra par les fentes du bois. Le battant s'ouvrit, et une vieille, protégeant d'une main sèche qui
semblait prendre feu la flamme vacillante d'un suif,
apparut dans toute l'horreur d'un négligé peu galant.

Ses deux mains étant occupées, elle tenait entre les
dents ou plutôt entre les gencives les bords de sa chemise en grosse toile, dans l'intention pudique de dérober aux regards libertins des charmes qui eussent fait
fuir d'épouvante les boucs du sabbat. Elle introduisit
les comédiens dans la cuisine, planta la chandelle sur
la table, fouilla les cendres de l'âtre pour y réveiller
quelques braises assoupies qui bientôt firent pétiller
une poignée de broussailles; puis elle remonta dans
sa chambre pour revêtir un jupon et un casaquin. Un
gros garçon, se frottant les yeux de ses mains cras-
seuses, alla ouvrir les portes de la cour, y fit entrer
la voiture, ôta le harnais du cheval et le mit à l'écurie.

« Nous ne pouvons cependant pas laisser ce pauvre
Matamore dans la voiture comme un daim qu'on rapporte de la chasse, dit Blazius; les chiens de basse-
cour n'auraient qu'à le gâter. Il a reçu le baptême,
après tout, et il faut lui faire sa veille mortuaire
comme à un bon chrétien qu'il était. »

On prit le corps du comédien défunt, qui fut étendu
sur la table et respectueusement recouvert d'un manteau. Sous l'étoffe se sculptait à grands plis la rigidité
cadavérique et se découpait le profil aigu de la face,
peut-être plus effrayante ainsi que dévoilée. Aussi,
lorsque l'hôtelière rentra, faillit-elle tomber à la renverse de frayeur à l'aspect de ce mort qu'elle prit
pour un homme assassiné dont les comédiens étaient
les meurtriers. Déjà, tendant ses vieilles mains tremblantes, elle suppliait le Tyran, qu'elle jugeait le chef
de la troupe, de ne point la faire mourir, lui promettant un secret absolu, même fût-elle mise à la question. Isabelle la rassura, et lui apprit en peu de mots
ce qui était arrivé. Alors la vieille alla chercher deux
autres chandelles et les disposa symétriquement autour
du mort, s'offrant de veiller avec dame Léonarde, car
souvent dans le village elle avait enseveli des cadavres,
et savait ce qu'il y avait à faire en ces tristes offices.

Ces arrangements pris, les comédiens se retirèrent
dans une autre pièce, où, médiocrement mis en appétit par ces lugubres scènes, et touchés de la perte de
ce brave Matamore, ils ne soupèrent que du bout des
lèvres. Pour la première fois peut-être de sa vie,
quoique le vin fût bon, Blazius laissa son verre demi-
plein, oubliant de boire. Certes, il fallait qu'il fût bien

navré dans l'âme, car il était de ces biberons qui souhaitaient d'être enterrés sous le baril, afin que la cannelle leur dégoutte dans la bouche, et il se fût relevé du cercueil pour crier « masse » à un rouge-bord.

Isabelle et Sérafine s'arrangèrent d'un grabat dans la chambre voisine. Les hommes s'étendirent sur des bottes de paille que le garçon d'écurie leur apporta. Tous dormirent mal, d'un sommeil entrecoupé de rêves pénibles, et furent sur pied de bonne heure, car il s'agissait de procéder à la sépulture de Matamore.

Faute de drap, Léonarde et l'hôtesse l'avaient enseveli dans un lambeau de vieille décoration représentant une forêt, linceul digne d'un comédien, comme un manteau de guerre d'un capitaine. Quelques restes de peinture verte simulaient, sur la trame usée, des guirlandes de feuillages, et faisaient l'effet d'une jonchée d'herbes semée pour honorer le corps, cousu et paqueté en la forme de momie égyptienne.

Une planche posée sur deux bâtons, dont le Tyran, Blazius, Scapin et Léandre tenaient les bouts, forma la civière. Une grande simarre de velours noir constellée d'étoiles et demi-lunes de paillon, servant pour les rôles de pontife ou de nécroman, fit l'office de drap mortuaire avec assez de décence.

Ainsi disposé, le cortège sortit par une porte de derrière donnant sur la campagne pour éviter les commérages des curieux, et pour gagner un terrain vague que l'hôtesse avait désigné comme pouvant servir de sépulture au Matamore sans que personne s'y opposât, la coutume étant de jeter là les bêtes mortes de maladie, lieu bien indigne et malpropre à recevoir une dépouille humaine, argile modelée à la ressemblance de Dieu; mais les canons de l'Eglise sont formels, et l'histrion excommunié ne peut gésir en terre sainte, à moins qu'il n'ait renoncé au théâtre, à ses œuvres et à ses pompes, ce qui n'était pas le cas de Matamore.

Le Matin, aux yeux gris, commençait à s'éveiller, et les pieds dans la neige descendait le revers des collines. Une lueur froide s'étalait sur la plaine, dont la blancheur faisait paraître livide la teinte du ciel. Etonnés par l'aspect bizarre du cortège qui ne précédaient ni croix ni prêtre, et qui ne se dirigeait point du côté de l'église, quelques paysans allant ramasser du bois mort s'arrêtaient et regardaient les comédiens de travers, les soupçonnant hérétiques, sorciers ou parpaillots, mais cependant ils n'osaient rien dire. Enfin, on arriva à une place assez dégagée, et le garçon d'écurie, qui portait une bêche pour creuser la fosse, dit qu'on ferait bien de s'arrêter là. Des carcasses de bêtes à demi recouvertes de neige bossuaient le sol tout alentour. Des squelettes de chevaux, anatomisés par les vautours et les corbeaux, allongeaient au bout d'un chapelet de vertèbres leurs longues têtes décharnées aux orbites creuses, et ouvraient leurs côtes dépouillées de chair comme les branches d'un éventail dont on a déchiré le papier. Des touches de neige fantastiquement posées ajoutaient encore à l'horreur de ce spectacle charogneux en accusant les saillies et les articulations des os. On eût dit ces animaux chimériques que chevauchent les Aspioles ou les Goules aux cavalcades du Sabbat.

Les comédiens déposèrent le corps à terre, et le garçon d'auberge se mit à bêcher vigoureusement le sol, rejetant les mottes noires parmi la neige, chose particulièrement lugubre, car il semble aux vivants que les pauvres défunts, encore qu'ils ne sentent rien, doivent avoir plus froid sous ces frimas pour leur première nuit de tombeau.

Le Tyran relayait le garçon, et la fosse se creusait rapidement. Déjà elle ouvrait les mâchoires assez largement pour avaler d'une bouchée le mince cadavre, lorsque les manants attroupés commencèrent à crier au huguenot et firent mine de charger les comédiens. Quelques pierres même furent lancées, qui n'atteignirent heureusement personne. Outré de colère contre cette canaille, Sigognac mit flamberge au vent et courut à ces malotrus, les frappant du plat de sa lame et les menaçant de la pointe. Au bruit de l'algarade, le Tyran avait sauté hors de la fosse, saisi un des bâtons du brancard, et s'en escrimait sur le dos de ceux que renversait le choc impétueux du Baron. La troupe se dispersa en poussant des cris et des malédictions, et l'on put achever les obsèques de Matamore.

Couché au fond du trou, le corps cousu dans son morceau de forêt avait plutôt l'air d'une arquebuse enveloppée de serge verte qu'on enfouit pour la cacher que d'un cadavre humain qu'on enterre. Quand les pre-

mières pelletées roulèrent sur la maigre dépouille du
comédien, le Pédant, ému et ne pouvant retenir une
larme qui, du bout de son nez rouge, tomba dans la
fosse comme une perle du cœur, soupira d'une voix
dolente, en manière d'oraison funèbre, cette exclama-
tion qui fut toute la nénie et myriologie du défunt :
« Hélas! pauvre Matamore! »

L'honnête Pédant, en disant ces mots, ne se doutait
pas qu'il répétait les expresses paroles d'Hamlet,
prince de Danemark, maniant le test d'Yorick, ancien
bouffon de cour, ainsi qu'il appert de la tragédie du
sieur Shakespeare, poète fort connu en Angleterre, et
protégé de la reine Elisabeth.

En quelques minutes la fosse fut comblée. Le Tyran
éparpilla de la neige dessus pour dissimuler l'endroit,
de peur qu'on ne fît quelque affront au cadavre, et,
cette besogne terminée :

« Or çà, dit-il, quittons vivement la place, nous
n'avons plus rien à faire ici; retournons à l'auberge.
Attelons la charrette et prenons du champ, car ces
maroufles, revenant en nombre, pourraient bien nous
affronter. Votre épée et mes poings n'y sauraient suffire. Un ost de pygmées vient à bout d'un géant. La
victoire même serait inglorieuse et de nul profit. Quand
vous auriez éventré cinq ou six de ces bélîtres, votre
los n'en augmenterait point et ces morts nous met-
traient dans l'embarras. Il y aurait lamentation de
veuves, criaillement d'orphelins, chose ennuyeuse et
pitoyable dont les avocats tirent parti pour influencer
les juges. »

Le conseil était bon et fut suivi. Une heure après,
la dépense soldée, le chariot se remettait en route.

## VII

### OÙ LE ROMAN JUSTIFIE SON TITRE

On marcha d'abord aussi vite que le permettaient les
forces du vieux cheval restaurés par une bonne nuit
d'écurie et l'état de la route couverte de la neige tombée la veille. Les paysans malmenés par Sigognac et le
Tyran pouvaient revenir à la charge en plus grand

nombre, et il s'agissait de mettre entre soi et le village un espace suffisant pour rendre la poursuite inutile. Deux bonnes lieues furent parcourues en silence, car la triste fin de Matamore ajoutait de funèbres pensées à la mélancolie de la situation. Chacun songeait qu'un beau jour il pourrait ainsi être enterré sur le bord du chemin, parmi les charognes, et abandonné aux profanations fanatiques. Ce chariot poursuivant son voyage symbolisait la vie, qui avance toujours sans s'inquiéter de ceux qui ne peuvent suivre et restent mourants ou morts dans les fossés. Seulement le symbole rendait plus visible le sens caché, et Blazius, à qui la langue démangeait, se mit à moraliser sur ce thème avec force citations, apophtegmes et maximes que ses rôles de pédant lui suppéditaient en la mémoire.

Le Tyran l'écoutait sans sonner mot et d'un air refrogné. Ses préoccupations suivaient un autre cours, si bien que Blazius remarquant la mine distraite du camarade lui demanda à quoi il songeait.

« Je songe, répondit le Tyran, à Milon Crotoniate qui tua un bœuf d'un coup de poing et le mangea dans une seule journée. Cet exploit me plaît, et je me sens capable de le renouveler.

— Par malheur il manque le bœuf, fit Scapin en s'introduisant dans la conversation.

— Oui, répliqua le Tyran, je n'ai que le poing... et l'estomac. Oh! bienheureuses les autruches qui se sustentent de cailloux, tessons, boutons de guêtre, manches de couteau, boucles de ceinture et telles autres victuailles indigestes pour les humains. En ce moment, j'avalerais tous les accessoires du théâtre. Il me semble qu'en creusant la fosse de ce pauvre Matamore j'en ai creusé une en moi-même tant large, longue et profonde que rien ne la saurait combler. Les anciens étaient fort sages, qui faisaient suivre les funérailles de repas abondants en viandes, copieux en vins pour la plus grande gloire des morts et meilleure santé des vivants. J'aimerais en ce moment accomplir ce rite philosophique très idoine à sécher les pleurs.

— En d'autres termes, dit Blazius, tu voudrais manger. Polyphème, ogre, Gargantua, Gouliaf, tu me dégoûtes.

— Et toi, tu voudrais bien boire, répliqua le Tyran. Sable, éponge, outre, entonnoir, barrique, siphon, sac à vin, tu excites ma pitié.

— Qu'une fusion à table des deux principes serait douce et profitable! dit Scapin d'un air conciliateur. Voici sur le bord de la route un petit bois taillis merveilleusement propre à une halte. On y pourrait détourner le chariot, et s'il y reste encore quelques provisions de bouche, déjeuner tant bien que mal, abrités de la bise, derrière ce paravent naturel. Cet arrêt donnera au cheval le temps de se reposer et nous permettra de confabuler, tout en grignotant nos bribes, sur les résolutions à prendre pour l'avenir de la troupe, qui me paraît diablement chargé de nuages.

— Tu parles d'or, ami Scapin, dit le Pédant, et nous allons exhumer des entrailles du bissac, hélas! plus plat et dégonflé que la bourse d'un prodigue, quelques reliefs, restes des splendeurs d'autrefois : murailles de pâtés, os de jambon, pelures de saucisses et croûtes de pain. Il y a encore dans le coffre deux ou trois flacons de vin, les derniers d'une vaillante troupe. Avec cela on peut non pas satisfaire, mais bien tromper sa faim et sa soif. Quel dommage que la terre de ce canton inhospitalier ne soit pas comme cette glaise dont certains sauvages d'Amérique se lestent le jabot lorsque la chasse et la pêche ont été malheureuses! »

On détourna la voiture, on la remisa dans le fourré, et le cheval dételé se mit à chercher sous la neige de rares brins d'herbe qu'il arrachait avec ses longues dents jaunes. Un tapis fut étendu sur une place découverte. Les comédiens s'assirent autour de cette nappe improvisée à la mode turque, et Blazius y disposa symétriquement les rogatons tirés de la voiture, comme s'il se fût agi d'un festin sérieux.

« O la belle ordonnance! fit le Tyran réjoui de cet aspect. Un majordome de prince n'eût pas mieux disposé les choses. Blazius, bien que tu sois un merveilleux Pédant, ta véritable vocation était celle d'officier de bouche.

— J'ai bien eu cette ambition, mais la fortune adverse l'a contrariée, répondit le Pédant d'un air modeste. Surtout, mes petits bedons, n'allez pas vous jeter gloutonnement sur les mets. Mastiquez avec lenteur et componction. D'ailleurs je vais vous tailler les parts, comme cela se pratique sur les radeaux dans les naufrages. A toi, Tyran, cet os jambonique auquel pend encore un lambeau de chair. De tes fortes dents tu le briseras et en extrairas philosophiquement la moelle.

A vous, mesdames, ce fond de pâté enduit de farce en ses encoignures et bastionné intérieurement d'une couche de lard fort substantielle. C'est un mets délicat, savoureux et nutritif à n'en pas vouloir d'autre. A vous, baron de Sigognac, ce bout de saucisson; prenez garde seulement d'avaler la ficelle qui en noue la peau comme cordons de bourse. Il faut la mettre à part pour le souper, car le dîner est un repas indigeste, abusif et superflu que nous supprimerons. Léandre, Scapin et moi, nous nous contenterons avec ce vénérable morceau de fromage, sourcilleux et barbu comme un ermite en sa caverne. Quant au pain, ceux qui le trouveront trop dur auront la faculté de le tremper dans l'eau et d'en retirer les bûchettes pour se tailler des cure-dents. Pour le vin, chacun a droit à un gobelet, et comme sommelier je vous prie de faire rubis sur l'ongle afin qu'il n'y ait déperdition de liquide. »

Sigognac était accoutumé de longue main à cette frugalité plus qu'espagnole, et il avait fait dans son château de la Misère plus d'un repas dont les souris eussent été embarrassées de grignoter les miettes, car il était lui-même la souris. Cependant il ne pouvait s'empêcher d'admirer la bonne humeur et verve comique du Pédant, qui trouvait à rire là où d'autres eussent gémi comme veaux et pleuré comme vaches. Ce qui l'inquiétait, c'était Isabelle. Une pâleur marbrée couvrait ses joues, et, dans l'intervalle des morceaux, ses dents claquaient en manière de castagnettes avec un mouvement fiévreux qu'elle cherchait en vain à réprimer. Ses minces vêtements la défendaient mal contre l'âpre froidure, et Sigognac, assis près elle, lui jeta, bien qu'elle s'en défendît, la moitié de sa cape sur les épaules, l'attirant près de son corps pour la refociller et lui communiquer un peu de chaleur vitale. Près de ce foyer d'amour, Isabelle se réchauffa et une faible rougeur reparut sur son visage pudique.

Pendant que les comédiens mangeaient, un bruit assez singulier s'était fait entendre, auquel d'abord ils n'avaient prêté nulle attention, le prenant pour un effet du vent qui sifflait à travers les branches dépouillées du taillis. Bientôt le bruit devint plus distinct. C'était une espèce de râle enroué et strident, à la fois bête et colère, dont il eût été difficile d'expliquer la nature.

Les femmes manifestèrent quelque frayeur. « Si

c'était un serpent! s'écria Sérafine; j'en mourrais, tant ces affreuses bêtes m'inspirent d'aversion.

— Par cette température, dit Léandre, les serpents sont engourdis et dorment plus roides que bâtons au fond de leurs repaires.

— Léandre a raison, fit le Pédant, ce doit être autre chose; quelque bestiole bocagère que notre présence effraye ou dérange. N'en perdons pas un coup de dent. »

A ce sifflement, Scapin avait dressé son oreille de renard, qui pour être rouge de froid n'en était pas moins fine, et il regardait avec un œil émerillonné du côté d'où venait le son. Des brins d'herbe bruissaient en se déplaçant comme sur le passage de quelque animal. Scapin fit signe de la main aux comédiens de rester immobiles, et bientôt du fourré déboucha un magnifique jars, le col tendu, la tête haute, et se dandinant avec une stupidité majestueuse sur ses larges pattes palmées. Deux oies, ses épouses, le suivaient confiantes et naïves.

« Voici un rôt qui s'offre de lui-même à la broche, dit Scapin à mi-voix, et que le ciel touché de nos affres faméliques nous envoie fort à propos. »

Le rusé drôle se leva et s'écarta de la troupe, décrivant un demi-cercle si légèrement que la neige ne fit pas entendre un seul craquement sous ses pieds. L'attention du jars était fixée par le groupe des comédiens, qu'il regardait avec une défiance mêlée de curiosité, et dont, dans son obscur cerveau d'oison, il ne s'expliquait pas la présence en ce lieu ordinairement désert. Le voyant si occupé en cette contemplation, l'histrion, qui semblait avoir l'habitude de ces maraudes, s'approcha du jars par-derrière et le coiffa de sa cape d'un mouvement si juste, si dextre et si rapide que son action dura moins de temps qu'il n'en faut pour la décrire.

La bête encapuchonnée, il s'élança sur elle, la saisit par le col sous la cape que les palpitations d'ailes du pauvre animal qui suffoquait eurent vitement fait envoler. Scapin, en cette pose, ressemblait à ce groupe antique tant admiré qu'on appelle l'*Enfant à l'oie*. Bientôt le jars étranglé cessa de se débattre. Sa tête retomba flasquement sur le poing crispé de Scapin. Ses ailes ne donnèrent plus de saccades. Ses pattes bottées de maroquin orange s'allongèrent avec une trépidation suprême. Il était mort. Les oies, ses veuves, redoutant un sort pareil, poussèrent en manière d'oraison funèbre un gloussement lamentable et rentrèrent dans le bois.

« Bravo, Scapin, voilà un tour bien joué, exclama le Tyran, et qui vaut tous ceux que tu pratiques au théâtre. Les oies sont plus difficiles à surprendre que les Gérontes et les Truffaldins, étant de leur nature fort vigilantes et sur leurs gardes, comme il appert de l'histoire où l'on voit que les oies du Capitole sentirent l'approche nocturne des Gaulois et par ainsi sauvèrent Rome. Ce maître oison nous sauve d'une autre manière, il est vrai, mais qui n'en est pas moins providentielle. »

L'oison fut saigné et plumé par la vieille Léonarde. Pendant qu'elle arrachait de son mieux le duvet, Blazius, le Tyran et Léandre, éparpillés dans le taillis, ramassaient du bois mort, en secouaient la neige et le disposaient en tas sur une place sèche. Scapin taillait de son couteau une baguette qu'il dépouillait d'écorce et qui devait servir de broche. Deux branches fourchues coupées au-dessus du nœud furent plantées en terre en guise de supports et de landiers. Grâce à une poignée de paille prise au chariot, sur laquelle on battit le fusil, le feu s'alluma vite et brilla bientôt joyeusement, colorant de ses flammes l'oison embroché et ranimant par sa chaleur vivifiante la troupe assise en cercle autour du foyer.

Scapin, d'un air modeste et comme il convient au héros de la situation, se tenait à sa place, l'œil baissé, la mine confite, retournant de temps à autre l'oison, qui, à l'ardeur des braises, prenait une belle couleur dorée, très appétissante à voir, et répandait une odeur d'une succulence à faire tomber en extase ce Cataligirone qui, de Paris la grande ville, n'admirait rien tant que les rôtisseries de la rues aux Oües.

Le Tyran s'était levé et marchait à grands pas pour se distraire, disait-il, de la tentation de se jeter sur le rôt à moitié cuit et de l'avaler avec la broche. Blazius était allé au chariot retirer d'un coffre un grand plat d'étain qui servait aux festins de théâtre. L'oie y fut solennellement déposée, répandant autour d'elle, sous le couteau, un jus sanguinolent du plus délicieux fumet.

Le volatile fut dépecé en parts égales, et le déjeuner recommença sur de nouveaux frais. Cette fois ce n'était plus une nourriture chimérique et fallacieuse. Personne, la faim faisant taire la conscience, n'eut de scrupule sur la manière dont Scapin avait agi. Le Pédant, qui était un homme ponctuel en cuisine, s'excusa de n'avoir pas de bigarades à mettre coupées en tranches sous l'oison, ce qui est un condiment obligatoire et régulier, mais on lui pardonna de grand cœur ce solécisme culinaire.

« Maintenant que nous voilà rassasiés, dit le Tyran en s'essuyant la barbe de la main, il serait à propos de ratiociner quelque peu sur ce que nous allons faire. Il me reste à peine trois ou quatre pistoles au fond de mon escarcelle et mon emploi de trésorier est bien près de devenir une sinécure. Notre troupe a perdu deux sujets précieux, Zerbine et le Matamore, et d'ailleurs nous ne pouvons donner la comédie en plein champ pour l'agrément des corbeaux, des corneilles et des pies. Ils ne paieraient pas leur place, ne possédant pas d'argent, à l'exception peut-être des pies, qui, dit-on, volent les monnaies, bijoux, cuillères et timbales. Mais il ne serait pas sage de compter sur une telle recette. Avec le cheval de l'Apocalypse qui agonise entre les brancards de notre charrette, il est impossible d'arriver à Poitiers avant deux jours. Ceci est fort tragique, car d'ici là nous courons risque de crever de faim ou de froid au rebord de quelque fossé. Les oies ne sortent pas tous les jours des buissons toutes rôties.

— Tu exposes fort bien le mal, fit le Pédant, mais tu n'en dis pas le remède.

— M'est avis, répondit le Tyran, de nous arrêter au premier village que nous rencontrerons; les travaux des champs sont terminés. C'est le temps des longues veillées nocturnes. On nous prêtera bien quelque grange ou quelque étable. Scapin battra la caisse devant la porte promettant un spectacle extraordinaire et mirifique aux patauds ébahis avec cette facilité de payer leur place en nature. Un poulet, un quartier de jambon ou de viande, un broc de vin donneront droit aux premières banquettes. On acceptera pour les secondes un couple de pigeons, une douzaine d'œufs, une botte de légumes, un pain de ménage ou toute autre victuaille analogue. Les paysans, avaricieux d'argent, ne le sont pas de provisions qu'ils ont en leur huche et qui ne leur coûtent rien, suppéditées par la bonne mère nature. Cela ne nous remplira pas la bourse, mais bien le ventre, chose importante, car de Gaster dépend toute l'économie et santé du corps, comme le faisait sagement remarquer Ménénius. Ensuite il ne nous sera pas difficile de gagner Poitiers, où je sais un aubergiste qui nous fera crédit.

— Mais quelle pièce jouerons-nous, dit Scapin, au cas où le village se rencontrerait à propos? Notre répertoire est fort détraqué. Les tragédies et tragicomédies seraient du pur hébreu pour ces rustiques ignorants de l'histoire et de la fable, et n'entendant pas même le beau langage français. Il faudrait quelque bonne farce réjouissante, saupoudrée non de sel attique, mais de sel gris, avec force bastonnades, coups de pied au cul, chutes ridicules et scurrilités bouffonnes à l'italienne. *Les Rodomontades du capitaine Matamore* eussent merveilleusement convenu. Par malheur Matamore a vécu, et ce n'est plus qu'aux vers qu'il débitera ses tirades. »

Lorsque Scapin eut dit, Sigognac fit signe de la main qu'il voulait parler. Une légère rougeur, dernière bouffée envoyée du cœur aux joues par l'orgueil nobiliaire, colorait son visage pâle ordinairement, même sous l'âpre morsure de la bise. Les comédiens restèrent silencieux et dans l'attente.

« Si je n'ai pas le talent de ce pauvre Matamore, j'en ai presque la maigreur. Je prendrai son emploi et le remplacerai de mon mieux. Je suis votre camarade et veux l'être tout à fait. Aussi bien j'ai honte d'avoir profité de votre bonne fortune et de vous être inutile en l'adversité. D'ailleurs, qui se soucie des Sigognac au monde? Mon manoir croule en ruine sur la tombe de mes aïeux. L'oubli recouvre mon nom jadis glorieux, et le lierre efface mon blason sur mon porche désert. Peut-être un jour les trois cigognes secoueront-elles joyeusement leurs ailes argentées et la vie reviendra-t-elle avec le bonheur à cette triste masure où se consumait ma jeunesse sans espoir. En attendant, vous qui m'avez tendu la main pour sortir de ce caveau, acceptez-moi franchement pour l'un des vôtres. Je ne m'appelle plus Sigognac. »

Isabelle posa sa main sur le bras du Baron comme pour l'interrompre; mais Sigognac ne prit pas garde à l'air suppliant de la jeune fille et il continua :

« Je plie mon titre de Baron et le mets au fond de mon portemanteau, comme un vêtement qui n'est plus de mise. Ne me le donnez plus. Nous verrons si, déguisé de la sorte, je serai reconnu par le malheur. Donc je succède à Matamore et prends pour nom de guerre : le capitaine Fracasse!

— Vive le capitaine Fracasse! s'écria toute la troupe en signe d'acceptation, que les applaudissements le suivent partout! »

Cette résolution, qui d'abord étonna les comédiens, n'était pas si subite qu'elle en avait l'air. Sigognac la méditait depuis longtemps déjà. Il rougissait d'être le parasite de ces honnêtes baladins qui partageaient si généreusement avec lui leurs propres ressources, sans lui faire jamais sentir qu'il fût importun, et il jugeait moins indigne d'un gentilhomme de monter sur les planches pour gagner bravement sa part que de l'accepter en paresseux, comme aumône ou sportule. La pensée de retourner à Sigognac s'était bien présentée à lui, mais il l'avait repoussée comme lâche et vergogneuse. Ce n'est pas au temps de la déroute que le soldat doit se retirer. D'ailleurs eût-il pu s'en aller, son amour pour Isabelle l'eût retenu, et puis, quoiqu'il n'eût point l'esprit facile aux chimères, il entrevoyait dans de vagues perspectives toutes sortes d'aventures surprenantes, de revirements et de coups de fortune auxquels il eût fallu renoncer en se confinant de nouveau dans sa gentilhommière.

Les choses ainsi réglées, on attela le cheval au chariot et l'on se remit en route. Ce bon repas avait ranimé la troupe, et tous, à l'exception de la Duègne et de Sérafine, qui ne marchaient pas volontiers, suivaient la voiture à pied, soulageant d'autant la pauvre rosse. Isabelle s'appuyait sur le bras de Sigognac, vers qui furtivement elle tournait parfois ses yeux attendris, ne doutant pas que ce ne fût pour l'amour d'elle qu'il eût pris cette décision de se faire comédien, chose si contraire à l'orgueil d'une personne bien née. Elle eût voulu lui en faire reproche, mais elle ne se sentit pas la force de le gronder de cette preuve de dévouement qu'elle l'aurait empêché de donner si elle eût pu la prévoir, car elle était de ces femmes qui s'oublient en aimant et ne voient que l'intérêt de l'aimé. Au bout de quelque temps, se trouvant un peu lasse, elle remonta dans le chariot et se pelotonna sous une couverture à côté de la Duègne.

De chaque côté du chemin, la campagne blanche de

neige s'étendait déserte à perte de vue; aucune apparence de bourg, village ou hameau.

« Voilà notre représentation bien aventurée, dit le Pédant après avoir promené ses regards autour de l'horizon, les spectateurs n'ont pas l'air d'affluer beaucoup, et la recette de petit salé, de volailles et de bottes d'oignons dont le Tyran allumait notre appétit me paraît fort compromise. Je ne vois pas fumer une cheminée. Aussi loin que ma vue porte, pas un traître clocher qui montre son coq.

— Un peu de patience, Blazius, répondit le Tyran, les habitations pressées vicient l'air et il est salubre d'espacer les villages.

— A ce compte, les gens de ce pays n'ont pas à craindre les épidémies, pestes noires, caquesangues, trousse-galants, fièvres malignes et confluentes, qui, au dire des médecins, proviennent de l'entassement du populaire en même lieux. J'ai bien peur, si cela continue, que notre capitaine Fracasse ne débute pas de sitôt. »

Pendant ces propos, le jour baissait rapidement, et sous un épais rideau de nuages plombés on distinguait à peine une faible lueur rougeâtre indiquant la place où le soleil se couchait, ennuyé d'éclairer ce paysage livide et maussade ponctué de corbeaux.

Un vent glacial avait durci et miroité la neige. Le pauvre vieux cheval n'avançait qu'avec une peine extrême; à la moindre pente ses sabots glissaient, et il avait beau roidir comme des piquets ses jambes couronnées, s'affaisser sur sa croupe maigre, le poids de la voiture le poussait en avant, bien que Scapin marchant près de lui le soutînt de la bride. Malgré le froid, la sueur ruisselait sur ses membres débiles et ses côtes décharnées, battue en écume blanche par le frottement des harnais. Ses poumons haletaient comme des soufflets de forge. Des effarements mystérieux dilataient ses yeux bleuâtres qui semblaient voir des fantômes, et parfois il essayait de se détourner comme arrêté par un obstacle invisible. Sa carcasse vacillante et comme prise d'ivresse donnait tantôt contre un brancard, tantôt contre l'autre. Il élevait la tête découvrant ses gencives, puis il la baissait comme s'il eût voulu mordre la neige. Son heure était arrivée, il agonisait debout en brave cheval qu'il avait été. Enfin il s'abattit et, lançant une faible ruade défensive à l'adresse de la

Mort, il s'allongea sur le flanc pour ne plus se relever.

Effrayées par cette secousse subite qui faillit les précipiter à terre, les femmes se mirent à pousser des cris de détresse. Les comédiens accoururent à leur aide et les eurent bientôt dégagées. Léonarde et Sérafine n'avaient aucune blessure, mais la violence du choc et la frayeur avaient fait s'évanouir Isabelle, que Sigognac enleva inerte et pâmée entre ses bras, tandis que Scapin, se baissant, tâtait les oreilles du cheval aplati sur le sol comme une découpure de papier.

« Il est bien mort, dit Scapin se relevant d'un air découragé, l'oreille est froide et le pouls de la veine auriculaire ne bat plus.

— Nous allons donc être obligés, s'écria piteusement Léandre, de nous atteler à des cordages comme bêtes de somme ou mariniers qui halent une barque, et de tirer nous-mêmes notre chariot. Oh! la maudite fantaisie que j'eus de me faire comédien!

— C'est bien le temps de geindre et de se lamenter! beugla le Tyran ennuyé de ces jérémiades intempestives, avisons plus virilement et en gens que la fortune ne saurait étonner à ce qu'il faut faire, et d'abord regardons si cette bonne Isabelle est grièvement navrée; mais non, la voici qui rouvre l'œil et reprend ses esprits, grâce aux soins de Sigognac et de dame Léonarde. Donc, il faut que la troupe se divise en deux bandes. L'une restera près du chariot avec les femmes, l'autre se répandra par la campagne en quête de secours. Nous ne sommes pas des Russiens accoutumés aux frimas scythiques pour hiverner ici jusqu'à demain matin, le derrière dans la neige. Les fourrures nous manquent pour cela, et l'aurore nous trouverait tous perclus, gelés et blancs de givre, comme fruits confits de sucre. Allons, capitaine Fracasse, Léandre et toi Scapin, qui êtes les plus légers et avez des pieds rapides comme Achille Péliade; haut la patte! courez en chats maigres et ramenez-nous vivement du renfort. Blazius et moi, nous ferons sentinelle à côté du bagage. »

Les trois hommes désignés se disposaient à partir, quoique n'augurant pas grand succès de leur expédition, car la nuit était noire comme la bouche d'un four, et la seule réverbération de la neige permettait de se guider; mais l'ombre, si elle éteint les objets, fait ressortir les lumières, et une petite étoile rougeâtre se mit à scintiller au pied d'un coteau à une assez grande distance de la route.

« Voilà, dit le Pédant, l'astre sauveur, l'étoile terrestre aussi agréable aux voyageurs perdus que l'étoile polaire aux nautoniers *in periculo maris*. Cette étoile aux rayons bénins est une chandelle ou une lampe placée derrière une vitre; ce qui suppose une chambre bien close et bien chaude faisant partie d'une maison habitée par des êtres humains et civilisés plutôt que par des Lestrygons sauvages. Sans doute il y a en la cheminée un feu flambant clair, et sur ce feu une marmite où cuit une grasse soupe; ô plaisante imagination dont ma fantaisie se pourlèche les babines et que j'arrose, en idée, avec deux ou trois bouteilles tirées de derrière les fagots et drapées à l'antique de toiles d'araignée!

— Tu radotes, mon vieux Blazius, fit le Tyran, et le froid congelant ta pulpe cérébrale sous ton crâne chauve te fait danser des mirages devant les yeux. Cependant il y a cela de vrai dans ton délire que cette lumière suppose une maison habitée. Ceci change notre plan de campagne. Nous allons nous diriger tous vers ce phare de salut. Il n'est guère probable qu'il passe des voleurs, cette nuit, sur cette route déserte, pour dérober notre forêt, notre place publique et notre salon. Prenons chacun nos hardes. Le paquet n'est pas bien lourd. Nous reviendrons demain chercher le chariot. Aussi bien, je commence à transir et à ne plus sentir le bout de mon nez. »

Les comédiens se mirent en marche, Isabelle appuyée au bras de Sigognac, Léandre soutenant Sérafine, Scapin traînant la Duègne, Blazius et le Tyran formant l'avant-garde. Ils coupèrent à travers champs, droit à la lumière, empêchés quelquefois par des buissons ou fossés, et s'enfonçant dans la neige jusqu'au jarret. Enfin, après plus d'une chute, la troupe parvint à une sorte de grand bâtiment entouré de longs murs, avec porte charretière qui avait l'apparence d'une ferme, autant qu'on pouvait en juger à travers l'ombre. Dans le mur noir la lampe découpait un carré lumineux et faisait voir les vitres d'une petite fenêtre dont le volet n'était pas encore fermé.

Ayant senti l'approche d'étrangers, les chiens de garde se mirent à s'agiter et à donner de la voix. On les entendait, au milieu du silence nocturne, courir,

sauter et se tracasser derrière la muraille. Des pas et
des voix d'homme se mêlèrent à leurs clabauderies.
Bientôt toute la ferme fut en éveil.

« Restez là, vous autres, à quelque distance, fit le
Pédant, notre nombre effrayerait peut-être ces bonnes
gens qui nous prendraient pour une bande de malandrins voulant envahir leurs pénates rustiques. Comme
je suis vieux et de mine paterne et débonnaire, je
vais seul heurter à l'huis et entamer les négociations.
On n'aura point peur de moi. »

Le conseil était sage et fut suivi. Blazius avec le doigt
index recroquevillé frappa contre la porte qui s'entrebâilla, puis s'ouvrit toute grande. Alors, de la place où
ils étaient plantés, les pieds dans la neige, les comédiens virent un spectacle assez inexplicable et surpre-
nant. Le Pédant et le fermier, qui haussait sa lampe
pour éclairer au visage l'homme qui le dérangeait
ainsi, se mirent, après quelques mots échangés que les
acteurs ne pouvaient entendre, à gesticuler d'une manière bizarre et à se ruer en accolades, comme cela se
pratique au théâtre pour les reconnaissances.

Encouragés par cette réception à laquelle ils ne com-
prenaient rien, mais que d'après sa pantomime chaleu-
reuse ils jugeaient favorable et cordiale, les comédiens
s'étaient rapprochés timidement, prenant une contenance piteuse et modeste, comme il convient à des
voyageurs en détresse qui implorent l'hospitalité.

« Holà, vous autres! s'écria le Pédant d'une voix
joyeuse, arrivez sans crainte; nous sommes chez un
enfant de la balle, un mignon de Thespis, un favori
de Thalia, muse comique, en un mot chez le célèbre
Bellombre, naguère tant applaudi de la cour et de la
ville, sans compter la province. Vous connaissez tous
sa gloire insigne. Bénissez le hasard qui nous adresse
juste à la retraite philosophique où ce héros du théâtre
se repose sur ses lauriers.

— Entrez, mesdames et messieurs, dit Bellombre en
s'avançant vers les comédiens avec une courtoisie
pleine de grâce et sentant un homme qui n'a pas oublié
les belles manières sous ses habits à la paysanne. Le
vent froid de la nuit pourrait enrouer vos précieux
organes, et quelque modeste que soit ma demeure, vous
y serez toujours mieux qu'en plein air. »

Comme on le pense bien, les compagnons de Blazius
ne se firent pas prier et ils entrèrent dans la ferme fort

charmés de l'aventure, qui, du reste, n'avait d'extraordinaire que l'à-propos de la rencontre. Blazius avait
fait partie d'une troupe où se trouvait Bellombre, et
comme leurs emplois ne les mettaient pas en rivalité
ils s'appréciaient et étaient devenus fort amis, grâce
à un goût commun pour la dive bouteille. Bellombre,
qu'une vie fort agitée avait jeté dans le théâtre, s'en
était retiré, ayant hérité à la mort de son père de cette
ferme et de ses dépendances. Les rôles qu'il jouait
exigeant de la jeunesse, il n'avait pas été fâché de disparaître avant que les rides vinssent écrire son congé
sur son front. On le croyait mort depuis longtemps et
les vieux amateurs décourageaient les jeunes comédiens avec son souvenir.

La salle où pénétrèrent les acteurs était assez vaste
et, comme dans la plupart des fermes, servait à la fois
de chambre à coucher et de cuisine. Une cheminée à
large hotte, dont une pente de serge verte jaunie fes-
tonnait le manteau, occupait une des parois. Un arc de
brique s'arrondissant dans la muraille bistrée et ver-
nissée indiquait la gueule du four fermée en ce moment
d'une plaque de tôle. Sur d'énormes chenets de fer
dont les demi-boules creuses pouvaient contenir des
écuelles, brûlaient avec une crépitation réjouissante
quatre ou cinq énormes bûches ou plutôt troncs
d'arbre. La lueur de ce beau feu éclairait la chambre
d'une réverbération si vive que la lumière de la lampe
eût été inutile; les reflets du brasier allaient chercher
dans l'ombre un lit de forme gothique paisiblement
endormi derrière ses rideaux, glissaient en filets brillants sur les poutres rembrunies du plafond, faisaient
projeter aux pieds de la table placée au milieu de la
chambre de longues ombres d'un dessin bizarre, et
allumaient de brusques paillettes aux saillies des vaisselles et des ustensiles rangés sur le dressoir ou accrochés aux murailles.

Dans le coin près de la fenêtre, deux ou trois
volumes jetés sur un guéridon de bois sculpté montraient que le maître du logis n'était pas devenu tout
à fait paysan et qu'il occupait à des lectures, souvenirs de son ancienne profession, les loisirs des longues
soirées d'hiver.

Réchauffée par cette tiède atmosphère et cet accueil
hospitalier, toute la troupe éprouvait un profond sentiment de bien-être. Les roses couleurs de la vie repa-

raissaient sur les visages pâles et les lèvres gercées de froid. La gaieté illuminait les yeux naguère atones, et l'espoir relevait la tête. Ce dieu louche, boiteux et taquin qu'on appelle le Guignon se lassait enfin de persécuter la compagnie errante, et, apaisé sans doute par le trépas de Matamore, il voulait bien se contenter de cette maigre proie.

Bellombre avait appelé ses valets, qui couvrirent la nappe d'assiettes et de pots à large panse, à la grande jubilation de Blazius altéré de naissance, dont la soif était toujours éveillée, même aux heures nocturnes.

« Tu vois, dit-il au Tyran, combien mes prévisions à propos de la petite lumière rouge étaient logicalement déduites. Ce n'étaient point mirages ni fantômes. Une grasse fumée s'élève en tourbillonnant du potage abondamment garni de choux, navets et autres légumes. Le vin rouge et clair, tiré de frais, pétille dans les brocs couronné de mousse rose. Le feu flambe d'autant plus vif qu'il fait froid dehors. Et, de plus, nous avons pour hôte le grand, l'illustre, le jamais assez loué Bellombre, fleur et crème des comédiens passés, présents et futurs, soit dit sans vouloir rabaisser le talent de personne.

— Notre bonheur serait parfait si le pauvre Matamore était là, soupira Isabelle.

— Que lui est-il donc survenu de fâcheux? » dit Bellombre qui connaissait Matamore de réputation.

Le Tyran lui raconta l'aventure tragique du capitaine resté dans la neige.

« Sans la rencontre heureuse que nous avons faite d'un ancien et brave camarade, il nous en pendait autant cette nuit au bout du nez, dit Blazius. On nous eût trouvés gelés comme matelots dans les ténèbres et frimas cimmériens.

— C'eût été dommage, reprit galamment Bellombre en lançant une œillade à Isabelle et à Sérafine; mais ces jeunes déesses eussent sans nul doute fait fondre la neige et dégelé la nature aux feux de leurs prunelles.

— Vous attribuez trop de pouvoir à nos yeux, répondit Sérafine; ils eussent été incapables même d'échauffer un cœur en cette obscurité lugubre et glaciale. Les larmes du froid y eussent éteint les flammes de l'amour. »

Tout en soupant, Blazius informa Bellombre de l'état

où se trouvait la troupe. Il n'en parut nullement surpris.

« La fortune théâtrale est encore plus femme et plus
capricieuse que la fortune mondaine, répondit-il; sa
roue tourne si vite qu'à peine s'y peut-elle tenir debout
quelques instants. Mais si elle en tombe souvent, elle
y remonte d'un pied adroitement léger et retrouve bientôt son équilibre. Demain, avec des chevaux de labour,
j'enverrai chercher votre chariot et nous dresserons un
théâtre dans la grange. Il y a, non loin de la ferme, un
assez gros bourg qui nous fournira de spectateurs
assez. Si la représentation ne suffit pas, au fond de ma
vieille bourse de cuir dorment quelques pistoles de
meilleur aloi que les jetons de comédie et, par Apollon!
je ne laisserai pas mon vieux Blazius et ses amis dans
l'embarras.

— Je vois, dit le Pédant, que tu es toujours le généreux Bellombre, et que tu ne t'es pas rouillé en ces
occupations rurales et bucoliques.

— Non, répondit Bellombre, tout en cultivant mes
terres je ne laisse pas mon cerveau en friche; je relis
les vieux auteurs, au coin de cette cheminée, les pieds
sur les chenets, et je feuillette les pièces des beaux
esprits du jour que je puis me procurer du fond de cet
exil. J'étudie par manière de passe-temps les rôles à
ma convenance, et je m'aperçois que je n'étais qu'un
grand fat au temps où l'on m'applaudissait sur les
planches parce que j'avais la voix sonore, le port
galant et la jambe belle. Alors je ne me doutais pas
de mon art et j'allais à travers tout, sans réflexion,
comme une corneille qui abat des noix. La sottise du
public fit mon succès.

— Le grand Bellombre seul peut parler ainsi de lui-
même, dit le Tyran avec courtoisie.

— L'art est long, la vie est courte, continua l'ancien
acteur, surtout pour le comédien obligé de traduire ses
conceptions au moyen de sa personne. J'allais avoir
du talent, mais je prenais du ventre, chose ridicule en
mon emploi de beau ténébreux et d'amoureux tragique.
Je ne voulus point attendre que deux garçons de
théâtre me vinssent lever sous les bras lorsque la
situation me forcerait de me jeter à genoux devant la
princesse pour lui déclarer ma flamme avec un hoquet
asthmatique et des roulements d'yeux larmoyants. Je
saisis l'occasion de cet héritage, et je me retirai dans

ma gloire, ne voulant point imiter ces obstinations qui se
font chasser des tréteaux à grand renfort de trognons
de pomme, d'écorces d'orange et d'œufs durs.

— Tu fis sagement, Bellombre, fit Blazius, bien que
ta retraite ait été prématurée et que tu eusses pu rester
dix ans encore au théâtre. »

En effet, Bellombre, quoique hâlé par l'air de la
campagne, avait gardé fort grande mine; ses yeux
accoutumés à exprimer les passions s'animaient et se
remplissaient de lumière au feu de l'entretien. Ses
narines palpitaient larges et bien coupées. Ses lèvres
en s'entrouvrant laissaient voir une denture dont une
coquette se fût fait honneur. Son menton frappé d'une
fossette se relevait avec fierté; une chevelure abondante où brillaient quelques rares filets d'argent se
jouait en boucles épaisses jusque sur ses épaules.
C'était encore un fort bel homme.

Blazius et le Tyran continuèrent à boire en compagnie de Bellombre. Les comédiennes se retirèrent en
une chambre où les valets avaient fait un grand feu.
Sigognac, Léandre et Scapin se couchèrent en un coin
de l'étable sur quelques fourchées de paille fraîche,
bien chaudement garantis du froid par l'haleine des
bêtes et le poil des couvertures à chevaux.

Pendant que les uns boivent et que les autres
dorment, retournons vers la charrette abandonnée, et
voyons un peu ce qu'elle devient.

Le cheval gisait toujours entre ses brancards. Seulement ses jambes s'étaient roidies comme des piquets
et sa tête s'allongeait à plat sur le sol parmi les
mèches d'une crinière dont la sueur, au vent froid de
la nuit, s'était figée en cristaux de glace. La salière
enchâssant l'œil vitreux s'approfondissait de plus en
plus et la joue maigre semblait disséquée.

L'aube commençait à poindre; le soleil d'hiver montrait entre deux longues bandes de nuages sa moitié
de disque d'un blanc plombé et versait sa lumière pâle
sur la lividité du paysage où se dessinaient en lignes
d'un noir funèbre les squelettes des arbres. Dans la
blancheur de la neige sautillaient quelques corbeaux
qui, guidés par le flair, se rapprochaient prudemment
de la bête morte, redoutant quelque danger, embûche
ou piège, car la masse immobile et sombre du chariot
les alarmait, et ils se disaient en leur langue croas-
sante que cette machine pouvait bien cacher un chas-

seur à l'affût, un corbeau ne faisant mauvaise figure dans un pot-au-feu. Ils avançaient en sautant enfiévrés de désir; ils reculaient chassés en arrière par la crainte, exécutant une sorte de pavane bizarre. Un plus hardi se détacha de l'essaim, secoua deux ou trois fois ses lourdes ailes, quitta la terre et vint s'abattre sur la tête du cheval. Il penchait déjà le bec pour piquer les yeux du cadavre lorsqu'il s'arrêta tout à coup, hérissa ses plumes et parut écouter.

Un pas lourd faisait craquer la neige au loin sur la route, et ce bruit que l'oreille humaine n'eût pas saisi résonnait distinctement à l'ouïe fine du corbeau. Le péril n'était pas pressant et l'oiseau noir ne quitta pas la place, mais il se tint aux aguets. Le pas se rapprochait et bientôt la forme vague d'un homme portant quelque chose s'ébaucha dans la brume matinale. Le corbeau jugea prudent de se retirer et il prit son vol en poussant un long croassement pour avertir ses compagnons du péril.

Toute la bande s'envola vers les arbres voisins avec des cris rauques et stridents. L'homme était arrivé près de la voiture, et, surpris de rencontrer au milieu de la route un chariot sans maître attelé d'une bête qui, comme la jument de Roland, avait pour principal défaut d'être morte, il s'arrêta, jetant autour de lui un regard furtif et circonspect.

Pour mieux examiner la chose, il déposa son fardeau à terre. Le fardeau se tint debout tout seul et se mit à marcher, car c'était une fillette d'une douzaine d'années environ, que la longue mante qui l'enveloppait des pieds à la tête pouvait, lorsqu'elle était ployée sur l'épaule de son compagnon, faire prendre pour une valise ou bissac de voyage. Des yeux noirs et fiévreux brillaient d'un feu sombre sous le pli de l'étoffe dont elle était coiffée, des yeux absolument pareils à ceux de Chiquita. Un fil de perles mettait quelques points lumineux dans l'ombre fauve de son col, et des chiffons tortillés en cordelettes, formant contraste avec cet essai de luxe, s'enroulaient autours de ses jambes nues.

C'était, en effet, Chiquita elle-même, et le compagnon n'était autre qu'Agostin, le bandit aux mannequins : las d'exercer sa noble profession sur des chemins déserts, il se rendait à Paris, où tous les talents trouvent leur emploi, marchant la nuit et se cachant le jour, comme font toutes les bêtes de meurtre et de rapine. La petite, harassée de fatigue et saisie du froid, n'avait pu, malgré tout son courage, aller plus loin, et Agostin, cherchant un abri quelconque, la portait comme Homérus ou Bélisaire leur guide, à cette différence près en la comparaison qu'il n'était point aveugle et jouissait au contraire d'une vue de lynx, lequel, à ce que prétend Pline l'Ancien, voit les objets à travers les murs.

« Que signifie ceci? dit Agostin à Chiquita, ordinairement nous arrêtons les voitures, et c'est maintenant une voiture qui nous arrête; prenons garde qu'elle ne soit pleine de voyageurs qui nous demandent la bourse ou la vie.

— Il n'y a personne, répondit Chiquita, qui avait glissé sa tête sous la bande du chariot.

— Peut-être y aura-t-il quelque chose, continua le bandit; nous allons procéder à la visite »; et, fouillant dans les plis de sa ceinture, il en tira un briquet, une pierre et de l'amadou; s'étant procuré du feu, il alluma une lanterne sourde qu'il portait toujours avec lui pour ses explorations nocturnes, car le jour n'éclairait pas encore l'intérieur sombre de la voiture. Chiquita, à qui l'espoir du butin faisait oublier sa fatigue, s'introduisit dans le chariot, dirigeant le jet de lumière sur les paquets dont il était encombré; mais elle ne vit que de vieilles toiles peintes, que des accessoires en carton et quelques guenilles de nulle valeur.

« Cherche bien, ma bonne Chiquita, disait le brigand tout en faisant le guet, fouille les poches et les musettes pendues aux ridelles.

— Il n'y a rien, absolument rien qui vaille la peine d'être emporté. Ah! si : voilà un sac qui bruit avec un son de métal.

— Donne-le vite, fit Agostin, et approche la lanterne, que j'examine la trouvaille. Par les cornes et la queue de Lucifer! nous jouons de malheur! j'avais espéré monnaie de bon aloi et ce ne sont que jetons de cuivre et de plomb doré. A tout le moins, tirons de notre rencontre ce profit de nous reposer un peu, abrités du vent de bise par le tendelet du chariot. Tes pauvres chers pieds tout saignants ne peuvent plus te porter, tant le chemin est rude et le voyage long. Pendant ce temps je veillerai, et s'il survient quelque alerte, nous serons vitement prêts. »

Chiquita se blottit de son mieux au fond de la voiture, ramenant sur elle les vieux décors pour se procurer un peu de chaleur, et bientôt elle s'endormit. Agostin resta sur le devant, sa navaja ouverte près de lui et à portée de sa main, inspectant les alentours avec ce long regard du bandit auquel n'échappe aucun objet suspect.

Le plus profond silence régnait dans la campagne solitaire. Sur la pente des coteaux lointains, des touches de neige se détachaient et brillaient aux rayons blafards de l'aube, comme des fantômes blancs ou des marbres blancs dans un cimetière. Mais tout cela gardait l'immobilité la plus rassurante. Agostin, malgré sa volonté et sa constitution de fer, sentait le sommeil lui venir. Plusieurs fois déjà ses paupières s'étaient abaissées, et il les avait relevées avec une résolution brusque; les objets commençaient à se brouiller entre ses cils, et il perdait la notion des choses, lorsqu'à travers une ébauche incohérente de rêve il lui sembla qu'un souffle humide et tiède lui donnait au visage. Il se réveilla; et ses yeux en s'ouvrant rencontrèrent deux prunelles phosphorescentes.

« Les loups ne se mangent pas entre eux, mon petit, murmura le bandit, tu n'as pas la mâchoire assez bien endentée pour me mordre. »

Et d'un mouvement plus prompt que la pensée, il étreignit la gorge de l'animal avec sa main gauche, et de la droite ramassant sa navaja, il la lui plongea dans le cœur jusqu'au manche.

Cependant Agostin, malgré sa victoire, ne jugea pas la place bonne, et il éveilla Chiquita, qui ne témoigna nulle frayeur à la vue du loup mort, étendu sur la route.

« Il vaut mieux, dit le brigand, gagner au pied. Cette charogne attire les loups, lesquels sont principalement enragés de faim en temps de neige où ils ne trouvent rien à manger. J'en tuerai bien quelques-uns, comme j'ai fait de celui-ci; mais ils peuvent venir par douzaines et, si je m'endormais, il me serait désagréable de me réveiller dans l'estomac d'une bête carnassière. Moi croqué, ils ne feraient qu'une bouchée de toi, mauviette, qui as les os tendres. Sus donc, détalons au plus vite. Cette carcasse les occupera. Tu peux marcher à présent, n'est-ce pas?

— Oui, répondit Chiquita, qui n'était pas un enfant gâté élevé dans du coton, ce court sommeil m'a rendu

mes forces. Pauvre Agostin, tu ne seras plus obligé
de me porter comme un paquet embarrassant. D'ailleurs, quand mes pieds refuseront le service, ajouta-
t-elle avec une énergie sauvage, coupe-moi le col de
ton grand couteau et jette-moi au fossé, je te dirai
merci. »

Le bandit aux mannequins et la petite fille s'éloi-
gnèrent d'un pas rapide, et au bout de quelques
minutes ils s'étaient perdus dans l'ombre. Rassurés par
leur départ, les corbeaux descendirent des arbres voisins, s'abattirent sur la rosse crevée et commencèrent
leur festin charogneux. Deux ou trois loups arrivèrent
bientôt pour prendre leur part de cette franche lippée,
sans s'étonner des battements d'aile, des croassements,
et des coups de bec de leurs noirs commensaux. En
peu d'heures, tant ils travaillaient de bon courage, qua-
drupèdes et volatiles, le cheval, nettoyé jusqu'aux os,
apparut aux clartés du matin à l'état de squelette préparé par des chirurgiens vétérinaires. Il n'en restait
que la queue et les sabots.

Le Tyran vint, quand il fit grand jour, avec un
garçon de ferme pour chercher le chariot. Il heurta
du pied la carcasse du loup à demi rongé et vit entre
les brancards, sous les harnais, que les crocs ni les
becs n'avaient entamés, l'anatomie de la pauvre bête.
Le sac de jetons répandait sa fausse monnaie sur la
route, et la neige montrait soigneusement moulées des
empreintes, les unes grandes, les autres petites, qui
aboutissaient à la charrette, puis s'en éloignaient.

« Il paraît, dit le Tyran, que le chariot de Thespis
a reçu cette nuit des visites de plus d'un genre.
O bienheureux accident qui nous a forcés d'interrompre notre odyssée comique, je ne saurais trop te
bénir! Grâce à toi, nous avons évité les loups à deux
pieds et à quatre pattes, non moins dangereux, sinon
davantage. Quel régal eût été pour eux la chair tendre
de ces poulettes, Isabelle et Sérafine, sans compter
notre vieille peau coriace! »

Pendant que le Tyran syllogisait à part lui, le valet
de Bellombre dégageait le chariot et y attelait le cheval qu'il avait amené, quoique l'animal renâclât de
peur à l'aspect terrifiant pour lui du squelette et à
l'odeur fauve du loup dont le sang tachait la neige.

La charrette fut remisée dans la cour de la ferme,
sous un hangar. Il n'en manquait rien, et même il s'y

trouvait quelque chose de plus : un petit couteau, de
ceux qu'on fabrique à Albaceite, tombé de la poche de
Chiquita pendant son court sommeil, et qui portait sur
sa lame aiguë cette menaçante devise en espagnol :

> Cuando esta vivora pica,
> No hay remedio en la botica.

Cette trouvaille mystérieuse intrigua beaucoup le
Tyran et fit tomber en rêverie Isabelle, qui était un
peu superstitieuse et tirait volontiers des présages,
bons ou funestes, d'après ces petits incidents inaper-
çus des autres ou sans valeur à leurs yeux. La jeune
femme hâblait le castillan comme toutes les personnes
un peu instruites à cette époque, et le sens alarmant
de l'inscription ne lui échappait point.

Scapin était parti pour le bourg revêtu de son beau
costume zébré de rose et de blanc, sa grande fraise
dûment tuyautée et godronnée, la toque sur les yeux,
la cape au coin de l'épaule, l'air superbe et triomphant. Il marchait repoussant sa caisse du genou avec
un mouvement automatique et rythmé qui sentait fort
son soldat; en effet, Scapin l'avait été devant qu'il se
fût rendu comédien. Quand il eut gagné la place de
l'Eglise, déjà escorté de quelques polissons qu'émer-
veillait son accoutrement bizarre, il assura sa toque,
se piéta et, attaquant la peau d'âne de ses baguettes,
il se produisit un roulement si bref, si magistral, si
impératif qu'il eût éveillé les morts aussi bien que la
trompette du Jugement dernier. Jugez de l'effet qu'il fit
sur les vivants. Toutes les fenêtres et les portes s'ouvrirent comme mues par un même ressort. Des têtes
embéguinées s'y montrèrent plongeant des regards
curieusement effarés sur la place. Un second roulement, pétillant comme une mousquetade et grave
comme un tonnerre, vida les maisons, où ne demeu-
rèrent que les malades, les grabataires et les femmes
en gésine. Au bout de quelques minutes, tout le village
réuni formait un large cercle autour de Scapin. Pour
mieux fasciner son public, le rusé drôle exécuta sur
sa caisse plusieurs batteries et contre-batteries d'une
façon si vive, si juste et si dextre que les baguettes
disparaissaient dans la rapidité, quoique les poignets
ne semblassent point bouger. Dès qu'il vit les bouches
ouvertes toutes grandes des bons villageois affecter
cette forme d'O qui, d'après les maîtres peintres, en

leurs cahiers de caractères, est la suprême expression
de l'étonnement, il arrêta tout d'un coup son vacarme;
puis, après un court silence, il commença d'une voix
glapissante, dont il variait fantasquement les intonations, cette harangue emphatique et burlesque :

« Ce soir, occasion unique! grand spectacle! représentation extraordinaire! les illustres comédiens de la
troupe déambulatoire, dirigée par le sieur Hérode, qui
ont eu l'honneur de jouer devant des têtes couronnées
et des princes du sang, se trouvant de passage dans
ce pays, donneront pour cette fois seulement, car ils
sont attendus à Paris, où la cour les désire, une pièce
merveilleusement amusante et comique intitulée *Les
Rodomontades du capitaine Fracasse!* avec costumes
neufs, jeux de scène inédits et bastonnades réglées,
les plus divertissantes du monde. A la fin du spectacle,
mademoiselle Sérafine dansera la morisque, augmentée
de passe-pieds, tordions et cabrioles au dernier goût
du jour, en s'accompagnant du tambour de basque
dont elle joue mieux qu'aucune gitana d'Espagne. Ce
sera très plaisant à voir. La représentation aura lieu
dans la grange de maître Bellombre, disposée à cet
effet et abondamment pourvue de banquettes et lumi-
naires. Travaillant plutôt pour la gloire que pour le
profit, nous accepterons non seulement l'argent, mais
encore les denrées et provisions de bouche en faveur de
ceux qui n'auraient pas de monnaie. Qu'on se le dise. »

Ayant terminé son discours, Scapin tambourina si
furieusement, par manière de péroraison, que les vitres
de l'église en tremblèrent dans leur réseau de plomb
et que plusieurs chiens s'enfuirent en hurlant, plus
effrayés que s'ils eussent eu des poêlons d'airain attachés à la queue.

A la ferme, les comédiens, aidés par Bellombre et
ses valets, avaient déjà travaillé. Dans le fond de la
grange, des planches posées sur des tonneaux formaient le théâtre. Trois ou quatre bancs empruntés
au cabaret remplissaient l'office de banquettes; mais,
pour le prix, on ne pouvait exiger qu'elles fussent
rembourrées et couvertes de velours. Les araignées
filandières s'étaient chargées de décorer le plafond, et
les larges rosaces de leurs toiles se suspendaient d'une
poutre à l'autre.

Quel tapissier, fût-il de la cour, eût pu produire une
tenture plus fine, plus délicate et aériennement élabo-

rée, même en satin de Chine? Ces toiles pendantes ressemblaient à ces bannières armoriées qu'on voit aux chapitres des chevaleries et ordres royaux. Spectacle fort noble pour qui eût pu jouir, en imaginative, de ce rapprochement.

Les bœufs et vaches, dont on avait proprement relevé la litière, s'étonnaient de ce remue-ménage insolite et souvent détournaient la tête de leur crèche, jetant de longs regards vers le théâtre où les comédiens s'agitaient, répétant la pièce, afin de montrer à Sigognac les entrées et les sorties.

« Mes premiers pas sur la scène, dit en riant le Baron, ont pour spectateurs des veaux et bêtes à cornes; il y aurait de quoi humilier mon amour-propre, si j'en avais.

— Et ce ne sera pas, répondit Bellombre, la dernière fois que vous aurez un tel public; il y a toujours dans la salle des imbéciles et des maris. »

Pour un novice Sigognac ne jouait point trop mal, et l'on sentait qu'il se formerait vite. Il avait la voix bonne, la mémoire sûre, et l'imagination assez lettrée pour ajouter à son rôle des répliques qui naissent de l'occasion et donnent de la vivacité au jeu. La pantomime le gênait davantage, étant fort entremêlée de coups de bâton, lesquels révoltaient son courage, encore qu'ils ne vinssent que de bourrelets de toile peinte remplis d'étoupe; ses camarades, sachant sa qualité, le ménageaient autant que possible, et cependant il se courrouçait, malgré lui, faisant terribles grimaces horrifiques froncements de sourcils et regards torves.

Puis, se rappelant tout à coup l'esprit de son rôle, il reprenait une physionomie lâche, effarée, et subitement couarde.

Bellombre, qui le regardait avec l'attention perspicace d'un vieux comédien expert et passé maître, lui cria de sa place : « Gardez de corriger en vous ces mouvements qui viennent de nature; ils sont très bons et produiront une variété nouvelle de matamore. Quand vous n'éprouverez plus ces bouillons colérés et indignations furieuses, feignez-les par artifice : Fracasse, qui est le personnage que vous avez à créer, car qui marche derrière les autres n'est jamais que le second, voudrait bien être brave; il aime le courage, les vaillants lui plaisent, et il s'indigne lui-même d'être si poltron. Loin du danger, il ne rêve qu'exploits héroïques, entreprises surhumaines et gigantesques; mais, quand vient le péril, son imagination trop vive lui représente la douleur des blessures, le visage camard de la mort, et le cœur lui manque; il se rebiffe d'abord à l'idée de se laisser battre, et la rage lui enfielle l'estomac, mais le premier coup abat sa résolution. Cette méthode vaut mieux que ces titubations de jambes, écarquillements d'yeux et autres grimaces plus simiesques qu'humaines par lesquelles les mauvais comédiens sollicitent le rire du public et perdent l'art. »

Sigognac suivit les conseils de Bellombre et régla son jeu d'après cette idée, si bien que les acteurs l'applaudirent et lui prophétisèrent un succès.

La représentation devait avoir lieu à quatre heures du soir. Une heure avant, Sigognac revêtit le costume de Matamore que Léonarde avait élargi en défaisant les remplis nécessités par les amaigrissements successifs du défunt.

En s'introduisant dans cette défroque, le Baron se disait qu'il eût été sans doute plus glorieux de se barder de buffle et de fer comme ses ancêtres que de se travestir à l'histrionne pour représenter un faux brave, lui qui était un véritable vaillant capable de prouesses et de coups de main héroïques; mais la fortune adverse le réduisait en ces extrémités fâcheuses, et il n'avait pas d'autre moyen d'existence.

Déjà le populaire affluait et s'entassait dans la grange. Quelques lanternes suspendues aux poutrelles soutenant le toit jetaient une lumière rougeâtre sur toutes ces têtes brunes, blondes, grisonnantes, parmi lesquelles se détachaient quelques blanches coiffes de femme.

D'autres lanternes avaient été placées en guise de chandelles sur le bord du théâtre, car il fallait prendre garde de mettre le feu à la paille et au foin.

La pièce commença et fut attentivement écoutée. Derrière les acteurs, car le fond de la scène n'était pas éclairé, se projetaient de grandes ombres bizarres qui semblaient jouer la pièce en parodie, et contrefaire tous leurs mouvements avec des allures disloquées et fantasques; mais ce détail grotesque ne fut pas remarqué par ces spectateurs naïfs, tout occupés de l'affabulation de la comédie et du jeu des personnages, lesquels ils tenaient pour véritables.

Quelques vaches, que le tumulte empêchait de dormir, regardaient la scène avec ces grands yeux dont Homérus, le poète grégeois, fait une épithète louangeuse à la beauté de Junon, et même, un veau, dans un moment plein d'intérêt, poussa un gémissement lamentable qui ne détruisit pas la robuste illusion de ces braves patauds, mais qui faillit faire éclater de rire les comédiens sur leurs planches.

Le capitaine Fracasse fut applaudi à plusieurs reprises, car il remplissait fort bien son rôle, n'éprouvant pas devant ce public vulgaire l'émotion qu'il eût ressentie ayant affaire à des spectateurs plus difficiles et plus lettrés. D'ailleurs il était sûr que, parmi ces manants, nul ne le connaissait. Les autres comédiens, aux bons endroits, furent vigoureusement claqués par ces mains calleuses qui ne se ménageaient point, et avec beaucoup d'intelligence, selon Bellombre.

Sérafine exécuta sa morisque avec une fierté voluptueuse, des poses cambrées et provocantes, entremêlées de sauts pleins de souplesse, de changements de pied rapides et d'agréments de toutes sortes qui eussent fait pâmer d'aise même des personnes de qualité et des courtisans. Elle était charmante surtout lorsque, agitant au-dessus de sa tête son tambour de basque, elle en faisait bruire les plaquettes de cuivre, ou bien encore quand, frottant du pouce la peau brunie, elle en tirait un sourd ronflement avec autant de dextérité qu'une *panderera* de profession.

Cependant, le long des murailles, dans le manoir délabré de Sigognac, les vieux portraits d'ancêtres prenaient des airs plus rébarbatifs et refrognés que de coutume. Les guerriers poussaient des soupirs qui soulevaient leurs plastrons de fer, et ils hochaient mélancoliquement la tête; les douairières faisaient une moue dédaigneuse sur leurs fraises tuyautées, et se roidissaient dans leurs corps de baleine et leurs vertugadins. Une voix basse, lente, sans timbre, une voix d'ombre, s'échappait de leurs lèvres peintes et murmurait : « Hélas! le dernier des Sigognac a dérogé! »

A la cuisine, assis tristement entre Béelzébuth et Miraut, qui attachaient sur lui de longs regards interrogateurs, Pierre songeait. Il se disait : « Où est maintenant mon pauvre maître?... » et une larme, essuyée par la langue du vieux chien, coulait sur la joue brune du vieux serviteur.

## VIII

## LES CHOSES SE COMPLIQUENT

BELLOMBRE, le lendemain de la représensation, tira
Blazius à part et, desserrant les cordons d'une longue
bourse de cuir, en fit couler dans sa main comme
d'une corne d'abondance cent belles pistoles qu'il rangea en pile à la grande admiration du Pédant, qui restait contemplatif devant ce trésor étalé, roulant des
yeux pleins de lubricité métallique.

Avec un geste superbe, Bellombre enleva les pistoles
d'un seul coup et les plaqua dans la paume de son
vieil ami. « Tu penses bien, dit-il, que je ne déploie
pas cette monnaie pour irriter et titiller tes convoi-
tises à la mode de Tantale. Prends cet argent sans
scrupule. Je te le donne ou te le prête si tes fiertés se
hérissent à l'idée de recevoir un régal d'un ancien
camarade. L'argent est le nerf de la guerre, de l'amour
et du théâtre. D'ailleurs ces pièces étant faites pour
rouler, vu qu'elles sont rondes, s'ennuient de rester
couchées à plat dans l'ombre de cette escarcelle, où,
à la longue, elles se couvriraient de barbe, rouille et
fongosités. Ici je ne dépense rien, vivant à la rustique
et tétant à la mamelle de la terre, nourrice des
humains. Donc cette somme ne me fera pas faute. »

Ne trouvant rien à répondre à cette réthorique,
Blazius empocha les pistoles et donna une cordiale
accolade à Bellombre. L'œil vairon du Pédant brillait
plus que de coutume entre ses paupières clignotantes.
La lumière s'y baignait dans une larme, et les efforts
que le vieil histrion faisait pour retenir cette perle
de reconnaissance imprimaient à ses sourcils en broussailles les mouvements les plus comiques. Tantôt ils
remontaient jusqu'au milieu du front parmi un reflux
de rides plissées, tantôt ils s'abaissaient presque
jusqu'à voiler le regard. Ces manœuvres n'empêchèrent
cependant pas la larme de se détacher et de rouler le
long d'un nez chauffé au rouge cerise par les libations de la veille, sur la paroi duquel elle s'évapora.

Décidément, le vent de mauvaise fortune qui soufflait sur la troupe avait changé. La recette de la représentation, jointe aux pistoles de Bellombre, formait un total assez rondelet, car aux victuailles se trouvaient mêlées une certaine quantité de monnaies, et le chariot de Thespis, si dénué naguère, était maintenant grassement ravitaillé. Pour ne pas faire les choses à demi, le généreux Bellombre prêta aux comédiens deux robustes chevaux de labour harnachés fort proprement, avec colliers peinturlurés et clarinés de grelots qui tintinnabulaient le plus agréablement du monde au pas ferme et régulier de ces braves bêtes.

Nos comédiens réconfortés et gaillards firent donc à Poitiers une entrée non pas si magnifique que celle d'Alexandre en Babylone, mais assez majestueuse encore. Le garçon qui devait ramener les chevaux se tenait à leur tête et modérait leur allure, car ils hâtaient le pas, subodorant de loin le chaud parfum de l'écurie. A travers les rues tortueuses de la ville, sur le pavé raboteux les roues grondaient, les fers sonnaient avec un bruit gai qui attirait le monde aux fenêtres et devant la porte de l'auberge; pour se faire ouvrir, le conducteur exécuta une joyeuse mousquetade de coups de fouet, à laquelle les bêtes répondirent par de brusques frissons qui mirent en branle le carillon de leurs sonnettes.

Cela ne ressemblait pas à la façon piteuse, misérable et furtive dont les comédiens abordaient naguère les plus maussades bouchons. Aussi l'hôtelier des *Armes de France* comprit-il, à ce triomphant vacarme, que les nouveaux venus avaient de l'argent, et courut-il lui-même ouvrir à deux battants la porte charretière.

L'Hôtel des *Armes de France* était la plus belle auberge de Poitiers et celle où s'arrêtaient volontiers les voyageurs bien nés et riches. La cour où pénétra le chariot avait fort bon air. Des bâtiments très propres l'entouraient, ornés sur les quatre façades d'un balcon couvert ou corridor en applique et soutenu par potences de fer, disposition commode permettant d'accéder aux chambres dont les fenêtres prenaient jour à l'extérieur et facilitant le service des laquais. Au fond de la cour une arcade s'ouvrait, donnant passage sur les communs, cuisines, écuries et hangars.

Un air de prospérité régnait sur tout cela. Récemment crépies, les murailles égayaient l'œil; le bois des rampes, les balustres des galeries n'avaient pas un

grain de poussière. Les tuiles neuves, dont les cannelures conservaient encore quelques minces filets de
neige, brillaient gaiement au soleil d'hiver avec leur
teinte d'un rouge vif. Des cheminées montaient en spirale des fumées de bon augure. Au bas du perron, son
bonnet à la main, se tenait l'aubergiste, gaillard de
vaste corpulence, faisant l'éloge de sa cuisine par les
trois plis de son menton, et celui de son cellier par la
belle teinte pourpre de sa face, qui semblait frottée
de mûres comme le masque de Silène, ce bon ivrogne,
précepteur de Bacchus. Un sourire qui allait de l'une
à l'autre oreille ballonnait ses joues grasses et rape-
tissait ses yeux narquois dont l'angle externe disparaissait dans une patte d'oie de rides facétieuses. Il
était si frais, si gras, si vermeil, si ragoûtant, si bien
à point qu'il donnait envie de le mettre à la broche
et de le manger arrosé de son propre jus!

Quand il vit le Tyran, qu'il connaissait de longue
date et savait bonne paie, sa belle belle humeur redoubla, car les comédiens attirent du monde, et les jeunes
gens de la ville se mettent en dépenses de collations,
festins, soupers et autres régals pour traiter les actrices
et gagner les bonnes grâces de ces coquettes par friandises, vins fins, dragées, confitures et telles menues
délicatesses.

« Quelle bonne chance vous amène? seigneur
Hérode, dit l'hôtelier; il y a longtemps qu'on ne vous
a vu aux *Armes de France*.

— C'est vrai, répondit le Tyran, mais il ne faut pas
toujours faire ses singeries sur la même place. Les
spectateurs finissent par connaître tous vos tours et
les exécuteraient eux-mêmes. Un peu d'absence est
nécessaire. L'oublié vaut le neuf. Y a-t-il en ce moment
beaucoup de noblesse à Poitiers?

— Beaucoup, seigneur Hérode, les chasses sont
finies et l'on ne sait que faire. On ne peut pas toujours
manger et boire. Vous aurez du monde.

— Alors, dit le Tyran, faites apporter les clefs de
sept ou huit chambres, ôter de la broche trois ou
quatre chapons, retirer de derrière les fagots une
douzaine de bouteilles de ce petit vin que vous savez,
et répandez par la ville ce bruit : que l'illustre troupe
du seigneur Hérode est débarquée aux *Armes de
France* avec un nouveau répertoire, se proposant de
donner plusieurs représentations. »

Pendant que le Tyran et l'aubergiste dialoguaient de la sorte, les comédiens étaient descendus de voiture. Des valets s'emparèrent de leurs bagages et les portèrent aux chambres désignées. Celle d'Isabelle se trouva un peu écartée des autres, les plus proches se trouvant occupées. Cet éloignement ne déplut point à cette pudique jeune personne qu'embarrassait parfois cette promiscuité bohémienne à quoi force la vie errante des comédiens.

Bientôt toute la ville, grâce à la faconde de maître Bilot, sut que des comédiens étaient arrivés, qui devaient jouer les pièces des plus beaux esprits du temps aussi bien qu'à Paris, sinon mieux. Les muguets et les raffinés s'informèrent de la beauté des actrices, en retroussant le bout de leur moustache avec un air de gloire et de fatuité parfaitement ridicule. Bilot leur faisait, en les accompagnant de grimaces significatives, des réponses discrètes et mystérieuses propres à tourner la cervelle et à enrager la curiosité de ces jeunes veaux.

Isabelle avait fait ranger ses hardes sur les planches de l'armoire, qui formait, avec un lit à pentes, une table à pieds tors, deux fauteuils et un coffre à bois, le mobilier de sa chambre, vaqua à ces soins de toilette que nécessite pour une jeune femme délicate et soignée de sa personne une longue route accomplie en compagnie d'hommes. Elle déploya ses longs cheveux plus fins que soie, les démêla, les peigna, y versa quelques gouttes d'essence à la bergamote, et les rattacha avec des non-pareilles bleues, couleur bienséante à son teint de rose pâle. Puis elle changea de linge. Qui l'eût vue ainsi aurait cru apercevoir une nymphe de Diane s'apprêtant, ses vêtements déposés sur la rive, à mettre le pied dans l'eau, en quelque vallon bocager de la Grèce. Mais ce ne fut qu'un éclair. Sur sa blanche nudité s'abattit subitement un jaloux nuage de toile, car Isabelle était chaste et pudibonde même en la solitude. Ensuite elle revêtit une robe grise ornée d'agréments bleus, et se regardant au miroir elle sourit de ce sourire que s'accorde la femme la moins coquette qui se trouve à son avantage.

Sous l'influence d'une température plus douce, la neige avait fondu et il n'en restait de trace que dans les endroits exposés au nord. Un rayon de soleil brillait. Isabelle ne put résister à la tentation d'ouvrir la fenêtre et de mettre un peu son joli nez dehors pour examiner la vue qu'on découvrait de sa chambre, fantaisie d'autant plus innocente que la croisée donnait sur une rue déserte, formée d'un côté par l'auberge et de l'autre par un long mur de jardin que dépassaient les cimes dépouillées des arbres. Le regard plongeait dans le jardin et pouvait y suivre le dessin d'un parterre marqué par des ramages de buis; au fond s'élevait un hôtel dont les murailles noircies attestaient l'ancienneté.

Deux cavaliers s'y promenaient le long d'une charmille, jeunes tous deux et de bonne mine, mais non égaux de condition, à voir la déférence dont l'un faisait montre à l'endroit de l'autre, se tenant un peu en arrière et cédant le haut de l'allée toutes les fois qu'il fallait revenir sur ses pas. En ce couple amical le premier était Oreste et le second Pylade. Oreste, donnons-lui ce nom puisque nous ne connaissons pas encore le véritable, pouvait avoir de vingt à vingt-deux ans. Il avait le teint pâle, les yeux et les cheveux fort noirs. Son pourpoint de velours tanné faisait valoir sa taille souple et svelte : un manteau court de même couleur et de même étoffe que le pourpoint, bordé d'un triple galon d'or, lui pendait de l'épaule, retenu par une ganse dont les glands retombaient sur la poitrine; des bottes molles en cuir blanc de Russie chaussaient ses pieds, que plus d'une femme eût jalousés pour leur petitesse et leur cambrure que faisait ressortir encore le talon haut de la botte. A l'aisance hardie de ses mouvements, à l'altière sécurité de son maintien, on devinait un grand seigneur, sûr d'être bien reçu partout et devant qui la vie s'ouvrait sans obstacles. Pylade, roux de cheveux et de barbe, vêtu de noir de la tête aux pieds, n'avait pas à beaucoup près, quoique assez joli garçon de sa personne, la même certitude triomphante.

« Je te dis, mon cher, que Corisande m'assomme, fit Oreste en retournant au bout de l'allée et continuant une conversation commencée avant qu'Isabelle n'eût ouvert la fenêtre; je lui ai fait défendre ma porte et je vais lui renvoyer son portrait aussi maussade que sa personne, avec ses lettres plus ennuyeuses encore que sa conversation.

— Cependant Corisande vous aime, objecta timidement Pylade.

— Qu'est-ce que cela me fait si je ne l'aime point? répliqua Oreste avec une sorte d'emportement. Il s'agit bien de cela! Dois-je la charité d'amour à toutes les pécores et donzelles qui ont la fansaisie de s'enamourer de moi? Je suis trop bon. Je me laisse aller à ces yeux de carpe pâmée, à ces pleurnicheries, à ces soupirs, à ces jérémiades, et je finis par être embéguiné, tout en maugréant de ma débonnaireté et couardise. Désormais je serai d'une férocité hyrcanienne, froid comme Hippolyte et fuyard des femmes, ainsi que Joseph. Adroite la Putiphar qui mettra la griffe sur le bord de mon manteau! Je me déclare d'ores et en avant misogyne, c'est-à-dire ennemi du cotillon, qu'il soit de camelot ou de taffetas. Foin des duchesses et des courtisanes, des bourgeoises et des bergères! qui dit femme dit tracasseries, mécomptes ou aventures maussades. Je les hais de la coiffe au patin, et je vais me confire en chasteté comme un moinillon en sa capuce. Cette Corisande maudite m'a dégoûté de son sexe à tout jamais. J'y renonce... »

Oreste en était là de son discours, lorsque, levant la tête comme pour prendre le ciel à témoin de sa résolution, il aperçut par hasard Isabelle à la fenêtre. Il poussa le coude à son compagnon et lui dit :

« Avise là-bas, à cette croisée, fraîche comme l'Aurore à son balcon d'Orient, cette adorable et délicieuse créature qui semble déité plutôt que femme, avec ses cheveux châtain cendré, son clair visage et ses doux yeux. Qu'elle a bonne grâce, ainsi accoudée et un peu penchée en avant, ce qui fait voir à l'avantage, sous la gaze de la chemisette, les rondeurs de sa gorge ivoirine! Je gage qu'elle a le meilleur caractère et ne ressemble point aux autres femelles. Son esprit doit être modeste, aimable et poli, son entretien agréable et charmant!

— Malpeste, répondit Pylade en riant, quels bons yeux vous avez de découvrir tout cela d'ici! moi, je ne vois rien, sinon une femme à sa fenêtre, assez gentille pour dire vrai, mais qui n'a sans doute pas les incomparables perfections dont vous la dotez si libéralement.

— Oh! je l'aime déjà tout plein. J'en suis féru; il me la faut et je l'aurai, dussé-je pour y parvenir user des inventions les plus subtiles, vider mes coffres et pourfendre cent rivaux.

— Là, là, ne vous échauffez pas ainsi dans votre harnois, dit Pylade, vous pourriez en gagner une pleurésie. Mais qu'est devenue cette belle haine du sexe que vous affichiez tout à l'heure avec tant de jactance? Il a suffi du premier minois pour la mettre en déroute.

— Quand je parlais et invectivais de la sorte, je ne savais point que cet ange de beauté existât, et tout ce que j'ai dit n'est que blasphème damnable, hérésie pure et monstruosité, que je supplie Vénus, déesse des amours, de me vouloir bien pardonner.

— Elle vous pardonnera, n'en doutez pas, car elle est indulgente aux amoureux fols dont vous êtes digne de porter la bannière.

— Je vais ouvrir la campagne, fit Oreste, et déclarer courtoisement la guerre à ma belle ennemie. »

Cela disant, il s'arrêta, planta son regard droit sur Isabelle, ôta d'une façon aussi galante que respectueuse son feutre, dont la longue plume balaya la terre, et envoya du bout des doigts un baiser dans la direction de la fenêtre.

La jeune comédienne, qui vit l'action, prit un air froid et composé comme pour faire comprendre à cet insolent qu'il se trompait, referma la fenêtre et rabattit le rideau.

« Voilà l'aurore cachée par un nuage, dit Pylade, cela n'est pas de bon augure pour le reste de la journée.

— Je regarde, au contraire, comme un signe favorable que la belle se soit retirée. Quand le soldat se dérobe derrière le créneau de la tour, cela veut dire que la flèche de l'assiégeant a porté. Elle en a dans l'aile, te dis-je, et ce baiser la forcera de penser à moi toute la nuit, ne fût-ce que pour m'injurier et me taxer d'effronterie, défaut qui ne déplaît pas aux femmes. Il y a maintenant quelque chose entre moi et cette inconnue. C'est un fil bien ténu, mais que j'enforcerai de manière à faire une corde pour monter au balcon de l'infante.

— Vous savez à merveille les théorie et stratagèmes d'amour, dit Pylade respectueusement.

— Je m'en pique quelquefois, répondit Oreste, et maintenant rentrons, la belle effarouchée ne reparaîtra pas de sitôt. Ce soir, je mettrai mes grisons en campagne. »

Les deux amis remontèrent lentement les marches

du vieil hôtel et disparurent. Revenons maintenant à nos acteurs.

Il y avait non loin de l'auberge un jeu de paume merveilleusement propre à établir une salle de spectacle. Les comédiens le louèrent, et un maître menuisier de la ville, sous la direction du Tyran, l'eut bientôt accommodé à sa nouvelle destination. Un peintre-vitrier, qui se mêlait de barbouiller des enseignes et de blasonner des armoiries sur les carrosses, rafraîchit les décorations fatiguées et déteintes, et même en peignit une nouvelle avec assez de bonheur. La chambre où se déshabillaient et se réhabillaient les joueurs de paume fut disposée en foyer pour les comédiens avec des paravents qui entouraient les toilettes des actrices et formaient des espèces de loges. Toutes les places marquées étaient retenues d'avance, et la recette promettait d'être bonne.

« Quel dommage, disait le Tyran à Blazius en énumérant les pièces qu'il serait bon de jouer, quel dommage que Zerbine nous manque! Une soubrette est à vrai dire le grain de sel, *mica salis,* et le piment des comédies. Sa gaieté étincelante illumine la scène; elle ravive les endroits languissants, et force le rire qui ne veut point se décider, en montrant ses trente-deux perles orlées de carmin vif. Par son caquetage, son impertinence et sa lasciveté, elle fait valoir les afféteries pudiques, mollesses de langage et roucoulements de l'amoureuse. Les couleurs tranchées de sa cotte hardie amusent l'œil, et elle peut découvrir jusqu'aux jarretières, ou peu s'en faut, une jambe fine moulée dans un bas rouge à coins d'or, perspective agréable aux jeunes comme aux vieux, aux vieux surtout dont elle réveille la salacité endormie.

— Certes, répondit Blazius, la soubrette est un condiment précieux, une boîte aux épices qui saupoudre à propos la fadeur des comédies du temps. Mais il faut bien nous en passer. Ni Isabelle ni Sérafine ne peuvent remplir ce rôle. D'ailleurs nous avons besoin d'une amoureuse et d'une grande coquette. Le diable soit de ce marquis de Bruyères qui nous a enlevé la perle, le phénix et le parangon des soubrettes en la personne de l'incomparable Zerbine! »

La conversation entre les deux comédiens en était là, quand une sonnerie argentine de grelots se fit entendre devant le porche de l'hôtel; bientôt des pas

vifs et cadencés tintèrent sur le pavé de la cour, et les
causeurs, s'accoudant à la balustrade de la galerie où
ils se promenaient, aperçurent trois mules harnachées
à l'espagnole, avec plumets sur la tête, broderies,
houppes de laine, grappes de clochettes et couvertures
rayées. Le tout fort propre et magnifique, ne sentant
en rien la bête de louage.

Sur la première était monté un maraud de laquais,
en livrée grise, portant le couteau de chasse à la ceinture et l'arquebuse en travers de l'arçon, l'air insolent
comme un grand seigneur et qui autrement vêtu eût
bien pu passer pour maître. Il tirait après lui par une
longe entortillée autour de son bras la seconde mule
chargée de deux énormes paquets équilibrés de chaque
côté du bât et recouverts d'une cape de muestra valencienne.

La troisième mule, de meilleure mine et de plus fière
allure encore que les deux autres, portait une jeune
femme chaudement embossée dans un manteau garni
de fourrures et coiffée d'un chapeau de feutre gris à
plume rouge rabattu sur les yeux.

« Hé, dit Blazius au Tyran, ce cortège ne te rap-
pelle-t-il point quelque chose? Il me semble que ce
n'est pas la première fois que j'entends tinter ces grelots.

— Par saint Alipantin! répondit le Tyran, ce sont
les propres mules qui vinrent enlever Zerbine au
carrefour de la Croix. Quand on parle du loup...

— On en voit la plume, interrompit Blazius; ô jour
trois et quatre fois heureux, notable à la craie
blanche! C'est bien la señora Zerbine elle-même; elle
saute à bas de sa monture avec ce mouvement coquin
de hanches qui n'appartient qu'à elle et jette sa mante
au bras du laquais. La voilà qui ôte son feutre et
secoue ses cheveux comme un oiseau ses plumes.
Allons au-devant d'elle et dégringolons les montées
quatre à quatre. »

Blazius et le Tyran descendirent dans la cour et rencontrèrent Zerbine au bas du perron. La joyeuse fille
sauta au col du Pédant et lui prenant la tête :

« Il faut, s'écria-t-elle en joignant l'action à la parole, que je t'accole et baise ton vieux masque à pleine
bouche avec le même cœur que si tu étais un joli garçon, pour la joie que j'ai de te revoir. Ne sois pas jaloux, Hérode, et ne fronce pas tes gros sourcils noirs

comme si tu allais ordonner le massacre des Innocents.
Je vais t'embrasser aussi. J'ai commencé par Blazius
parce que c'est le plus laid. »

Zerbine accomplit loyalement sa promesse, car
c'était une fille de parole et qui avait de la probité à sa
manière. Donnant une main à chacun des deux acteurs,
elle monta dans la galerie où maître Bilot lui fit préparer une chambre. A peine entrée, elle se jeta sur un
fauteuil et se mit à respirer bruyamment comme une
personne débarrassée d'un grand poids.

« Vous ne sauriez imaginer, dit-elle aux deux comédiens, après un moment de silence, le plaisir que
j'éprouve à me retrouver avec vous; n'allez pas croire
pour cela que je sois amoureuse de vos museaux usés
par la céruse et le rouge. Je n'aime personne, Dieu
merci! Ma joie tient à ce que je rentre dans mon élément, et l'on est toujours mal hors de son élément.
L'eau ne convient pas aux oiseaux non plus que l'air
aux poissons. Les uns s'y noient et les autres y
étouffent. Je suis comédienne de nature et le théâtre est
mon atmosphère. Là, seulement, je respire à mon aise;
l'odeur des chandelles fumeuses me vaut mieux que
civette, benjoin, ambre gris, musc et peau d'Espagne.
Le relent des coulisses flaire à mon nez comme baume.
Le soleil m'ennuie et la vie réelle me semble plate. Il
me faut des amours imaginaires à servir et pour
déployer mon activité le monde d'aventures romanesques qui s'agite dans les comédies. Depuis que les
poètes ne me prêtent plus leurs voix, je me fais l'effet
d'être muette. Donc, je viens reprendre mon emploi.
J'espère que vous n'avez engagé personne pour me remplacer. On ne me remplace pas d'ailleurs. Si cela était,
j'aurais bientôt mis les griffes au visage de la gaupe
et je lui casserais les quatre dents de devant sur le
rebord des tréteaux. Quand on empiète sur mes privilèges, je suis méchante comme un diable.

— Tu n'auras besoin, dit le Tyran, de te livrer à
aucun carnage. Nous n'avons pas de soubrette. C'était
Léonarde qui jouait tes rôles envieillis et tournés à la
duègne, métamorphose assez triste et maussade, à quoi
nous obligeait la nécessité. Si par quelqu'un de ces
onguents magiques dont parle Apulée tu t'étais muée
tout à l'heure en oiseau et fusses venue, te posant au
bord du toit, écouter la conversation que je tenais avec
Blazius, il te serait arrivé cette chose rare pour les

absents, d'entendre ton éloge sur le mode lyrique, pindarique et dithyrambique.

— A la bonne heure, répondit Zerbine, je vois que vous êtes toujours les bons compagnons d'autrefois et que votre petite Zerbinette vous manquait. »

Des garçons d'auberge entrèrent dans la chambre et y déposèrent des paquets, des boîtes, des valises, dont la comédienne fit la revue et qu'elle ouvrit, en présence de ses deux camarades, avec plusieurs petites clefs passées dans un anneau d'argent.

C'étaient de belles nippes, du fin linge, des guipures, des dentelles, des bijoux, des pièces de velours et de satin de la Chine : tout un trousseau aussi galant que riche. Il y avait, en outre, un sac de peau long, large, lourd, bourré de pécune jusqu'à la gueule, dont Zerbine dénoua les cordons et qu'elle fit ruisseler sur la table. On eût dit le Pactole monnayé. La Soubrette plongeait ses petites mains brunes dans le tas d'or, comme une vanneuse dans un tas de blé, en soulevait ce que pouvaient contenir ses paumes réunies en coupe, puis les ouvrait et laissait retomber les louis en pluie brillante, plus épaisse que celle dont fut séduite Danaé fille d'Acrise en sa tour d'airain. Les yeux de Zerbine scintillaient d'un éclat aussi vif que celui des pièces d'or, ses narines se dilataient et un rire nerveux découvrait ses dents blanches.

« Sérafine crèverait de male rage si elle me voyait tant d'argent, dit la Soubrette à Hérolde et à Blazius; je vous le montre pour vous prouver que ce n'est pas la misère qui me ramène au bercail, mais le pur amour de l'art. Quant à vous, mes vieux, si vous êtes bas percés, plongez vos pattes là-dedans et prenez-en tant que vos cinq doigts en pourront tenir, et même mettez-y le pouce à la mode d'Allemagne. »

Les comédiens la remercièrent de sa générosité, affirmant qu'ils n'avaient besoin de rien.

« Eh bien, dit Zerbine, ce sera pour une autre fois, je vous le garderai en ma cassette comme fidèle trésorière.

— Tu as donc abandonné ce pauvre marquis, dit Blazius d'un air de componction; car tu n'es pas de celles qu'on délaisse. Le rôle d'Ariane ne te va point, mais bien celui de Circé. C'était pourtant un magnifique seigneur, bien fait de sa personne, ayant l'air de la cour, spirituel et digne en tout point d'être aimé plus longtemps.

— Mon intention, répondit Zerbine, est bien de le garder comme une bague à mon doigt et le plus précieux joyau de mon écrin. Je ne l'abandonne nullement, et si je l'ai quitté, c'est afin qu'il me suivît.

— *Fugax sequax, sequax fugax*, reprit le Pédant; ces quatre mots latins à consonance cabalistique, qui semblent un coassement de batraciens emprunté à la comédie des *Grenouilles* du sieur Aristophane, poète athénien, contiennent la moelle des théories amoureuses et peuvent servir de règle de conduite pour le sexe tant viril que féminin.

— Et que chante ton latin, vieux Pédant, fit Zerbine, tu as négligé de le translater en français, oubliant que tout le monde n'a pas été comme toi régent de collège et distributeur de férules.

— On le pourrait traduire, répondit Blazius, par deux carmes ou versiculets en cette teneur :

Fuyez, on vous suivra;
Suivez, on vous fuira.

— Voilà, dit Zerbine en riant, de la vraie poésie pour la flûte à l'oignon et les cornets en pâte sucrée qu'on enfonce dans les biscuits. Cela doit aller sur l'air de Robin et Robine. »

Et la folle créature se mit à chanter les vers du Pédant à pleine gorge, d'une voix si claire, si argentine et si perlée que c'était plaisir de l'entendre. Elle accompagnait son chant de mines tellement expressives, tantôt riantes, tantôt fâchées, qu'on croyait voir la retraite, et la poursuite de deux amants, l'un enflammé, l'autre dédaigneux.

Quand elle eut bien lâché la bride à sa folâtrerie, elle se rasséréna et devint sérieuse.

« Ecoutez mon histoire. Le marquis m'avait fait conduire par ce valet et ce garçon de mules qui me vinrent prendre au carrefour de la Croix à un petit castel ou pavillon de chasse qu'il possède en un de ses bois, fort retiré et difficile à découvrir, à moins de savoir qu'il existe, car une noire rangée de sapins le masque. C'est là que ce bon seigneur va faire la débauche avec quelques amis francs compagnons. On y peut crier *tope* et *masse* sans que personne vous entende autre qu'un vieux domestique qui renouvelle les flacons. C'est là aussi qu'il abrite ses amours et fantaisies galantes. Il s'y trouve un appartement fort propre tapissé en verdures de Flandre; meublé d'un lit à l'antiquaille, mais large, moelleux, bien garni de coussins et rideaux; d'une toilette dressée où ne manque rien de ce qui est nécessaire à une femme, fût-elle duchesse, peignes, éponges, flacons d'essence, opiats, boîtes à mouches, pommades pour les lèvres, pâtes d'amande; de fauteuils, chaises et pliants rembourrés à souhait, et d'un tapis turc si épais qu'on peut tomber partout sans se faire mal. Ce retrait occupe mystérieusement le second étage du pavillon. Je dis mystérieusement, car du dehors il est impossible d'en soupçonner les magnificences. Le temps a noirci les murs qui sembleraient près de tomber en ruine sans un lierre qui les embrasse et les soutient. En passant devant le castel on le croirait inhabité; les volets et tentures des fenêtres empêchent, le soir, la lumière des cires et du feu de se répandre sur la campagne.

— Ce serait là, interrompit le Tyran, une belle décoration pour un cinquième acte de tragi-comédie. On pourrait s'égorger à loisir en une telle maison.

— L'habitude des rôles tragiques, dit Zerbine, te rembrunit l'imagination. C'est au contraire un logis fort joyeux, car le marquis n'est rien moins que féroce.

— Poursuis ton récit, Zerbine, dit Blazius avec un geste d'impatience.

— Quand j'arrivai près de ce manoir sauvage, continua Zerbine, je ne pus me défendre d'une certaine appréhension. Je n'avais pas à craindre pour ma vertu, mais j'eus un instant l'idée que le marquis voulait me claquemurer là dans une espèce d'oubliette, d'où il me tirerait de temps à autre au gré de son caprice. Je n'ai aucun goût pour les donjons à soupiraux grillés et ne souffrirais pas la captivité, même pour être sultane favorite de Sa Hautesse le Grand Seigneur; mais, je me dis, je suis soubrette de mon métier, et j'ai, en ma vie, tant fait évader d'Isabelles, de Léonores et de Doralices que je saurai bien trouver une ruse pour m'échapper moi-même, si, toutefois, on me veut retenir. Il serait beau qu'un jaloux fît Zerbine prisonnière! J'entrai donc bravement, et fus surprise de la plus agréable manière du monde, en voyant

que ce logis refrogné qui faisait la grimace aux passants souriait aux hôtes. Délabrement en dehors, luxe
en dedans. Un bon feu flambait dans la cheminée. Des
bougies roses reflétaient leurs clartés aux miroirs des
appliques, et sur la table avec force cristaux, argenterie et flacons, un souper aussi abondant que délicat
était servi. Au bord du lit, négligemment jetées, des
pièces d'étoffes fripaient dans leurs plis des reflets de
lumière. Des bijoux posés sur la toilette, bracelets, colliers, pendants d'oreilles, lançaient de folles bluettes
et de brusques scintillements d'or. Je me sentais tout
à fait rassurée. Une jeune paysanne, soulevant la portière, vint m'offrir ses services et me débarrassa de
mon habit de voyage pour m'en faire prendre un plus
convenable qui se trouvait tout préparé dans la garde-
robe; bientôt arriva le marquis. Il me trouva charmante en mon déshabillé de taffetas flambé de blanc
et de cerise, et il jura que vraiment il m'aimait à la
folie. Nous soupâmes, et quoiqu'il en coûte à ma modestie, je dois avouer que je fus éblouissante. Je me sentais un esprit du diable; les saillies me jaillissaient,
les rencontres me venaient, parmi d'étincelantes fusées
de rire; c'était un entrain, une verve, une furie joyeuse
qu'on n'imagine pas. Il y avait de quoi faire danser les
morts et flamber les cendres du vieux roi Priam. Le
marquis, ébloui, fasciné, enivré, m'appelait tantôt ange
et tantôt démon; il me proposait de tuer sa femme et
de m'épouser. Le cher homme! il l'aurait fait comme
il le disait, mais je ne voulus point, disant que ces
tueries étaient choses fades, bourgeoises et communes.
Je ne crois pas que Laïs, la belle Impéria et madame
Vannoza, qui fut maîtresse d'un pape, aient jamais plus
galamment égayé une médianoche. Ce fut ainsi pendant plusieurs jours. Peu à peu cependant le marquis
devint rêveur, il semblait chercher quelque chose dont
il ne se rendait pas compte et qui lui manquait. Il fit
quelques courses à cheval, et même il invita deux ou
trois amis comme pour se distraire. Le sachant vaniteux, je m'attifai à mon avantage et redoublai de gen-
tillesses, grâces et minauderies devant ces hobereaux
qui jamais ne s'étaient trouvés à pareille fête : au dessert, me faisant des castagnettes avec une assiette de
porcelaine de Chine cassée, j'exécutai une sarabande
si folle, si lascive, si enragée qu'elle eût damné un
saint. C'était des bras pâmés au-dessus de la tête, des

jambes luisant comme un éclair dans le tourbillon des jupes, des hanches plus frétillantes que vif-argent, des reins cambrés à toucher le parquet des épaules, une gorge qui battait la campagne, le tout incendié de regards et de sourires à mettre le feu à une salle si jamais je pouvais danser un tel pas sur un théâtre. Le marquis rayonnait, en sa gloire, fier comme un roi d'avoir une pareille maîtresse; mais le lendemain il fut morne, languissant, désœuvré. J'essayai de mes philtres les plus forts, hélas! ils n'avaient plus de puissance sur lui. Cet état paraissait l'étonner lui-même. Parfois, il me regardait fort attentivement comme étudiant sous mes traits la ressemblance d'une autre personne. M'aurait-il prise, pensais-je, pour servir de corps à un souvenir et lui rappellerais-je un amour perdu? Non, me répondais-je, ces fantaisies mélancoliques ne sont pas dans sa nature. De telles rêvasseries conviennent aux bilieux hypocondriaques et non point à ces joyeux qui ont la joue vermeille et l'oreille rouge.

— N'était-ce point satiété? dit Blazius, car d'ambroisie même on se dégoûte, et les dieux viennent manger sur terre le pain bis des humains.

— Apprenez, monsieur le sot, répondit Zerbine en donnant une petite tape sur les doigts du Pédant, qu'on n'est jamais las de moi, vous me l'avez dit tout à l'heure.

— Pardonne-moi, Zerbine, et dis-nous ce qui fantasiait l'humeur de M. le marquis; je grille de l'apprendre.

— Enfin, reprit la Soubrette, à force d'y rêver je compris ce qui chagrinait le marquis dans son bonheur, et je découvris quel était le pli de rose dont soupirait ce sybarite sur sa couche de volupté. Il avait la femme, mais il regrettait la comédienne. Cet aspect brillant que donnent les lumières, le fard, les costumes, la diversité et l'action des rôles s'était évanoui comme s'éteint la splendeur factice de la scène quand le moucheur souffle les chandelles. En rentrant dans la coulisse j'avais perdu pour lui une partie de mes séductions. Il ne lui restait plus que Zerbine; ce qu'il aimait en moi c'était Lisette, c'était Marton, c'était Marinette, l'éclair du sourire et de l'œil, la réplique alerte, le minois effronté, l'ajustement fantasque, le désir et l'admiration du public. Il cherchait, à travers mon visage de ville, mon visage de théâtre, car nous autres actrices, quand nous ne sommes pas laides, nous possédons deux beautés, l'une composée et l'autre naturelle; un masque et une figure. Souvent c'est le masque qu'on préfère, encore que la figure soit jolie. Ce que souhaitait le marquis, c'était la Soubrette qu'il avait vue dans *les Rodomontades du capitaine Mata-more,* et que je ne lui représentais qu'à demi. Le caprice qui attache certains seigneurs à des comédiennes est beaucoup moins sensuel qu'on ne pense. C'est une passion d'esprit plutôt que de corps. Ils croient atteindre l'idéal en étreignant le réel, mais l'image qu'ils poursuivent leur échappe; une actrice est comme un tableau qu'il faut contempler à distance et sous le jour propice. Si vous approchez, le prestige se dissipe. Moi-même je commençais à m'ennuyer. J'avais bien souvent désiré d'être aimée d'un grand, d'avoir de riches toilettes, de vivre sans souci dans les recherches et les délicatesses du luxe, et souvent il m'était arrivé de maudire ce sort rigoureux qui me forçait d'errer de bourg en ville, sur une charrette, suant l'été, gelant l'hiver, pour faire mon métier de baladine. J'attendais une occasion d'en finir avec cette vie misérable, ne me doutant pas que c'était ma vie propre, ma raison d'être, mon talent, ma poésie, mon charme et mon lustre particulier. Sans ce rayon d'art qui me dore un peu, je ne serais qu'une drôlesse vulgaire comme tant d'autres. Thalie, déesse vierge, me sauvegarde de sa livrée, et les vers des poètes, charbons de feu, touchant mes lèvres, les purifient de plus d'un baiser lascif et mignard. Mon séjour dans le pavillon du marquis m'éclaira. Je compris que ce brave gentilhomme n'était pas épris seulement de mes yeux, de mes dents, de ma peau, mais bien de cette petite étincelle qui brille en moi et me fait applaudir. Un beau matin je lui signifiai tout net que je voulais reprendre ma volée et que cela ne me convenait point d'être à perpétuité la maîtresse d'un seigneur : que la première venue pouvait bien le faire et qu'il m'octroyât gracieusement mon congé, lui affirmant d'ailleurs que je l'aimais bien et que j'étais parfaitement reconnaissante de ses bontés. Le marquis parut d'abord surpris mais non fâché, et après avoir réfléchi quelque peu, il dit : « Qu'allez-vous faire, mignonne? » Je lui répondis : « Rattraper en route la troupe d'Hérode « ou la rejoindre à Paris si elle y est déjà. Je veux

« reprendre mon emploi de soubrette, il y a long-
« temps que je n'ai dupé de Géronte. » Cela fit rire
le marquis. « Eh bien, dit-il, partez en avant avec
« l'équipage de mules que je mets à votre disposition.
« Je vous suivrai sous peu. J'ai quelques affaires négli-
« gées qui exigent ma présence à la cour, et il y a
« longtemps que je me rouille en province. Vous me
« permettez bien de vous applaudir, et si je gratte à la
« porte de votre loge, vous m'ouvrirez, je pense. » Je
pris un petit air pudibond mais qui n'avait rien de
désespérant. « Ah! monsieur le marquis, que me de-
« mandez-vous là! » Bref, après les adieux les plus
tendres, j'ai sauté sur ma mule et me voici aux *Armes
de France.*

— Mais, dit Hérode, d'un ton de doute, si le marquis
ne venait pas, tu serais furieusement attrapée. »

Cette idée parut si bouffonne à Zerbine qu'elle se
renversa dans son fauteuil et se mit à rire à gorge
déployée, en se tenant les côtes. « Le marquis ne pas
venir! s'écria-t-elle lorsqu'elle eut repris son sang-froid,
tu peux faire retenir son appartement d'avance. Toute
ma crainte était qu'en son ardeur il ne m'eût dépas-
sée. Ah çà! tu doutes de mes charmes, Tyran aussi
imbécile que cruel. Décidément les tragédies t'abru-
tissent. Tu avais plus d'esprit autrefois. »

Léandre, Scapin, qui avaient appris par les valets
l'arrivée de Zerbine, entrèrent dans la chambre et la
complimentèrent. Bientôt parut dame Léonarde dont
les yeux de chouette flamboyèrent à la vue de l'or et
des bijoux étalés sur la table. Elle se montra auprès
de Zerbine de l'obséquiosité la plus basse. Isabelle vint
aussi et la Soubrette lui fit cadeau gracieusement d'une
pièce de taffetas. Serafine seule resta renfermée chez
elle. Son amour-propre n'avait pu pardonner à sa
rivale l'inexplicable préférence du marquis.

On dit à Zerbine que Matamore avait été gelé en
route, mais qu'il était remplacé par le baron de Sigognac, lequel prenait pour nom de théâtre le titre, bien
accommodé à l'emploi, de capitaine Fracasse.

« Ce me sera un grand honneur de jouer avec un
gentilhomme dont les aïeux allèrent aux croisades, dit
Zerbine, et je tâcherai que le respect n'étouffe point
en moi la verve. Heureusement que je suis maintenant
habituée aux personnes de qualité. »

Sur ce, Sigognac entra dans la chambre.

Zerbine, pliant le jarret de manière à faire bouffer amplement ses jupes, lui adressa une belle révérence de cour bien proportionnée et cérémonieuse.

« Ceci, dit-elle, est pour monsieur le baron de Sigognac, et voici pour le capitaine Fracasse mon camarade », ajouta-t-elle en le baisant fort vivement sur les joues, ce qui faillit décontenancer Sigognac, peu accoutumé encore à ces libertés de théâtre et que troublait d'ailleurs la présence d'Isabelle.

Le retour de Zerbine permettait de varier agréablement le répertoire, et toute la troupe, à l'exception de Sérafine, était on ne peut plus satisfaite de la revoir.

Maintenant que la voilà bien installée dans sa chambre, au milieu de ses joyeux camarades, informons-nous d'Oreste et de Pylade que nous avons laissés rentrant chez eux après leur promenade au jardin.

Oreste, c'est-à-dire le jeune duc de Vallombreuse, car tel était son titre, ne mangea que du bout des dents et plus d'une fois oublia sur la table le verre que le laquais venait de remplir, tant il avait l'imagination préoccupée de la belle femme aperçue à la fenêtre. Le chevalier de Vidalinc son confident essayait vainement de le distraire; Vallombreuse ne répondait que par monosyllabes aux plaisanteries amicales de son Pylade.

Dès que le dessert fut enlevé, le chevalier dit au duc :

« Les plus courtes folies sont les meilleures; pour que vous ne pensiez plus à cette beauté, il ne s'agit que de vous en assurer la possession. Elle sera bientôt à l'état de Corisande. Vous avez le naturel de ces chasseurs qui du gibier n'aiment que la poursuite et, la pièce tuée, ne la ramassent même point. Je vais aller faire une battue pour vous rabattre l'oiseau vers vos filets.

— Non pas, reprit Vallombreuse, j'irai moi-même; comme tu l'as dit, la poursuite seule m'amuse et je suivrais jusqu'au bout du monde la plus chétive bête de poil ou de plume, de remise en remise jusqu'à tomber mort de fatigue. Ne m'ôte pas ce plaisir. Oh! si j'avais le bonheur de trouver une cruelle, je crois que je l'adorerais, mais il n'en existe pas sur le globe terraqué.

— Si l'on ne savait vos triomphes, dit Vidalinc, on

pourrait sur ce propos vous taxer de fatuité, mais vos
cassettes pleines de billets doux, portraits, nœuds de
rubans, fleurs séchées, mèches de cheveux noirs,
blonds ou roux, et tels autres gages d'amour, montrent
bien que vous êtes modeste en parlant ainsi. Peut-être
allez-vous être servi à souhait, car la dame de la fenêtre me semble sage, pudique et froide à merveille.

— Nous verrons bien. Maître Bilot cause volontiers;
il écoute aussi et fait l'histoire des personnes qui
logent en son auberge. Allons boire chez lui un flacon
de vin des Canaries. Je le ferai causer, et il nous ren-
seignera sur cette infante en voyage. »

Quelques minutes après, les deux jeunes gens
entraient aux *Armes de France* et demandaient maître
Bilot. Le digne aubergiste, connaissant la qualité de
ses hôtes, les conduisit lui-même en une chambre basse
bien tendue où brillait dans une cheminée à large manteau un feu pétillant et clair. Il prit des mains du
sommelier la bouteille grise de poussière et tapissée de
toile d'araignée, la décoiffa de son casque de cire avec
des précautions infinies, extirpa du goulot, sans secousse, le bouchon tenace, et d'une main aussi ferme
que si elle eût été coulée en bronze versa un fil de
liqueur blond comme la topaze dans les verres de
Venise à pied en spirale que lui tendaient le duc et le
chevalier. En faisant ce métier d'échanson, Bilot affectait une religieuse gravité; on eût dit un prêtre de
Bacchus officiant et célébrant les mystères de la dive
bouteille; il ne lui manquait que d'être couronné de
lierre ou de pampre. Ces cérémonies augmentaient la
valeur du vin qu'il servait, lequel était réellement fort
bon et plus digne d'une table royale que d'un cabaret.

Il allait se retirer quand Vallombreuse d'un clin
d'œil mystérieux l'arrêta sur le seuil :

« Maître Bilot, lui dit-il, prenez un verre au dressoir
et buvez à ma santé une rasade de ce vin. »

Le ton n'admettait pas de réplique, et d'ailleurs Bilot
ne se faisait pas prier pour aider un hôte à consommer les trésors de son cellier. Il éleva son verre en
saluant et en vida le contenu jusqu'à la dernière
perle. « Bon vin », dit-il avec un friand clappement
de langue contre le palais, puis il resta debout la main
appuyée au rebord de la table, les yeux fixés sur le duc,
attendant ce qu'on voulait de lui.

« As-tu beaucoup de monde dans ton auberge? dit Vallombreuse, et de quelle sorte?... » Bilot allait répondre, mais le jeune duc prévint la phrase de l'hôtelier et continua : « A quoi bon finasser avec un vieux mécréant tel que toi? Quelle est la femme qui habite cette chambre dont la fenêtre donne sur la ruelle en face l'hôtel Vallombreuse, la troisième croisée en partant de l'angle du mur? Réponds vite, tu auras une pièce d'or par syllabe.

— A ce prix, dit Bilot avec un large rire, il faudrait être bien vertueux pour employer le style laconique tant estimé des anciens. Cependant comme je suis tout dévoué à Votre Seigneurie, je n'userai que d'un seul mot : Isabelle!

— Isabelle! nom charmant et romanesque, dit Vallombreuse; mais n'use pas de cette sobriété lacédémonienne. Sois prolixe et raconte-moi par le menu tout ce que tu sais de cette infante.

— Je vais me conformer aux ordres de Sa Seigneurie, répondit maître Bilot en s'inclinant. Mon cellier, ma cuisine, ma langue sont à sa disposition. Isabelle est une comédienne qui appartient à la troupe du seigneur Hérode présentement logé à l'hôtel des *Armes de France.*

— Une comédienne, dit le jeune duc avec un air de désappointement, je l'aurais plutôt prise à sa mine discrète et réservée pour une dame de qualité ou bourgeoise cossue que pour une baladine errante.

— On peut s'y tromper, continua Bilot, la demoiselle a des façons fort décentes. Elle joue le rôle d'ingénue au théâtre et le continue à la ville. Sa vertu, quoique fort exposée, car elle est jolie, n'a reçu aucune brèche et aurait le droit de se coiffer du chapeau virginal. Nulle ne sait mieux éconduire un galant par une politesse exacte et glacée qui ne laisse pas d'espoir.

— Ceci me plaît, fit Vallombreuse, je ne hais rien tant que ces facilités trop ouvertes et ces places qui battent la chamade, demandant à capituler devant même qu'on ait donné l'assaut.

— Il en faudra plus d'un pour emporter cette citadelle, dit Bilot, quoique vous soyez un hardi et brillant capitaine peu habitué à rencontrer de résistance, d'autant qu'elle est gardée par la sentinelle vigilante d'un pudique amour.

— Elle a donc un amant, cette sage Isabelle! s'écria

le jeune duc d'un ton à la fois triomphant et dépité, car d'une part il ne croyait guère à la vertu des femmes, et de l'autre cela le contrariait d'apprendre qu'il avait un rival.

— J'ai dit amour et non pas amant, continua l'aubergiste avec une respectueuse insistance, ce n'est pas la même chose. Votre Seigneurie est trop experte en matière de galanterie pour ne point apprécier cette différence bien qu'elle ait l'air subtil. Une femme qui a un amant peut en avoir deux, comme dit la chanson, mais une femme qui a un amour est impossible ou du moins fort malaisée à vaincre. Elle possède ce que vous lui offrez.

— Tu raisonnes là-dessus, dit Vallombreuse, comme si tu eusses étudié les cours d'amour et les sonnets de Pétrarque. Je ne te croyais docte qu'en fait de sauces et de vins. Et quel est l'objet de cette platonique tendresse?

— Un comédien de la troupe, répondit Bilot, que j'imaginerais volontiers engagé par amourette, car il ne me semble pas avoir les allures d'un histrion vulgaire.

— Eh bien, dit le chevalier de Vidalinc à son ami, vous devez être content. Voilà des obstacles imprévus qui se présentent. Une comédienne vertueuse, cela ne se rencontre pas tous les jours, et c'est affaire à vous. Cela vous reposera des grandes dames et des courtisanes.

— Tu es sûr, continua le jeune duc poursuivant sa pensée, que cette chaste Isabelle n'accorde aucune privauté à ce fat que je déteste déjà de toute mon âme.

— On voit bien que vous ne la connaissez point, reprit maître Bilot; c'est une hermine qui aimerait mieux mourir qu'avoir une tache en son blanc pelage. Quand la comédie exige des embrassades, on la voit rougir à travers son fard et parfois s'essuyer la joue avec le dos de la main.

— Vivent les beautés altières, farouches et rebelles au montoir! s'écria le duc, je la cravacherai si bien qu'il faudra qu'elle prenne le pas, l'amble, le trot, le galop, et fasse toutes les courbettes à ma volonté.

— Vous n'en obtiendrez rien de cette manière, monsieur le duc, permettez-moi de vous le dire, fit maître Bilot en faisant un salut empreint de la plus profonde humilité, comme il convient à un inférieur qui contredit un supérieur séparé de lui par tant de degrés de l'échelle sociale.

— Si je lui envoyais dans un bel étui de chagrin des pendeloques à grosses perles, un collier d'or à plusieurs rangs avec fermoirs en pierreries, un bracelet en forme de serpent ayant deux gros rubis balais pour yeux!

— Elle vous renverrait toutes ces richesses en répondant que vous la prenez sans doute pour une autre. Elle n'est point intéressée comme la plupart de ses compagnes, et ses yeux, chose rare pour une femme, ne s'allument pas aux feux de la joaillerie. Elle regarde les diamants les mieux enchâssés comme si c'étaient nèfles sur paille.

— Que voilà un étrange et fantasque échantillon de sexe féminin! dit le duc de Vallombreuse un peu étonné; sans doute, elle veut par ces semblants de sagesse se faire épouser de ce maraud, lequel doit être abondamment pourvu de biens. Le caprice prend quelquefois à ces créatures de faire souche d'honnêtes gens et de s'asseoir aux assemblées parmi les prudes femmes, l'œil baissé sur la modestie, avec un air de sainte Nitouche.

— Eh bien, épousez-la, fit Vidalinc en riant, s'il n'y a pas d'autre moyen. Ce titre de duchesse humanise les plus revêches.

— Tout beau! tout beau! reprit Vallombreuse, n'allons pas si vite en besogne; il faut d'abord parlementer. Cherchons pour aborder la belle quelque stratagème qui ne l'effarouche pas trop.

— Cela est plus facile que de s'en faire aimer, dit maître Bilot; il y a ce soir au jeu de paume répétition de la pièce qu'on doit jouer demain; quelques amateurs de la ville seront admis, et vous n'avez qu'à vous nommer pour que la porte s'ouvre à deux battants devant vous. D'ailleurs j'en toucherai deux mots au seigneur Hérode, qui est fort de mes amis et n'a rien à me refuser; mais, selon ma petite science, vous auriez mieux fait d'adresser vos vœux à mademoiselle Sérafine, qui n'est pas moins jolie qu'Isabelle et dont la vanité se fût pâmée de plaisir à cette recherche.

— C'est d'Isabelle que je suis affolé », fit le duc d'un petit ton sec qu'il savait prendre admirablement et qui tranchait tout, « d'Isabelle et non d'une autre, maître Bilot », et, plongeant la main dans sa poche, il répandit négligemment sur la table une assez longue traînée de pièces d'or : « Payez-vous de votre bouteille et gardez le reste de la monnaie. »

L'hôtelier ramassa les louis avec componction et les fit glisser l'un après l'autre au fond de son escarcelle. Les deux gentilshommes se levèrent, enfoncèrent leur feutre jusqu'au sourcil, jetèrent leur manteau sur le coin de leur épaule et quittèrent la salle. Vallombreuse fit plusieurs tours dans la ruelle, levant le nez chaque fois qu'il passait devant la bienheureuse fenêtre, mais ce fut peine perdue. Isabelle, désormais sur ses gardes, ne se montra point. Le rideau était baissé, et l'on eût pu croire qu'il n'y avait personne en la chambre. Las de faire le pied-de-grue dans cette ruelle déserte fort rafraîchie du vent de bise, posture à laquelle il n'était pas accoutumé, le duc de Vallombreuse se lassa bientôt d'une attente vaine et reprit le chemin de sa demeure, maugréant contre l'impertinente pruderie de cette pecque assez assurée pour faire languir ainsi un duc jeune et bien fait. Il pensa même, avec quelque complaisance, à cette bonne Corisande naguère si dédaignée, mais l'amour-propre bientôt lui dit à l'oreille qu'il n'aurait qu'à paraître pour triompher comme César. Quant au rival, s'il le gênait trop, il le supprimerait au moyen de quelques estafiers ou coupe-jarrets à gages; la dignité ne permettant pas de se commettre avec un pareil drôle.

Il est vrai, Vallombreuse n'avait pas aperçu Isabelle retirée au fond de son appartement, mais pendant sa faction dans la ruelle un œil jaloux l'épiait à travers la vitre d'une autre fenêtre, celui de Sigognac, à qui les allures et menées du personnage déplaisaient fort. Dix fois le Baron fut tenté de descendre et d'attaquer le galant l'épée haute, mais il se contint. Il n'y avait rien d'assez formel dans l'action de se promener le long d'une muraille pour justifier une semblable agression, qu'on eût taxée de folle et ridicule. L'éclat en eût pu nuire à la renommée d'Isabelle, tout innocente de ces regards levés en haut toujours au même endroit. Il se promit toutefois de surveiller de près le galantin et en grava les traits dans sa mémoire pour le reconnaître quand besoin serait.

Hérode avait choisi pour la représentation du lendemain, annoncée et tambourinée par toute la ville, *Lygdamon et Lydias, ou la Ressemblance,* tragi-comédie d'un certain Georges de Scudéry, gentilhomme, qui, après avoir servi aux gardes françaises, quittait l'épée pour la plume et ne se servait pas moins bien de l'une que de l'autre, et *Les Rodomontades du capitaine Fracasse,* où Sigognac devait débuter devant un véritable public, n'ayant encore joué que pour les veaux, les bêtes à cornes et les paysans, dans la grange de Bellombre. Tous les comédiens étaient fort affairés à apprendre leurs rôles; la pièce du sieur de Scudéry étant nouvellement mise en lumière, ils ne la connaissaient point. Rêveurs et brochant des babines comme singes disant leurs patenôtres, ils se promenaient sur la galerie, tantôt marmottant, tantôt poussant de grands éclats de voix. Qui les eût vus les eût pris pour fens forcenés et hors de sens. Ils s'arrêtaient tout court puis repartaient à grands pas, agitant les bras comme moulins démanchés. Léandre surtout, qui devait jouer Lygdamon, cherchait des poses, essayait des effets et se démenait comme un diable dans un bénitier. Il comptait sur ce rôle pour réaliser son rêve d'inspirer de l'amour à une grande dame et prendre sa revanche des coups de bâton reçus au château de Bruyères, coups de bâton qui lui étaient restés plus longtemps encore sur le cœur que sur le dos. Ce rôle d'amant langoureux et transi, poussant les beaux sentiments aux pieds d'une inhumaine, en vers d'un assez bon tour, prêtait à des clins d'yeux, à des soupirs, à des pâleurs et à toutes sortes d'afféteries attendrissantes, à quoi excellait principalement le sieur Léandre, un des meilleurs amoureux de la province, malgré ses prétentions et ses ridicules.

Sigognac, dont Blazius s'était institué professeur, étudiait dans sa chambre avec le vieux comédien et se façonnait à cet art difficile du théâtre. Le type qu'il représentait par son caractère extravagamment outré s'éloignait du naturel, et cependant il fallait que sous l'exagération on sentît la vérité et qu'on démêlât l'homme à travers le fantoche. Blazius lui donnait des conseils en ce sens et lui enseignait à commencer par un ton simple et vrai pour arriver à des intonations bizarres, ou bien à rentrer dans la diction ordinaire après des cris de paon plumé vif, car il n'est personnage si affecté qui le soit toujours. D'ailleurs cette inégalité est le propre des lunatiques et dévoyés de cervelle; elle existe aussi dans leurs gestes détraqués qui ne concordent pas exactement au sens des paroles, désaccord dont l'artiste habile peut tirer des effets comiques. Blazius était d'avis que Sigognac prît le demi-masque, c'est-à-dire cachant le front et le nez, pour garder la tradition de la figure et mêler sur son visage le fantasque au réel, grand avantage en ces sortes de rôles moitié faux, moitié vrais, caricatures générales de l'humanité dont elle ne se fâche point comme d'un portrait. Entre les mains d'un comédien vulgaire un tel rôle peut n'être qu'une plate bouffonnade propre à divertir la canaille et à faire hausser les épaules aux honnêtes gens, mais un acteur de mérite peut y introduire des traits de naturel et représentant mieux la vie que s'ils étaient concertés.

L'idée du demi-masque souriait assez à Sigognac. Le masque lui assurait l'incognito et lui donnait le courage d'affronter la foule. Ce mince carton lui faisait l'effet d'un heaume à visière baissée à travers laquelle il parlerait d'une voix de fantôme. Car le visage est la personne même, le corps n'a pas de nom, et la face cachée ne se peut connaître : cet arrangement conciliait le respect de ses aïeux et les nécessités de sa position. Il ne s'exposait plus devant les chandelles d'une façon matérielle et directe. Il n'était ainsi que l'âme inconnue vivifiant une grande marionnette, *nervis alienis mobile lignum;* seulement il habitait l'intérieur de cette marionnette au lieu d'en tirer extérieurement les fils. Sa dignité n'avait rien à souffrir de ce jeu.

Blazius, qui aimait fort Sigognac, modela lui-même le masque de façon à lui composer une physionomie de théâtre tout à fait différente de sa physionomie de ville. Un nez rehaussé, constellé de verrues et rouge du bout comme une guigne, des sourcils circonflexes et dont le poil se rebroussait en virgule, une moustache aux pointes effilées et se recourbant comme les cornes de la lune rendaient méconnaissables les traits réguliers du jeune Baron; cet appareil disposé comme un chanfrein ne couvrait que le front et la protubérance nasale, mais tout le reste du visage en était changé.

On se rendit à la répétition, qui devait être en costume pour qu'on pût bien se rendre compte de l'effet général. Pour ne pas traverser la ville en carême prenant, les comédiens avaient fait porter leurs habits au jeu de paume et les actrices s'accommodaient dans

la salle que nous avons décrite. Les gens de condition,
les galantins, les beaux esprits de l'endroit avaient fait
rage pour pénétrer dans ce temple ou plutôt sacristie
de Thalia où les prêtresses de la Muse se revêtaient de
leurs ornements pour célébrer les mystères. Tous faisaient les empressés auprès des comédiennes. Les uns
leur présentaient le miroir, les autres approchaient les
bougies afin qu'elles se vissent mieux. Celui-ci donnait son opinion sur la place d'un nœud de ruban,
celui-là tendait la boîte à poudre; un autre plus timide
restait assis sur un coffre branlant les jambes, sans
dire mot et filant sa moustache par manière de contenance.

Chaque comédienne avait son cercle de courtisans
dont les yeux goulus cherchaient fortune dans les
trahisons et les hasards de la toilette. Tantôt le pei-
gnoir glissant à propos découvrait un dos lustré
comme un marbre; tantôt c'était un demi-globe de
neige ou d'ivoire qui s'impatientait des rigueurs du
corset et qu'il fallait mieux coucher dans son nid
de dentelles, ou bien encore un beau bras qui, se relevant pour ajuster quelque chose à la coiffure, se montrait nu jusqu'à l'épaule. Nous vous laisserons à penser
que de madrigaux, de compliments et de fadeurs
mythologiques arrachèrent à ces provinciaux la vue
de pareils trésors; Zerbine riait comme une folle d'entendre ces sottises; Sérafine, plus vaniteuse que spirituelle, s'en délectait; Isabelle ne les écoutait point et
sous les yeux de tous ces hommes s'arrangeait avec
modestie, refusant d'un ton poli mais froid les offres
de service de ces messieurs.

Vallombreuse, suivi de son ami Vidalinc, n'avait eu
garde de manquer cette occasion de voir Isabelle. Il
la trouva plus jolie encore de près que de loin, et sa
passion s'en accrut d'autant. Ce jeune duc s'était adonisé pour la circonstance, et de fait il était admirablement beau. Il portait un magnifique costume de
satin blanc, bouillonné et relevé d'agréments et de
nœuds cerise attachés par des ferrets de diamants.
Des flots de linge fin et de dentelles débordaient des
manches du pourpoint; une riche écharpe en toile
d'argent soutenait l'épée; un feutre blanc à plume
incarnadine se balançait à la main emprisonnée dans
un gant à la frangipane.

Ses cheveux noirs et longs, frisés en minces boucles,

se contournaient le long de ses joues d'un ovale parfait et en faisaient valoir la chaude pâleur. Sous sa fine moustache ses lèvres brillaient rouges comme des grenades et ses yeux étincelaient entre deux épaisses franges de cils. Son col blanc et rond comme une colonne de marbre supportait fièrement sa tête et sortait dégagé d'un rabat en point de Venise du plus grand prix.

Cependant il y avait quelque chose de déplaisant dans toute cette perfection. Ces traits si fins, si purs, si nobles étaient déparés par une expression antihumaine, si l'on peut employer ce terme. Evidemment les douleurs et les plaisirs des hommes ne touchaient que fort peu le porteur de ce visage impitoyablement beau. Il devait se croire et se croyait en effet d'une espèce particulière.

Vallombreuse s'était placé silencieusement près de la toilette d'Isabelle, son bras appuyé sur le cadre du miroir de manière à ce que les yeux de la comédienne, obligée de consulter la glace à chaque minute, dussent souvent le rencontrer. C'était une manœuvre savante et de bonne tactique amoureuse qui eût réussi, sans doute, avec toute autre que notre ingénue. Il voulait, avant de parler, frapper un coup par sa beauté, sa mine altière et sa magnificence.

Isabelle, qui avait reconnu le jeune audacieux de la ruelle et que ce regard d'une ardeur impérieuse gênait, gardait la plus extrême réserve et ne détournait pas sa vue du miroir. Elle ne semblait pas s'être aperçue qu'il y avait devant elle planté un des plus beaux seigneurs de la France, mais c'était une singulière fille qu'Isabelle.

Ennuyé de cette pose, Vallombreuse prit son parti brusquement et dit à la comédienne :

« N'est-ce pas vous, mademoiselle, qui jouez Silvie dans la pièce de *Lygdamon et Lydias* de M. de Scudéry?

— Oui, monsieur, répondit Isabelle, qui ne pouvait se soustraire à cette question habilement banale.

— Jamais rôle n'aura été mieux rempli, continua Vallombreuse. S'il est mauvais, vous le rendrez bon; s'il est bon, vous le ferez excellent. Heureux les poètes qui confient leurs vers à ces belles lèvres! »

Ces vagues compliments ne sortaient pas des galanteries que les gens qui ont de la politesse adressent d'habitude aux comédiennes, et Isabelle dut les accepter, en remerciant le duc d'une faible inclination de tête.

Sigognac àyant, avec l'aide de Blazius, achevé de s'habiller en la logette du jeu de paume réservée aux comédiens, rentra dans la chambre des actrices pour attendre que la répétition commençât. Il était masqué et avait déjà bouclé le ceinturon de la grande rapière à lourde coquille, terminée par une toile d'araignée, héritage du pauvre Matamore. Sa cape écarlate déchiquetée en barbe d'écrevisse flottait bizarrement sur ses épaules et le bout de l'épée en relevait le bord. Pour se conformer à l'esprit de son rôle, il marchait la hanche en avant et fendu comme un compas, d'un air outrageux et provocant comme il sied à un capitaine Fracasse.

« Vous êtes vraiment très bien, lui dit Isabelle, qu'il vint saluer, et jamais capitan espagnol n'eut mine plus superbement arrogante. »

Le duc de Vallombreuse toisa avec la plus dédaigneuse hauteur ce nouveau venu à qui la jeune comédienne parlait d'un ton si doux : voilà apparemment le faquin dont on la prétend amoureuse, se dit-il à lui-même, tout enfiellé de dépit, car il ne concevait point qu'une femme pût hésiter un instant entre le jeune et splendide duc de Vallombreuse et ce ridicule histrion.

Au reste, il fit semblant de ne pas s'apercevoir que Sigognac fût là. Il ne comptait pas plus sa présence que celle d'un meuble. Pour lui ce n'était pas un homme, mais une chose, et il agissait devant le Baron avec la même liberté que s'il eût été seul, couvant Isabelle de ses regards enflammés qui s'arrêtaient sur une naissance de gorge laissée à découvert par l'échancrure de la chemisette.

Isabelle, confuse, se sentait rougir, malgré elle, sous ce regard insolemment fixe, chaud comme un jet de plomb fondu, et elle se hâtait de terminer sa toilette pour s'y dérober, d'autant plus qu'elle voyait la main de Sigognac, furieux, se crisper convulsivement sur le pommeau de sa rapière.

Elle se posa une mouche au coin de la lèvre et fit mine de se lever pour passer sur le théâtre, car le Tyran, avec sa voix de taureau, avait déjà crié plusieurs : « Mesdemoiselles, êtes-vous prêtes? »

« Permettez, mademoiselle, dit le duc; vous oubliez de mettre une assassine. »

Et Vallombreuse, plongeant un doigt dans la boîte à mouches posée sur la toilette, en retira une petite étoile de taffetas noir.

« Souffrez, continua-t-il, que je vous la pose; ici, tout près du sein; elle en relèvera la blancheur et paraîtra comme un grain de beauté naturel. »

L'action accompagna le discours si vite qu'Isabelle, effarouchée de cette outrecuidance, eut à peine le temps de se renverser le dos sur la chaise pour éviter l'insolent contact; mais le duc n'était pas de ceux qui s'intimidaient aisément, et son doigt moucheté allait effleurer la gorge de la jeune comédienne lorsqu'une main de fer s'abattit sur son bras et le maintint comme dans un étau.

Le duc de Vallombreuse, transporté de rage, retourna la tête et vit le capitaine Fracasse campé dans une pose qui ne sentait point son poltron de comédie.

« Monsieur le duc, dit Fracasse en tenant toujours le poignet de Vallombreuse, mademoiselle pose ses mouches elle-même. Elle n'a besoin des services de personne. »

Cela dit, il lâcha le bras du jeune seigneur, dont le premier mouvement fut de chercher la garde de son épée. En ce moment Vallombreuse, malgré sa beauté, avait une tête plus horrible et formidable que celle de Méduse. Une pâleur affreuse couvrait son visage, ses noirs sourcils s'abaissaient sur ses yeux injectés de sang. La pourpre de ses lèvres prenait une couleur violette et blanchissait d'écume; ses narines palpitaient comme aspirant le carnage. Il s'élança vers Sigognac, qui ne rompit pas d'une semelle, attendant l'assaut; mais, tout à coup, il s'arrêta. Une réflexion soudaine éteignit, comme une douche d'eau glacée, sa bouillante frénésie. Ses traits se remirent en place; les couleurs naturelles lui revinrent, il avait complètement repris possession de lui-même, et son visage exprimait le dédain le plus glacial, le mépris le plus suprême qu'une créature humaine puisse témoigner à une autre. Il venait de penser que son adversaire n'était pas né et qu'il avait failli se commettre avec un histrion. Tout son orgueil nobiliaire se révoltait à cette idée. L'insulte partie de si bas ne pouvait l'atteindre; se bat-on

avec la boue qui vous éclabousse? Cependant il n'était
pas dans sa nature de laisser une offense impunie
d'où qu'elle vînt, et, se rapprochant de Sigognac, il lui
dit : « Drôle, je te ferai rompre les os par mes laquais!

— Prenez garde, monseigneur, répondit Sigognac du
ton le plus tranquille et de l'air le plus détaché du
monde, prenez garde, j'ai les os durs et les bâtons s'y
briseront comme verre. Je ne reçois de volée que dans
les comédies.

— Quelque insolent que tu sois, maraud, je ne te
ferai pas l'honneur de te battre moi-même. C'est une
ambition qui passe tes mérites, dit Vallombreuse.

— C'est ce que nous verrons, monsieur le duc, répliqua Sigognac. Peut-être bien, ayant moins de fierté,
vous battrai-je de mes propres mains.

— Je ne réponds pas à un masque, fit le duc en
prenant le bras de Vidalinc, qui s'était rapproché.

— Je vous montrerai mon visage, duc, en lieu et en
temps opportun, reprit Sigognac, et je crois qu'il vous
sera plus désagréable encore que mon faux nez. Mais
brisons là. Aussi bien j'entends la sonnette qui tinte,
et je courrais risque en tardant davantage de manquer
mon entrée. »

Les comédiens admiraient son courage, mais,
connaissant la qualité du Baron, ne s'en étonnaient pas
comme les autres spectateurs de cette scène, interdits
d'une telle audace. L'émotion d'Isabelle avait été si
vive que le fard lui en était tombé, et que Zerbine,
voyant la pâleur mortelle qui les couvrait, avait été
obligée de lui mettre un pied de rouge sur les joues.
A peine pouvait-elle se tenir sur ses jambes, et si la
Soubrette ne lui eût soutenu le coude, elle aurait piqué
du nez sur les planches en entrant en scène. Etre
l'occasion d'une querelle était profondément désagréable à la douce, bonne et modeste Isabelle, qui ne
redoutait rien tant que le bruit et l'éclat qui se font
autour d'une femme, la réputation y perdant toujours;
d'ailleurs, quoique résolue à ne lui point céder, elle
aimait tendrement Sigognac, et la pensée d'un guet-
apens, ou tout au moins d'un duel, à quoi il était
exposé, la troublait plus qu'on ne saurait dire.

Malgré cet incident, la répétition marcha son train,
les émotions réelles de la vie ne pouvant distraire les
comédiens de leurs passions fictives. Isabelle même
joua très bien, quoiqu'elle eût le cœur plein de souci.

Quant à Fracasse, excité par la querelle, il se montra étincelant de verve. Zerbine se surpassa. Chacun de ses mots soulevait des rires et des battements de mains prolongés. Du coin de l'orchestre partait avant tous les autres un applaudissement qui ne cessait que le dernier et dont la persistance enthousiaste finit par attirer l'attention de Zerbine.

La Soubrette feignant un jeu de scène s'avança près des chandelles, allongea le col avec un mouvement d'oiseau curieux qui passe sa tête entre deux feuilles, plongea le regard dans la salle et découvrit le marquis de Bruyères tout rouge de satisfaction et dont les yeux pétillants de désir flambaient comme des escarboucles. Il avait retrouvé la Lisette, la Marton, la Sméraldine de son rêve! Il était aux anges.

« M. le marquis est arrivé », dit tout bas Zerbine à Blazius, qui jouait Pandolphe, dans l'intervalle d'une demande à une réplique avec cette voix à bouche close que les acteurs savent prendre lorsqu'ils causent entre eux sur le théâtre et ne veulent point être entendus par le public; « vois comme il jubile, comme il rayonne, comme il est passionné! Il ne se tient pas d'aise, et n'était la vergogne, il sauterait par-dessus la rampe pour me venir embrasser devant tout le monde! Ah! monsieur de Bruyères, les soubrettes vous plaisent. Eh bien, l'on vous en fricassera avec sel, piment et muscade. »

A partir de cet endroit de la pièce, Zerbine fit feu des quatre pieds et joua avec une verve enragée. Elle semblait lumineuse à force de gaieté, d'esprit et d'ardeur. Le marquis comprit qu'il ne pourrait plus se passer désormais de cette âcre sensation. Toutes les autres femmes dont il avait eu les bonnes grâces, et qu'il opposait en souvenir à Zerbine, lui parurent ternes, ennuyeuses et fades.

La pièce de M. de Scudéry qu'on répéta ensuite fit plaisir quoique moins amusante, et Léandre, chargé du rôle de Lygdamon, y fut charmant; mais puisque nous sommes fixés sur le talent de nos comédiens, laissons-les à leurs affaires et suivons le duc de Vallombreuse et son ami Vidalinc.

Outré de fureur après cette scène où il n'avait pas eu l'avantage, le jeune duc était rentré à l'hôtel Vallombreuse avec son confident, méditant mille projets de vengeance; les plus doux ne tendaient à rien

moins qu'à faire bâtonner l'insolent capitaine jusques
à le laisser pour mort sur la place.

Vidalinc cherchait en vain à le calmer; le duc se
tordait les mains de rage et courait par la chambre
comme un forcené, donnant des coups de poing aux
fauteuils qui tombaient comiquement les quatre fers
en l'air, renversant les tables et faisant, pour passer
sa fureur, toutes sortes de dégâts; puis il saisit un
vase du Japon et le lança contre le parquet, où il se
brisa en mille morceaux.

« Oh! s'écria-t-il, je voudrais pouvoir casser ce
drôle comme ce vase, et le piétiner, et en balayer les
restes aux ordures! Un misérable qui ose s'interposer
entre moi et l'objet de mon désir! S'il était seulement
gentilhomme, je le combattrais à l'épée, à la dague,
au pistolet, à pied, à cheval, jusqu'à ce que j'aie posé
le pied sur sa poitrine et craché à la face de son
cadavre!

— Peut-être l'est-il, fit Vidalinc, je le croirais assez
à son assurance; maître Bilot a parlé d'un comédien
qui s'était engagé par amour et qu'Isabelle regardait
d'un œil favorable. Ce doit être celui-là, si j'en juge à
sa jalousie et au trouble de l'infante.

— Y penses-tu, reprit Vallombreuse, une personne
de condition se mêler à ces baladins, monter sur les
tréteaux, se barbouiller de rouge, recevoir des nasardes
et des coups de pied au derrière! Non, cela est par
trop impossible.

— Jupiter s'est bien mué en bête et même en mari
pour jouir de mortelles, répondit Vidalinc, dérogation
plus forte à la majesté d'un dieu olympien que jouer
la comédie à la dignité d'un noble.

— N'importe, dit le duc en appuyant le pouce sur
un timbre, je vais d'abord punir l'histrion, sauf à châ-
tier plus tard l'homme, s'il y en a un derrière ce
masque ridicule.

— S'il y en a un! n'en doutez pas, reprit l'ami de
Vallombreuse; ses yeux brillaient comme des lampes,
sous le crin de ses sourcils postiches, et malgré son
nez de carton barbouillé de cinabre, il avait l'air
majestueux et terrible, chose difficile en cet accoutrement.

— Tant mieux, dit Vallombreuse, ma vengeance
ainsi ne donnera pas de coups d'épée dans l'eau et
rencontrera une poitrine devant ses coups. »

Un domestique entra, s'inclina profondément, et dans une immobilité parfaite attendit les ordres du maître.

« Fais lever, s'ils sont couchés, Basque, Azolan, Mérindol et Labriche, dis-leur de s'armer de bons gourdins et d'aller attendre à la sortie du jeu de paume, où sont les comédiens d'Hérode, un certain capitaine Fracasse. Qu'ils l'assaillent, le gourment et le laissent sur le carreau, sans le tuer pourtant; on pourrait croire que j'en ai peur! Je me charge des suites. En le bâtonnant qu'on lui crie : De la part du duc de Vallombreuse; afin qu'il n'en ignore. »

Cette commission, d'une nature assez farouche et truculente, ne parut pas surprendre beaucoup le laquais, qui se retira en assurant à M. le duc que ses ordres allaient être exécutés sur l'heure.

« Cela me contrarie, dit Vidalinc, lorsque le valet se fut retiré, que vous fassiez traiter de la sorte ce baladin, qui, après tout, a montré un cœur au-dessus de son état. Voulez-vous que sous un prétexte ou l'autre j'aille lui chercher querelle et que je le tue? Tous les sangs sont rouges quand on les verse, quoiqu'on dise que celui des nobles soit bleu. Je suis de bonne et ancienne souche, mais non d'un rang si grand que le vôtre, et ma délicatesse ne craint pas de se commettre. Dites un mot et j'y vais. Ce capitaine me semble plus digne de l'épée que du bâton.

— Je te remercie, répondit le duc, de cette offre qui me prouve la fidélité parfaite avec laquelle tu entres dans mes intérêts, mais je ne saurais pourtant l'accepter. Ce faquin a osé me toucher. Il convient qu'il expie ignominieusement ce crime. S'il est gentilhomme, il trouvera à qui parler. Je réponds toujours quand on m'interroge avec une épée.

— Comme il vous plaira, monsieur le duc, dit Vidalinc en allongeant ses pieds sur un tabouret, comme un homme qui n'a plus qu'à laisser aller les choses. A propos, savez-vous que cette Sérafine est charmante! Je lui ai dit quelques douceurs, et j'en ai déjà obtenu un rendez-vous. Maître Bilot avait raison. »

Le duc et son ami, retombant dans le silence, attendirent le retour des estafiers.

## IX

## COUPS D'ÉPÉE, COUPS DE BÂTON

### ET AUTRES AVENTURES

La répétition était finie. Retirés dans leurs loges, les comédiens se déshabillaient et prenaient leurs habits de ville. Sigognac en fit autant, mais il garda, s'attendant à quelque assaut, son épée de Matamore. C'était une bonne vieille lame espagnole, longue comme un jour sans pain, avec une coquille de fer ouvragé qui enveloppait bien le poignet, et qui, maniée par un homme de cœur, pouvait parer des coups et en porter de solides, sinon de mortels, car elle était épointée et mousse selon l'usage des gens de théâtre, mais cela suffisait bien pour la valetaille que le duc avait chargée de sa vengeance.

Hérode, robuste compagnon aux larges épaules, avait emporté le bâton qui lui servait à frapper les levers de rideau, et avec cette espèce de massue, qu'il manœuvrait comme si c'eût été un fétu de paille, il se promettait de faire rage contre les marauds qui attaqueraient Sigognac, cela n'étant pas dans son caractère de laisser ses amis en péril.

« Capitaine, dit-il au Baron, lorsqu'ils se trouvèrent dans la rue, laissons filer les femelles, dont les piaillements nous assourdiraient, sous la conduite de Léandre et de Blazius : l'un n'est qu'un fat, poltron comme la lune; l'autre est par trop vieil, et la force trahirait son courage; Scapin restera avec nous, il passe le croc-en-jambe mieux que pas un, et en moins d'une minute il vous aura étendu sur le dos, plats comme porcs, un ou deux de ces maroufles, si tant est qu'ils nous assaillent; en tout cas, mon bâton est au service de votre rapière.

— Merci, brave Hérode, répondit Sigognac, l'offre n'est pas de refus; mais prenons bien nos dispositions, de peur d'être attaqués à l'improviste. Marchons les uns derrière les autres à un certain intervalle, juste au milieu de la rue; il faudra que ces coquins apostés, qui s'appliquent à la muraille dans l'ombre, s'en détachent pour arriver jusqu'à nous, et nous aurons le temps de les voir venir. Çà, dégainons l'épée; vous, brandissez votre massue, et que Scapin fasse un plié de jarret pour se rendre la jambe souple. »

Sigognac prit la tête de la petite colonne, et s'avança prudemment dans la ruelle qui menait du jeu de paume à l'auberge des *Armes de France.* Elle était noire, tortueuse, inégale en pavés, merveilleusement propre aux embuscades. Des auvents s'y projetaient redoublant l'épaisseur de l'ombre, et prêtant leur abri aux guets-apens. Aucune lumière ne filtrait des maisons endormies, et il n'y avait pas de lune cette nuit-là.

Basque, Azolan, Labriche et Mérindol, les estafiers du jeune duc, attendaient déjà depuis plus d'une demi-heure le passage du capitaine Fracasse, qui ne pouvait rentrer à son auberge par un autre chemin. Azolan et Basque s'étaient tapis dans l'embrasure d'une porte, d'un côté de la rue; Mérindol et Labriche, effacés contre la muraille, avaient pris position juste en face, de manière à faire converger leurs bâtons sur Sigognac, comme les marteaux des cyclopes sur l'enclume. Le groupe des femmes conduit par Blazius et Léandre les avait avertis que Fracasse ne pouvait tarder, et ils se tenaient piétés, les doigts repliés sur le gourdin, prêts à s'acquitter de leur besogne, sans se douter qu'ils allaient avoir affaire à forte partie, car d'habitude les poètes, histrions et bourgeois que les grands daignent faire bâtonner prennent la chose en douceur et se contentent de courber le dos.

Sigognac, dont la vue était perçante, bien que la nuit fût fort noire, avait depuis quelques instants déjà découvert les quatre escogriffes à l'affût. Il s'arrêta, et fit mine de vouloir rebrousser chemin. Cette feinte détermina les coupe-jarrets, qui voyaient leur proie s'échapper, à quitter leur embuscade pour courir sus au capitaine. Azolan s'élança le premier, et tous crièrent : « Tue! tue! Au capitaine Fracasse de la part de monseigneur le duc! » Sigognac avait enveloppé à plusieurs tours son bras gauche de son manteau, qui formait, ainsi roulé, une sorte de manchon impénétrable; de ce manchon, il para le coup de gourdin que lui assenait Azolan, et lui porta de sa rapière une

botte si violente en pleine poitrine que le misérable
tomba au beau milieu du ruisseau le bréchet effondré,
les semelles en l'air et le chapeau dans la boue. Si la
pointe n'eût été mornée, le fer lui eût traversé le
corps et fût sorti entre les deux épaules. Basque, malgré le mauvais succès de son compagnon, s'avança bravement, mais un furieux coup de plat d'épée sur la
tête lui fracassa le moule du bonnet, et lui montra
trente-six chandelles en cette nuit plus opaque que
poix. La massue d'Hérode fit voler en éclats le bâton
de Mérindol, qui, se voyant désarmé, prit la fuite, non
sans avoir le dos froissé et meurtri par le formidable
bois, si prompt qu'il fût à tirer ses guêtres. L'exploit
de Scapin fut tel : il saisit Labriche à bras-le-corps
d'un mouvement si prompt et si vif que celui-ci, à
demi étouffé, ne put faire aucun usage de son gourdin, puis, l'appuyant sur son bras gauche et le poussant de son bras droit de manière à lui faire craquer
les vertèbres, il l'enleva de terre par un croc-en-jambe
sec, nerveux, irrésistible comme la détente d'un ressort d'arbalète, et l'envoya rouler sur le pavé dix pas
plus loin. La nuque de Labriche porta contre une
pierre, et le choc fut si rude que l'exécuteur des ven-
geances de Vallombreuse resta évanoui sur le champ
de bataille, avec toutes les apparences d'un cadavre.

Désormais la rue était libre, et la victoire demeurait
aux comédiens. Azolan et Basque, rampant sur leurs
poignets, tâchaient de gagner quelque auvent pour
reprendre leurs esprits. Labriche gisait comme un
ivrogne en travers du ruisseau. Mérindol, moins grièvement navré, avait pris la poudre d'escampette sans
doute pour que quelqu'un survécût au désastre, et le
pût raconter. Cependant, en approchant de l'hôtel
Vallombreuse, il ralentit le pas, car il allait se trouver en face de la colère du duc, non moins redoutable que le gourdin d'Hérode. A cette idée la sueur lui
coulait du front, et il ne sentait plus la douleur de
son épaule luxée, après laquelle pendait un bras inerte
et flasque comme une manche vide.

A peine était-il rentré à l'hôtel que le duc, impatient de savoir le succès de l'algarade, le fit appeler.
Mérindol parut avec une contenance embarrassée et
gauche, car il souffrait beaucoup de son bras. Sous le
hâle de son teint se glissait des pâleurs verdâtres, et
une fine sueur lui perlait sur le front. Immobile et

silencieux, il se tenait au seuil de la chambre, attendant un mot d'encouragement ou une question de la part du duc, qui se taisait.

« Eh bien, dit le chevalier de Vidalinc voyant que Villombreuse regardait Mérindol d'un air farouche, quelles nouvelles apportez-vous? Mauvaises, sans doute, car vous n'avez pas la mine fort triomphante.

— Monsieur le duc, répondit Mérindol, ne peut douter de notre zèle à exécuter ses ordres; mais cette fois la fortune a mal servi notre valeur.

— Comment cela? fit le duc avec un mouvement de colère; à vous quatre vous n'avez pas réussi à bâtonner cet histrion?

— Cet histrion, répondit Mérindol, passe en vigueur et en courage les Hercules fabuleux. Il s'est rué si furieusement contre nous que, d'assailli devenu assaillant, il a couché en moins de rien Azolan et Basque sur le carreau. Sous ses coups ils sont tombés comme capucins de cartes, et pourtant ce sont de rudes compagnons. Labriche a été mis bas par un autre baladin au moyen d'un tour subtil de gymnastique, et sa nuque maintenant sait combien est dur le pavé de Poitiers. Moi-même j'ai eu mon bâton cassé sous la massue du sieur Hérode, et l'épaule froissée de façon à ne pas me servir de mon bras d'ici à quinze jours.

— Vous n'êtes que des veaux, des gavaches et des ruffians sans adresse, sans dévouement et sans courage! s'écria le duc de Vallombreuse outré de fureur. Une vieille femme vous mettrait en fuite avec sa quenouille. J'ai eu bien tort de vous sauver de la potence et des galères! autant vaudrait avoir d'honnêtes gens à son service : ils ne seraient ni plus gauches ni plus lâches! Puisque les bâtons ne suffisaient pas, il fallait prendre les épées!

— Monseigneur, reprit Mérindol, avait commandé une bastonnade et non un assassinat. Nous n'aurions osé prendre sur nous d'outre-passer ses ordres.

— Voilà, dit en riant Vidalinc, un coquin formaliste, ponctuel et consciencieux. J'aime cette candeur dans le guet-apens; qu'en dites-vous? Cette petite aventure s'emmanche d'une façon assez romanesque et qui doit vous plaire, Vallombreuse, puisque les facilités vous rebutent et que les obstacles vous charment. Pour une comédienne, l'Isabelle me paraît de laborieuse approche; elle habite une tour sans pont-levis et gardée, comme dans les histoires de chevalerie, par des dragons soufflant feux et flamme. Mais voici notre armée en déroute qui revient. »

En effet, Azolan, Basque et Labriche, remis de son évanouissement, se montrèrent à la porte du salon tendant vers le duc des mains suppliantes. Ils étaient livides, hagards, souillés de boue et de sang, bien qu'ils n'eussent d'autres blessures que des contusions, mais la violence des coups avait déterminé des hémorragies nasales, et des plaques rougeâtres tigraient hideusement le cuir jaune de leurs buffles.

« Rentrez dans vos chenils, canailles! s'écria le duc, qui n'était pas tendre, à la vue de cette troupe éclopée. Je ne sais à quoi tient que je ne vous fasse donner les étrivières pour votre imbécillité et couardise; mon chirurgien va vous visiter, et me dira si les horions dont vous vous prétendez navrés sont de conséquence, sinon je vous ferai écorcher vif comme anguilles de Melun. Allez! »

L'escouade déconfite se le tint pour dit et disparut comme si elle eût été ingambe, tant le jeune duc inspirait de terreur à ces spadassins, gens de sac et de corde, qui n'étaient pourtant pas fort timides de nature.

Quand les pauvres diables se furent retirés, Vallombreuse se jeta sur une pile de carreaux, et garda un silence que Vidalinc respecta. Des pensées tempétueuses se succédaient dans sa cervelle comme les nuages noirs poussés par un vent furieux sur un ciel d'orage. Il voulait mettre le feu à l'auberge, enlever Isabelle, tuer le capitaine Fracasse, jeter à l'eau toute la troupe de comédiens. Pour la première fois de sa vie il rencontrait une résistance! Il avait ordonné une chose qui ne s'était pas faite! Un baladin le bravait! Des gens à lui s'étaient enfuis rossés par un capitan de théâtre! Son orgueil se révoltait à cette idée, et il en éprouvait comme une sorte de stupeur. Cela était donc possible que quelqu'un lui tînt tête? Puis il songeait que, revêtu d'un costume magnifique, constellé de diamants, paré de toutes ses grâces, dans tout l'éclat de son rang et de sa beauté, il n'avait pu obtenir un regard favorable d'une fille de rien, d'une actrice ambulante, d'une poupée exposée chaque soir aux sifflets du premier croquant, lui que les princesses accueillaient le sourire aux lèvres, pour qui les

duchesses se pâmaient d'amour, et qui n'avait jamais
rencontré de cruelle. Il en grinçait des dents de rage,
et sa main crispée froissait le splendide pourpoint
de satin blanc qu'il n'avait pas quitté encore, comme
s'il eût voulu le punir de l'avoir si mal secondé en
ses projets de séduction.

Enfin il se leva brusquement, fit un signe d'adieu à
son ami Vidalinc, et se retira, sans toucher au souper
qu'on venait de lui servir, dans sa chambre à coucher
où le Sommeil ne vint pas fermer les rideaux de
damas de son lit.

Vidalinc, à qui l'idée de Sérafine tenait joyeusement
compagnie, ne s'aperçut pas qu'il soupait seul et mangea de fort bon appétit. Bercé de fantaisies voluptueuses où figurait toujours la jeune comédienne, il
dormit tout d'un somme jusqu'au lendemain.

Quand Sigognac, Hérode et Scapin rentrèrent à l'auberge, ils trouvèrent les autres comédiens fort alar-
més. Les cris : Tue! tue! et le bruit de la rixe étaient
parvenus, à travers le silence de la nuit, aux oreilles
d'Isabelle et de ses camarades. La jeune fille avait
manqué défaillir, et sans Blazius qui lui soutenait le
coude, elle se fût affaissée sur les genoux. Pâle comme
une cire et toute tremblante, elle attendait au seuil de
sa porte pour savoir des nouvelles. A la vue de Sigognac sans blessure, elle poussa un faible cri, leva les
bras au ciel et les laissa retomber autour du col du
jeune homme, se cachant la figure contre son épaule
avec un adorable mouvement de pudeur; mais, dominant promptement son émotion, elle se dégagea bientôt de cette étreinte, recula de quelques pas et reprit
sa réserve habituelle.

« Vous n'êtes pas blessé, au moins? dit-elle avec sa
voix la plus douce. Que de chagrin j'aurais si, à cause
de moi, il vous était arrivé le moindre mal! Aussi,
quelle imprudence! aller braver ce duc si beau et si
méchant, qui a le regard et l'orgueil de Lucifer, pour
une pauvre fille comme moi! Vous n'êtes pas raison-
nable, Sigognac; puisque vous êtes maintenant comédien comme nous, il faut savoir souffrir certaines inso-
lences.

— Je ne laisserai jamais, répondit Sigognac, personne insulter en ma présence à l'adorable Isabelle,
encore que j'aie sur la figure le masque d'un capitan.

— Bien parlé, capitaine, dit Hérode, bien parlé et

mieux agi! Tudieu! quelles rudes estocades! Bien en
a pris à ces drôles que l'épée de défunt Matamore
n'eût pas le fil, car vous les eussiez fendus du crâne
au talon, comme les chevaliers errants faisaient des
Sarrasins et des enchanteurs.

— Votre bâton travaillait aussi bien que ma rapière,
répliqua Sigognac, rendant à Hérode la monnaie de
son compliment, et votre conscience doit être tranquille, car ce n'étaient point des innocents que vous
massacriez cette fois.

— Oh! non, répondit le Tyran riant d'un pied en
carré dans sa large barbe noire, la fine fleur des
bagnes, de vrais gibiers de potence!

— Ces besognes, il faut en convenir, ne peuvent
être faites par les plus gens de bien, dit Sigognac; mais
n'oublions pas de célébrer comme il convient la vaillance héroïque du glorieux Scapin, lequel a combattu
et vaincu sans armes autres que celles suppéditées
par la nature. »

Scapin, qui était bouffon, fit le gros dos, comme
gonflé de la louange, mit la main sur son cœur, baissa
les yeux, et exécuta une révérence comique confite en
modestie.

« Je vous aurais bien accompagné, fit Blazius; mais
le chef me branle pour mon vieil âge, et je ne suis
plus bon que le verre au poing, en des conflits de bouteilles et batailles de pots. »

Ces propos achevés, les comédiens, comme il se faisait tard, se retirèrent chacun en sa chacunière, à
l'exception de Sigognac, qui fit encore quelques tours
en la galerie, comme méditant un projet : le comédien
était vengé, mais le gentilhomme ne l'était pas. Allait-il
jeter le masque qui assurait son incognito, dire son
vrai nom, faire un éclat, attirer peut-être sur ses camarades la colère du jeune duc? La prudence vulgaire
disait non, mais l'honneur disait oui. Le Baron ne
pouvait résister à cette voix impérieuse, et il se dirigea vers la chambre de Zerbine.

Il gratta doucement à la porte, qui s'entrebâilla et
s'ouvrit toute grande lorsqu'il eut dit son nom. Une
vive lumière brillait dans la chambre; de riches flambeaux chargés de bougies roses étaient placés sur une
table recouverte d'une nappe damassée à plis symé-
riques, où fumait un délicat souper servi en vaisselle
plate. Deux perdrix cuirassées d'une barde de lard

doré se prélassaient au milieu d'un cercle de rouelles
d'oranges; des blanc-manger et une tourte aux que-
nelles de poissons, chef-d'œuvre de maître Bilot, les
accompagnaient. Dans un flacon de cristal moucheté
de fleurettes d'or étincelait un vin couleur de rubis,
auquel, dans un flacon pareil, faisait pendant un vin
couleur de topaze. Il y avait deux couverts, et lorsque
Sigognac entra, Zerbine faisait raison d'un rouge-bord
au marquis de Bruyères, dont le regard flambait d'une
double ivresse, car jamais la malingre soubrette n'avait
été plus séduisante, et d'autre part le marquis professait cette doctrine que, sans Cérès et sans Bacchus,
Vénus se morfond.

Zerbine fit à Sigognac un gracieux signe de tête où
se mélangeaient habilement la familiarité de l'actrice
pour le camarade et le recpect de la femme pour le
gentilhomme.

« C'est bien charmant à vous, fit le marquis de
Bruyères, de venir nous surprendre dans notre nid
d'amoureux. J'espère que sans crainte de troubler le
tête-à-tête vous allez souper avec nous. Jacques, mettez un couvert pour monsieur.

— J'accepte votre gracieuse invitation, dit Sigognac,
non que j'aie grand-faim, mais je ne veux pas vous
troubler dans votre repas, et rien n'est désagréable
pour l'appétit comme un témoin qui ne mange pas. »

Le Baron prit place sur le fauteuil que lui avança
Jacques en face du marquis et à côté de Zerbine,
M. de Bruyères lui découpa une aile de perdrix et lui
remplit son verre sans lui faire aucune question, en
homme de qualité qu'il était, car il se doutait bien
qu'une circonstance grave amenait le Baron, d'ordinaire fort réservé et sauvage.

« Ce vin vous plaît-il ou préférez-vous le blanc? dit
le marquis; moi je bois des deux, pour ne pas faire de
jaloux.

— Je suis fort sobre de nature et d'habitude, dit Sigognac, et je tempère Bacchus par les nymphes, comme
disaient les anciens. Le vin rouge me suffit; mais ce
n'est pas pour banqueter que j'ai commis l'indiscrétion de pénétrer dans la retraite de vos amours à cette
heure incongrue. Marquis, je viens vous requérir d'un
service qu'un gentilhomme ne refuse point à un autre.
Mlle Zerbine a dû sans doute vous conter qu'au foyer
des actrices M. le duc de Vallombreuse avait voulu

porter la main à la gorge d'Isabelle, sous prétexte d'y poser une mouche, action indigne, lascive et brutale que ne justifiait aucune coquetterie ou avance de la part de cette jeune personne, aussi sage que modeste, pour qui je fais profession d'une estime parfaite.

— Elle le mérite, fit Zerbine, et quoique femme et sa camarade, je ne saurais en dire du mal quand même je le voudrais.

— J'ai arrêté, continua Sigognac, le bras du duc dont la colère a débordé en menaces et invectives auxquelles j'ai répondu avec un sang-froid moqueur, abrité par mon masque de Matamore. Il m'a menacé de me faire bâtonner par ses laquais; et en effet, tout à l'heure, comme je rentrais à l'hôtel des *Armes de France* en suivant une ruelle obscure, quatre coquins se sont précipités sur moi. Avec quelques coups de plat d'épée, j'ai fait justice de deux de ces drôles; Hérode et Scapin ont accommodé les deux autres de la bonne façon. Bien que le duc s'imaginât n'avoir affaire qu'à un pauvre comédien, comme il se trouve un gentilhomme dans la peau de ce comédien, un tel outrage ne saurait demeurer impuni. Vous me connaissez, marquis; quoique jusqu'à présent vous ayez respecté mon incognito, vous savez quels furent mes ancêtres, et vous pouvez certifier que le sang des Sigognac est noble depuis mille ans, pur de toute mésalliance, et que tous ceux qui ont porté ce nom n'ont jamais souffert une tache à leurs armoiries.

— Baron de Sigognac, dit le marquis de Bruyères en donnant pour la première fois à son hôte son véritable nom, j'attesterai sur mon honneur devant qui vous le souhaiterez l'antiquité et la noblesse de votre race. Palamède de Sigognac fit merveille à la première croisade, où il menait cent lances sur un dromon équipé à ses frais. C'était à une époque où bien des nobles qui font aujourd'hui les superbes n'étaient pas même écuyers. Il était fort ami de Hugues de Bruyères, mon aïeul, et tous deux couchaient sous la même tente comme frères d'armes. »

A ces glorieux souvenirs, Sigognac relevait la tête; il sentait palpiter en lui l'âme des aïeux, et Zerbine, qui le contemplait, fut surprise de la beauté singulière, et pour ainsi dire intérieure, qui illuminait comme une flamme la physionomie habituellement triste du Baron. « Ces nobles, se dit la Soubrette, ont l'air d'être sortis de la propre cuisse de Jupiter; au moindre mot, leur orgueil se dresse sur les ergots, et ils ne peuvent, comme les vilains, digérer l'insulte. C'est égal, si le Baron me regardait avec ces yeux-là, je ferais bien, en sa faveur, une infidélité au marquis. Ce petit Sigognac flambe d'héroïsme! »

« Donc, puisque telle est votre opinion sur ma famille, dit le Baron au marquis, vous défierez en mon nom M. le duc de Vallombreuse et lui porterez le cartel?

— Je le ferai, répondit le marquis d'un ton grave et mesuré qui contrastait avec son enjouement ordinaire, et de plus je mets comme second mon épée à votre service. Demain je me présenterai à l'hôtel Vallombreuse. Le jeune duc, s'il a le défaut d'être insolent, n'a pas celui d'être lâche, et il ne se retranchera pas derrière sa dignité dès qu'il saura votre véritable condition. Mais en voilà assez sur ce sujet. N'ennuyons pas plus longtemps Zerbine de nos querelles d'homme. Je vois ses lèvres purpurines se contracter malgré la politesse, et il faut que ce soit le rire et non le bâillement qui nous montre les perles dont sa bouche est l'écrin. Allons, Zerbine, reprenez votre gaieté et versez à boire au baron. »

La Soubrette obéit avec autant de grâce que de dextérité. Hébé versant le nectar ne s'y fût pas mieux prise. Elle faisait bien tout ce qu'elle faisait.

Il ne fut plus question de rien pendant le reste du souper. La conversation roula sur le jeu de Zerbine, que le marquis accablait de compliments auxquels Sigognac pouvait joindre les siens sans nulle complaisance ou galanterie, car la Soubrette avait montré un esprit, une verve et un talent incomparables. On parla aussi des vers de M. de Scudéry, un des plus beaux esprits du temps, que le marquis trouvait parfaits, mais légèrement soporifiques, préférant à *Lygdamon et Lydias*, *Les Rodomontades du capitaine Fracasse*. C'était un homme de goût que ce marquis!

Dès qu'il put le faire, Sigognac prit congé et se retira en sa chambre dont il poussa le verrou. Puis il sortit d'un étui de serge qui l'entourait de peur de la rouille une épée ancienne, celle de son père, qu'il avait emportée avec lui comme une amie fidèle. Il la tira lentement du fourreau et en baisa respectueusement la poignée. C'était une belle arme, riche sans

ornementation superflue, une arme de combat et non
de parade. Sur la lame d'acier bleuâtre, relevée de
quelques minces filets d'or, se voyait imprimée la
marque d'un des plus célèbres armuriers de Tolède.
Sigognac prit un chiffon de laine et le passa à plusieurs reprises sur ce fer pour lui rendre tout son
brillant. Il tâta du doigt le fil et la pointe, et l'appuyant contre la porte, il courba la lame presque
jusqu'à son poignet afin d'en éprouver la souplesse. Le
noble fer subit vaillamment ces essais, et fit voir qu'il
ne trahirait pas son homme sur le pré. Animé par
l'éclat poli de l'acier, sentant la garde bien à la main,
Sigognac se mit à tirer au mur, et vit qu'il n'avait rien
oublié des leçons que Pierre, ancien prévôt de salle,
lui donnait pendant ses longs loisirs au château de la
Misère.

Ces exercices auxquels il s'était livré avec son vieux
domestique, faute de pouvoir suivre les académies
comme il eût été convenable pour un jeune gentilhomme, avaient développé sa force, corroboré ses
muscles, augmenté sa souplesse naturelle. N'ayant rien
autre chose à faire, il s'était pris d'une sorte de passion
à l'endroit de l'escrime et avait profondément étudié
cette noble science; bien qu'il ne se crût encore qu'un
écolier, il était depuis longtemps passé maître, et il lui
arrivait souvent, dans les assauts qu'ils faisaient
ensemble, de moucheter d'un point bleuâtre le plastron
de buffle dont Pierre se couvrait la poitrine. Il est vrai
qu'en sa modestie il se disait que le bon Pierre faisait
exprès de se laisser toucher, pour ne pas le décourager
toujours avec des parades invincibles. Il se trompait en
cela : le vieux prévôt n'avait caché à son élève chéri
aucun des secrets de son art. Pendant des années
entières il l'avait tenu aux principes, quoique Sigognac
parfois témoignât de l'ennui de ces exercices si longuement répétés, en sorte que le jeune Baron possédait
une solidité égale à celle de son maître, mais la jeunesse lui donnait plus de souplesse et de rapidité; sa
vue aussi était meilleure, en sorte que Pierre, quoique
sachant une riposte à toute botte, ne parvenait pas
aussi régulièrement qu'autrefois à écarter le fer du
Baron. Ces défaites, qui eussent aigri un maître d'armes
ordinaire, car ces gladiateurs de profession ne se
laissent pas volontiers vaincre, même par leurs plus
chers, réjouissaient et remplissaient d'orgueil le cœur

du brave domestique, mais il cachait sa joie de peur que le Baron ne se négligeât, croyant avoir atteint le but et emporté la palme.

Ainsi en ce siècle de raffinés, de fendeurs de naseaux, de gens campés sur la hanche, de duellistes et de bretteurs fréquentant les salles des maîtres espagnols et napolitains pour apprendre des bottes secrètes et des coups de Jarnac, notre jeune Baron, qui n'était jamais sorti de sa tourelle que pour chasser, à la queue de Miraut, un maigre lièvre sur la bruyère, se trouvait être, sans en avoir la conscience, une des plus fines lames de l'époque, et capable de se mesurer avec les épées les plus célèbres. Peut-être n'avait-il pas l'élégance insolente, la pose délibérée, la forfanterie provocatrice de tel ou tel gentilhomme renommé pour ses prouesses sur le pré, mais bien habile eût été le fer capable de pénétrer dans le petit cercle où sa garde l'enfermait.

Content de lui et de son épée, qu'il posa près de son chevet, Sigognac ne tarda pas à s'endormir dans une sécurité parfaite, comme s'il n'avait pas chargé le marquis de Bruyères de provoquer le puissant duc de Vallombreuse.

Isabelle ne put fermer l'œil : elle comprenait que Sigognac n'en resterait pas là, et elle redoutait pour son ami les suites de la querelle, mais il ne lui vint pas à l'idée de s'interposer entre les combattants. Les affaires d'honneur étaient en ce temps choses sacrées, que les femmes ne se fussent point avisées d'interrompre ou de gêner par leurs pleurnicheries.

Sur les neuf heures, le marquis, déjà tout habillé, alla trouver Sigognac dans sa chambre, pour régler avec lui les conditions du combat, et le Baron voulut qu'il prît, en cas d'incrédulité ou de refus de la part du Duc, les vieilles chartes, les antiques parchemins auxquels pendaient de larges sceaux de cire sur queue de soie, les diplômes cassés à tous les plis et paraphés de signatures royales dont l'encre avait jauni, l'arbre généalogique aux rameaux touffus chargés de cartels, toutes les pièces enfin qui attestaient la noblesse des Sigognac. Ces illustres paperasses, dont l'écriture gothiquement indéchiffrable eût demandé des lunettes et la science d'un bénédictin, étaient enveloppées pieusement d'un morceau de taffetas cramoisi dont la couleur passée avait pris une teinte pisseuse. On eût dit un morceau de la bannière qui conduisait jadis les cent lances du baron Palamède de Sigognac contre l'ost des Sarrasins.

« Je ne crois pas, dit le marquis, qu'il soit besoin, en cette occurrence, de faire vos preuves comme devant un héraut d'armes; il suffira de ma parole, dont personne n'a jamais douté. Cependant comme il se peut que le duc de Vallombreuse, par extravagant dédain et folle outrecuidance, feigne de ne voir en vous que le capitaine Fracasse, comédien aux gages du sieur Hérode, je vais toujours prendre ces pièces que mon valet portera au cas qu'il les faille produire.

— Vous ferez ce que vous jugerez à propos, répondit Sigognac; je m'en fie à votre sagesse et je remets mon honneur entre vos mains.

— Il n'y périclitera pas, répondit M. de Bruyères, soyez-en sûr, et nous aurons raison de ce Duc outrageux dont les façons altières me choquent plus qu'assez. Le tortil du baron, les feuilles d'aches et les perles du marquis valent bien les pointes de la couronne ducale, quand la race est ancienne et la filiation pure de tout mélange. Mais c'est assez parler, il faut agir. Les paroles sont femelles, les actions mâles, et la lessive de l'honneur ne se coule qu'avec du sang, comme disent les Espagnols. »

Là-dessus le marquis appela son valet, lui remit la liasse de papiers, et sortit de l'auberge pour aller à l'hôtel Vallombreuse s'acquitter de sa mission.

Il ne faisait pas encore jour chez le Duc, qui, agité et coléré par les événements de la veille, ne s'était assoupi que fort tard. Aussi, quand le marquis de Bruyères dit au valet de chambre de Vallombreuse de l'annoncer à son maître, les yeux du maraud s'écarquillèrent-ils à cette demande énorme. Réveiller le Duc! Entrer chez lui avant qu'il n'eût sonné! Autant eût valu pénétrer dans la cage d'un lion de Barca ou d'un tigre de l'Inde. Le Duc, même quand il s'était couché de bonne humeur, n'avait pas le réveil gracieux.

« Monsieur ferait mieux d'attendre, dit le laquais tremblant à l'idée d'une telle audace, ou de revenir plus tard. Monseigneur n'a pas encore appelé, et je n'ose prendre sur moi...

— Annonce le marquis de Bruyères, cria le protecteur de Zerbine d'une voix où la colère commençait à vibrer, ou j'enfonce la porte et je m'introduis moi-même; il faut que je parle à ton maître sur-le-champ pour des choses qui sont d'importance et intéressent l'honneur.

— Ah! monsieur vient pour un duel? dit le valet de chambre subitement radouci. Que ne le disiez-vous tout de suite. Je vais aller porter votre nom à monseigneur; il s'est couché hier de si féroce humeur qu'il sera enchanté d'être réveillé par une querelle, et d'avoir un prétexte de se battre. »

Et le laquais, d'un air résolu, pénétra dans l'appartement après avoir prié le marquis de vouloir bien patienter quelques minutes.

Au bruit que fit la porte en s'ouvrant et en se refermant, Vallombreuse, qui ne dormait que d'un œil, s'éveilla tout à fait, et d'un saut si brusque que le bois du lit en craqua, se mit sur son séant, cherchant quelque objet à jeter à la tête du valet de chambre.

« Que le diable embroche de sa corne le triple oison qui interrompt mon sommeil! cria-t-il d'une voix irritée. Ne t'avais-je point ordonné de ne point entrer qu'on ne t'appelât? Je te ferai donner cent coups d'étrivières par mon majordome pour m'avoir désobéi. Comment vais-je me rendormir maintenant? J'ai eu peur un instant que ce ne fût la trop tendre Corisande!

— Monseigneur, répondit le laquais avec un respect prosterné, peut me faire périr sous le bâton si cela lui convient, mais si j'ai osé transgresser la consigne, ce n'est pas sans de bonnes raisons. M. le marquis de Bruyères est là qui voudrait parler à M. le duc pour affaire d'honneur, à ce que j'ai compris. Monsieur le duc ne se cèle point en ces occasions, et reçoit toujours ces sortes de visites.

— Le marquis de Bruyères! fit le duc, est-ce que j'ai eu quelque querelle avec lui? je ne m'en souviens point; et d'ailleurs il y a fort longtemps que je ne lui ai parlé. Peut-être s'imagine-t-il que je veux lui souffler Zerbine, car les amoureux se figurent toujours qu'on en veut à leur objet. Allons, Picard, donne-moi ma robe de chambre et rabats les rideaux du lit, qu'on ne voie point le désordre de la couchette. Il ne faut point faire attendre ce brave marquis. »

Picard présenta au duc une magnifique simarre à la vénitienne qu'il alla prendre dans une garde-robe, et dont le fond d'or se ramageait de grandes fleurs noires veloutées; Vallombreuse en serra les cordons sur ses hanches, de manière à faire voir sa taille fine, s'assit dans un fauteuil, prit un air d'insouciance et dit au laquais : « Maintenant fais entrer. »

« M. le marquis de Bruyères, fit Picard en ouvrant la porte à deux battants.

— Bonjour, marquis, dit le jeune duc de Vallombreuse en se soulevant à demi de son fauteuil, et soyez le bienvenu, quel que soit le sujet qui vous amène. Picard, avance un siège à monsieur. Excusez-moi si je vous reçois dans cette chambre en désordre et sous ce déshabillé matinal; n'y voyez pas un manque de civilité, mais une marque d'empressement.

— Pardonnez, répliqua le marquis, l'insistance sauvage que j'ai mise à troubler votre sommeil, occupé peut-être de quelque rêve délicieux, mais je suis chargé près de vous d'une mission qui ne souffre pas de retard entre gentilshommes.

— Vous me piquez la curiosité au vif, répondit Vallombreuse; je ne devine point quelle peut être cette affaire urgente.

— Sans doute, monsieur le duc, dit le marquis de Bruyères, vous avez oublié certaines circonstances de la soirée d'hier. De si minces détails ne sont point faits pour se graver en votre souvenir. Aussi vais-je aider votre mémoire, si vous le permettez. Au foyer des comédiennes, vous avez daigné honorer d'une attention particulière une jeune personne qui joue les ingénues : Isabelle, je crois. Et par une badinerie que, pour ma part, je ne trouve pas blâmable, vous lui voulûtes poser une assassine sur le sein. Ce procédé, que je ne qualifie pas, choqua fort un comédien, le capitaine Fracasse, qui eut la hardiesse de vous arrêter la main.

— Marquis, vous êtes le plus fidèle et le plus consciencieux des historiographes, interrompit Vallombreuse. Tout cela est vrai de point en point, et, pour finir l'anecdote, je promis à ce drôle, insolent comme un noble, une volée de bois vert, châtiment approprié à un maroufle de sa sorte.

— Il n'y a pas grand mal à faire bâtonner un histrion ou un grimaud de lettres dont on n'est pas content, dit le marquis d'un air de parfaite insouciance; ces espèces ne valent pas les cannes qu'on leur rompt sur le dos; mais ici le cas est différent. Sous le capitaine Fracasse, qui, du reste, a rossé vos estafiers de la belle manière, il y a le baron de Sigognac, un gentilhomme de vieille roche et de la meilleure noblesse qui soit en Gascogne. Personne n'a rien à dire sur son compte.

— Que diable allait-il faire parmi cette troupe de baladins? répondit le jeune duc de Vallombreuse en jouant avec les cordons de sa robe de chambre; pouvais-je soupçonner un Sigognac sous cet accoutrement grotesque et derrière ce faux nez barbouillé de carmin?

— Quant à votre première question, dit le marquis, j'y répondrai par un mot. Entre nous, je crois le Baron fort épris de l'Isabelle; ne la pouvant retenir en son château, il s'est engagé dans la troupe pour suivre ses amours. Ce n'est pas vous qui trouverez ce pourchas galant de mauvais goût, puisque la dame de ses pensées excite votre fantaisie.

— Non; j'admets tout ceci. Mais vous conviendrez que je ne pouvais deviner ce roman, et que l'action du capitaine Fracasse fut impertinente.

— Impertinente venant d'un comédien, reprit M. de Bruyères, naturelle venant d'un gentihomme jaloux de sa maîtresse. Aussi le capitaine Fracasse jette-t-il son masque et vient-il, comme baron de Sigognac, vous proposer le cartel par mon entremise et vous demander raison de l'insulte que vous lui avez faite.

— Mais qui me dit, fit Vallombreuse, que ce prétendu Sigognac, qui joue les Matamore dans une compagnie de bouffons, ne soit pas un intrigant de bas étage usurpant un nom honorable pour avoir l'honneur de faire toucher sa batte d'histrion par mon épée?

— Duc, répliqua le marquis de Bruyères d'un ton plein de dignité, je ne servirais pas de témoin et de second à quelqu'un qui ne serait point né. Je connais personnellement le baron de Sigognac, dont le castel n'est qu'à quelques lieues de mes terres. Je me porte son garant. D'ailleurs, si vous doutez encore de sa qualité, j'ai là toutes les pièces qu'il faut pour rassurer vos scrupules. Voulez-vous me permettre d'appeler mon laquais, qui attend dans l'antichambre et vous remettra les parchemins?

— Il n'en est nul besoin, répondit Vallombreuse; votre parole me suffit, j'accepte le duel; M. le chevalier de Vidalinc, mon ami, sera mon second. Veuillez vous entendre avec lui. Toutes armes et toutes conditions me sont bonnes. Aussi bien ne serais-je pas fâché de

voir si le baron de Sigognac sait aussi bien parer les
coups d'épée que le capitaine Fracasse les coups de
bâton. La charmante Isabelle couronnera le vainqueur
du tournoi, comme aux beaux temps de la chevalerie.
Mais souffrez que je me retire. M. de Vidalinc, qui
occupe un appartement dans l'hôtel, va descendre, et
vous vous entendrez avec lui du lieu, de l'arme et de
l'heure. Sur ce, *beso a vuestra merced la mano, caballero.* »

En disant ces mots, le duc de Vallombreuse salua
avec une courtoisie étudié le marquis de Bruyères,
souleva une lourde portière de tapisserie et disparut.

Quelques instants après, le chevalier de Vidalinc vint
rejoindre le marquis; les conditions furent bientôt réglées. On choisit l'épée, arme naturelle des gentilshommes, et la rencontre fut fixée au lendemain, Sigognac ne voulant pas, s'il était blessé ou tué, faire manquer la représentation annoncée par toute la ville. Le
rendez-vous fut pris à un certain endroit hors des
murs, dans un pré fort apprécié des duellistes de Poitiers pour sa solitude, fermeté de terrain et commodité
naturelle.

Le marquis de Bruyères retourna à l'auberge des
*Armes de France* et rendit compte de sa mission à
Sigognac, qui le remercia chaleureusement d'avoir si
bien arrangé les choses, car il avait sur le cœur les
regards insolents et libertins du jeune duc à l'endroit
d'Isabelle.

La représentation devait commencer à trois heures,
et depuis le matin, le crieur de la ville se promenait
par les rues battant la caisse et annonçant le spectacle,
dès qu'il s'était formé autour de lui un cercle de curieux. Le drôle avait les poumons de Stentor, et sa
voix, habituée à promulguer les édits, donnait aux
titres des pièces et aux noms des acteurs une redon-
dance emphatique la plus majestueuse du monde. Les
vitres en tremblaient aux fenêtres et les verres vi-
braient à l'unisson sur les tables dans l'intérieur des
logis. Il possédait, en outre, une manière automatique
de remuer le menton en prononçant ses phrases qui
le faisait ressembler à un casse-noisette de Nuremberg
et mettait en joie tous les polissons. Les yeux n'étaient
pas moins sollicités que les oreilles, et ceux qui
n'avaient pas entendu l'annonce pouvaient voir aux
carrefours les plus fréquentés, sur les murailles du jeu

de paume et contre la porte des *Armes de France,* de grandes affiches placardées où, en majuscules rouges et noires savamment alternées, figuraient *Lygdamon et Lydias* et *Les Rodomontades du capitaine Fracasse* tracés au pinceau par Scapin, le calligraphe de la troupe. Ces affiches étaient disposées en style lapidaire, à la façon romaine, et les délicats n'eussent rien trouvé à y reprendre.

Un valet de l'auberge, qu'on avait affublé en portier de comédie, avec une souquenille mi-partie vert et jaune, un large baudrier supportant une épée en verrouil, un feutre à grands bords enfoncé jusqu'aux yeux et surmonté d'une plume longue à balayer les toiles d'araignée au plafond, contenait la foule à la porte, qu'il barrait d'une sorte de pertuisane, ne laissant passer quiconque qu'il n'eût craché au bassinet dans un plateau d'argent posé sur une table, c'est-à-dire payé le prix de sa place ou à tout le moins montré un billet d'entrée en la forme convenue. Vainement quelques petits clercs, écoliers, pages ou laquais essayèrent de pénétrer en fraude et de se glisser sous la redoutable pertuisane, le vigilant cerbère les renvoyait d'une bourrade au milieu de la rue, où d'aucuns tombèrent dans le ruisseau à jambes rebindaines, grand sujet d'hilarité pour les autres, qui s'esclaffaient de rire et se tenaient les côtés à les voir se relever tout punais et contaminés de fange.

Les dames arrivaient en chaises à porteurs dont les brancards étaient tenus par de vigoureux manants courant sous cette charge légère. Quelques hommes venus à cheval ou à mule jetaient les brides de leurs montures à des laquais apostés pour cet office. Deux ou trois carrosses à dorures rougies et à peintures fanées, tirés de la remise en cette occasion solennelle, s'approchèrent de la porte au pas de lourds chevaux, et il en sortit, comme de l'arche de Noé, toutes sortes de bêtes provinciales d'aspect hétéroclite et caparaçonnées d'habits à la mode sous le défunt roi. Cependant ces carrosses, tout délabrés qu'ils fussent, ne laissaient pas que de faire impression sur la foule accourue pour voir entrer le monde à la comédie, et rangés les uns à côté des autres sur la place, ils produisaient un effet assez respectable.

Bientôt la salle fut pleine à n'y pouvoir introduire un cure-dent. De chaque côté de la scène on avait disposé des fauteuils pour les personnes de marque; chose, certes, nuisible à l'illusion théâtrale et au jeu des acteurs, mais dont l'habitude empêchait de sentir le ridicule. Le jeune duc de Vallombreuse, en velours noir tout passementé de jais, tout inondé de dentelles, y figurait près de son ami le chevalier de Vidalinc, vêtu d'un charmant costume en satin couleur de scabieuse relevé d'agréments d'or. Quant au marquis de Bruyères, pour être plus libre d'applaudir Zerbine sans trop se compromettre, il avait pris un siège à l'orchestre derrière les violons.

Des espèces de loges en planches de sapin, recouvertes de serge ou de vieilles verdures de Flandre, avaient été pratiquées sur les côtés de la salle, dont le milieu formait le parterre, où se tenaient debout les petits bourgeois, courtauds de boutique, clers de procureur, apprentis, écoliers, laquais et autres canailles.

Dans les loges s'établissaient, en faisant bouffer leurs jupes et en passant le doigt par l'échancrure de leur corsage pour mieux faire valoir les trésors de leur blanche poitrine, les femmes, aussi superbement parées que le permettait leur garde-robe de province, un peu arriérée sur les modes de la cour. Mais croyez bien que chez plusieurs la richesse remplaçait avantageusement l'élégance, du moins aux yeux peu connaisseurs du public poitevin. Il y avait là de bons gros diamants de famille qui, pour être sertis dans de vieilles montures encrassées, n'en avaient pas moins leur prix; d'antiques dentelles, un peu jaunes, il est vrai, mais de grande valeur; de longues chaînes d'or à vingt-quatre carats, fort lourdes et précieuses, quoique de travail ancien; des brocarts et des soieries légués par les aïeules, comme on n'en tisse plus à Venise ni à Lyon. Il y avait même de charmants visages frais, roses, reposés, qu'on eût fort prisés à Saint-Germain et à Paris, malgré leur physionomie un peu trop innocente et naïve.

Quelques-unes de ces dames, ne voulant pas sans doute être connues, avaient gardé leur touret de nez, ce qui n'empêchait pas les plaisantins du parterre de les nommer et de raconter leurs aventures plus ou moins scandaleuses. Pourtant, toute seule dans une loge avec une femme qui paraissait sa suivante, une dame masquée plus soigneusement que les autres et se tenant un peu en arrière pour que la lumière ne tombât point

sur elle déjouait la sagacité des curieux. Un voile de
dentelles noires, noué sous le menton, lui couvrait la
tête et ne permettait pas qu'on discernât la nuance
de sa chevelure. Le reste de son vêtement, de riche
étoffe mais de couleur foncée, se confondait avec
l'ombre où elle s'enfonçait, à l'encontre des autres
femmes, qui cherchaient les feux des bougies pour se
mettre en évidence. Parfois même elle élevait à la hau-
tur de ses yeux, comme pour les garantir des clartés
trop vives, un éventail en plumes noires au centre
duquel était enchâssée une petite glace qu'elle ne
consultait point.

Les violons, en jouant une ritournelle, ramenèrent
l'attention générale vers le théâtre, et personne ne prit
plus garde à cette beauté mystérieuse qu'on eût pu
prendre pour *la dama tapada* de Calderon.

On commença par *Lygdamon et Lydias*. La décoration, représentant un paysage bocager tout verdoyant
d'arbres, tapissé de mousse, arrosé de claires fontaines,
et se terminant au loin par une fuite de montagnes
azurées, disposa favorablement le public par son
agréable aspect. Léandre, qui jouait Lygdamon, était
vêtu d'un habit zinzolin rehaussé de quelques broderies vertes à la mode pastorale. Ses cheveux calamistrés se tordaient en boucles sur sa nuque, où un ruban
les rattachait de la façon la plus galante. Une collerette légèrement godronnée dégageait son col aussi
blanc que celui d'une femme. Sa barbe, rasée au plus
près, colorait sa joue et son menton d'une imperceptible teinte bleuâtre et les veloutait comme d'une fleur
de pêche, comparaison que rendait plus exacte encore
la fraîcheur vermeille du fard étendu discrètement sur
les pommettes. Ses dents, avivées par le carmin des
lèvres et brossées à outrance, étincelaient comme des
perles qu'on tire du son. Un trait d'encre de Chine
avait régularisé les pointes de ses sourcils, et une autre
ligne d'une ténuité extrême, lui bordant les paupières,
prêtait au blanc de ses yeux un éclat extraordinaire.

Un murmure de satisfaction parcourut l'assemblée :
les femmes se penchèrent l'une vers l'autre en chucho-
tant, et une jeune personne, récemment sortie du couvent, ne put s'empêcher de dire avec une naïveté qui
lui valut une semonce de sa mère : « Il est charmant! »

Cette petite fille en sa candeur exprimait l'idée secrète des femmes plus usagées, et peut-être de sa propre

mère. Elle devint toute rouge à la remontrance, ne sonna plus mot, et tint les yeux fixés sur la pointe de son busc, non cependant sans les relever d'une façon furtive quand on ne la surveillait point.

Mais certes, la plus émue parmi toutes, c'était la dame masquée. La palpitation précipitée de sa gorge, qui soulevait ses dentelles, le léger tremblement de l'éventail dans sa main, la pose penchée qu'elle avait prise sur le rebord de sa loge pour ne rien perdre du spectacle eussent trahi l'intérêt qu'elle portait au Léandre, si quelqu'un eût pris le loisir de l'observer. Heureusement, tous les yeux étaient tournés vers la scène, ce qui lui donna le temps de se remettre.

Lygdamon, comme chacun sait, car il n'est personne qui ignore les productions de l'illustre Georges de Scudéry, ouvre la scène par un monologue fort touchant et pathétique, où l'amant rebuté de Sylvie agite cette question importante de savoir comment il mettra fin à une existence que les rigueurs de sa belle lui rendent insupportable. Choisira-t-il, pour terminer ses tristes jours, le licol ou l'épée? Se précipitera-t-il du haut d'une roche? Fera-t-il un plongeon dans la rivière, afin de noyer sa flamme sous l'onde? Il hésite au bord du suicide et ne sait à quoi se résoudre. Ce vague espoir, qui n'abandonne les amoureux qu'à la dernière extrémité, le retient à la vie. Peut-être l'inhumaine s'adoucira-t-elle et se laissera-t-elle fléchir par une adoration si obstinée? Il faut l'avouer, Léandre débita cette tirade en comédien consommé, avec des alternatives de langueur et de désespoir les plus attendrissantes du monde. Il faisait trembler sa voix comme quelqu'un que la douleur étouffe, et qui, en parlant, contient à grand-peine ses sanglots et ses larmes. Quand il poussait un soupir, il semblait le tirer du fond de son âme, et il se plaignait des cruautés de son amante d'un ton si doux, si tendre, si soumis, qu'il pénétré que toutes les femmes dans la salle se dépitaient contre cette méchante et barbare Sylvie, prétendant qu'à sa place elles n'auraient point été si sauvagement farouches que de réduire au désespoir, et peut-être au trépas, un berger d'un tel mérite.

À la fin de cette tirade, pendant qu'on l'applaudissait à rompre les banquettes, Léandre promena son regard sur les femmes de la salle, s'arrêtant à celles qui lui paraissaient titrées; car, malgré de nombreuses déceptions, il n'abandonnait pas son rêve d'être aimé d'une grande dame pour sa beauté et son talent de comédien. Il vit plus d'un bel œil brillanté d'une larme, plus d'une gorge blanche qui palpitait d'émotion. Sa vanité en fut satisfaite, mais ne s'en étonna point. Le succès ne surprend jamais un acteur; mais sa curiosité fut vivement excitée par la *Dama tapada* qui se tenait rencognée dans sa loge. Ce mystère sentait l'aventure. Léandre devina tout de suite sous ce masque une passion que les bienséances forçaient de se contraindre, et il détacha vers l'inconnue une brûlante œillade, pour lui marquer qu'elle avait été comprise.

Le trait décoché porta, et la dame fit à Léandre un signe de tête imperceptible, comme pour le remercier de sa pénétration. Le rapport était établi, et désormais, quand l'action de la pièce le permettait, des regards s'échangeaient entre la loge et le théâtre. Léandre excellait en ces sortes de manèges, et il savait diriger sa voix et lancer une tirade amoureuse de façon qu'une personne de la salle pouvait croire qu'il la disait pour elle seule.

A l'entrée de Sylvie, représentée par Sérafine, le chevalier de Vidalinc ne se fit pas faute d'applaudir, et le duc de Vallombreuse, voulant favoriser les amours de son ami, ne dédaigna pas de rapprocher trois ou quatre fois les paumes de ses mains blanches, dont les doigts étaient chargés de bagues aux pierres étincelantes. Sérafine salua d'une demi-révérence le chevalier et le duc, et se prépara à commencer avec Lygdamon ce joli dialogue que les connaisseurs jugent un des endroits les mieux touchés de la pièce.

Comme l'exige le rôle de Sylvie, elle fit quelques pas sur le théâtre d'un air préoccupé et songeur, pour motiver la demande de Lygdamon :

A ce coup je vous prends dedans la rêverie.

Elle avait fort bonne grâce en cette attitude nonchalante, la tête un peu penchée, un bras pendant et l'autre ramené sur sa ceinture. Sa cotte était d'un vert d'eau glacé d'argent et retroussée par des nœuds de velours noir. Elle avait en les cheveux piquées quelques fleurettes des champs, comme si sa main distraite les eût cueillies et placées là sans y penser. Cette coiffure, au reste, lui seyait à merveille et mieux que diamants, bien que ce ne fût pas son avis, mais l'indigence de son écrin l'avait forcée d'être de bon goût et de point orner une bergère comme une princesse. Elle dit d'une manière charmante toutes ces phrases poétiques et fleuries sur les roses, sur les zéphyrs, sur la hauteur des bois, sur le chant des oiseaux, par lesquels Sylvie empêche malicieusement Lygdamon de lui parler de sa flamme, quoique cet amant trouve dans chaque image qu'emploie la belle un symbole d'amour et une transition pour revenir à l'idée qui l'obsède.

A travers cette scène, Léandre, pendant que Sylvie parlait, eut l'art de diriger quelques soupirs du côté de la loge mystérieuse, et il en fit de même jusqu'à la fin de la pièce, qui s'acheva au bruit des applaudissements. Il est inutile d'en dire plus long sur un ouvrage qui est maintenant entre toutes les mains. Le succès de Léandre fut complet, et chacun s'étonna qu'un comédien de ce mérite n'eût point encore paru devant la cour. Sérafine avait aussi ses partisans, et sa vanité blessée se consola par la conquête du chevalier de Vidalinc, qui, s'il ne valait pas comme fortune le marquis de Bruyères, était jeune, à la mode, et en passe de parvenir.

Après *Lygdamon et Lydias* on joua *Les Rodomontades du capitaine Fracasse*, qui eurent leur effet accoutumé et soulevèrent d'immenses éclats de rire. Sigognac, bien stylé par Blazius et servi par une intelligence naturelle, fut de la plus réjouissante extravagance dans le rôle du capitan. Zerbine semblait frottée de lumière, tant elle étincelait, et le marquis, hors de sens, l'applaudissait comme un furieux. Le vacarme qu'il faisait attira même l'attention de la dame masquée. Elle haussa légèrement les épaules, et sous le velours de son touret de nez un sourire ironique releva le coin de ses lèvres. Quant à l'Isabelle, la présence du duc de Vallombreuse, assis à droite de la scène, lui causait un certain malaise qui eût été visible pour le public si elle eût été une comédienne moins exercée. Elle redoutait de sa part quelque incartade insolente, quelque marque de désapprobation outrageuse. Mais sa crainte ne fut pas réalisée. Le duc ne chercha pas à la déconcerter par un regard trop fixe ou trop libre; même il l'applaudit avec décence et réserve quand elle le méritait. Seulement, lorsque les situations de la pièce amenaient pour le capitaine Fracasse nasardes, chiquenaudes et coups de bâton, une singulière expression de dédain contenu se peignait sur les traits du jeune duc. Sa lèvre se rebroussait orgueilleusement, comme s'il eût dit tout bas : Fi donc! Mais il ne témoigna rien des sentiments qui pouvaient l'agiter intérieurement, et il conserva tout le temps du spectacle sa pose indolente et superbe. Quoique violent de sa nature, le duc de Vallombreuse, sa fureur passée, était trop gentilhomme pour se rien permettre contre les lois de la courtoisie à l'endroit d'un adversaire avec lequel il devait se battre le lendemain : jusque-là les hostilités étaient suspendues, et c'était comme une trêve de Dieu.

La dame masquée s'était retirée un peu avant la fin de la seconde pièce pour éviter de se trouver parmi la foule, et pouvoir regagner sans être vue la chaise à porteurs qui l'attendait à quelques pas du jeu de paume. Sa disparition intrigua beaucoup Léandre, qui de l'angle d'une coulisse surveillait la salle et suivait les mouvements de la femme mystérieuse.

Jetant à la hâte un manteau sur son costume de berger du Lignon, Léandre se précipita vers la porte des acteurs pour suivre l'inconnue. Le fil léger qui les liait l'un à l'autre allait se rompre s'il ne faisait diligence. La dame, sortie de l'ombre un instant, y rentrait pour toujours, et l'intrigue, à peine formée, avortait. Bien qu'il se fût hâté jusqu'à perdre le souffle, Léandre, lorsqu'il arriva dehors, n'aperçut autour de lui que les maisons noires et les ruelles profondes où tremblotaient quelques lanternes portées par des valets escortant leurs maîtres, et dont le reflet miroitait dans les flaques de pluie. La chaise, enlevée par de vigoureux porteurs, avait déjà tourné l'angle d'une rue qui la dérobait aux regards du passionné Léandre.

« Je suis stupide, se dit-il à lui-même avec cette franchise dont on use quelquefois envers soi-même dans les moments désespérés. J'aurais dû sortir après la première pièce, revêtir un costume de ville et attendre mon inconnue à la porte du théâtre, qu'elle restât ou non pour voir Les Rodomontades du capitaine Fracasse. Ah! animal, ah! faquin! une grande dame, car c'en était une à coup sûr, te fait les yeux doux et se pâme sous son masque à te voir jouer, et tu n'as pas l'esprit de courir après elle? Tu mérites d'avoir toute ta vie pour maîtresses des caillettes, des gaupes, des gotons, des Maritornes aux mains rendues calleuses par le balai. »

Léandre en était là de sa harangue intérieure, quand une espèce de petit page, vêtu d'une livrée brune et sans galons, coiffé d'un chapeau rabattu sur les yeux, se dressa subitement devant lui comme une apparition, et lui dit d'une voix au timbre enfantin qu'il cherchait à grossir pour la déguiser :

« Est-ce vous qui êtes monsieur Léandre, celui qui, tout à l'heure, faisait le berger Lygdamon dans la pièce de M. de Scudéry?

— C'est moi-même, répondit Léandre. Que voulez-vous de moi et que puis-je faire pour vous servir?

— Oh! merci, dit le page, je ne désire rien de vous; je suis seulement chargé de vous répéter une phrase, si toutefois vous êtes disposé à l'entendre, une phrase de la part d'une dame masquée.

— De la part d'une dame masquée? s'écria Léandre, oh! dites-la tout de suite! je meurs d'impatience!

— La voici mot pour mot, dit le page : « Si Lyg- « damon est aussi courageux qu'il est galant, il n'a « qu'à se trouver près de l'église à minuit : un car- « rosse l'attendra; qu'il y monte et se laisse conduire. »

Avant que Léandre étonné eût eu le temps de répondre, le page s'était éclipsé, le laissant fort perplexe sur ce qu'il devait faire. Si le cœur lui bondissait de joie à l'idée d'une bonne fortune, les épaules lui frissonnaient au souvenir de la bastonnade reçue dans certain parc, au pied de la statue de l'Amour discret. Etait-ce encore un piège tendu à sa vanité par quelque bourru jaloux de ses charmes? Allait-il trouver au rendez-vous quelque mari forcené, l'épée à la main, prêt à le meurtrir et à lui couper la gorge? Ces réflexions glaçaient prodigieusement son enthousiasme, car, nous l'avons dit, Léandre ne craignait rien, sinon les coups et la mort, comme Panurge. Cependant, s'il ne profitait pas de l'occasion qui se présentait si favorable et si romanesque, elle ne reviendrait peut-être jamais, et avec elle s'évanouirait le rêve de sa vie, ce rêve qui lui avait tant coûté en pommades, cosmétiques, linge et braveries. Puis la belle inconnue, s'il ne venait pas, le soupçonnerait de lâcheté, chose par trop horrible à penser, et qui donnerait du cœur au ventre des plus couards. Cette idée insupportable détermina Léandre. « Mais, se dit-il, si cette belle pour qui je vais m'exposer à me faire rompre les os et jeter en quelque oubliette allait être une douairière plâtrée de fard et de céruse, avec des cheveux et des dents postiches? Il ne manque pas de ces chaudes vieilles, de ces goules d'amour qui, différentes des goules de cimetière, aiment à se repaître de chair fraîche! Ho! non; elle est jeune et pleine d'appas, j'en suis sûr. Ce que j'apercevais de son col et de sa gorge était blanc, rond, appétissant, et promettait merveille pour le reste! Oui, j'irai, certes! je monterai dans le carrosse. Un carrosse! rien n'est plus noble et de meilleur air! »

Cette résolution prise, Léandre retourna aux *Armes de France,* ne toucha que du bout des dents au souper des comédiens, et se retira dans sa chambre où il s'adonisa de son mieux, n'épargnant ni le linge fin à broderies fenestrées, ni la poudre d'iris, ni le musc. Il prit aussi une dague et une épée, bien qu'il ne fût guère capable de s'en servir à l'occasion, mais un amant armé impose toujours plus de respect aux fâcheux jaloux. Puis il rabattit son chapeau sur ses yeux, s'embossa à l'espagnole dans un manteau de couleur sombre, et sortit de l'hôtel à pas de loup, ayant eu ce bonheur de ne point être aperçu du malicieux Scapin, qui ronflait à poings tendus dans sa logette à l'autre bout de la galerie.

Les rues étaient désertes depuis longtemps, car Poitiers se couchait de bonne heure. Léandre ne rencontra âme qui vive, sauf quelques chats efflanqués qui rôdaient mélancoliquement et au bruit de ses pas disparaissaient comme des ombres sous une porte mal jointe ou par un soupirail de cellier. Notre galant débouchait sur la place de l'église comme le dernier coup de minuit sonnait, faisant à son tintement lugubre envoler les hiboux de la vieille tour. La vibration sinistre de la cloche au milieu du silence de la nuit causait en l'âme peu rassurée de Léandre une horreur religieuse et secrète. Il lui semblait entendre son propre glas. Un instant il fut sur le point de rebrousser chemin et d'aller prudemment s'allonger seul entre ses deux draps au lieu de courir les aventures nocturnes; mais il vit le carrosse attendant à la place désignée, et le petit page, messager de la dame masquée, qui, debout sur le marchepied, tenait la portière ouverte. Il n'y avait plus moyen de reculer, car peu de gens ont le courage d'être lâches devant témoins.

Léandre avait été aperçu par l'enfant et le cocher; il s'avança donc d'un air délibéré que démentait intérieurement un fort battement de cœur, et il monta dans la voiture avec l'intrépidité apparente d'un Galaor.

A peine Léandre fut-il assis que le cocher toucha ses chevaux, qui prirent un trot soutenu. Une obscurité profonde régnait dans le carrosse; outre qu'il faisait nuit, des mantelets de cuir étaient rabattus le long des glaces, et ne permettaient pas de rien distinguer au-dehors. Le page était resté debout sur le marchepied, et l'on ne pouvait engager de conversation avec lui ni en tirer le moindre éclaircissement. Il paraissait, du reste, fort laconique et peu disposé à dire ce qu'il savait, s'il savait quelque chose. Notre comédien tâtait les coussins, qui étaient de velours piqué de bouffettes; il sentait sous ses pieds un tapis épais, et il aspirait un faible parfum d'ambre dégagé par l'étoffe de la garniture intérieure, témoignage d'élégance et de recherche. C'était bien chez une personne de qualité que ce carosse le voiturait si mystérieusement! Il essaya de s'orienter, mais il connaissait peu Poitiers; cependant il lui sembla, au bout de quelque temps, que le bruit des roues n'était plus répercuté par des murailles et que l'équipage ne coupait plus de ruisseaux. On roulait hors la ville, dans la campagne, vers quelque retraite propice aux amours et aux assassinats, pensa Léandre avec un léger frisson et en portant la main à sa dague, comme si quelque mari sanguinaire ou quelque frère féroce fût assis devant lui dans l'ombre.

Enfin la voiture s'arrêta. Le petit page ouvrit la portière; Léandre descendit et se trouva en face d'une haute muraille noirâtre qui lui parut être la clôture de quelque parc ou jardin. Bientôt il y distingua une porte que son bois fendillé, bruni et couvert de mousse faisait d'abord confondre avec les pierres du mur. Le page pressa fortement un des clous rouillés qui fixaient les planches, et la porte s'entrouvrit.

« Donnez-moi la main, dit le page à Léandre, que je vous guide; il fait trop sombre pour que vous me puissiez suivre à travers ces labyrinthes d'arbres. »

Léandre obéit, et tous deux marchèrent pendant quelques minutes dans un bois encore assez touffu, quoique fort dépouillé par l'hiver, et dont les feuilles

sèches craquaient sous leurs pieds. Au bois succéda
un parterre dessiné par des buis, et ornés d'ifs taillés
en pyramide qui prenaient, dans l'obscurité, de vagues
apparences de spectres ou d'hommes en sentinelle,
chose plus effrayante encore pour le peureux comédien. Le parterre traversé, Léandre et son guide montèrent la rampe d'une terrasse sur laquelle s'élevait un
pavillon d'ordre rustique coiffé d'un dôme et orné de
pots-à-feu à ses angles. Ces détails furent observés par
notre galant à cette lueur obscure que répand toujours
le ciel de la nuit dans un endroit découvert. Ce pavillon eût paru inhabité, si une faible rougeur tamisée
par un épais rideau de damas n'eût empourpré l'une
des fenêtres découpant son embrasure sur le fond
sombre de la masse.

C'était sans doute derrière ce rideau qu'attendait la
dame masquée, émue, elle aussi, car, en ces équipées
amoureuses, les femmes risquent leur bonne réputation,
et parfois leur vie, tout de même que les galants, pour
peu que leurs maris apprennent la chose et se trouvent
d'humeur brutale. Mais en ce moment Léandre n'avait
plus peur; l'orgueil satisfait lui cachait le danger. Le
carrosse, le page, le jardin, le pavillon, tout cela sentait la grande dame, et l'intrigue se nouait d'une façon
qui n'avait rien de bourgeois. Il était aux anges, et ses
pieds ne touchaient pas la terre. Il aurait voulu que
ce méchant raillard de Scapin le vît en cette gloire
et ce triomphe.

Le page poussa une grande porte vitrée et se retira,
laissant Léandre seul dans le pavillon, qui était meublé avec beaucoup de goût et de magnificence. La
voûte formée par le dôme représentait un ciel bleu
turquin léger, où flottaient de petits nuages roses et
voletaient des Amours en diverses attitudes pleines de
grâce. Une tapisserie historiée de scènes empruntées à
L'Astrée, roman de M. Honoré d'Urfé, revêtait moel-
leusement les parois des murailles. Des cabinets
incrustés en pierres dures de Florence, des fauteuils
de velours rouge à crépines, une table couverte d'un
tapis de Turquie, des vases de la Chine pleins de
fleurs, malgré la saison, montraient assez que la maîtresse du lieu était riche et de haut lignage. Des bras
de nègre en marbre noir, jaillissant d'une manche
dorée, formaient candélabres, et jetaient la clarté de
leurs bougies sur ces magnificences. Ebloui de ces

splendeurs, Léandre ne remarqua pas d'abord qu'il n'y avait personne dans ce salon; il se débarrassa de son manteau, qu'il posa avec son feutre sur un pliant, redonna, devant une glace de Venise, un meilleur tour à une de ses boucles, dont l'économie était compromise, prit la pose la plus gracieuse de son répertoire, et se dit en promenant ses yeux autour de lui :

« Eh mais! où donc est la divinité de ces lieux? je vois bien le temple, mais non l'idole. Quand va-t-elle sortir de son nuage et se révéler, vraie déesse par sa démarche, selon l'expression de Virgile? »

Léandre en était là de sa phraséologie galante intérieure, quand le pli d'une portière en damas des Indes incarnadin se dérangea, ouvrant passage à la dame masquée admiratrice de Lygdamon. Elle avait encore son loup de velours noir, ce qui inquiéta notre comédien.

« Serait-elle laide, pensa-t-il, cet amour du masque m'alarme. » Sa crainte dura peu, car la dame, s'avançant au milieu du salon où se tenait respectueusement Léandre, défit son touret de nez et le jeta sur la table, découvrant aux lueurs des bougies une figure assez régulière et agréable où brillaient deux beaux yeux couleur de tabac d'Espagne, enflammés de passion et où souriait une bouche bien meublée, rouge comme une cerise et coupée d'une petite raie à la lèvre inférieure. Autour de ce visage frisaient d'opulentes grappes de cheveux bruns qui s'allongeaient jusque sur des épaules blanches et grasses et se hasardaient même à baiser le contour de certains demi-globes dont le frémissement des dentelles qui les voilaient trahissait les palpitations.

« Madame la marquise de Bruyères! s'écria Léandre surpris au dernier point et quelque peu inquiet, le souvenir de la bastonnade lui revenant, est-ce possible? suis-je le jouet d'un rêve? oserai-je croire à ce bonheur inespéré?

— Vous ne vous trompez pas, mon ami, dit la marquise, je suis bien Mme de Bruyères et j'espère que votre cœur me reconnaît comme le font vos yeux.

— Oh! votre image est là gravée en traits de flamme, répondit Léandre avec un ton pénétré, je n'ai qu'à regarder en moi pour l'y voir parée de toutes les grâces et de toutes les perfections.

— Je vous remercie, dit la marquise, d'avoir gardé

ce bon souvenir de moi. Cela prouve une âme bien
faite et généreuse. Vous avez dû me croire cruelle,
ingrate et fausse. Hélas! mon faible cœur n'est que
trop tendre et j'étais loin d'être insensible à la passion que vous me marquiez. Votre lettre, remise à une
suivante infidèle, est tombée aux mains du marquis.
Il y fit la réponse que vous reçûtes et qui vous abusa.
Plus tard M. de Bruyères, riant de ce qu'il appelait
un bon tour, me fit lire cette missive où éclatait
l'amour le plus vif et le plus pur, comme une pièce
d'un parfait ridicule. Mais il ne produisit pas l'effet
qu'il attendait. Le sentiment que j'avais pour vous ne
fit que s'accroître, et je résolus de vous récompenser
des peines que vous aviez endurées pour moi. Sachant
mon mari occupé à sa nouvelle conquête, je suis venue
à Poitiers; cachée sous ce masque, je vous entendis
exprimer si bien l'amour fictif que je voulus voir si
vous seriez aussi éloquent en parlant pour vous-même.

— Madame, dit Léandre en s'agenouillant sur un
carreau aux pieds de la marquise, qui s'était laissée
tomber entre les bras d'un fauteuil, comme épuisée
par l'effort que l'aveu qu'elle venait de faire avait
coûté à sa pudeur, madame, ou plutôt reine et déité,
que peuvent être des paroles fardées, des flammes
contrefaites, des concetti imaginés à froid par des
poètes qui se rongent les ongles, de vains soupirs
poussés aux genoux d'une comédienne barbouillée de
rouge et dont les yeux distraits errent parmi le public,
à côté de mots jaillis de l'âme, de feux qui brûlent les
moelles, des hyperboles d'une passion à laquelle tout
l'univers ne saurait fournir d'assez brillantes images
pour parer son idole, et des élans d'un cœur qui voudrait s'élancer de la poitrine où il est contenu pour
servir de coussin aux pieds de l'objet adoré? Vous
daignez trouver, céleste marquise, que j'exprime avec
chaleur l'amour dans les pièces de théâtre, c'est que je
n'ai jamais regardé une actrice, et que mon idée va
toujours au-delà, vers un idéal parfait, quelque dame
belle, noble, spirituelle comme vous, et c'est elle seule
que j'aime sous les noms de Silvie, de Doralice et
d'Isabelle, qui lui servent de fantômes. »

En disant cela, Léandre, trop bon acteur pour
oublier que la pantomime doit accompagner le débit,
se penchait sur une main que la marquise lui abandonnait et la couvrait de baisers ardents. La marquise

laissait errer ses doigts blancs, longs et chargés de bagues dans la chevelure soyeuse et parfumée du comédien, et regardait sans les voir, à demi
renversée dans son fauteuil, les petits Amours ailés au
plafond bleu turquin.

Tout à coup la marquise repoussa Léandre et se
leva en chancelant.

« Oh! finissez, dit-elle d'une voix brève et haletante,
finissez, Léandre, vos baisers me brûlent et me rendent
folle! »

Et, s'appuyant de la main à la muraille, elle gagna la
porte par où elle était entrée et souleva la portière,
dont le pli retomba sur elle et sur Léandre, qui s'était
approché pour la soutenir.

Une aurore d'hiver soufflait dans ses doigts rouges,
quand Léandre, bien enveloppé de sa cape et dormant
à demi dans le coin du carrosse, fut ramené à la
porte de Poitiers. Ayant soulevé le coin du mantelet
pour reconnaître sa route, il aperçut de loin le marquis de Bruyères qui marchait à côté de Sigognac et
se dirigeait vers l'endroit fixé pour le duel. Léandre
rabattit le rideau de cuir pour n'être pas vu par le
marquis que le carrosse effleura presque. Un sourire
de vengeance satisfaite erra sur ses lèvres. Les coups
de bâton étaient payés!

L'endroit choisi était abrité du vent par une longue
muraille qui avait aussi l'avantage de cacher les
combattants aux voyageurs passant sur la route. Le
terrain était ferme, bien battu, sans pierres, ni mottes,
ni touffes d'herbe qui pussent embarrasser les pieds,
et offrait toutes les facilités pour se couper correcte-
ment la gorge entre gens d'honneur.

Le duc de Vallombreuse et le chevalier de Vidalinc,
suivis d'un barbier-chirurgien, ne tardèrent pas à
arriver. Les quatre gentilshommes se saluèrent avec
une courtoisie hautaine et une politesse froide, comme
il sied à des gens bien élevés qui vont se battre à
mort. Une complète insouciance se lisait sur la figure
du jeune duc, parfaitement brave, et d'ailleurs sûr de
son adresse. Sigognac ne faisait pas moins bonne
contenance, quoique ce fût son premier duel. Le marquis de Bruyères fut très satisfait de ce sang-froid et
en augura bien.

Vallombreuse jeta son manteau et son feutre, et défit
son pourpoint, manœuvres qui furent imitées de point

en point par Sigognac. Le marquis et le chevalier mesurèrent les épées des combattants. Elles étaient de longueur égale.

Chacun se mit sur son terrain, prit son épée et tomba en garde.

« Allez, messieurs, et faites en gens de cœur, dit le marquis.

— La recommandation est inutile, fit le chevalier de Vidalinc; ils vont se battre comme des lions. Ce sera un duel superbe. »

Vallombreuse, qui, au fond, ne pouvait s'empêcher de mépriser un peu Sigognac et s'imaginait de ne rencontrer qu'un faible adversaire, fut surpris, lorsqu'il eut négligemment tâté le fer du Baron, de trouver une lame souple et ferme qui déjouait la sienne avec une admirable aisance. Il devint plus attentif, puis essaya quelques feintes aussitôt devinées. Au moindre jour qu'il laissait, la pointe de Sigognac s'avançait, nécessitant une prompte parade. Il risqua une attaque; son épée, écartée par une riposte savante, le laissa découvert et, s'il ne se fût brusquement penché en arrière, il eût été atteint en pleine poitrine. Pour le duc, la face du combat changeait. Il avait cru pouvoir le diriger à son gré, et après quelques passes, blesser Sigognac où il voudrait au moyen d'une botte qui jusque-là lui avait toujours réussi. Non seulement il n'était plus maître d'attaquer à son gré, mais il avait besoin de toute son habileté pour se défendre. Quoi qu'il fît pour rester de sang-froid, la colère le gagnait; il se sentait devenir nerveux et fébrile, tandis que Sigognac, impassible, semblait, par sa garde irréprochable, prendre plaisir à l'irriter.

« Ne ferons-nous rien pendant que nos amis s'escriment, dit le chevalier de Vidalinc au marquis de Bruyères; il fait bien froid ce matin, battons-nous un peu, ne fût-ce que pour nous réchauffer.

— Bien volontiers, dit le marquis, cela nous dégourdira. »

Vidalinc était supérieur au marquis de Bruyères en science d'escrime, et au bout de quelques bottes il lui fit sauter l'épée de la main par un lié sec et rapide. Comme aucune rancune n'existait entre eux, ils s'arrêtèrent de commun accord, et leur attention se reporta sur Sigognac et Vallombreuse.

Le duc, pressé par le jeu serré du Baron, avait déjà

rompu de plusieurs semelles. Il se fatiguait, et sa respiration devenait haletante. De temps en temps des fers froissés rapidement jaillisait d'une étincelle bleuâtre, mais la riposte faiblissait devant l'attaque et cédait. Sigognac, qui, après avoir lassé son adversaire, portait des bottes et se fendait, faisait toujours reculer le duc.

Le chevalier de Vidalinc était fort pâle et commençait à craindre pour son ami. Il était évident, aux yeux de connaisseurs en escrime, que tout l'avantage appartenait à Sigognac.

« Pourquoi diable, murmura Vidalinc, Vallombreuse n'essaie-t-il pas la botte que lui a enseignée Girolamo de Naples et que ce Gascon ne doit pas connaître? »

Comme s'il lisait dans la pensée de son ami, le jeune duc tâcha d'exécuter la fameuse botte, mais au moment où il allait la détacher par un coup fouetté, Sigognac le prévint et lui porta un coup droit si bien à fond qu'il traversa l'avant-bras de part en part. La douleur de cette blessure fit ouvrir les doigts au duc, dont l'épée roula sur terre.

Sigognac, avec une courtoisie parfaite, s'arrêta aussitôt, quoiqu'il pût doubler le coup sans manquer aux conventions du duel, qui ne devait pas s'arrêter au premier sang. Il appuya la pointe de sa lame en terre, mit la main gauche sur la hanche et parut attendre les volontés de son adversaire. Mais Vallombreuse, à qui, sur un geste d'acquiescement de Sigognac, Vidalinc remit l'épée en main, ne put la tenir et fit signe qu'il en avait assez.

Sur quoi Sigognac et le marquis de Bruyères saluèrent le plus poliment du monde le duc de Vallombreuse et le chevalier de Vidalinc, et reprirent le chemin de la ville.

## X

### UNE TÊTE DANS UNE LUCARNE

LE duc de Vallombreuse fut assis avec précaution dans une chaise à porteurs, le bras bandé par le chirurgien et soutenu d'une écharpe. Sa blessure, quoiqu'elle le mît hors d'état de manier l'épée de quelques semaines, n'était point dangereuse; sans léser artère ni nerf, la lame avait traversé seulement les chairs. Assurément sa plaie le faisait souffrir, mais son orgueil saignait bien davantage. Aussi, aux contractions légères que la douleur imprimait parfois aux sourcils noirs du jeune duc, se mêlait une expression de rage froide, et sa main valide égratignait de ses doigts crispés le velours de la chaise. Souvent, pendant le trajet, il pencha sa tête pâle pour gourmander les porteurs, qui cependant marchaient de leur pas le plus égal, cherchant les endroits unis pour éviter le moindre cahot, ce qui n'empêchait pas le blessé de les appeler « butors » et de leur promettre les étrivières, car ils le secouaient, disait-il, comme salade en panier.

Rentré chez lui, il ne voulut point se mettre au lit, et se coucha adossé à des carreaux sur une chaise longue, les pieds recouverts d'une courte-pointe de soie piquée qu'apporta Picard, le valet de chambre, fort surpris et perplexe de voir revenir son maître navré, cas qui n'était point ordinaire, vu l'habileté à l'escrime du jeune duc.

Assis sur un pliant près de son ami, le chevalier de Vidalinc lui présentait de quart d'heure en quart d'heure une cuillerée d'un cordial prescrit par le chirurgien. Vallombreuse gardait le silence, mais il était visible qu'une sourde colère bouillonnait en lui, malgré le calme qu'il affectait. Enfin son courroux déborda en ces paroles violentes :

« Conçois-tu, Vidalinc, que cette maigre cigogne déplumée, envolée de la tour en ruine de son castel pour n'y pas mourir de faim, m'ait ainsi perforé de son long bec? moi, qui me suis mesuré avec les plus fines lames du temps, et qui suis toujours revenu du pré sans une égratignure, y laissant au contraire quelque galant pâmé et tournant de l'œil entre les bras de ses témoins!

— Les plus heureux et les plus adroits ont comme cela leurs jours de guignon, répondit sentencieusement Vidalinc. Le visage de dame Fortune n'est pas toujours le même; tantôt elle sourit et tantôt fait la moue. Jusqu'à présent, vous n'avez point eu à vous plaindre d'elle, qui vous a mignoté en son giron comme son enfant le plus cher.

— N'est-il pas honteux, continua Vallombreuse en

s'animant, que ce fantoche ridicule, que ce hobereau grotesque, qui reçoit des volées et gourmades sur les tréteaux dans d'ignobles farces, ait eu raison du duc de Vallombreuse jusqu'alors invaincu? Il faut que ce soit quelque gladiateur de profession caché dans la peau d'un saltimbanque.

— Vous savez sa qualité véritable dont le marquis de Bruyères se porte garant, fit Vidalinc; toutefois, sa force non pareille à l'épée m'étonne, elle passe les habiletés connues. Girolamo ni Paraguante, les célèbres maîtres d'armes, n'ont un jeu plus serré. Je l'ai bien observé en cette rencontre, et nos plus fameux duellistes n'y feraient que blanchir. Il a fallu toute votre adresse et les leçons du Napolitain pour n'être point féru grièvemenl. Votre défaite est encore une victoire. Marcilly et Duportal, qui pourtant se piquent d'escrime, et comptent parmi les bonnes lames de la ville, seraient, à n'en douter pas, restés sur le terrain avec un semblable adversaire.

— Il me tarde que ma blessure soit fermée, reprit le duc après un moment de silence, pour le provoquer de nouveau et prendre ma revanche.

— Ce serait une entreprise hasardeuse et que je ne vous conseillerais point, dit le chevalier; il pourrait vous rester au bras quelque faiblesse qui diminuerait vos chances de victoire. Ce Sigognac est un antagoniste redoutable auquel il ne faut pas se frotter imprudemment. Il connaît maintenant votre jeu, et l'assurance que donne un premier avantage doublera ses forces. L'honneur est satisfait de la sorte, la rencontre a été sérieuse. Restez-en là. »

Vallombreuse intérieurement sentait la justesse de ces raisons. Il avait lui-même assez étudié l'escrime, où il croyait exceller, pour comprendre que son épée, quelque habile qu'elle fût, n'atteindrait point la poitrine de Sigognac défendue par cette garde impénétrable contre laquelle s'étaient brisés tous ses efforts. Il s'avouait, bien qu'il s'en indignât, cette étonnante supériorité. Il était même contraint de dire tout bas que le Baron, ne voulant pas le tuer, lui avait fait précisément une blessure qui le mettait hors de combat. Cette magnanimité, dont un caractère moins orgueilleux eût été touché, irritait sa superbe et envenimait ses ressentiments. Etre vaincu! une semblable idée le forcenait. Il acquiesça en apparence aux conseils de son ami, mais à l'air sombre et farouche de son visage on eût pu deviner que quelque noir projet de vengeance s'ébauchait déjà dans sa cervelle, projet qui voulait être couvé par la rancune pour être mené à bien.

« Je ferai maintenant belle figure devant Isabelle, dit-il en s'efforçant de rire, mais il riait jaune, avec ce bras transpercé par son galant. Cupidon invalide ne réussit guère près des Grâces.

— Oubiez cette ingrate, fit Vidalinc. Après tout, elle ne pouvait prévoir qu'un duc aurait le caprice de s'énamourer d'elle. Reprenez cette bonne Corisande qui vous aime de toute son âme et pleure des heures entières à votre porte comme un chien renvoyé.

— Ne prononce pas ce nom, Vidalinc, s'écria le duc, si tu veux que nous restions amis. Ces lâches tendresses, qu'aucun outrage ne rebute, me dégoûtent et m'excèdent. Il me faut des froideurs hautaines, des fiertés rebelles, des vertus imprenables! Comme elle me semble adorable et charmante, cette dédaigneuse Isabelle! Comme je lui sais gré de mépriser mon amour qui sans doute serait déjà passé s'il eût été accueilli! Certes, elle ne doit point avoir une âme basse et commune pour refuser, en sa condition, les avances d'un seigneur qui la distingue et qui n'est pas mal fait de sa personne, s'il faut en croire les dames de la ville. Il entre dans ma passion une sorte d'estime que je n'ai pas l'habitude d'accorder aux femmes; mais comment écarter ce damné gentillâtre, ce Sigognac de malheur que le diable confonde?

— La chose ne sera pas aisée, dit Vidalinc, à présent qu'il est sur ses gardes. Mais, quand même on parviendrait à le supprimer, il resterait toujours l'amour d'Isabelle à son endroit, et vous savez mieux que personne, pour en avoir maintes fois souffert, combien les femmes ont le sentiment têtu.

— Oh! si je pouvais tuer le Baron, continua Vallombreuse que les arguments du chevalier ne convainquaient point, j'aurais bientôt réduit la donzelle malgré ses airs de prude et de vertueuse. Rien ne s'oublie plus vite qu'un galant défunt. »

Ce n'était point l'avis du chevalier de Vidalinc, mais il ne jugea pas à propos d'entamer sur ce sujet une controverse qui eût pu aigrir l'humeur irritable de Vallombreuse.

« Guérissez-vous d'abord et nous aviserons ensuite; ces discours vous fatiguent. Tâchez de prendre quelque repos et de ne point vous tracasser ainsi; le chirurgien me tancerait et me taxerait de mauvais garde-malade si je ne vous recommandais la tranquillité tant d'esprit que de corps. »

Le blessé, se rendant à cette observation, se tut, ferma les yeux et ne tarda pas à s'endormir.

Sigognac et le marquis de Bruyères étaient tranquillement revenus à l'hôtel des *Armes de France*, où, en gentilshommes discrets, ils ne sonnèrent mot du duel; mais les murailles qu'on dit avoir des oreilles ont aussi des yeux : elles voient pour le moins aussi bien qu'elles entendent. Dans ce lieu solitaire en apparence, plus d'un regard inquisiteur épiait les diverses fortunes du combat. L'oisiveté de la province fait naître beaucoup de ces mouches invisibles ou peu remarquées qui voltigent aux endroits où il doit se passer quelque chose, et qui, bourdonnant des ailes, vont ensuite en répandre la notice partout. A son déjeuner, tout Poitiers savait déjà que le duc de Vallombreuse avait été blessé en une rencontre par un adversaire inconnu. Sigognac, vivant fort retiré à l'hôtel, n'avait montré au public que son masque et non sa figure. Ce mystère irritait fort la curiosité, et les imaginations travaillaient avec activité pour découvrir le nom du vainqueur. Il est inutile de rapporter les suppositions bizarres qui se firent. Chacun construisait laborieusement la sienne, s'étayant des inductions les plus frivoles et les plus ridicules, mais personne n'eut l'idée incongrue que le véritable triomphateur fût le capitaine Fracasse, dont on avait tant ri la veille. Un duel entre un seigneur de cette qualité et un baladin eût semblé chose par trop énorme et trop monstrueuse pour que le soupçon en pût naître. Plusieurs gens du beau monde envoyèrent à l'hôtel Vallombreuse pour savoir des nouvelles du duc, comptant tirer quelque indice de l'indiscrétion ordinaire des valets; mais les valets restèrent taciturnes comme des muets du sérail par la bonne raison qu'ils n'avaient rien à dire.

Vallombreuse, pour sa richesse, sa hauteur, sa beauté et ses succès près des femmes, excitait bien des haines jalouses qui n'osaient se produire ouvertement, mais dont sa défaite flattait la malignité obscure. C'était le premier échec qu'il subissait, et tous ceux que son arrogance avait froissés se réjouissaient de ce coup porté au plus tendre de son amour-propre. Ils ne tarissaient pas, quoiqu'ils ne l'eussent point vu, sur la bravoure, adresse et grande mine de l'adversaire. Les dames, qui avaient toutes plus ou moins à se plaindre des procédés du jeune duc à leur endroit, car il était de ces sacrificateurs dont le méchant caprice souille l'autel où ils ont brûlé de l'encens, se sentaient pleines d'enthousiasme pour celui qui vengeait leurs affronts secrets. Elles l'eussent volontiers couronné de lauriers et de myrtes : nous exceptons du nombre la tendre Corisande, qui pensa devenir folle à cette nouvelle, pleura publiquement, et, au risque des plus dures rebuffades, parvint à forcer la consigne et à voir non pas le duc, trop bien gardé pour cela, mais le chevalier de Vidalinc, plus doux et pitoyable, lequel eut grand-peine à rassurer cette amante plus sensible qu'il ne fallait aux malheurs d'un ingrat.

Cependant, comme rien en ce globe terraqué et sublunaire ne peut rester caché, l'on sut de maître Bilot, qui le tenait de Jacques, le valet du marquis, présent à l'entretien de Sigognac et de son maître au souper de Zerbine, que le héros inconnu, vainqueur du jeune duc de Vallombreuse, était à n'en pas douter le capitaine Fracasse, ou pour mieux dire un baron engagé par amour dans la troupe ambulante d'Hérode. Quant au nom, Jacques l'avait oublié. C'était un nom qui finissait en *gnac,* désinence commune au pays de Gascogne, mais il était sûr de la qualité.

Cette histoire vraie, quoique romanesque, eut beaucoup de succès dans Poitiers. On s'intéressa à ce gentilhomme si brave et si bonne lame, et, quand au théâtre parut le capitaine Fracasse, des applaudissements prolongés témoignèrent, même avant qu'il eût ouvert la bouche, de la faveur qu'on lui portait. Des dames, parmi les plus grandes et les plus huppées, ne craignirent pas d'agiter leurs mouchoirs. Il y eut aussi pour Isabelle des claquements de mains plus sonores qu'à l'ordinaire qui faillirent embarrasser cette jeune personne et lui firent monter aux joues, sous le fard, le naturel incarnat de la pudeur. Sans interrompre son rôle, elle répontit à ces marques de faveur par une révérence modeste et une gracieuse inclination de tête.

Hérode se frottait les mains de joie, et sa large face

blême s'épanouissait comme une pleine lune, car la recette était superbe et la caisse risquait de crever par suite d'une pléthore monétaire, tout le monde ayant voulu voir ce fameux capitaine Fracasse, acteur et gentilhomme, que n'effrayaient ni bâtons ni épées, et qui ne craignait pas, valeureux champion de la beauté, de se mesurer avec un duc, terreur des plus braves. Blazius, lui, n'augurait rien de bon de ce triomphe; il redoutait, non sans raison, l'humeur vindicative de Vallombreuse, qui trouverait bien moyen de prendre sa revanche et de jouer quelque mauvais tour à la troupe. Les pots de terre devaient, disait-il, éviter, encore qu'ils n'eussent pas été rompus au premier choc, de se heurter aux pots de fer, le métal étant plus dur que l'argile. Sur quoi Hérode, confiant en l'appui de Sigognac et du marquis, l'appelait poltron, trembleur et claquedent.

Si le Baron n'eût été épris sincèrement d'Isabelle, il eût pu lui faire aisément une infidélité et même deux, car plus d'une beauté lui souriait d'un air fort tendre, malgré son costume extravagant, son nez de carton enluminé de cinabre, et son rôle ridicule qui ne prêtait point aux illusions romanesques. Le succès de Léandre en fut même compromis. En vain il faisait belle jambe, se rengorgeait comme un pigeon pattu, tournait du doigts les boucles de sa perruque, montrait son solitaire et découvrait ses dents jusqu'aux gencives; il ne produisait plus d'effet, et il eût pensé enrager de dépit, si *la Dama tapada* n'eût été à son poste, le couvant du regard, répondant aux clins d'yeux qu'il lui adressait par petits coups d'éventail sur le bord de la loge et autres signes d'intelligence amoureuse. Sa récente bonne fortune versait du baume sur cette petite plaie d'amour-propre, et les plaisirs que la nuit lui promettait le consolaient de ne pas être l'astre de la soirée.

Les comédiens revinrent à l'auberge, et Sigognac reconduisit Isabelle jusqu'à sa chambre, où la jeune actrice, contre son habitude, le laissa entrer. Une femme de chambre alluma une chandelle, remit du bois au feu, et se retira discrètement. Quand la portière fut retombée, Isabelle prit la main de Sigognac qu'elle serra avec plus de force qu'on n'aurait pu en supposer à ces doigts frêles et délicats, et d'un ton de voix que l'émotion altérait, elle lui dit :

« Jurez de ne plus vous battre pour moi. Jurez-le si vous m'aimez comme vous le dites.

— C'est un serment que je ne puis faire, dit le Baron; si quelque audacieux ose vous manquer de respect, je le châtierai, certes, comme je le dois, fût-il duc, fût-il prince.

— Songez, reprit Isabelle, que je ne suis qu'une pauvre comédienne, exposée aux affronts du premier venu. L'opinion du monde, trop justifiée, hélas! par les mœurs du théâtre, est que toute actrice se double d'une courtisane. Quand une femme a mis le pied sur les planches, elle appartient au public; les regards avides détaillent ses charmes, scrutent ses beautés, et l'imagination s'en empare comme d'une maîtresse. Chacun, parce qu'il la connaît, croit en être connu, et, s'il est admis dans les coulisses, étonne sa pudeur par la brusquerie d'aveux qu'elle n'a point provoqués. Est-elle sage? on prend sa vertu pour simagrée pure ou calcul intéressé. Ce sont choses qu'il faut souffrir puisqu'on ne peut les changer. Désormais fiez-vous à moi pour repousser par un maintien réservé, une parole brève, un air froid, les impertinences des seigneurs, des robins et des fats de toutes sortes qui se penchent sur ma toilette ou grattent du peigne, entre les actes, à la porte de ma loge. Un coup de busc sec sur les doigts qui s'émancipent vaut bien un coup de votre rapière.

— Permettez-moi de croire, charmante Isabelle, dit Sigognac, que l'épée du galant homme peut appuyer à propos le busc de l'honnête femme, et ne me retirez pas cet emploi d'être votre champion et chevalier. »

Isabelle tenait toujours la main de Sigognac, et fixait sur lui ses yeux bleus pleins de caresses et de supplications muettes pour arracher le serment désiré; mais le Baron ne l'entendait pas de cette oreille-là, il était intraitable comme un hidalgo sur le point d'honneur, et il eût bravé mille morts plutôt que de souffrir qu'on ne manquât de respect à sa maîtresse; il voulait qu'Isabelle, sur les planches, fût estimée comme une duchesse en un salon.

« Voyons, promettez-moi, fit la jeune comédienne, de ne plus vous exposer ainsi pour de frivoles motifs. Oh! dans quelle inquiétude et quelle angoisse j'ai attendu votre retour! je savais que vous alliez vous battre contre ce duc, dont chacun ne parle qu'avec terreur. Zerbine m'avait tout conté. Méchant que vous êtes, me torturer le cœur de la sorte! Ces hommes, ils ne songent guère aux pauvres femmes quand leur orgueil est en jeu; ils vont sans entendre les sanglots, sans voir les larmes, sourds, aveugles, féroces. Savez-vous que si vous aviez été tué je serais morte? »

Les pleurs qui brillaient dans les yeux d'Isabelle à l'idée seule du danger que Sigognac avait couru, et le tremblement nerveux de sa voix montraient que la douce créature disait vrai.

Touché plus qu'on ne saurait dire de cette passion sincère, le baron de Sigognac, enveloppant la taille d'Isabelle de sa main restée libre, l'attira sur sa poitrine sans qu'elle fit résistance, et ses lèvres effleurèrent le front penché de la jeune femme, dont il sentait contre son cœur la respiration haletante.

Ils restèrent ainsi quelques minutes silencieux, dans une extase qu'un amant moins respectueux que Sigognac eût sans doute mise à profit, mais il lui répugnait d'abuser de ce chaste abandon produit par la douleur.

« Consolez-vous, chère Isabelle, dit-il d'une voix tendrement enjouée, je ne suis pas mort, et j'ai même blessé mon adversaire quoiqu'il passe pour assez bon duelliste.

— Je sais que vous êtes un brave cœur et une main ferme, reprit Isabelle, aussi je vous aime et ne crains pas de vous le dire, sûre que vous respecterez ma franchise et n'en tirerez point avantage. Quand je vous ai vu si triste et si abandonné en ce château lugubre où se fanait votre jeunesse, je me suis senti une tendre et mélancolique pitié à votre endroit. Le bonheur ne me séduit pas, son éclat m'effarouche. Heureux, vous m'auriez fait peur. Dans cette promenade au jardin, où vous écartiez les ronces devant moi, vous m'avez cueilli une petite rose sauvage, seul cadeau que vous pussiez me faire; j'y ai laissé tomber une larme avant de la mettre dans mon sein, et, silencieusement, je vous ai donné mon âme en échange. »

En entendant ces douces paroles, Sigognac voulut baiser les belles lèvres qui les avaient dites; mais Isabelle se dégagea de son étreinte sans pruderie farouche, mais avec cette fermeté modeste qu'un galant homme ne doit pas contrarier.

« Oui, je vous aime, continua-t-elle, mais ce n'est pas à la façon des autres femmes; j'ai votre gloire pour but et non mon plaisir. Je veux bien qu'on me croit votre maîtresse, c'est le seul motif qui puisse excuser votre présence parmi cette troupe de baladins. Qu'importent les méchants propos pourvu que je garde ma propre estime et que je me sache vertueuse? Une tache me ferait mourir. C'est sans doute le sang noble que j'ai dans les veines qui m'inspire ces fiertés, bien ridicules, n'est-ce pas? chez une comédienne, mais je suis faite ainsi. »

Bien que timide, Sigognac était jeune. Ces charmants aveux qui n'eussent rien appris à un fat le remplissaient d'une ivresse délicieuse et le troublaient au dernier point. Une vive rougeur montait à ses joues ordinairement si pâles; il lui semblait que des flammes passaient devant ses yeux; les oreilles lui tintaient et il sentait jusque dans sa gorge les palpitations de son cœur. Certes, il ne mettait point en doute la vertu d'Isabelle, mais il croyait qu'un peu d'audace triompherait de ses scrupules; il avait entendu dire que l'heure du berger une fois sonnée ne revient plus. La jeune fille était là devant lui dans toute la gloire de sa beauté, rayonnante, lumineuse pour ainsi dire, âme visible, ange debout sur le seuil du paradis d'amour; il fit quelques pas vers elle et l'entoura de ses bras avec une ardeur convulsive.

Isabelle n'essaya pas de lutter; mais, se penchant en arrière pour éviter les baisers du jeune homme, elle fixa sur lui un regard plein de reproche et de douleur. De ses beaux yeux bleus jaillirent des larmes pures, vraies perles de chasteté qui roulèrent le long de ses joues subitement décolorées jusque sur les lèvres de Sigognac; un sanglot comprimé gonfla sa poitrine, et tout son corps s'affaissa comme si elle eût été près de s'évanouir.

Le Baron, éperdu, la posa sur un fauteuil et, s'agenouillant devant elle, lui prit les mains qu'elle lui abandonnait, implorant son pardon, s'excusant sur une fougue de jeunesse, sur un moment de vertige dont il se repentait et qu'il expierait par la soumission la plus parfaite.

« Vous m'avez fait bien mal, dit enfin Isabelle avec un soupir. J'avais tant de confiance en votre délicatesse! l'aveu de mon amour eût dû vous suffire et vous

faire comprendre par sa franchise même que j'étais
résolue à n'y point céder. J'aurais cru que vous m'auriez laissée vous aimer à ma fantaisie sans inquiéter
ma tendresse par des transports vulgaires. Vous m'avez
ôté cette sécurité; je ne doute pas de votre parole,
mais je n'ose plus écouter mon cœur. Il m'était cependant si doux de vous voir, de vous entendre, de
suivre vos pensées dans vos yeux! C'étaient vos peines
que je souhaitais partager, laissant les plaisirs à
d'autres. Parmi tous ces hommes grossiers, libertins,
dissolus, il en est un, me disais-je, qui croit à la
pudeur et sait respecter ce qu'il aime. J'avais fait ce
rêve, moi fille de théâtre, poursuivie sans cesse par
une odieuse galanterie, d'avoir une affection pure. Je
ne demandais qu'à vous conduire jusqu'au seuil du
bonheur et à rentrer ensuite au fond de mon ombre.
Vous voyez que je n'étais pas bien exigeante.

— Adorable Isabelle, chaque mot que vous dites,
s'écria Sigognac, me fait sentir davantage mon indignité; j'ai méconnu ce cœur d'ange; je devrais baiser
la trace de vos pas. Mais ne craignez plus rien de moi;
l'époux saura contenir les fougues de l'amant. Je n'ai
que mon nom; il est pur et sans tache comme vous.
Je vous l'offre si vous daignez l'accepter. »

Sigognac était toujours à genoux devant Isabelle : à
ces mots la jeune fille se baissa vers lui et, lui prenant
la tête avec un mouvement de passion délirant, elle
imprima sur les lèvres du Baron un baiser rapide;
puis, se levant, elle fit quelques pas dans la chambre.

« Vous serez ma femme », dit Sigognac, enivré au
contact de cette bouche fraîche comme une fleur,
ardente comme une flamme.

« Jamais, jamais, répondit Isabelle avec une exaltation extraordinaire; je me montrerai digne d'un tel
honneur en le refusant. Oh! mon ami, en quel ravissement céleste nage mon âme! Vous m'estimez donc?
vous oseriez donc me conduire la tête haute dans ces
salles où sont les portraits de vos aïeux, dans cette
chapelle où est le tombeau de votre mère? Je suppor-
terais sans crainte le regard des morts qui savent
tout, et la couronne virginale ne mentirait pas sur mon
front!

— Eh quoi! s'écria le Baron, vous dites que vous
m'aimez et vous ne voulez m'accepter ni comme amant
ni comme mari?

— Vous m'avez offert votre nom, cela me suffit. Je vous le rends, après l'avoir gardé une minute dans mon cœur. Un instant j'ai été votre femme et je ne serai jamais à un autre. Tout le temps que je vous embrassais, j'ai dit oui en moi-même. Je n'avais pas droit à tant de bonheur sur terre. Pour vous, ami cher, ce serait une grande faute d'embarrasser votre fortune d'une pauvre comédienne comme moi, à qui l'on reprocherait toujours sa vie de théâtre, quoique honorable et pure. Les mines froides et compassées dont les grandes dames m'accueilleraient vous feraient souffrir, et vous ne pourriez provoquer ces méchantes en duel. Vous êtes le dernier d'une noble race, et vous avez pour devoir de relever votre maison, abattue par le sort adverse. Lorsque d'un coup d'œil tendre je vous ai décidé de quitter votre manoir, vous songiez à quelque amourette et galanterie : c'était bien naturel; moi, devançant l'avenir, je pensais à tout autre chose. Je vous voyais revenant de la cour, en habit magnifique, avec quelque bel emploi. Sigognac reprenait son ancien lustre; en idée j'arrachais le lierre des murailles, je recoiffais d'ardoise les vieilles tours, je relevais les pierres tombées, je remettais les vitres aux fenêtres, je redorais les cigognes effacées de votre blason, et, vous ayant mené jusqu'aux limites de vos domaines, je disparaissais en étouffant un soupir.

— Votre rêve s'accomplira, noble Isabelle, mais non pas tel que vous le dites, le dénouement en serait trop triste. C'est vous qui la première, votre main dans ma main, franchirez ce seuil d'où les ronces de l'abandon et de la mauvaise fortune auront disparu.

— Non, non, ce sera quelque belle, noble et riche héritière, digne de vous en tous points, que vous pourrez montrer avec orgueil à vos amis, et dont nul ne dira avec un mauvais sourire : « Je l'ai sifflée » ou « applaudie à tel endroit ».

— C'est une cruauté de se montrer si adorable et si parfaite en vous désespérant, dit Sigognac; ouvrir le ciel et le fermer, rien de plus barbare. Mais je fléchirai cette résolution.

— Ne l'essayez pas, reprit Isabelle avec une fermeté douce, elle est immuable. Je me mépriserais en y renonçant. Contentez-vous donc d'un amour le plus pur, le plus vrai, le plus dévoué qui ait jamais fait battre le cœur d'une femme, mais ne prétendez pas autre chose. Cela est donc bien pénible, ajouta-t-elle en souriant, d'être adoré d'une ingénue que plusieurs ont le mauvais goût de trouver charmante? Vallombreuse lui-même en serait fier!

— Se donner et se refuser si complètement, mettre dans la même coupe cette douceur et cette amertume, ce miel et cette absinthe, il n'y avait que vous qui fussiez capable d'un pareil contraste.

— Oui, je suis une fille bizarre, reprit Isabelle, je tiens de ma mère en cela; mais comme je suis il faut me prendre. Si vous insistiez et me tourmentiez, je saurais bien me dérober en quelque asile où vous ne me trouveriez jamais. Ainsi c'est convenu; et comme il se fait tard, allez en votre chambre et m'accommodez ces vers d'un rôle qui ne vont ni à ma figure ni à mon caractère dans la pièce que nous devons jouer prochainement. Je suis votre petite amie, soyez mon grand poète. »

En disant cette phrase, Isabelle cherchait au fond d'un tiroir un rouleau noué d'une faveur rose qu'elle remit au baron de Sigognac.

« Maintenant, embrassez-moi et partez, dit-elle en lui tendant la joue. Vous allez travailler pour moi, et tout labeur mérite salaire. »

De retour chez lui, Sigognac fut longtemps à se remettre de l'émotion que lui avait causée cette scène. Il était à la fois désolé et ravi, radieux et sombre, au ciel et dans l'enfer. Il riait et pleurait, en proie aux sentiments les plus tumultueux et les plus contradictoires; la joie d'être aimé d'une si belle personne et d'un si noble cœur le faisait exulter, et la certitude de n'en rien obtenir jamais le jetait dans un accablement profond. Peu à peu ces folles vagues s'apaisèrent et le calme lui revint. Sa pensée reprit une à une pour les commenter les phrases d'Isabelle, et le tableau du château de Sigognac reconstruit qu'elle avait évoqué se présenta à son imagination échauffée avec les couleurs les plus vives et les plus fortes. Il eut tout éveillé comme une sorte de rêve :

La façade du castel rayonnait blanche au soleil, et les girouettes dorées à neuf brillaient sur le fond du ciel bleu. Pierre, revêtu d'une riche livrée, debout entre Miraut et Béelzébuth sous la porte armoriée, attendait son maître. Des cheminées si longtemps éteintes montaient de joyeuses fumées, montrant que le château était peuplé par une domesticité nombreuse et que l'abondance y était revenue.

Il se voyait lui-même vêtu d'un habit aussi galant que magnifique dont les broderies scintillaient et papillotaient, menant vers le manoir de ses ancêtres Isabelle, qui portait un costume de princesse blasonné d'armoiries dont les émaux et les couleurs semblaient appartenir à une des plus grandes maisons de France. Une couronne ducale brillait sur son front. Mais la jeune femme n'en paraissait pas plus fière. Elle gardait son air tendre et modeste et tenait à la main la petite rose, présent de Sigognac, auquel le temps n'avait rien fait perdre de sa fraîcheur, et tout en marchant elle en respirait le parfum.

Quand le jeune couple s'approcha du château, un vieillard de l'aspect le plus vénérable et le plus majestueux, sur la poitrine duquel étincelaient plusieurs ordres, et dont la physionomie était totalement inconnue à Sigognac, fit quelques pas hors du porche comme pour souhaiter la bienvenue aux jeunes époux. Mais ce qui surprit fort le Baron, c'est que près du vieillard se tenait un jeune homme de la plus fière tournure dont il ne distinguait d'abord pas bien les traits, mais qui bientôt lui parut être le duc de Vallombreuse. Le jeune homme lui souriait amicalement et n'avait plus son expression hautaine.

Les tenanciers criaient : « Vive Isabelle, vive Sigognac », avec les démonstrations de la joie la plus vive. À travers le tumulte des acclamations, une fanfare de chasse se fit entendre; bientôt du milieu d'un taillis déboucha sur la clairière, cravachant son palefroi, rebelle, une amazone dont les traits ressemblaient beaucoup à ceux de Yolande. Elle flatta de la main le col de son cheval, le mit à une allure plus modérée, et passa lentement devant le manoir : Sigognac suivait, malgré lui, des yeux la superbe chasseresse dont la jupe de velours s'enflait comme une aile, mais plus il la regardait, plus la vision pâlissait et se décolorait. Elle prenait des diaphanéités d'ombre, et à travers ses contours presque effacés on distinguait plusieurs détails du paysage. Yolande s'évanouissait comme un souvenir confus devant la réalité d'Isabelle. Le vrai amour faisait envoler les premiers rêves de l'adolescence.

En effet, dans ce manoir ruiné, où les yeux n'avaient à se repaître que du spectacle de la désolation et de la misère, le Baron avait vécu, morne, somnolent, inanimé, plus semblable à une ombre qu'à un homme, jusqu'au jour de sa première rencontre avec Yolande de Foix en chasse sur la lande déserte. Il n'avait encore vu que les paysannes cuites par le hâle, que des bergères crottées, des femelles et non des femmes; il garda de cette vision un éblouissement comme ceux qui contemplent le soleil. Toujours il voyait danser devant ses yeux, même quand il les fermait, cette figure radieuse qui lui semblait appartenir à une autre sphère. Yolande, il est vrai, était incomparablement belle et bien faite pour fasciner de plus usagés qu'un pauvre hobereau se promenant sur un bidet étique dans les habits trop larges de son père. Mais, au sourire provoqué par son accoutrement grotesque, Sigognac avait senti combien il lui serait ridicule de nourrir la moindre espérance à l'endroit de cette insolente beauté. Il évitait Yolande, ou s'arrangeait pour la voir sans en être aperçu, derrière quelque haie ou tronc d'arbre sur les chemins qu'elle avait l'habitude de prendre avec sa suite de galants qu'en son mépris de soi-même il trouvait tous cruellement beaux, merveilleusement vêtus, superbement aimables. Ces jours-là, le cœur enfiellé d'une amère tristesse, il revenait au château, pâle, défait, abattu, comme un homme qui relève de maladie, et il restait silencieux des heures entières, assis, le menton dans la main, à l'angle de la cheminée.

L'apparition d'Isabelle au château avait donné un but à ce vague besoin d'aimer qui tourmente la jeunesse et dans l'oisiveté s'attache à des chimères. Les grâces, la douceur, la modestie de la jeune comédienne avaient touché Sigognac au plus tendre de l'âme, et il l'aimait réellement beaucoup. Elle avait guéri la blessure faite par le mépris de Yolande.

Sigognac, après s'être laissé aller à ces rêvasseries fantasmagoriques, se tança de sa paresse et parvint, non sans peine, à fixer son attention sur la pièce qu'Isabelle lui avait confiée pour en retoucher quelques passages. Il retrancha certains vers qui ne congruaient pas à la physionomie de la jeune comédienne, il en ajouta certains autres; il refit la déclaration d'amour du galant comme froide, prétentieuse, guindée et sen-

tant son phébus. Celle qu'il substitua était, certes, plus
naturelle, plus passionnée, plus chaude; il l'adressait,
en idée, à Isabelle même.

Ce travail l'amena fort tard dans la nuit, mais il
s'en tira à son avantage et satisfaction, et fut récom-
pensé, le lendemain, par un gracieux sourire d'Isabelle, qui se mit tout de suite à apprendre les vers
que son poète, comme elle l'appelait, avait arrangés.
Ni Hardy ni Tristan n'eussent mieux fait.

A la représentation du soir, la foule fut encore plus
considérable que la veille, et peu s'en fallut que le
portier ne restât étouffé dans la presse des spectateurs qui voulaient tous entrer en même temps à la
comédie, craignant, bien qu'ils eussent payé, de n'y
trouver place. La réputation du capitaine Fracasse,
vainqueur de Vallombreuse, grandissait d'heure en
heure et prenait des proportions chimériques et fabuleuses; on lui eût attribué volontiers les travaux d'Hercule et les prouesses des douze pairs de la Table
ronde. Quelques jeunes gentilshommes, ennemis du
duc, parlaient de rechercher l'amitié de ce vaillant
gladiateur et de l'inviter à faire carousse avec eux au
cabaret, à six pistoles par tête. Plus d'une dame méditait un poulet, d'un tour galant, à son adresse, et avait
jeté au feu cinq ou six brouillons mal venus. Bref,
il était à la mode. On ne jurait plus que par lui. Il
se souciait assez peu de ce succès qui le tirait de
l'obscurité où il aurait voulu rester, mais il ne lui était
pas possible de s'y soustraire; il fallait le subir; un
moment, il eut la fantaisie de se dérober et de ne point
paraître en scène. L'idée du désespoir qu'en aurait le
Tyran, tout émerveillé des énormes recettes qu'il
encaissait, l'empêcha de le faire. Ces honnêtes comédiens, qui l'avaient secouru en sa misère, ne devaient-
ils pas profiter de la vogue inopinée dont il jouissait?
Aussi, se résignant à son rôle, il s'adapta son masque
et attendit que l'avertisseur lui vînt dire que c'était
son tour.

Les recettes étant belles et la compagnie nombreuse,
Hérode, en directeur généreux, avait fait doubler le
luminaire, de sorte que la salle resplendissait d'un
éclat aussi vif qu'un spectacle de cour. Dans l'espérance de séduire le capitaine Fracasse, des dames de
la ville s'étaient mises sous les armes, et comme on
dit à Rome, *in fiocchi*. Pas un diamant ne restait

dans les écrins, et tout cela brillait et scintillait sur des poitrines plus ou moins blanches, sur des têtes plus ou moins jolies, mais qu'animait un vif désir de plaire.

Une seule loge était encore vide, la mieux placée, la plus en vue de la salle, et les yeux se tournaient curieusement de ce côté. Le peu d'empressement de ceux qui l'avaient louée étonnait les gentilshommes et bourgeois de Poitiers, à leur poste depuis plus d'une heure. Hérode, entrebâillant le rideau, semblait attendre pour frapper les trois coups sacramentels que ces dédaigneux arrivassent, car rien n'est maussade en les comédies comme ces tardives et trop fâcheuses entrées de spectateurs, qui remuent leurs sièges, s'installent bruyamment et détournent l'attention.

Comme le rideau se levait, une jeune femme prit place dans la loge, et à côté d'elle s'assit péniblement un seigneur ayant l'apparence vénérable et patriarcale. De longs cheveux blancs dont le bout se roulait en des boucles argentées tombaient des tempes encore bien garnies du vieux gentilhomme, tandis que le haut de la tête laissait voir un crâne à tons ivoirins. Ces mèches accompagnaient des joues martelées de couleurs violentes qui prouvaient l'habitude de vivre au grand air et peut-être un culte rabelaisien de la dive bouteille. Les sourcils restés noirs et fort touffus ombrageaient des yeux dont l'âge n'avait pas éteint la vivacité et qui pétillaient encore par moments dans leurs cercles de rides brunes. Des moustaches et une royale auxquelles on eût pu appliquer cette épithète de *grifaigne* que les vieux romans de gestes attribuent invariablement à la barbe de Charlemagne se hérissaient en virgules autour de sa bouche sensuelle et lippue : un double menton rattachait sa figure à son col replet, et l'apparence générale eût été assez commune sans le regard qui relevait tout cela et ne permettait pas de mettre en doute la qualité du personnage. Un collet en point de Venise se rabattait sur sa veste de brocart d'or, et son linge d'une blancheur éblouissante soulevé par un abdomen assez proéminent débordait et couvrait la ceinture d'un haut-de-chausses en velours tanné; un manteau de même couleur, galonné d'or, jeté négligemment, se drapait au dos du siège. Il était facile de deviner en ce vieillard un oncle-chaperon, réduit à l'état de duègne par une nièce adorée malgré ses caprices; on eût dit, à

les voir tous deux, elle, svelte et légère, lui, pesant et refrogné, Diane menant en laisse un vieux lion demi-
privé qui eût aimé mieux dormir en son antre qu'être
ainsi promené de par le monde, mais qui cependant
s'y résigne.

Le costume de la jeune fille prouvait par son élégance la richesse et le rang de celle qui le portait. Une
robe de vert glauque, de cette nuance que les blondes
les plus sûres de leur teint peuvent seuls affronter, faisait valoir la blancheur neigeuse d'une poitrine chastement découverte, et le col d'une transparence alabastrine jaillissait comme le pistil de la corolle d'une
fleur, d'une collerette empesée et découpée à jour. La
jupe, en toile d'argent, se glaçait de lumière, et des
points brillants marquaient l'orient des perles qui bordaient la robe et le corsage. Les cheveux, imprégnés de
rayons et tournés en petites boucles sur le front et les
tempes, ressemblaient à de l'or vivant; pour les blasonner ce n'eût pas été trop d'une vingtaine de sonnets
avec tous les concetti italiens et les agudezas espagnoles. Déjà la salle entière était éblouie de cette
beauté, bien qu'elle n'eût pas encore ôté son masque,
mais ce qu'on en voyait répondait du reste; le
menton délicat et pur, la coupe parfaite de la bouche
dont les rougeurs de framboise gagnaient au voisinage
du velours noir, l'ovale allongé, gracieux et fin de la
figure, la perfection idéale d'une mignonne oreille
qu'on eût pu croire ciselée dans l'agate par Benvenuto
Cellini attestaient assez des charmes enviables des
déesses mêmes.

Bientôt, incommodée sans doute par la chaleur de la
salle ou peut-être voulant faire aux mortels une générosité dont ils ne sont guère dignes, la jeune déité ôta
l'odieux morceau de carton qui éclipsait la moitié de
sa splendeur. On vit alors ses yeux charmants dont les
prunelles translucides brillaient comme des pierres
de lazulite entre de longs cils d'or bruni, son nez,
demi-grec, demi-aquilin, et ses joues nuancées d'un
imperceptible carmin qui eût fait paraître terreux
le teint de la plus fraîche rose. C'était Yolande de
Foix.

La jalousie des femmes se sentant menacées dans
leurs succès et réduites à l'état de laiderons ou d'an-
tiquailles l'avait bien reconnue avant qu'elle ne se fût
démasquée.

Promenant un regard tranquille sur la salle émue, Yolande s'accouda au rebord de la loge, la main appuyée contre la joue dans une pose qui eût fait la réputation d'un sculpteur et tailleur d'images, si un ouvrier, fût-il grégeois ou romain, pouvait inventer une attitude de cette grâce distraite et de cette élégance naturelle.

« Surtout, mon oncle, n'allez pas dormir, dit-elle à demi-voix au vieux seigneur qui aussitôt écarquilla les yeux et se redressa sur son siège, cela ne serait pas aimable pour moi, et contraire au lois de l'ancienne galanterie que vous vantez toujours.

— Soyez tranquille, ma nièce, quand les fadaises et billevesées que débitent ces baladins dont les affaires m'intéressent fort peu m'ennuieront par trop grièvement, je regarderai et soudain j'ouvrirai l'œil clair comme basilic. »

Pendant ces propos d'Yolande et de son oncle, le capitaine Fracasse, marchant comme une paire de ciseaux forcée, s'avançait jusque près des chandelles, roulant des yeux furibonds et faisant la mine la plus outrageuse et la plus outrecuidante du monde.

Des applaudissements frénétiques éclatèrent de toutes parts à l'entrée de l'acteur favori, et l'attention se détourna un moment d'Yolande. A coup sûr, Sigognac n'était point vaniteux et son orgueil de gentilhomme méprisait ce métier de baladin à quoi la nécessité l'obligeait. Cependant nous ne voudrions pas affirmer que son amour-propre ne fût quelque peu chatouillé de cette approbation chaude et bruyante. La gloire des histrions, gladiateurs, pantomimes a parfois rendu jaloux des personnages haut situés, des empereurs romains et Césars, maîtres du monde qui ne dédaignèrent point de disputer, dans le cirque ou sur le théâtre, des couronnes de chanteurs, mimes, lutteurs et cochers, quand ils en avaient déjà tant d'autres sur le chef, témoin Ænobarbus Néro, pour ne parler que du plus célèbre.

Quand les battements de mains eurent cessé, le capitaine Fracasse promena dans la salle ce regard que ne manque pas d'y jeter l'acteur pour s'assurer que les banquettes sont bien garnies et deviner l'humeur joyeuse ou farouche du public sur quoi il modèle son jeu, se donnant ou se refusant des libertés.

Tout à coup le Baron eut un éblouissement; les lu-

mières s'élargirent comme des soleils, puis lui semblèrent devenues noires sur un fond lumineux. Les
têtes des spectateurs qu'il démêlait confusément à ses
pieds se fondirent en une espèce de brouillard informe.
Une sueur brûlante, aussitôt glacée, le mouilla de la
racine des cheveux au talon. Ses jambes plus molles
que coton ployèrent sous lui, et il crut que le plancher
du théâtre lui montait à la ceinture. Sa bouche des-
séchée, aride n'avait plus de salive; un carcan de fer
étreignait sa gorge comme le *garote* espagnol fait d'un
criminel, et de sa cervelle les mots qu'il devait prononcer s'envolaient effarés, tumultueux, se heurtant et
s'enchevêtrant comme des oiseaux qui fuient de leur
cage ouverte. Sang-froid, contenance, mémoire, tout
était parti à la fois. On eût dit qu'une foudre invisible
l'avait frappé, et peu s'en fallût qu'il ne tombât mort,
le nez sur les chandelles. Il venait d'apercevoir
Yolande de Foix, tranquille et radieuse en sa loge qui
fixait sur lui ses beaux yeux pers!

O honte! ô rage! ô mauvais tour du sort! ô contre-
temps par trop fâcheux pour une âme noble! être vu,
sous un accoutrement grotesque en cette fonction
indigne et basse de divertir la canaille avec des grimaces par une dame si hautaine, si arrogante, si dédaigneuse devant qui pour l'humilier et lui rabattre la
superbe on n'eût voulu faire qu'actions magnanimes,
héroïques, surhumaines! Et ne pouvoir se dérober, disparaître, s'engloutir dans les entrailles de la terre!
Sigognac eut un instant l'idée de s'enfuir, de s'élancer
par la toile du fond en y faisant un trou avec sa tête
comme avec une baliste; mais il avait aux pieds ces
semelles de plomb dont on prétend qu'usent certains
coureurs en leurs exercices pour être plus légers
ensuite; il ne pouvait se détacher du plancher et il
restait là éperdu, béant, stupide, au grand étonnement
de Scapin, qui, s'imaginant que le capitaine Fracasse
manquait de mémoire, lui soufflait, à voix basse, les
premiers mots de la tirade.

Le public crut que l'acteur, avant de commencer,
désirait une seconde salve d'applaudissements, et il se
mit à battre des mains, à trépigner, à faire le plus
triomphant vacarme qu'on ait jamais ouï en un théâtre.
Cela donna le temps à Sigognac de reprendre ses
esprits. Il fit un suprême effort de volonté et rentra violemment dans la possession de ses moyens : « Ayons

au moins la gloire de notre infamie, se dit-il en se raffermissant sur ses jambes; il ne manquerait plus que d'être sifflé devant elle et de recevoir en sa présence une grêle de pommes crues et d'œufs durs. Peut-être ne m'a-t-elle point reconnu derrière cet ignoble masque. Qui supposerait un Sigognac sous cet habit de singe savant, bariolé de rouge et de jaune! Allons, du courage; à la rescousse! Faisons feu des quatre pieds. Si je joue bien, elle m'applaudira. Ce sera, certes, un beau triomphe, car elle est outrageuse assez. »

Ces réflexions, Sigognac les fit en moins de temps que nous n'en mettons à les écrire, la paume ne pouvant suivre les rapidités de la pensée, tandis qu'il débitait sa grande tirade avec des éclats de voix si singuliers, des intonations si inattendues, une furie comique si endiablée que le public éclata en bravi, et que Yolande elle-même, bien qu'elle témoignât ne prendre point de goût à ces farces, ne put s'empêcher de sourire. Son oncle, le gros commandeur, était parfaitement éveillé et heurtait les paumes de ses mains goutteuses en signe de satisfaction. Le malheureux Sigognac au désespoir, par l'exagération de son jeu, l'outrance de ses bouffonneries, la folie de ses rodomontades, semblait vouloir se bafouer lui-même et pousser la dérision de son sort jusques à la limite extrême où elle pouvait aller; il jetait à ses pieds dignité, noblesse, respect de soi, souvenir des ancêtres; et il trépignait dessus avec une joie délirante et féroce!

« Tu dois être contente, Fortune adverse, je suis assez humilié, assez profondément enfoncé dans l'abjection, pensait-il tout en recevant les nasardes, croquignoles et coups de pied, tu m'avais fait misérable! tu me rends ridicule! tu me forces par un lâche tour à me déshonorer devant cette fière personne! Que te faut-il de plus? »

Parfois la colère le prenait et il se redressait sous le bâton de Léandre d'un air si formidable et dangereux que celui-ci reculait de peur; mais, revenant par un brusque soubresaut à l'esprit de son rôle, il tremblait de tout son corps, claquait des dents, flageolait sur ses jambes, bégayait et donnait, au grand plaisir des spectateurs, tous les signes de la plus lâche poltronnerie.

Ces extravagances, qui eussent paru ridicules dans

un rôle moins chargé que celui de Matamore, étaient attribuées par le public à la verve de l'acteur tout à fait entré dans la peau du personnage, et ne laissaient pas que de produire un bon effet. Isabelle seule avait deviné ce qui causait le trouble du Baron : la présence dans la salle de cette insolente chasseresse dont les traits ne lui étaient que trop restés dans la mémoire. Tout en jouant son rôle, elle tournait à la dérobade les yeux vers la loge où trônait, avec l'orgueil dédaigneux et tranquille d'une perfection sûre d'elle-même, l'altière beauté que, dans son humilité, elle n'osait appeler sa rivale. Elle trouvait une amère douceur à constater intérieurement cette supériorité inéluctable, et se disait que nulle femme n'eût pu lutter d'appas contre une telle déesse. Ces charmes souverains lui firent comprendre les amours insensées qu'excite parfois chez les marauds du peuple la grâce non pareille de quelque jeune reine apparue en un triomphe ou cérémonie publique, amours suivies de folie, prisons et supplices.

Quant à Sigognac, il s'était promis de ne pas regarder Yolande de peur d'être saisi par un transport soudain, et la raison perdue, de faire publiquement quelque incartade bizarre qui le déshonorât. Il tâchait, au contraire, de se calmer en tenant sa vue attachée, lorsque le rôle le permettait, sur cette douce et bonne Isabelle. Ce charmant visage, empreint d'une légère tristesse qu'expliquait la fâcheuse tyrannie d'un père qui, dans la comédie, la voulait marier contre son gré, redonnait à son âme un peu de repos; l'amour de l'une le consolait des mépris de l'autre. Il reprenait de l'estime pour lui-même et trouvait la force de continuer son jeu.

Ce supplice eut un terme enfin. La pièce s'acheva et lorsque, rentré dans la coulisse, Sigognac, qui étouffait, défit son masque, ses camarades furent frappés de l'altération étrange de ses traits. Il était livide et se laissa tomber comme un corps sans vie sur un banc qui se trouvait là. Le voyant près de pâmer, Blazius lui apporta un flacon de vin, disant que rien n'était efficace en ces occurrences comme une lampée ou deux du meilleur. Sigognac fit signe qu'il ne voulait que de l'eau.

« Condamnable régime, dit le Pédant, grave erreur diététique; l'eau ne convient qu'aux grenouilles, poissons et sarcelles, nullement aux humains; en bonne pharmacie, on devait écrire sur les carafes : « Remède pour usage externe. » Je mourrais subitement tout vif si j'avalais une goutte de cette humidité fade. »

Le raisonnement de Blazius n'empêcha point le Baron d'avaler un pot d'eau tout entier. La fraîcheur du breuvage le remit tout à fait, et il commença à promener autour de lui des regards moins effarés.

« Vous avez joué d'une façon admirable et fantasque, dit Hérode en s'approchant du Capitaine, mais il ne faut point se livrer de la sorte. Un tel feu vous consumerait bientôt. L'art du comédien est de se ménager et de ne présenter que les apparences des choses. Il doit être froid en brûlant les planches et rester tranquille au milieu des plus grandes furies. Jamais acteur n'a représenté si au vif l'emphase, l'impertinence et la folie du Matamore, et si vous pouviez retrouver ces effets d'improvisation, vous emporteriez dessus tous autres la palme comique.

— N'est-ce point, répondit amèrement le Baron, que j'ai bien rempli mon personnage? Je me sentais moi-même fort burlesque et fort bouffon dans la scène où ma tête passe à travers la guitare que Léandre me casse sur le crâne.

— De vrai, vous faisiez, reprit le Tyran, la mine la plus hétéroclitement furibonde et risible qui se puisse imaginer. Mlle Yolande de Foix, cette belle personne si fière, si noble, si sérieuse, a daigné en sourire. Je l'ai bien vu.

— Ce m'est un grand honneur, fit Sigognac dont les joues s'empourprèrent subitement, d'avoir diverti cette beauté.

— Pardon, dit le Tyran qui s'aperçut de cette rougeur. Ce succès qui nous enivre, nous autres, pauvres baladins de profession, doit être indifférent à une personne de votre qualité, bien au-dessus des applaudissements, même illustres.

— Vous ne m'aviez point fâché, brave Hérode, dit Sigognac en tendant la main au Tyran; il faut faire bien tout ce qu'on fait. Mais je ne pouvais m'empêcher de songer que ma jeunesse avait espéré d'autres triomphes. »

Isabelle, qui s'était habillée pour l'autre pièce, passa près de Sigognac et lui jeta, avant d'entrer en scène, un regard d'ange consolateur, si chargé de tendresse, de sympathie, de passion qu'il en oublia tout à fait

Yolande et ne se sentit plus malheureux. Ce fut un baume divin qui cicatrisa les plaies de son orgueil pour un moment du moins, car ces plaies-là se rouvrent et saignent toujours.

Le marquis de Bruyères était à son poste, et quelque occupé qu'il fût d'applaudir Zerbine pendant la représentation, il ne laissa pas que d'aller saluer Yolande, qu'il connaissait et dont parfois il suivait la chasse. Il lui conta, sans nommer le Baron, le duel du capitaine Fracasse avec le duc de Vallombreuse dont il savait mieux que personne les détails, ayant été témoin de l'un des deux adversaires.

« Vous faites mal à propos le discret, répondit Yolande, j'ai bien deviné que le capitaine Fracasse n'est autre que le baron de Sigognac. Ne l'ai-je pas vu partir de sa tour à hiboux en compagnie de cette péronnelle, de cette bohémienne qui joue les ingénues d'un air si confit, ajouta-t-elle avec un ris un peu forcé, et n'était-il pas en votre château à la suite des comédiens? A sa mine niaise je n'eusse pas cru qu'il fût si parfait baladin et si vaillant compagnon. »

Tout en causant avec Yolande, le marquis promenait ses regards dans la salle dont il saisissait mieux l'aspect que de la place qu'il occupait ordinairement, tout près des violons, pour mieux suivre le jeu de Zerbine. Son attention se porta sur la dame masquée qu'il n'avait point aperçue jusqu'alors, puisque lui-même, assis au premier rang, tournait presque toujours le dos aux spectateurs dont il désirait n'être pas trop remarqué. Bien qu'elle fût comme ensevelie sous ses dentelles noires, il crut reconnaître dans la tournure et l'attitude de cette beauté mystérieuse quelque chose qui lui rappelait vaguement la marquise sa femme. « Bah! se dit-il, elle doit être au château de Bruyères, où je l'ai laissée. » Cependant elle faisait scintiller, à l'annulaire de la main qu'elle tenait coquettement posée sur le bord de la loge, comme pour se dédommager de ne point montrer son visage, un assez gros diamant que la marquise avait l'habitude de porter, et, cet indice lui troublant la fantaisie, il prit congé d'Yolande et du vieux seigneur dans l'idée de s'aller assurer du fait avec une civilité assez brusque, mais non pas si prompte qu'il ne trouvât, quand il parvint au but, le nid sans l'oiseau. La dame, alarmée, était partie. Ce dont il resta fort perplexe et désappointé, quoiqu'il fût mari philosophe. « Serait-elle amoureuse de ce Léandre? murmura-t-il; heureusement j'ai fait bâtonner le fat par avance et je suis en règle de ce côté-là. » Cette pensée lui rendit sa sérénité et il alla derrière le rideau rejoindre la Soubrette, qui s'étonnait déjà de ne le point voir accourir et le reçut avec la mauvaise humeur simulée dont ces sortes de femmes agacent les hommes.

Après la représentation, Léandre, inquiet de ce que la marquise avait disparu subitement au milieu du spectacle, se rendit sur la place de l'église à l'endroit où le page venait le prendre avec le carrosse. Il trouva le page tout seul qui lui remit une lettre accompagnée d'une petite boîte fort lourde, et disparut si rapidement dans l'ombre que le comédien eût pu douter de la réalité de l'apparition s'il n'eût eu entre les mains la missive et le paquet. Appelant un laquais qui passait avec un falot pour aller chercher son maître en quelque maison voisine, Léandre rompit le cachet d'une main hâtive et tremblante, et, approchant le papier de la lanterne que le valet lui tenait à hauteur du nez, il lut les lignes suivantes :

« Cher Léandre, je crains bien que mon mari ne m'ait reconnue à la comédie, malgré mon masque; il fixait les yeux avec une telle insistance sur ma loge, que je me suis retirée en toute hâte pour ne pas être surprise. La prudence, si contraire à l'amour, nous prescrit de ne pas nous voir, cette nuit, au pavillon. Vous pourriez être épié, suivi, tué peut-être, sans parler des dangers que moi-même je puis courir. En attendant des occasions plus heureuses et plus commodes, veuillez bien porter cette chaîne d'or à trois tours que mon page vous remettra. Puisse-t-elle, toutes les fois que vous la mettrez à votre col, vous faire souvenir de celle qui ne vous oubliera jamais et vous aimera toujours.

« Celle qui, pour vous, n'est que Marie. »

« Hélas! voilà mon beau roman fini, se disait Léandre en donnant quelque monnaie au laquais dont il avait emprunté le falot; c'est dommage! Ah! charmante marquise, comme je vous eusse aimée longtemps! continua-t-il quand le valet fut éloigné, mais les destins

jaloux de mon bonheur ne l'ont point permis; soyez
tranquille, madame, je ne vous compromettrai point
par des flammes indiscrètes. Ce brutal de mari me
navrerait sans pitié et plongerait le fer en votre
blanche poitrine. Non, non, point de ces tueries sauvages, mieux faites pour les tragédies que pour la vie
commune. Dût mon cœur en saigner, je ne chercherai
point à vous revoir, et me contenterai de baiser cette
chaîne moins fragile et plus pesante que celle qui nous
a un instant unis. Combien peut-elle valoir? Mille ducats pour le moins, à en juger par sa lourdeur! Comme
j'ai raison d'aimer les grandes dames! elles n'ont d'inconvénients que les coups de bâton et les coups d'épée
qu'on risque à leur service. En somme, l'aventure s'arrête au bel endroit, ne nous plaignons pas. » Et
curieux de voir à la lumière briller et chatoyer sa
chaîne d'or, il se rendit à l'hôtel des *Armes de France*
d'un pas assez délibéré pour un amant qui vient de
recevoir son congé.

En rentrant dans sa chambre, Isabelle trouva au
milieu de la table une cassette placée de manière à
forcer le regard le plus distrait de la voir. Un papier
était posé sous un des angles de la boîte qui devait
contenir des choses fort précieuses, car elle était déjà
un joyau elle-même. Le papier n'était point scellé et
contenait ces mots d'une écriture tremblée et péniblement formée comme celle d'une main dont l'usage n'est
pas libre : « Pour Isabelle. »

Une rougeur d'indignation monta aux joues de la
comédienne à l'aspect de ces présents dont plus d'une
vertu eût été ébranlée. Sans même ouvrir la cassette
par curiosité féminine, elle appela maître Bilot, qui
n'était point couché encore, préparant un souper pour
quelques seigneurs, et lui dit d'emporter cette boîte
pour la remettre à qui de droit, car elle ne la voulait
pas souffrir une minute de plus en sa possession.

L'aubergiste fit l'étonné et jura son grand sacredieu,
serment aussi solennel pour lui que le Styx pour les
Olympiens, qu'il ignorait qui avait mis là cette boîte,
bien qu'il se doutât de sa provenance. En effet, c'était
dame Léonarde à laquelle le duc s'était adressé, pensant qu'une vieille femme réussît là où le diable échoue,
qui avait frauduleusement posé ces joyaux sur la table,
en l'absence d'Isabelle. Mais, ici, la damnable matrone
avait vendu ce qu'elle ne pouvait livrer, présumant

trop de la force corruptrice des pierreries et de l'or qui n'agit que sur les âmes viles.

« Tirez cela d'ici, dit Isabelle à maître Bilot, rendez cette boîte infâme à qui l'envoie, et surtout ne sonnez mot de la chose au Capitaine; quoique ma conduite ne soit en rien coupable, il pourrait entrer en des furies et faire des esclandres dont souffrirait ma réputation. »

Maître Bilot admira le désintéressement de cette jeune comédienne qui n'avait pas même regardé des bijoux à tourner la tête d'une duchesse, et les renvoyait dédaigneusement, comme des dragées de plâtre ou des noix creuses, et, en se retirant, il lui fit un salut des plus respectueux, celui qu'il eût adressé à une reine, tant cette vertu le surprenait.

Agitée, enfiévrée, Isabelle, après le départ de maître Bilot, ouvrit la fenêtre pour éteindre, à la fraîcheur de la nuit, les feux de ses joues et de son front. Une lumière brillait à travers les branches des arbres sur la façade noire de l'hôtel Vallombreuse, sans doute au logis du jeune duc blessé. La ruelle semblait déserte. Cependant Isabelle, de cette ouïe fine de la comédienne habituée à saisir au vol le murmure du souffleur, crut entendre une voix très basse qui disait : « Elle n'est pas encore couchée. »

Très intriguée de cette phrase, elle se pencha un peu, et il lui sembla démêler dans l'ombre, au pied de la muraille, deux formes humaines enveloppées de manteaux et se tenant immobiles comme des statues de pierre au porche d'une église; à l'autre bout de la ruelle, malgré l'obscurité, ses yeux dilatés par la peur découvrirent un troisième fantôme qui paraissait faire le guet.

Se sentant observés, les êtres énigmatiques disparurent ou se cachèrent plus soigneusement, car Isabelle ne distingua ni n'entendit plus rien. Fatiguée de faire vedette, et croyant avoir été le jouet d'une illusion nocturne, elle referma doucement sa fenêtre, poussa le verrou de sa porte, posa la lumière près de son lit, et se coucha avec une vague angoisse que ne pouvaient calmer les raisonnements qu'elle se faisait. En effet, qu'avait-elle à craindre en une auberge pleine de monde, à deux pas de ses amis, dans sa chambre bien et dûment verrouillée et fermée à triple tour? Quel rapport pouvaient avoir avec elle ces ombres entrevues au bas de la muraille et qui étaient sans doute quelques tire-laine attendant une proie et gênés par la lumière de sa fenêtre?

Tout cela était logique, mais ne la rassurait pas : un pressentiment anxieux lui serrait la poitrine. Si elle n'eût craint d'être raillée, elle se fût levée et réfugiée chez une compagne, mais Zerbine n'était pas seule, Sérafine ne l'aimait guère, et la Duègne lui causait une répugnance instinctive. Elle resta donc en proie à d'inexprimables terreurs.

Le moindre craquement de la boiserie, le plus léger grésillement de la chandelle dont la mèche, non mouchée, se coiffait d'un noir champignon, la faisait tressaillir et s'enfoncer sous les couvertures, de peur de voir dans les angles obscurs quelque forme monstrueuse; puis elle reprenait courage, inspectant du regard l'appartement où rien n'avait l'air suspect ou surnaturel.

Dans le haut d'une des murailles, était pratiqué un œil-de-bœuf destiné sans doute à donner du jour à quelque cabinet obscur. Cet œil-de-bœuf s'arrondissait sur la paroi grisâtre, aux faibles reflets de la lumière, comme l'énorme prunelle noire d'un œil cyclopéen, et semblait espionner les actions de la jeune femme. Isabelle ne pouvait s'empêcher de regarder fixement ce trou profond et sombre, grillé, au reste, de deux barreaux de fer en croix. Il n'y avait donc rien à craindre de ce côté, pourtant, à un certain moment, Isabelle crut voir au fond de cette ombre briller deux yeux humains.

Bientôt une tête basanée, à longs cheveux noirs ébouriffés, s'engagea dans un des étroits compartiments dessinés par l'intersection des barreaux; un bras maigre suivit, puis les épaules passèrent, se froissant au rude contact du fer, et une petite fille de huit à dix ans, se cramponnant de la main au rebord de l'ouverture, allongea tant qu'elle put son corps chétif le long de la muraille et se laissa tomber sur le plancher sans faire plus de bruit qu'une plume ou qu'un flocon de neige qui descendent à terre.

A l'immobilité d'Isabelle, pétrifiée et médusée de terreur, l'enfant l'avait crue endormie, et quand elle s'approcha du lit, pour s'assurer si ce sommeil était profond, une surprise extrême se peignit sur son visage couleur de bistre. « La dame au collier! dit-elle en touchant les perles qui bruissaient à son col maigre et brun, la dame au collier! »

De son côté, Isabelle, à demi morte de peur, avait reconnu la petite fille rencontrée à l'auberge du *Soleil bleu* et sur la route de Bruyères en compagnie d'Agostin. Elle essaya d'appeler au secours, mais l'enfant lui mit la main sur la bouche.

« Ne crie pas, tu ne cours aucun danger; Chiquita a dit qu'elle ne couperait jamais le col à la dame qui lui a donné les perles qu'elle avait envie de voler.

— Mais que viens-tu faire ici, malheureuse enfant? fit Isabelle, reprenant quelque sang-froid à la vue de cet être faible et débile qui ne pouvait être bien redoutable, et d'ailleurs manifestait certaine reconnaissance sauvage et bizarre à son endroit.

— Ouvrir le verrou que tu pousses tous les soirs, reprit Chiquita du ton le plus tranquille et comme n'ayant aucun doute sur la légitimité de son action; on m'a choisie pour cela parce que je suis agile et mince comme une couleuvre. Il n'y a guère de trous par où je ne puisse passer.

— Et pourquoi voulait-on te faire ouvrir le verrou? Pour me voler?

— Oh! non, répondit Chiquita d'un air dédaigneux; c'était pour que les hommes pussent entrer dans la chambre et t'emporter.

— Mon Dieu, je suis perdue, s'écria Isabelle en gémissant et en joignant les mains.

— Non pas, dit Chiquita, puisque je laisserai le verrou fermé. Ils n'oseraient forcer la porte, cela ferait du bruit, on viendrait et on les prendrait; pas si bêtes!

— Mais j'aurais crié, je me serais accrochée aux murs, on m'aurait entendue.

— Un bâillon étouffe les cris, dit Chiquita avec l'orgueil d'un artiste qui explique à un ignorant un secret du métier, une couverture roulée autour du corps empêche les mouvements. C'est très facile. Le valet d'écurie était gagné et il devait ouvrir la porte de derrière.

— Qui a tramé cette machination odieuse? dit la pauvre comédienne, tout effarée du péril qu'elle avait couru.

— C'est le seigneur qui a donné de l'argent, oh! beaucoup d'argent! comme ça, plein les mains! répondit Chiquita dont les yeux brillèrent d'un éclat cupide et farouche; mais c'est égal, tu m'as fait cadeau des perles; je dirai aux autres que tu ne dormais pas, qu'il y avait un homme dans ta chambre et que c'est un coup manqué. Ils s'en iront. Laisse-moi te regarder; tu es belle et je t'aime, oui, beaucoup, presque autant qu'Agostin. Tiens! fit-elle en avisant sur la table le couteau trouvé dans la charrette, tu as là le couteau que j'ai perdu, le couteau de mon père. Garde-le, c'est une bonne lame :

> Quand cette vipère vous pique,
> Pas de remède en la boutique.

Vois-tu, on tourne la virole ainsi et puis on donne le coup comme cela; de bas en haut, le fer entre mieux. Porte-le dans ton corsage, et quand les méchants te voudront contrarier, paf! tu leur fendras le ventre. » Et la petite commentait ses paroles de gestes assortis.

Cette leçon de couteau, donnée, la nuit, dans cette situation étrange par cette petite voleuse hagarde et demi-folle, produisait sur Isabelle l'effet d'un de ces cauchemars qu'on essaye en vain de secouer.

« Tiens le couteau dans ta main de la sorte, les doigts bien serrés. On ne te fera rien. Maintenant, je m'en vais. Adieu, souviens-toi de Chiquita! »

La petite complice d'Agostin approcha une chaise du mur, y monta, se haussa sur les pieds, saisit le barreau, se courba en arc et appuyant les talons à la muraille par un soubresaut nerveux, eut bientôt gagné le rebord de l'œil-de-bœuf, par où elle disparut en murmurant comme une sorte de vague chanson en prose :

« Chiquita passe par les trous de serrure, danse sur la pointe des grilles et les tessons de bouteille sans se faire mal. Bien malin qui la prendra! »

Isabelle attendit le jour avec impatience, sans pouvoir fermer l'œil tant cet événement bizarre l'avait agitée; mais le reste de la nuit fut tranquille.

Seulement quand la jeune fille descendit dans la salle à manger, ses compagnons furent frappés de sa pâleur et du cercle marbré qui entourait ses yeux. On la pressa de questions et elle raconta son aventure nocturne. Sigognac, furieux, ne parlait de rien moins que de saccager la maison du duc de Vallombreuse à qui il attribuait, sans hésiter, cette tentative scélérate.

« M'est avis, dit Blazius, qu'il serait urgent de ployer

nos décorations, et d'aller nous perdre ou plutôt nous sauver en cet océan de Paris. Les choses se gâtent. »

Les comédiens se rangèrent à l'opinion du Pédant, et le départ fut fixé pour le lendemain.

## XI

### LE PONT-NEUF

Il serait long et fastidieux de suivre étape par étape le chariot comique jusqu'à Paris, la grande ville; il n'arriva point pendant la route d'aventure qui mérite d'être racontée. Nos comédiens avaient la bourse bien garnie et marchaient rondement, pouvant louer des chevaux et faire de bonnes traites. A Tours et à Orléans la troupe s'arrêta pour donner quelques représentations dont la recette satisfit Hérode, plus sensible en sa qualité de directeur et de caissier au succès monnayé qu'à tout autre. Blazius commençait à se rassurer et à rire des terreurs que lui avait inspirées le caractère vindicatif de Vallombreuse. Cependant Isabelle tremblait encore à cette idée d'enlèvement qui n'avait pas réussi, et plus d'une fois en songe, quoique dans les auberges elle fît chambre commune avec Zerbine, elle crut revoir la tête hagarde et sauvage de Chiquita sortir d'une lucarne à fond noir en montrant toutes ses dents blanches. Effrayée par cette vision, elle se réveillait poussant des cris, et sa compagne avait de la peine à la calmer. Sans témoigner autrement d'inquiétude, Sigognac couchait dans la chambre la plus voisine, l'épée sous le chevet et tout habillé en cas d'algarade nocturne. Le jour, il cheminait le plus souvent à pied, au-devant du chariot, en éclaireur, surtout lorsque près de la route quelques buissons, taillis, pans de mur ou chaumines ruinées, pouvaient servir de retraite à une embuscade. S'il voyait un groupe de voyageurs à mine suspecte, il se repliait vers la charrette où le Tyran, Scapin, Blazius et Léandre représentaient une respectable garnison, encore que de ces deux derniers l'un fût vieil et l'autre craintif comme lièvre. D'autres fois, en bon général d'armée qui sait prévenir les feintes de l'ennemi, il se tenait à l'arrière-garde, car le péril pouvait aussi bien venir de ce côté. Mais ces précautions furent inutiles et surérogatoires. Aucune attaque ne vint surprendre la troupe, soit que le duc n'eût point eu le temps de la combiner, soit qu'il eût renoncé à cette fantaisie, ou bien encore que la douleur de sa blessure lui retint le courage.

Quoiqu'on fût en hiver, la saison n'était pas trop rigoureuse. Bien nourris, et s'étant précautionnés à la friperie de vêtements chauds et plus épais que la serge des manteaux de théâtre, les comédiens ne souffraient pas du froid, et la bise n'avait d'autre inconvénient que de faire monter aux joues des jeunes actrices un incarnat un peu plus vif que de coutume et qui parfois même s'étendait jusque sur leur nez délicat. Ces roses d'hiver, quoique un peu déplacées, ne leur allaient point mal, car tout sied à de jolies femmes. Quant à dame Léonarde, son teint de duègne usé par quarante ans de fard était inaltérable. La bise et l'aquilon n'y faisaient que blanchir.

Enfin l'on arriva vers quatre heures du soir, tout près de la grande ville, du côté de la Bièvre dont on passa le ponceau, en longeant la Seine, ce fleuve illustre entre tous, dont les flots ont l'honneur de baigner le palais de nos rois et tant d'autres édifices renommés par le monde. Les fumées que dégorgeaient les cheminées des maisons formaient au bas du ciel un grand banc de brume rousse à demi transparent, derrière lequel le soleil descendait tout rouge et dépouillé de ses rais. Sur ce fond de lumière sourde se dessinait en gris violâtre le contour des bâtiments privés, religieux et publics, que la perspective permettait d'embrasser de cet endroit. On apercevait de l'autre côté du fleuve, au-delà de l'île Louviers, le bastion de l'Arsenal, les Célestins, et plus en face de soi la pointe de l'île Notre-Dame. La porte Saint-Bernard franchie, le spectacle devint magnifique. Notre-Dame apparaissait en plein, se montrant par le chevet avec ses arcs-boutants semblables à des côtes de poisson gigantesque, ses deux tours carrées et sa flèche aiguë plantée sur le point d'intersection des nefs. D'autres clochetons plus humbles, trahissant au-dessus des toits des églises ou des chapelles enfouies dans la cohue des maisons, mordaient de leurs dents noires la bande claire du ciel, mais la cathédrale attirait surtout les regards de Sigo-

gnac, qui n'était jamais venu à Paris et que la grandeur de ce monument étonnait.

Le mouvement des voitures chargées de denrées diverses, le nombre des cavaliers et des piétons qui se
croisaient tumultueusement sur le bord du fleuve ou
dans les rues qui le longent et où s'engageait parfois
le chariot pour prendre le plus court, les cris de toute
cette foule l'éblouissaient et l'étourdissaient, lui, accoutumé à la vaste solitude des landes et au silence mortuaire de son vieux château délabré. Il lui semblait
qu'une meule de moulin tournât dans sa tête et il se
sentait chanceler comme un homme ivre. Bientôt l'aiguille mignonnement ouvrée de la Sainte-Chapelle
s'élança par-dessus les combles du palais, pénétrée par
les dernières lueurs du couchant. Les lumières qui s'allumaient piquaient de points rouges les façades
sombres des maisons, et la rivière réfléchissait ces
lueurs en les allongeant comme des serpents de feu
dans ses eaux noires.

Bientôt se dessinèrent dans l'ombre, le long du quai,
l'église et le cloître des Grands-Augustins, et sur le
terre-plein du Pont-Neuf, Sigognac vit à sa droite
s'ébaucher à travers l'obscurité croissante la forme
d'une statue équestre, celle du bon roi Henri IV; mais
le chariot tournant l'angle de la rue Dauphine nouvellement percée sur les terrains du couvent fit bientôt disparaître le cavalier et le cheval.

Il y avait dans le haut de la rue Dauphine, près de
la porte de ce nom, une vaste hôtellerie où descendaient parfois les ambassades des pays extravagants et
chimériques. Cette auberge pouvait recevoir à l'improviste de nombreuses compagnies. Les bêtes y étaient
toujours sûres de trouver du foin au râtelier et les
maîtres n'y manquaient jamais de lits. C'était là
qu'Hérode avait fixé, comme en un lieu propice, le
campement de sa horde théâtrale. Le brillant état de la
caisse permettait ce luxe; luxe utile d'ailleurs, car il
relevait la troupe en montrant qu'elle n'était point composée de vagabonds, escrocs et débauchés, forcés par
la misère à ce fâcheux métier d'histrions de province,
mais bien de braves comédiens à qui leur talent faisait un revenu honnête, chose possible comme il appert
des raisons qu'en donne M. Pierre de Corneille, poète
célèbre, en sa pièce de l'*Illusion comique*.

La cuisine où les comédiens entrèrent en attendant

qu'on préparât leurs chambres était grande à y pouvoir accommoder à l'aise le dîner de Gargantua ou de
Pantagruel. Au fond de l'immense cheminée qui s'ouvrait rouge et flamboyante, comme la gueule représentant l'enfer dans la grande diablerie de Douai, brûlaient des arbres tout entiers. A plusieurs broches
superposées, que faisait mouvoir un chien se déme-
nant comme un possédé à l'intérieur d'une roue, se
doraient des chapelets d'oies, de poulardes et de coqs
vierges, brunissaient des quartiers de bœuf, roussis-
saient des longes de veaux, sans compter les perdrix,
bécassines, cailles et autres menues chasses. Un mar-
miton à demi cuit lui-même et ruisselant de sueur,
bien qu'il ne fût vêtu que d'une simple veste de toile,
arrosait ces victuailles avec une cuillère à pot qu'il
replongeait dans la lèchefrite dès qu'il en avait versé
le contenu : vrai travail de Danaïde, car le jus
recueilli s'écoulait toujours.

Autour d'une longue table de chêne, couverte de
mets en préparation, s'agitait tout un monde de cuisi-
niers, prosecteurs, gâte-sauces, des mains desquels les
aides recevaient les pièces lardées, troussées, épicées,
pour les porter aux fourneaux qui, tout incandescents
de braise et pétillants d'étincelles, ressemblaient plutôt aux forges de Vulcain qu'à des officines culinaires,
les garçons ayant l'air de cyclopes à travers cette
brume enflammée. Le long des murs brillait une formidable batterie de cuisine de cuivre rouge ou de
laiton : chaudrons, casseroles de toutes grandeurs,
poissonnières à faire cuire le léviathan au court-
bouillon, moules de pâtisserie façonnés en donjons,
dômes, petits temples, casques et turbans de forme
sarrasine, enfin toutes les armes offensives et défen-
sives que peut renfermer l'arsenal du dieu Gaster.

A chaque instant arrivait de l'office quelque robuste
servante, aux joues colorées et mafflues comme les
peintres flamands en mettent dans leurs tableaux, portant sur la tête ou la hanche des corbeilles pleines de
provisions.

« Passez-moi la muscade, disait l'un! un peu de
cannelle, s'écriait l'autre! Par ici les quatre épices!
remettez du sel dans la boîte! les clous de girofle! du
laurier! une barde de lard, s'il vous plaît, bien mince!
soufflez ce fourneau; il ne va pas! éteignez cet autre,
il va trop et tout brûlera comme châtaignes oubliées

en la poêle! versez du jus dans ce coulis! allongez-
moi ce roux, car il épaissit! battez-moi ces blancs
d'œufs en père fouetteur, ils ne moussent pas! sau-
poudrez-moi ce jambonneau de chapelure! tirez de la
broche cet oison, il est à point! encore cinq ou six
tours pour cette poularde! Vite, vite, enlevez le bœuf!
Il faut qu'il soit saignant. Laissez le veau et les poulets ;

> Les veaux mal cuits, les poulets crus,
> Font les cimetières bossus.

Retenez cela, galopin. N'est pas rôtisseur qui veut.
C'est un don du Ciel. Portez ce potage à la reine au
numéro 6. Qui a demandé les cailles au gratin? Dressez vivement ce râble de lièvre piqué! » Ainsi se croisaient dans un gai tumulte les propos substantiels et
mots de gueule justifiant mieux leur titre que les
mots de gueule gelés entendus de Panurge à la fonte
des glaces polaires, car ils avaient tous rapport à
quelque mets, condiment ou friandise.

Hérode, Blazius et Scapin, qui étaient sur leur
bouche et gourmands comme chats de dévote, se
pourléchaient les babines à cette éloquence si grasse,
si succulente et si bien nourrie qu'ils disaient
hautement préférer à celle d'Isocrate, Démosthène,
Eschine, Hortensius, Cicéron et autres tels bavards
dont les phrases ne sont que viandes creuses et ne
contiennent aucun suc médullaire. « Il me prend des
envies, dit Blazius, de baiser sur l'une et l'autre joue
ce gros cuisinier, gras et ventripotent comme moine,
qui gouverne toutes ces casseroles d'un air si superbe.
Jamais capitaine ne fut plus admirable au feu! »

Au moment où un valet venait dire aux comédiens
que leurs chambres étaient prêtes, un voyageur entra
dans la cuisine et s'approcha de la cheminée; c'était
un homme d'une trentaine d'années, de haute taille,
mince, vigoureux, de physionomie déplaisante quoique
régulière. Le reflet du foyer bordait son profil d'un
liséré de feu, tandis que le reste de sa figure baignait
dans l'ombre. Cette touche lumineuse accusait une
arcade sourcilière assez proéminente abritant un œil
dur et scrutateur, un nez d'une courbure aquiline dont
le bout se rabattait en bec crochu sur une moustache
épaisse, une lèvre inférieure très mince que rejoignait
brusquement un menton ramassé et court comme si la

matière eût manqué à la nature pour achever ce masque. Le col que dégageait un rabat de toile plate empesée laissait voir dans sa maigreur ce cartilage en saillie que les bonnes femmes expliquent par un quartier de la pomme fatale resté au gosier d'Adam et que quelques-uns de ses fils n'ont pas avalé encore. Le costume se composait d'un pourpoint en drap gris de fer agrafé sur une veste de buffle, d'un haut-de-chausses de couleur brune et de bottes de feutre remontant au-dessus du genou et se plissant en vagues spirales autour des jambes. De nombreuses mouchetures de boue, les unes sèches, les autres fraîches encore, annonçaient une longue route parcourue, et les mollettes des éperons rougies d'un sang noirâtre disaient que, pour arriver au terme de son voyage, le cavalier avait dû solliciter impérieusement .les flancs de sa monture fatiguée. Une longue rapière, dont la coquille de fer ouvragé devait peser plus d'une livre, pendait à un large ceinturon de cuir fermé par une boucle en cuivre et sanglant l'échine maigre du compagnon. Un manteau de couleur sombre qu'il avait jeté sur un banc avec son chapeau complétait l'accoutrement. Il eût été difficile de préciser à quelle classe appartenait le nouveau venu. Ce n'était ni un marchand, ni un bourgeois, ni un soldat. La supposition la plus plausible l'eût fait ranger dans la catégorie de ces gentils-hommes pauvres ou de petite noblesse qui se font domestiques chez quelque grand et s'attachent à sa fortune.

Sigognac, qui n'avait pas l'âme à la cuisine comme Hérode ou Blazius et que la contemplation de ces triomphantes victuailles n'absorbait point, regardait avec une certaine curiosité ce grand drôle dont la physionomie ne lui semblait pas inconnue, bien qu'il ne pût se rappeler ni en quel endroit ni en quel temps il l'avait rencontrée. Vainement il battit le rappel de ses souvenirs, il ne trouva pas ce qu'il cherchait. Cependant il sentait confusément que ce n'était pas la première fois qu'il se trouvait en contact avec cet énigmatique personnage qui, peu soucieux de cet examen inquisitif dont il paraissait avoir conscience, tourna tout à fait le dos à la salle en se penchant vers la cheminée sous figure de se chauffer les mains de plus près.

Comme sa mémoire ne lui fournissait rien de précis

et qu'une plus longue insistance eût pu faire naître
une querelle inutile, le Baron suivit les comédiens,
qui prirent possession de leurs logis respectifs, et
après avoir fait un bout de toilette se réunirent dans
une salle basse où était servi le souper auquel ils firent
fête en gens affamés et altérés. Blazius, clappant de la
langue, proclama le vin bon et se versa de nombreuses
rasades, sans oublier les verres de ses camarades, car
ce n'était point un de ces biberons égoïstes qui
rendent à Bacchus un culte solitaire; il aimait presque
autant faire boire que boire lui-même; le Tyran
et Scapin lui rendaient raison; Léandre craignait, en
s'adonnant à de trop fréquentes libations, d'altérer la
blancheur de son teint et de se fleurir le nez de bourgeons de bubelettes, ornements peu convenables pour
un amoureux. Quant au Baron, les longues abstinences
subies au château de Sigognac lui avaient donné des
habitudes de sobriété castillane dont il ne se dépar-
tait qu'avec peine. Il était d'ailleurs préoccupé du personnage entrevu dans la cuisine et qu'il trouvait
suspect sans pouvoir dire pourquoi, car rien n'était
plus naturel que l'arrivée d'un voyageur dans une
hôtellerie bien achalandée.

Le repas était gai : animés par le vin et la bonne
chère, joyeux enfin d'être à Paris, cet Eldorado de
tous les gens à projets, imprégnés de cette chaude
atmosphère si agréable après de longues heures passées au froid dans une charrette, les comédiens se
livraient aux plus folles espérances. Ils rivalisaient en
idée avec l'hôtel de Bourgogne et la troupe du Marais.
Ils se voyaient applaudis, fêtés, appelés à la cour,
commandant des pièces aux plus beaux esprits du
temps, traitant les poètes en grimauds, invités à des
régals par les grands seigneurs, et bientôt roulant carrosse. Léandre rêvait les plus hautes conquêtes, et
c'est tout au plus s'il consentait à ne pas usurper la
reine. Quoiqu'il n'eût pas bu, sa vanité était ivre.
Depuis son aventure avec la marquise de Bruyères, il
se croyait décidément irrésistible, et son amour-propre
ne connaissait plus de bornes. Sérafine se promettait
de ne rester fidèle au chevalier de Vidalinc que jusqu'au
jour où se présenterait un plumet mieux fourni et plus
huppé. Pour Zerbine, elle avait son marquis qui la
devait bientôt rejoindre, et elle ne formait point de
projets. Dame Léonarde, étant mise hors de cause par

son âge et ne pouvant servir que d'Iris messagère, ne s'amusait pas à ces futilités et ne perdait pas un coup de dent. Blazius lui chargeait son assiette et lui remplissait son gobelet jusqu'au bord avec une rapidité comique, plaisanterie que la vieille acceptait de bonne grâce.

Isabelle, qui depuis longtemps avait cessé de manger, roulait distraitement entre ses doigts une boulette de mie de pain à laquelle elle donnait la forme d'une colombe et reposait sur son cher Sigognac, assis à l'autre bout de la table, un regard tout baigné de chaste amour et de tendresse angélique. La chaude température de la salle avait fait monter une délicate rougeur à ses joues naguères un peu pâlies par la fatigue du voyage. Elle était adorablement belle de la sorte, et si le jeune duc de Vallombreuse eût pu la voir ainsi, son amour se fût exaspéré jusqu'à la rage.

De son côté, Sigognac contemplait Isabelle avec une admiration respectueuse; les beaux sentiments de cette charmante fille le touchaient autant que les attraits dont elle était abondamment pourvue, et il regrettait que par excès de délicatesse elle l'eût refusé pour mari.

Le souper fini, les femmes se retirèrent, ainsi que Léandre et le Baron, laissant le trio d'ivrognes émérites achever les bouteilles en vidange, procédé qui sembla trop soigneux au laquais chargé de servir à boire, mais dont une pièce blanche de bonne main le consola.

« Barricadez-vous bien dans votre réduit, dit Sigognac en reconduisant Isabelle jusqu'à la porte de sa chambre; il y a tant de gens en ces hôtelleries, qu'on ne saurait trop prendre de sûretés.

— Ne craignez rien, cher Baron, répondit la jeune comédienne, ma porte ferme par une serrure à trois tours qui pourrait clore une prison. Il y a de plus un verrou long comme mon bras; la fenêtre est grillée, et nul œil-de-bœuf n'ouvre au mur sa prunelle sombre. Les voyageurs ont souvent des objets qui pourraient tenter la cupidité des larrons, et leurs logements doivent être clos, de façon hermétique. Jamais princesse de conte de fées menacée d'un sort n'aura été plus en sûreté dans sa tour gardée par des dragons.

— Parfois, répliqua Sigognac, tous les enchantements sont vains et l'ennemi pénètre en la place mal-

gré les phylactères, les tétragrammes et les abracada-
bras.

— C'est que la princesse, reprit Isabelle en souriant, favorisait l'ennemi de quelque complicité
curieuse ou amoureuse, s'ennuyant d'être ainsi recluse,
encore que ce fût pour son bien ; ce qui n'est point
mon cas. Donc, puisque je n'ai point peur, moi qui suis
de nature plus timide qu'une biche oyant le son du
cor et les abois de la meute, vous devez être rassuré,
vous qui égalez en courage Alexandre et César. Dor-
mez sur l'une et l'autre oreille. »

Et en signe d'adieu, elle tendit aux lèvres de Sigognac une main fluette et douce dont elle savait préserver la blancheur, aussi bien qu'eût pu le faire une
duchesse, avec des poudres de talc, des pommades de
concombre et des gants préparés. Quand elle fut rentrée, Sigognac entendit tourner la clef dans la serrure,
le pêne mordre la gâchette et le verrou grincer de la
façon la plus rassurante ; mais comme il mettait le
pied au seuil de sa chambre, il vit passer sur la
muraille, découpée par la lumière du falot qui éclairait le corridor, l'ombre d'un homme qu'il n'avait pas
entendu venir et dont le corps le frôla presque. Sigognac retourna vivement la tête. C'était l'inconnu de la
cuisine se rendant sans doute au logis que l'hôte lui
avait assigné. Cela était fort simple ; cependant le
Baron suivit du regard, jusqu'à ce qu'un coude du
corridor le dérobât à sa vue, en faisant mine de ne
pas rencontrer tout d'abord le trou de la serrure, ce
personnage mystérieux dont la tournure le préoccupait étrangement. Une porte retombant avec un bruit
que le silence qui commençait à régner dans l'auberge
rendait plus perceptible, lui apprit que l'inconnu était
rentré chez lui, et qu'il habitait une région assez éloignée de l'auberge.

N'ayant pas envie de dormir, Sigognac se mit à
écrire une lettre au brave Pierre, comme il lui avait
promis de le faire dès son arrivée à Paris. Il eut soin
de former bien distinctement les caractères, car le
fidèle domestique n'était pas grand docteur et n'épe-
lait guère que la lettre moulée. Cette épître était ainsi
conçue :

« Mon bon Pierre, me voici enfin à Paris, où, ce
qu'on prétend, je dois faire fortune et relever ma mai-

son déchue, quoique à vrai dire je n'en voie guère le moyen. Cependant quelque heureuse occasion peut me rapprocher de la cour, et si je parviens à parler au roi, de qui toutes grâces émanent, les services rendus par mes aïeux aux rois ses prédécesseurs me seront sans doute comptés. Sa Majesté ne souffrira pas qu'une noble famille qui s'est ruinée dans les guerres s'éteigne ainsi misérablement. En attendant, faute d'autres ressources, je joue la comédie, et j'ai, à ce métier, gagné quelques pistoles dont je t'enverrai une part dès que j'aurai trouvé une occasion sûre. J'eusse mieux fait peut-être de m'engager comme soldat en quelque compagnie; mais je ne voulais pas contraindre ma liberté, et d'ailleurs quelque pauvre qu'il soit, obéir répugne à celui dont les ancêtres ont commandé et qui n'a jamais reçu d'ordres de personne. Et puis la solitude m'a fait un peu indomptable et sauvage. La seule aventure de marque que j'aie eue en ce long voyage, c'est un duel avec un certain duc fort méchant et très grand spadassin, dont je suis sorti à ma gloire, grâce à tes bonnes leçons. Je lui ai traversé le bras de part en part, et rien ne m'était plus facile que de le coucher mort sur le pré, car sa parade ne vaut pas son attaque, étant plus fougueux que prudent et moins ferme que rapide. Plusieurs fois il s'est découvert, et j'aurais pu le dépêcher au moyen d'un de ces coups irrésistibles que tu m'as enseignés avec tant de patience pendant ces longs assauts que nous faisions dans la salle basse de Sigognac, la seule dont le plancher fût assez solide pour résister à nos appels de pieds, afin de tuer le temps, de nous dégourdir les doigts et de gagner le sommeil par la fatigue. Ton élève te fait honneur, et j'ai beaucoup grandi en la considération générale après cette victoire vraiment trop facile. Il paraît que je suis décidément une fine lame, un gladiateur de premier ordre. Mais laissons cela. Je pense souvent, malgré les distractions d'une nouvelle vie, à ce pauvre vieux château dont les ruines s'écroulent sur les tombes de ma famille et où j'ai passé ma triste jeunesse. De loin, il ne me paraît plus si laid ni si maussade; même il y a des moments où je me promène en idée à travers ces salles désertes, regardant les portraits jaunis qui, si longtemps, ont été ma seule compagnie et faisant craquer sous mon pied quelque éclat de vitre tombé d'une fenêtre effondrée,

et cette rêverie me cause une sorte de plaisir mélancolique. Cela me ferait aussi une vive joie de revoir
ta bonne vieille face brunie par le soleil, éclairée à
mon aspect d'un sourire cordial. Et, pourquoi rougi-
rai-je de le dire? je voudrais bien entendre le rouet de
Béelzébuth, l'aboi de Miraut et le hennissement de ce
pauvre Bayard, qui rassemblait ses dernières forces
pour me porter, bien que je ne fusse guère lourd. Le
malheureux que les hommes délaissent donne une part
de son âme aux animaux plus fidèles que l'infortune
n'effraye pas. Ces braves bêtes qui m'aimaient
vivent-elles encore, et paraissent-elles se souvenir de
moi et me regretter? As-tu pu, du moins, en cet habi-
tacle de misère, les empêcher de mourir de faim et
prélever sur ta maigre pitance un lopin à leur jeter?
Tâchez de vivre tous jusqu'à ce que je revienne
pauvre ou riche, heureux ou désespéré, pour partager
mon désastre ou ma fortune, et finir ensemble, selon
que le sort en disposera, dans l'endroit où nous avons
souffert. Si je dois être le dernier des Sigognac, que
la volonté de Dieu s'accomplisse! Il y a encore pour
moi une place vide dans le caveau de mes pères.

« BARON DE SIGOGNAC. »

Le Baron scella cette lettre d'une bague à cachet,
seul bijou qu'il conservât de son père et qui portait
gravées les trois cigognes sur champ d'azur; il écrivit
l'adresse et serra la missive dans un portefeuille pour
l'envoyer quand partirait quelque courrier pour la
Gascogne. Du château de Sigognac, où l'idée de Pierre
l'avait transporté, son esprit revint à Paris et à la
situation présente. Quoique l'heure fût avancée, il
entendait vaguement bruire autour de lui ce murmure
sourd d'une grande ville qui, de même que l'Océan,
ne se tait jamais alors même qu'elle semble reposer.
C'était le pas d'un cheval, le roulement d'un carrosse
s'éteignant dans le lointain; quelque chanson d'ivrogne
attardé, quelque cliquetis de rapières froissées l'une
contre l'autre, un cri de passant assailli par les tire-
laine du Pont-Neuf, un hurlement de chien perdu ou
toute autre rumeur indistincte. Parmi ces bruits,
Sigognac crut distinguer dans le corridor un pas
d'homme botté marchant avec précaution comme s'il
ne voulait pas être entendu. Il éteignit la lumière pour

que le rayon ne le décelât point, et, entrouvrant sa
porte, il vit dans les profondeurs du couloir un individu soigneusement embossé d'une cape de couleur
sombre, qui se dirigeait vers la chambre du premier
voyageur dont la tournure lui avait paru suspecte.
Quelques instants après, un autre compagnon, dont la
chaussure craquait, bien qu'il s'efforçât de rendre sa
démarche légère, prit le même chemin que le premier.
Une demi-heure ne s'était pas écoulée qu'un troisième
gaillard d'une mine assez truculente apparut sous le
reflet douteux de la lanterne près de s'éteindre et s'engagea dans le couloir. Il était armé comme les deux
autres, et un long estoc relevait par-derrière le bord
de sa cape. L'ombre que projetait sur son visage le
bord d'un feutre à plume noire ne permettait pas d'en
distinguer les traits.

Cette procession d'escogriffes sembla par trop intem-
pestive et bizarre à Sigognac, et ce nombre de quatre
lui rappela le guet-apens dont il avait failli être victime dans la ruelle de Poitiers, au sortir du théâtre,
après sa querelle avec le duc de Vallombreuse. Ce fut
un trait de lumière pour lui, et il reconnut dans
l'homme qui l'avait tant intrigué à la cuisine le faquin
dont l'agression eût pu lui être fatale s'il ne s'y était
attendu. C'était bien celui qui avait roulé les quatre
fers en l'air, le chapeau enfoncé jusqu'aux épaules,
sous les coups de plat d'épée que le capitaine Fracasse
lui administrait de bon courage. Les autres devaient
être ses compagnons vaillamment mis en déroute par
Hérode et Scapin. Quel hasard, ou, pour mieux parler,
quel complot les réunissait juste à l'auberge où la
troupe avait pris ses quartiers et le soir même de son
arrivée? Il fallait qu'ils l'eussent suivi étape par étape.
Et cependant Sigognac avait bien surveillé la route;
mais comment démêler un adversaire dans un cavalier qui passe d'un air indifférent et ne s'arrête point,
vous jetant à peine un regard vague qu'excite, en
voyage, toute rencontre? Ce qu'il y avait de sûr, c'est
que la haine et l'amour du jeune duc ne s'étaient point
endormis et cherchaient à se satisfaire tous les deux.
Sa vengeance tâchait d'envelopper dans le même filet
Isabelle et Sigognac. Très brave de sa nature, le Baron
ne redoutait pas pour lui les entreprises de ces drôles
gagés que le vent de sa bonne lame eût mis en fuite,
et qui ne devaient pas être plus courageux avec l'épée

qu'avec le bâton; mais il redoutait quelque lâche et subtile machination à l'encontre de la jeune comédienne. Il prit donc ses précautions en conséquence, et résolut de ne pas se coucher. Allumant toutes les bougies qui se trouvaient dans sa chambre, il ouvrit sa porte de façon à ce qu'une masse de clarté se projetât sur la muraille opposée du corridor à l'endroit même où donnait l'huis d'Isabelle; puis il s'assit tranquillement après avoir tiré son épée ainsi que sa dague, pour les avoir prêtes à la main s'il arrivait quelque chose. Il attendit longtemps sans rien voir. Déjà deux heures avaient sonné au carillon de la Samaritaine et à l'horloge plus voisine des Grands-Augustins, lorsqu'un léger frôlement se fit entendre, et bientôt dans le cadre lumineux découpé sur le mur apparut incertain, hésitant et l'air fort penaud le premier individu, qui n'était autre que Mérindol, l'un des bretteurs du duc de Vallombreuse. Sigognac se tenait debout sur le seuil, l'épée au poing, prêt à l'attaque et à la défense, avec une mine si héroïque, si fière et si triomphante que Mérindol passa sans mot dire et baissant la tête. Les trois autres, venant à la file et surpris par ce flot de brusque lumière au centre de laquelle flamboyait terriblement le Baron, s'esquivèrent le plus lestement qu'ils purent, et même le dernier laissa tomber une pince, destinée sans doute à forcer la porte du capitaine Fracasse pendant son sommeil. Le Baron les salua d'un geste dérisoire, et bientôt un bruit de chevaux qu'on tirerait de l'écurie se fit entendre dans la cour. Les quatre coquins, leur coup manqué, détalaient à toute bride.

Au déjeuner, Hérode dit à Sigognac : « Capitaine, la curiosité ne vous point-elle pas d'aller visiter un peu cette ville, une des principales de ce monde, et dont on fait tant de récits? Si cela vous est agréable, je vous servirai de guide et de pilote, connaissant de longue main, pour les avoir pratiqués en mon adolescence, les récifs, écueils, bas-fonds, Euripes, Charybdes et Scyllas de cette mer périculeuse aux étrangers et provinciaux. Je serai votre Palinurus, et ne me laisserai point choir le nez dans l'onde, comme celui dont parle Virgilius Maro. Nous sommes ici tout portés pour voir le spectacle, le Pont-Neuf étant pour Paris ce qu'était la voie Sacrée pour Rome, le passage, rendez-vous et galerie péripatétique des nouvellistes, gobe-mouches, poètes, escrocs, tire-laine, bateleurs, courtisanes, gentilshommes, bourgeois, soudards et gens de tous états.

— Votre proposition m'agrée fort, brave Hérode, répondit Sigognac, mais prévenez Scapin qu'il reste à l'hôtel, et de son œil de renard surveille les allants et venants dont les façons ne seraient pas bien claires. Qu'il ne quitte pas Isabelle. La vengeance de Vallombreuse rôde autour de nous, cherchant à nous dévorer. Cette nuit j'ai revu les quatre marauds que nous avons si bien accommodés en la ruelle de Poitiers. Leur dessein était, je l'imagine, de forcer ma porte, de me surprendre au milieu de mon sommeil et de me faire un mauvais parti. Comme je veillais avec l'idée de quelque embûche à l'endroit de notre jeune amie, leur projet n'a pu s'effectuer, et, se voyant découverts, ils se sont sauvés dare-dare sur leurs chevaux, qui les attendaient tout sellés à l'écurie sous prétexte qu'ils voulaient matinalement partir.

— Je ne pense pas, répondit le Tyran, qu'ils osent rien tenter de jour. L'aide viendrait au moindre appel, et ils doivent d'ailleurs avoir encore le nez cassé de leur déconvenue. Scapin, Blazius et Léandre suffiront bien à garder Isabelle jusqu'à notre rentrée au logis. Mais, de crainte de quelque querelle ou algarade par les rues, je vais prendre mon épée pour appuyer la vôtre au besoin. »

Cela dit, le Tyran boucla son majestueux abdomen d'un ceinturon soutenant une longue et solide rapière. Il jeta sur le coin de son épaule un petit manteau court qui ne pouvait embarrasser ses mouvements, et il enfonça jusqu'au sourcil son feutre à plume rouge; car il faut se méfier, quand on passe les ponts, du vent de bise ou de galerne, lequel a bientôt fait d'envoyer un chapeau à la rivière, au grand ébaudissement des pages, laquais et galopins. Telle était la raison que donnait Hérode de cette coiffure ainsi rabattue, mais l'honnête comédien pensait que cela pourrait peut-être nuire plus tard à Sigognac gentilhomme d'avoir été vu publiquement avec un histrion. C'est pourquoi il dissimulait autant que possible sa figure trop connue du populaire.

A l'angle de la rue Dauphine, Hérode fit remarquer à Sigognac, sous le porche des Grands-Augustins, les gens qui venaient acheter la viande saisie chez les bouchers les jours défendus et se ruaient pour en avoir quelque quartier à bas prix. Il lui montra aussi les nouvellistes, agitant entre eux les destins des royaumes, remaniant à leur gré les frontières, partageant les empires et rapportant de point en point les discours que les ministres avaient tenus seuls en leurs cabinets. Là se débitaient les gazettes, les libelles, écrits satiriques et autres menues brochures colportées sous le manteau. Tout ce monde chimérique avait la mine hâve, l'air fou et le vêtement délabré.

« Ne nous arrêtons pas, dit Hérode, à écouter leurs billevesées, nous n'en aurions jamais fini; à moins pourtant que vous ne teniez à savoir le dernier édit du sophi de Perse ou le cérémonial usité à la cour du Prêtre-Jean. Avançons de quelques pas et nous allons jouir d'un des plus beaux spectacles de l'univers, et tels que les théâtres n'en présentent point dans leurs décorations de pièces à machines. »

En effet, la perspective qui se déploya devant les yeux de Sigognac et de son guide, lorsqu'ils eurent franchi les arches jetées sur le petit cours de l'eau, n'avait pas alors et n'a pas encore de rivale au monde. Le premier plan en était formé par le pont lui-même avec les gracieuses demi-lunes pratiquées au-dessus de chaque pile. Le Pont-Neuf n'était pas chargé, comme le pont au Change et le pont Saint-Michel, de deux files de hautes maisons.

Le grand monarque qui l'avait fait bâtir n'avait pas voulu que de chétives et maussades constructions obstruassent la vue du somptueux palais où résident nos rois, et qu'on découvre de ce point en tout son développement.

Sur le terre-plein formant la pointe de l'île, avec l'air calme d'un Marc-Aurèle, le bon roi chevauchait sa monture de bronze au sommet d'un piédestal où s'adossait à chaque angle un captif de métal se contournant dans ses liens. Une grille en fer battu, à riches volutes, l'entourait pour préserver sa base des familiarités et irrévérences de la plèbe; car, parfois, enjambant la grille, les polissons se risquaient à monter en croupe du débonnaire monarque, surtout les jours d'entrée royale où d'exécution curieuse. Le ton sévère du bronze se détachait en vigueur sur le vague de l'air et le fond des coteaux lointains qu'on apercevait au-delà du pont Rouge.

Du côté de la rive gauche, au-dessus des maisons, jaillissait la flèche de Saint-Germain des Prés, la vieille église romane, et se dressaient les hauts toits de l'hôtel de Nevers, grand palais toujours inachevé. Un peu plus loin, la tour, antique reste de l'hôtel de Nesle, trempait son pied dans la rivière, au milieu d'un monceau de décombres, et quoique depuis longtemps à l'état de ruine, gardait encore une fière attitude sur l'horizon. Au-delà, s'étendait la Grenouillère, et dans une vague brume azurée l'on distinguait au bord du ciel les trois croix plantées au haut du Calvaire ou mont Valérien.

Le Louvre occupait splendidement la rive droite éclairée et dorée par un gai rayon de soleil, plus lumineux que chaud comme peut l'être un soleil d'hiver, mais qui donnait un singulier relief aux détails de cette architecture à la fois noble et riche. La longue galerie réunissant le Louvre aux Tuileries, disposition merveilleuse qui permet au roi d'être tour à tour quand bon lui semble, dans sa bonne ville ou dans la campagne, déployait ses beautés non pareilles, fines sculptures, corniches historiées, bossages vermiculés, colonnes et pilastres à égaler les constructions des plus habiles architectes grecs ou romains.

A partir de l'angle où s'ouvre le balcon de Charles IX le bâtiment faisait une retraite, laissant place à des jardins et à des constructions parasites, champignons poussés au pied de l'ancien édifice. Sur le quai, des ponceaux arrondissaient leurs arcades, et un peu plus en aval que la tour de Nesle s'élevait une tour, reste du vieux Louvre de Charles V, flanquant la porte bâtie entre le fleuve et le palais. Ces deux vieilles tours, couplées à la mode gothique, se faisant face diagonalement, ne contribuaient pas peu à l'agrément de la perspective. Elles rappelaient le temps de la féodalité, et tenaient leur place parmi les architectures neuves et de bon goût, comme une chair à l'antique ou quelque vieux dressoir en chêne curieusement ouvré au milieu de meubles modernes plaqués d'argent et de dorures. Ces reliques des siècles disparus donnent aux cités une physionomie respectable, et l'on devrait bien se garder de les faire disparaître.

Au bout du jardin des Tuileries, où finit la ville, on distinguait la porte de la Conférence, et le long du

fleuve, au-delà du jardin, les arbres du Cours-la-Reine,
promenade favorite des courtisans et personnes de
qualité qui vont là faire montre de leurs carrosses.

Les deux rives, dont nous venons de tirer un crayon
rapide, encadraient comme deux coulisses la scène
animée que présentait la rivière sillonnée de barques
allant d'un bord à l'autre, obstruée de bateaux amar-
rés et groupés près de la berge, ceux-là chargés de
foin, ceux-ci de bois et autres denrées. Près du quai,
au bas du Louvre, les galiotes royales attiraient l'œil
par leurs ornements sculptés et dorés et leurs pavil-
lons aux couleurs de France.

En ramenant le regard vers le pont, on apercevait
par-dessus les faîtes aigus des maisons semblables à
des cartes appuyées l'une contre l'autre, les clochetons
de Saint-Germain-l'Auxerrois. Ce point de vue suffisamment contemplé, Hérode conduisit Sigognac devant la
Samaritaine.

« Encore que ce soit le rendez-vous des nigauds qui
restent là de longs espaces de temps à attendre que le
clocheteur de métal frappe l'heure sur le timbre de
l'horloge, il y faut aller et faire comme les autres. Un
peu de badauderie ne messied point au voyageur nouveau débarqué. Il y aurait plus de sauvagerie que de
sagesse à mépriser avec rebuffades sourcilleuses ce
qui fait le charme du populaire. »

C'est en ces termes que le Tyran s'excusait près de
son compagnon pendant que tous deux faisaient pied
de grue au bas de la façade du petit édifice hydrau-
lique, et regardaient, attendant aussi que l'aiguille arri-
vât à mettre en branle le joyeux carillon, le Jésus de
plomb doré parlant à la Samaritaine accoudée sur la
margelle du puits, le cadran astronomique avec son
zodiaque et sa pomme d'ébène marquant le cours du
soleil et de la lune, le mascaron vomissant l'eau
puisée au fleuve, l'Hercule à gaine supportant tout ce
système de décoration, et la statue creuse servant de
girouette comme la Fortune à la Dogana de Venise et
la Giralda à Séville.

La pointe de l'aiguille atteignit enfin le chiffre X;
les clochettes se mirent à tintinnabuler le plus joyeusement du monde avec leurs petites voix grêles, argentines ou cuivrées, chantant un air de sarabande; le
clocheteur leva son bras d'airain, et le marteau descendit autant de fois sur le timbre qu'il y avait d'heures

à piquer. Ce mécanisme, ingénieusement élaboré par
le Flamand Lintlaer, amusa beaucoup Sigognac, lequel,
bien que spirituel de nature, était fort neuf en beaucoup de choses, n'ayant jamais quitté sa gentilhommière au milieu des landes.

« Maintenant, dit Hérode, tournons-nous de l'autre
côté; la vue n'est du tout si magnifique par là. Les
maisons du pont au Change la bornent trop étroite-
ment. Les bâtisses du quai de la Mégisserie ne valent
rien; cependant cette tour Saint-Jacques, ce clocher
de Saint-Médéric et ces flèches d'églises lointaines
annoncent bien leur grande ville. Et sur l'île du palais,
au quai du grand cours de l'eau, ces maisons régulières de briques rouges, reliées par des chaînes de
pierre blanche, ont un aspect monumental que termine heureusement la vieille tour de l'Horloge coiffée
de son toit en éteignoir, qui souvent perce à propos
la brume du ciel. Cette place Dauphine ouvrant son
triangle en face du Roi de bronze, et laissant voir la
porte du Palais, peut se ranger parmi les mieux ordon-
nées et les plus propres. La flèche de la Sainte-
Chapelle, cette église à deux étages, si célèbre par son
trésor et ses reliques, domine de façon gracieuse ses
hauts toits d'ardoises percés de lucarnes ornementées
et qui luisent d'un éclat tout neuf, car il n'y a pas
longtemps que ces maisons sont bâties, et en mon
enfance j'ai joué à la marelle sur le terrain qu'elles
occupent; grâce à la munificence de nos rois, Paris
s'embellit tous les jours à la grande admiration des
étrangers, qui, de retour dans leur pays, en racontent
merveilles, le trouvant amélioré, agrandi et quasi neuf
à chaque voyage.

— Ce qui m'étonne, répondait Sigognac, encore plus
que la grandeur, richesse et somptuosité des bâtiments
tant publics que privés, c'est le nombre infini des gens
qui pullulent et grouillent en ces rues, places et ponts
comme des fourmis dont on vient de renverser la fourmilière, et qui courent éperdus de çà, de là, avec des
mouvements dont on ne peut soupçonner le but. Il est
étrange à penser que, parmi les individus qui
composent cette inépuisable multitude, chacun a une
chambre, un lit bon ou mauvais, et mange à peu près
tous les jours, sans quoi il mourrait de malemort.
Quel prodigieux amas de victuailles, combien de
troupeaux de bœufs, de muids de farine, de poinçons

de vin il faut pour nourrir tout ce monde amoncelé
sur le même point, tandis qu'en nos landes on rencontre à peine un habitant de loin en loin! »

En effet, l'affluence du populaire qui circulait sur
le Pont-Neuf avait de quoi surprendre un provincial.
Au milieu de la chaussée se suivaient et se croisaient
des carrosses à deux ou quatre chevaux, les uns fraî-
chement peints et dorés, garnis de velours avec glaces
aux portières se balançant sur un moelleux ressort,
peuplés de laquais à l'arrière-train et guidés par des
cochers à trognes vermeilles en grande livrée, qui
contenaient à peine, parmi cette foule, l'impatience de
leur attelage; les autres moins brillants, aux peintures
ternies, aux rideaux de cuir, aux ressorts énervés, traî-
nés par des chevaux beaucoup plus pacifiques dont
la mèche du fouet avait besoin de réveiller l'ardeur
et qui annonçaient chez leurs maîtres une moindre
opulence. Dans les premiers, à travers les vitres, on
apercevait des courtisans magnifiquement vêtus, des
dames coquettement attifées; dans les seconds des
robins, docteurs et autres personnages graves. A tout
cela se mêlaient des charrettes chargées de pierre, de
bois ou de tonneaux, conduites par des charretiers
brutaux à qui les embarras faisaient renier Dieu avec
une énergie endiablée. A travers ce dédale mouvant
de chars, des cavaliers cherchaient de se frayer un
passage et ne manœuvraient pas si bien qu'ils
n'eussent parfois la botte effleurée et crottée par un
moyeu de roue. Les chaises à porteurs, les uns de
maîtres, les autres de louage, tâchaient de se tenir sur
les bords du courant pour n'en être point entraînées,
et longeaient autant que possible les parapets du pont.
Vint à passer un troupeau de bœufs, et le désordre fut
à son comble. Les bêtes cornues, nous ne voulons pas
parler des bipèdes mariés qui lors traversaient le
Pont-Neuf, mais bien des bœufs, couraient çà et là,
baissant la tête, effarés, harcelés par les chiens, bâton-
nés par les conducteurs. A leur vue les chevaux
s'effrayaient, piaffaient et faisaient des pétarades. Les
passants se sauvaient de peur d'être encornés, et les
chiens se glissant entre les jambes des moins lestes
les écartaient du centre de gravité et les faisaient choir
plats comme porcs. Même une dame fardée et mouche-
tée, toute passequillée de jayet et de rubans couleur
de feu, qui semblait quelque prêtresse de Vénus en

quête d'aventure, trébucha de ses hauts patins et
s'étala sur le dos, sans se faire mal, comme ayant
l'habitude de telles chutes, ne manquèrent pas à dire
les mauvais plaisants qui lui donnèrent la main pour
se relever. D'autres fois, c'était une compagnie de soldats se rendant à quelque poste, enseignes déployées
et tambour en tête, et il fallait bien que la foule fît
place à ces fils de Mars accoutumés à ne point rencontrer de résistance.

« Tout ceci, dit Hérode à Sigognac que ce spectacle
absorbait, n'est que de l'ordinaire. Tâchons de fendre
la presse et de gagner les endroits où se tiennent les
originaux du Pont-Neuf, figures extravagantes et
falotes qu'il est bon de considérer de plus près. Nulle
autre ville que Paris n'en produit de si hétéroclites.
Elles poussent entre ses pavés comme fleurs ou plutôt champignons difformes et monstrueux auxquels
aucun sol ne convient comme cette boue noire. Eh!
tenez, voici précisément le Périgourdin du Maillet,
dit le poète crotté, qui fait la cour au roi de bronze.
Les uns prétendent que c'est un singe échappé de
quelque ménagerie; d'autres affirment que c'est un des
chameaux ramenés par M. de Nevers. On n'a pas
encore résolu le problème : moi je le tiens pour
homme à sa folie, à son arrogance, à sa malpropreté.
Les singes cherchent leur vermine et la croquent par
esprit de vengeance et représailles : lui, ne prend pas
un tel soin; les chameaux se lissent le poil et s'as-
pergent de poussière comme de poudre d'iris; ils ont
d'ailleurs plusieurs estomacs et ruminent leur nourriture : ce que celui-ci ne saurait faire, car il a toujours le jabot vide comme la tête. Jetez-lui quelque
aumône; il la prendra en maugréant et en vous maudissant. C'est donc bien un homme, puisqu'il est fol,
sale et ingrat. »

Sigognac tira de son escarcelle une pièce blanche
qu'il tendit au poète, qui, d'abord, enfoncé dans une
rêverie profonde comme sont d'habitude ces gens blessés de cervelle et fantastiques d'humeur, ne voyait pas
le Baron planté devant lui. Il l'aperçut enfin, et sortant de sa méditation creuse, il prit la pièce d'un geste
brusque et fou et la plongea dans sa pochette en grommelant quelques vagues injures, puis, le démon des
vers s'emparant de nouveau de lui, il se mit à brocher
des babines, à rouler des yeux, à faire des grimaces

aussi curieuses au moins que celles des mascarons
sculptés par Germain Pilon sous la corniche du Pont-
Neuf, accompagnant le tout de mouvements de doigts
pour scander les pieds du vers qu'il murmurait entre
ses dents, qui le rendaient semblable à un joueur de
mourre, et réjouissaient les polissons réunis en cercle
autour de lui.

Ce poète, il faut le dire, était plus singulièrement
accoutré que l'effigie de Mardi-Gras, quand on la mène
brûler au mercredi des Cendres, ou qu'un de ces mannequins qu'on suspend dans les vergers ou dans les
vignes pour effrayer la gourmandise des oiseaux. On
eût dit, à le voir, que le clocheteur de la Samaritaine,
le petit More du Marché-Neuf ou le Jacquemard de
Saint-Paul se fussent allés vêtir à la friperie. Un vieux
feutre roussi par le soleil, lavé par la pluie, ceint d'un
cordon de graisse, accrêté, en guise de plumet, d'une
plume de coq rongée aux mites, plus comparable à
une chausse à filtrer d'apothicaire qu'à une coiffure
humaine, lui descendait jusqu'au sourcil, le forçant à
relever le nez pour voir, car les yeux étaient presque
occultés sous ce bord flasque et crasseux. Son pourpoint, d'une étoffe et d'une couleur indescriptibles,
paraissait de meilleure humeur que lui, car il riait
par toutes les coutures. Ce vêtement facétieux crevait
de gaieté et aussi de vieillesse, ayant vécu plus d'années que Mathusalem. Une lisière de drap de frise lui
servait de ceinture et de baudrier, et soutenait en guise
d'épée un fleuret démoucheté dont la pointe, comme
un soc de charrue, creusait le pavé derrière lui. Des
grègues de satin jaune, qui jadis avaient déguisé les
masques à quelque entrée de ballet, s'engloutissaient
dans des bottes, l'une de pêcheur d'huîtres, en cuir
noir, l'autre à genouillère, en cuir blanc de Russie,
celle-ci à pied plat, l'autre à pied tortu, ergotée d'un
éperon, et que sa semelle feuilletée eût abandonnée
depuis longtemps sans le secours d'une ficelle faisant
plusieurs tours sur le pied comme les bandelettes d'un
cothurne antique. Un roquet de bourracan rouge, que
toutes les saisons retrouvaient à son poste, complétait
cet ajustement qui eût fait honte à un cueilleur de
pommes du Perche, et dont notre poète ne semblait
pas médiocrement fier. Sous les plis du roquet, à côté
du pommeau de la brette chargée sans doute de le
défendre, un chignon de pain montrait son nez.

Plus loin, dans une des demi-lunes pratiquées au-dessus de chaque pile, un aveugle, accompagné d'une grosse commère qui lui servait d'yeux, braillait des couplets gaillards, ou d'un ton comiquement lugubre, psalmodiait une complainte sur la vie, les forfaits et la mort d'un criminel célèbre. A un autre endroit, un charlatan, revêtu d'un costume en serge rouge, se démenait, un pélican à la main, sur une estrade enjolivée par des guirlandes de dents canines, incisives ou molaires, enfilées dans des fils de laiton. Il débitait aux badauds attroupés une harangue où il se faisait fort d'enlever sans douleur (pour lui-même) les chicots les plus rebelles et les mieux enracinés, d'un coup de sabre ou de pistolet, au choix des personnes, à moins, cependant, qu'elles ne préférassent être opérées par les moyens ordinaires. « Je ne les arrache pas... s'écriait-il d'une voix glapissante. Je les cueille! Allons, que celui d'entre vous qui jouit d'une mauvaise denture entre dans le cercle sans crainte, et je vais le guérir à l'instant! »

Une espèce de rustre, dont la joue ballonnée témoignait qu'il souffrait d'une fluxion, vint s'asseoir sur la chaise, et l'opérateur lui plongea dans la bouche la redoutable pince d'acier poli. Le malheureux, au lieu de se retenir aux bras du fauteuil, suivait sa dent, qui avait bien de la peine à se séparer de lui, et se soulevait à plus de deux pieds en l'air, ce qui amusait beaucoup la foule. Une saccade brusquement donnée finit son supplice, et l'opérateur brandit au-dessus des têtes son trophée tout sanglant!

Pendant cette scène grotesque, un singe, attaché sur l'estrade par une chaînette rivée à un ceinturon de cuir qui lui sanglait les reins, contrefaisait d'une façon comique les cris, gestes et contorsions du patient.

Ce spectacle ridicule ne retint pas longtemps Hérode et Sigognac, qui s'arrêtèrent plus volontiers aux marchands de gazettes et aux bouquinistes installés sur les parapets. Même le Tyran fit remarquer à son compagnon un gueux tout déguenillé qui s'était établi en dehors du pont, sur l'épaisseur de la corniche, sa béquille et son écuelle auprès de lui, et de là haussant le bras, mettait son chapeau crasseux sous le nez des gens penchés pour feuilleter un livre ou regarder le cours de l'eau, afin qu'ils y jetassent un double ou un teston, ou plus s'il leur plaisait, car il ne refusait aucune monnaie, étant bien capable de faire passer la fausse.

« Chez nous, dit Sigognac, il n'y a que les hirondelles qui logent aux corniches, ici ce sont les hommes!

— Vous appelez ce maraud un homme! dit Hérode, c'est bien de la politesse, mais chrétiennement il ne faut mépriser personne. Au reste, il y a de tout sur ce pont, peut-être même d'honnêtes gens, puisque nous y sommes. D'après le proverbe, on n'y saurait passer sans rencontrer un moine, un cheval blanc et une drôlesse. Voici précisément un frocard qui se hâte faisant claquer sa sandale, le cheval n'est pas loin; eh! pardieu regardez devant vous; cette rosse qui fait la courbette comme entre les piliers. Il ne manque plus que la courtisane. Nous n'attendrons pas longtemps. Au lieu d'une il en vient trois, la gorge découverte, fardées en roue de carrosse, et riant d'un rire affecté pour montrer leurs dents. Le proverbe n'a pas menti. »

Tout à coup un tumulte se fit entendre à l'autre bout du pont, et la foule courut au bruit. C'étaient des bretteurs qui s'escrimaient sur le terre-plein au pied de la statue, comme en l'endroit le plus libre et le plus dégagé. Ils criaient : *Tue! tue!* et faisaient mine de se charger avec furie. Mais ce n'étaient qu'estocades simulées, que bottes retenues et courtoises comme dans les duels de comédie, où, tant tués que blessés, il n'y a jamais personne de mort. Ils se battaient deux contre deux, et paraissaient animés d'une rage extrême, écartant les épées qu'interposaient leurs compagnons pour les séparer. Cette feinte querelle avait pour but de produire un rassemblement pour que, parmi la foule, les coupe-bourses et les tire-laine pussent faire leurs coups tout à l'aise. En effet, plus d'un curieux qui était entré dans le groupe un beau manteau doublé de panne sur l'épaule, et la pochette bien garnie, sortit de la presse en simple pourpoint, et ayant dépensé son argent sans le savoir. Sur quoi les bretteurs, qui ne s'étaient jamais brouillés, s'entendant comme larrons en foire qu'ils étaient, se réconcilièrent et se secouèrent la main avec grande affection de loyauté, déclarant l'honneur satisfait. Ce qui n'était vraiment pas difficile; l'honneur de tels maroufles ne devait point avoir de bien sensibles délicatesses.

Sigognac, sur l'avis d'Hérode, ne s'était pas trop approché des combattants, de sorte qu'il ne pouvait

les voir que confusément à travers les interstices que
laissaient au regard les têtes et les épaules des
curieux. Cependant il lui sembla reconnaître dans ces
quatre drôles les hommes, dont il avait, la nuit précé-
dente, surveillé les mystérieuses allures à l'auberge de
la rue Dauphine, et il communiqua son soupçon à
Hérode. Mais déjà les bretteurs s'étaient prudemment
éclipsés derrière la foule, et il eût été plus malaisé
de les retrouver qu'une aiguille en un tas de foin.

« Il est possible, dit Hérode, que cette querelle n'ait
été qu'un coup monté pour vous attirer sur ce point,
car nous devons être suivis par les émissaires du duc
de Vallombreuse. Un des bretteurs eût feint d'être gêné
ou choqué de votre présence, et, sans vous laisser le
temps de dégainer, il vous eût porté comme par
mégarde quelque botte assassine, et, au besoin, ses
camarades vous auraient achevé. Le tout eût été mis
sur le dos d'une rencontre et rixe fortuite. En de telles
algarades, celui qui a reçu les coups les garde. La pré-
méditation et le guet-apens ne se peuvent prouver.

— Cela me répugne, répondit le généreux Sigognac,
de croire un gentilhomme capable de cette bassesse de
faire assassiner son rival par des gladiateurs. S'il n'est
pas satisfait d'une première rencontre, je suis prêt à
croiser de nouveau le fer avec lui, jusqu'à ce que la
mort s'ensuive. C'est ainsi que les choses se passent
entre gens d'honneur.

— Sans doute, répliqua Hérode, mais le duc sait
bien, quelque enragé qu'il soit d'orgueil, que l'issue du
combat ne pourrait manquer de lui être funeste. Il a
tâté de votre lame et en a senti la pointe. Croyez qu'il
conserve de sa défaite une rancune diabolique, et ne
sera pas délicat sur les moyens d'en tirer vengeance.

— S'il ne veut pas l'épée, battons-nous à cheval au
pistolet, dit Sigognac, il ne pourra ainsi arguer de ma
force à l'escrime. »

En discourant de la sorte, les deux compagnons
gagnèrent le quai de l'Ecole, et là un carrosse faillit
écraser Sigognac, encore qu'il se fût rangé promptement. Sa taille mince lui valut de n'être pas aplati sur
la muraille, tant la voiture le serrait de près, bien qu'il
y eût de l'autre côté assez de place, et que le cocher
par une légère inflexion imprimée à ses chevaux, eût
pu éviter ce passant qu'il semblait poursuivre. Les
glaces de ce carrosse étaient levées, et les rideaux

intérieurs abaissés; mais qui les eût écartés eût vu un
seigneur magnifiquement habillé, dont une bande de
taffetas noir plié en écharpe soutenait le bras. Malgré
le reflet rouge des rideaux fermés, il était pâle, et les
arcs minces de ses sourcils noirs se dessinaient dans
une mate blancheur. De ses dents, plus pures que des
perles, mordait jusqu'au sang sa lèvre inférieure, et sa
moustache fine. roidie par des cosmétiques, se héris-
sait avec des contractions fébriles comme celle du
tigre flairant sa proie. Il était parfaitement beau, mais
sa physionomie avait une telle expression de cruauté
qu'elle eût plutôt inspiré l'effroi que l'amour, du moins
en ce moment, où des passions haineuses et mauvaises
la décomposaient. A ce portrait, esquissé en soulevant
le rideau d'une voiture qui passe à toute vitesse, on
a sans doute reconnu le jeune duc de Vallombreuse.

« Encore ce coup manqué, dit-il, pendant que le
carrosse l'emportait le long des Tuileries vers la porte
de la Conférence. J'avais pourtant promis à mon
cocher vingt-cinq louis, s'il était assez adroit pour
accrocher ce damné Sigognac et le rouer contre une
borne comme par accident. Décidément mon étoile
pâlit; ce petit hobereau de campagne l'emporte sur
moi. Isabelle l'adore et me déteste. Il a battu mes
estafiers, il m'a blessé moi-même. Fût-il invulnérable
et protégé par quelque amulette, il faut qu'il meure,
ou j'y perdrai mon nom et mon titre de duc. »

« Humph! fit Hérode en tirant une longue aspiration de sa poitrine profonde, les chevaux de ce carrosse semblent avoir l'humeur de ceux de Diomède,
lesquels couraient sus aux hommes, les déchiraient et
se nourrissaient de leur chair. Vous n'êtes pas blessé,
au moins? Ce cocher de malheur vous voyait fort bien,
et je gagerais ma plus belle recette qu'il cherchait à
vous écraser, lançant son attelage de propos délibéré
contre vous, pour quelque dessein ou vengeance
occulte. J'en suis certain. Avez-vous remarqué s'il y
avait quelque armoirie peinte sur les portières? En
votre qualité de gentilhomme, vous connaissez la noble
science héraldique, et les blasons des principales
familles vous sont familiers.

— Je ne saurais le dire, répondit Sigognac; un
héraut d'armes même, en cette conjoncture, n'aurait
pas discerné les émaux et couleurs d'un écu, encore
moins ses partitions, figures et pièces honorables.

J'avais trop affaire d'esquiver la machine roulante pour voir si elle était historiée de lions léopardés ou issants, d'alérions ou de merlettes, de besans ou de tourteaux, de croix cléchées ou vivrées, ou de tous autres emblèmes.

— Cela est fâcheux, répliqua Hérode; cette remarque nous eût mis sur la trace et fait trouver peut-être le fil de cette noire intrigue; car il est évident qu'on cherche à se défaire de vous, *quibuscumque viis,* comme dirait le pédant Blazius en son latin... Quoique la preuve manque, je ne serais nullement étonné que ce carrosse appartînt au duc de Vallombreuse, qui voulait se donner le plaisir de faire passer son char sur le corps de son ennemi.

— Quelle pensée avez-vous là, seigneur Hérode! fit Sigognac; ce serait une action basse, infâme et scélérate, par trop indigne d'un gentilhomme de grande maison comme est, après tout, ce Vallombreuse. D'ailleurs, ne l'avons-nous pas laissé en son hôtel de Poitiers, assez mal accommodé de sa blessure? comment se trouverait-il déjà à Paris, où nous ne sommes arrivés que d'hier?

— Ne nous sommes-nous point arrêtés assez longtemps à Orléans et à Tours, où nous avons donné des représentations, pour qu'il ait pu, avec les équipages dont il dispose, nous suivre et même nous devancer? Quant à sa blessure, soignée par les plus excellents médecins, elle a dû bientôt se fermer et se cicatriser. Elle n'était pas, d'ailleurs, de nature assez dangereuse pour empêcher un homme jeune et plein de vigueur de voyager tout à son aise en carrosse ou en litière. Il faut donc, mon cher Capitaine, vous bien tenir sur vos gardes, car on cherche à vous monter quelque coup de Jarnac ou à vous faire tomber en quelque embûche sous forme d'accident. Votre mort livrerait sans défense Isabelle aux entreprises du duc. Que pourrions-nous contre un si puissant seigneur, nous autres pauvres histrions? S'il est douteux que Vallombreuse soit à Paris, ses émissaires, du moins, l'y remplacent, puisque cette nuit même, si vous n'aviez pas veillé sous les armes, ému d'un juste soupçon, ils vous auraient gentiment égorgillé en votre chambrette. »

Les raisons qu'alléguait Hérode étaient trop plausibles pour être discutées; aussi le Baron n'y répondit-il que par un signe d'assentiment, et porta-t-il la

main sur la garde de son épée, qu'il tira à demi, afin
de s'assurer qu'elle jouait bien et ne tenait point au
fourreau.

Tout en causant, les deux compagnons s'étaient
avancés le long du Louvre et des Tuileries jusqu'à la
porte de la Conférence, par où l'on va au Cours-la-
Reine, lorsqu'ils virent devant eux un grand tourbillon de poussière où papillotaient des éclairs d'armes
et des luisants de cuirasse. Ils se rangèrent pour laisser passer cette cavalerie qui précédait la voiture du
roi, qui revenait de Saint-Germain au Louvre. Ils
purent voir dans le carrosse, car les glaces étaient
baissées et les rideaux écartés, sans doute pour que le
populaire contemplât tout son soûl le Monarque arbitre
de ses destinées, un fantôme pâle, vêtu de noir, le cordon bleu sur la poitrine, aussi immobile qu'une effigie de cire. De longs cheveux bruns encadraient ce
visage mort attristé par un incurable ennui, un ennui
espagnol, à la Philippe II, comme l'Escurial seul peut
en mitonner dans son silence et sa solitude. Les yeux
ne semblaient pas réfléchir les objets; aucun désir,
aucune pensée, aucun vouloir n'y mettait sa flamme.
Un dégoût profond de la vie avait relâché la lèvre
inférieure, qui tombait morose avec une sorte de moue
boudeuse. Les mains blanches et maigres posaient sur
les genoux, comme celles de certaines idoles égyp-
tiennes. Cependant il y avait encore une majesté
royale dans cette morne figure qui personnifiait la
France, et en qui se figeait le généreux sang de
Henri IV.

La voiture passa comme un éblouissement, suivie
d'un gros de cavaliers qui fermaient l'escorte. Sigognac resta tout rêveur de cette apparition. En son imagination naïve, il se représentait le roi comme un être
surnaturel, rayonnant dans sa puissance au milieu d'un
soleil d'or et de pierreries, fier, splendide, triomphal,
plus beau, plus grand, plus fort que tous les autres;
et il n'avait vu qu'une figure triste, chétive, ennuyée,
souffreteuse, presque pauvre d'aspect, dans un costume
sombre comme le deuil, et ne paraissant pas s'apercevoir du monde extérieur, occupée qu'elle était de
quelque lugubre rêverie. « Eh quoi! se disait-il en lui-
même, voilà le roi, celui en qui se résument tant de
millions d'hommes, qui trône au sommet de la pyramide, vers qui tant de mains se tendent d'en bas sup-

pliantes, qui fait taire ou gronder les canons, élève ou abaisse, punit ou récompense, dit « grâce » s'il le veut, quand la justice dit « mort », et peut changer d'un mot une destinée! Si son regard tombait sur moi, de misérable je deviendrais riche, de faible puissant; un homme inconnu se développerait salué et flatté de tous. Les tourelles ruinées de Sigognac se relèveraient orgueilleusement, des domaines viendraient s'ajouter à mon patrimoine rétréci. Je serais seigneur du mont et de la plaine! Mais comment penser que jamais il me découvre dans cette fourmilière humaine qui grouille vaguement à ces pieds et qu'il ne regarde pas? Et quand même il m'aurait vu, quelle sympathie peut-il se former entre nous? »

Ces réflexions, et beaucoup d'autres qu'il serait trop long de rapporter, occupaient Sigognac, qui marchait silencieusement à côté de son compagnon. Hérode respecta cette rêverie, se divertissant à regarder les équipages aller et venir. Puis il fit observer au Baron qu'il allait être midi, et qu'il était temps de diriger l'aiguille de la boussole vers le pôle de la soupe, rien n'étant pire qu'un dîner froid, si ce n'est un dîner réchauffé.

Sigognac se rendit à ce raisonnement péremptoire, et ils reprirent le chemin de leur auberge. Rien de particulier n'avait eu lieu en leur absence. Il ne s'était passé que deux heures. Isabelle, tranquillement assise à table devant un potage étoilé de plus d'yeux que le corps d'Argus, accueillit son ami avec son doux sourire habituel en lui tendant sa blanche main. Les comédiens lui adressèrent des questions badines ou curieuses sur son excursion à travers la ville, lui demandant s'il possédait encore son manteau, son mouchoir et sa bourse. A quoi Sigognac répondit joyeusement par l'affirmative. Cette aimable causerie lui fit bientôt oublier ses sombres préoccupations, et il en vint à se demander en lui-même s'il n'était pas la dupe d'une imagination hypocondriaque qui ne voyait partout qu'embûches.

Il avait raison cependant, et ses ennemis, pour quelques tentatives avortées, ne renonçaient point à leurs noirs projets. Mérindol, menacé par le duc d'être rendu aux galères d'où il l'avait tiré s'il ne le défaisait de Sigognac, se résolut à requérir l'aide d'un brave de ses amis, à qui nulle entreprise ne répugnait,

quelque hasardeuse qu'elle fût, si elle était bien payée.
Il ne se sentait pas de force à venir à bout du Baron,
qui d'ailleurs le connaissait maintenant, ce qui en
rendait l'approche difficile, vu qu'il était sur ses
gardes.

Mérindol alla donc à la recherche de ce spadassin
qui demeurait place du Marché-Neuf, près du Petit-
Pont, endroit peuplé principalement de bretteurs,
filous, tireurs de laine et autres gens de mauvaise vie.

Avisant parmi les hautes maisons noires, qui s'épau-
laient comme ivrognes ayant peur de tomber, une plus
noire, plus délabrée, plus lépreuse encore que les
autres, dont les fenêtres, débordant d'immondes guenilles, ressemblaient à des ventres ouverts laissant couler leurs entrailles, il s'engagea dans l'allée obscure
qui servait d'entrée à cette caverne. Bientôt le jour
venant de la rue s'éteignit, et Mérindol, tâtant les
murailles suantes et visqueuses comme si des limaçons
les eussent engluées de leur bave, trouva parmi l'ombre
la corde tenant lieu de rampe à l'escalier, corde qu'on
pouvait croire détachée d'un gibet et suiffée de graisse
humaine. Il se hissa comme il put par cette échelle de
meunier, trébuchant à chaque pas sur les bosses et
callosités qu'avait formées à chaque marche la vieille
boue entassée là, couche à couche, depuis le temps où
Paris s'appelait Lutèce.

Cependant, à mesure que Mérindol avançait dans son
ascension périlleuse, les ténèbres se faisaient moins
intenses. Une lueur blafarde et brouillée pénétrait à
travers les vitres jaunes des jours de souffrance pratiqués pour éclairer l'escalier, et qui donnaient sur
une cour noire et profonde comme un puits de mine.
Enfin, il arriva au dernier étage à demi suffoqué par
les vapeurs méphitiques s'exhalant des plombs. Deux
ou trois portes s'ouvraient sur le palier dont le plafond en plâtre sale était enjolivé d'arabesques
obscènes, de tire-bouchons et de mots plus que rablai-
siens tracés par la fumée des chandelles, fresques bien
dignes d'une pareille bicoque.

L'une de ces portes était entrebâillée. Mérindol la
poussa d'un coup de pied, ne voulant y toucher de
la main, et pénétra sans plus de cérémonie dans
l'unique chambre composant le Louvre du bretteur
Jacquemin Lampourde.

Une âcre fumée lui piqua les yeux et le gosier, si

bien qu'il se prit à tousser comme un chat qui avale
des plumes en croquant un oiseau, et qu'il se passa
bien deux minutes avant qu'il pût parler. Profitant de
la porte ouverte, la fumée se répandit sur le palier, et
le brouillard devenant moins épais, le visiteur put
discerner à peu près l'intérieur de la chambre.

Ce repaire mérite une description particulière, car
il est douteux que l'honnête lecteur ait jamais mis le
pied dans un taudis pareil, et il ne saurait se faire
l'idée d'un tel dénuement.

Le bouge était meublé principalement de quatre
murs le long desquels les infiltrations du toit avaient
dessiné des îles inconnues et des fleuves qu'on ne
rencontre en aucune carte géographique. Aux endroits
à portée de la main, les locataires successifs du taudis
s'étaient amusés à graver au couteau leurs noms
incongrus, baroques ou hideux, par suite de ce penchant qui pousse les plus obscurs à laisser une trace
de leur passage en ce monde. A ces noms souvent était
accolé un nom de femme, Iris de carrefour, que surmontait un cœur percé d'une flèche semblable à une
arête de poisson. D'autres, plus artistes, avec un bout
de charbon retiré des cendres, avaient essayé de croquer quelque profil grotesque, une pipe entre les dents,
ou quelque pendu tirant la langue et gambadant au
bout d'une potence.

Sur le bord de la cheminée, où fumaient en bavant
les branches d'un cotret volé, s'entassait dans la poussière un monde d'objets bizarres : une bouteille ayant,
plantée dans le goulot, une chandelle à demi consumée, dont le suif avait coulé en larges nappes sur le
verre, vrai flambeau d'enfant prodigue et de biberon;
un cornet de tric-trac, trois dés plombés, les *Heures*
de Robert Besnières, à l'usage du lansquenet, un fagot
de bouts de vieilles pipes, un pot en grès à mettre
du pétun, un chausson renfermant un peigne édenté,
une lanterne sourde arrondissant sa lentille comme
une prunelle d'oiseau de nuit, des paquets de clefs,
sans doute fausses, car il n'y avait en la chambre
aucun meuble à ouvrir, un fer à relever la moustache,
un angle de miroir au tain rayé comme par les griffes
d'un diable, où l'on ne pouvait se voir qu'un œil à la
fois, encore ne fallait-il pas que cet œil ressemblât à
celui de Junon, qu'Homère appelle Βοῶπις et mille
autres brimborions fastidieux à décrire.

En face de la cheminée, sur un pan de muraille moins humide que les autres et tendu d'ailleurs d'un lambeau de serge verte, rayonnait un faisceau d'épées soigneusement fourbies, d'une trempe à l'épreuve et portant sur leur acier la marque des plus célèbres armuriers d'Espagne et d'Italie. Il y avait là des lames à deux tranchants, des lames triangulaires, des lames évidées au milieu pour laisser égoutter le sang; des dagues à large coquille, des coutelas, des poignards, des stylets et autres armes de prix dont la richesse faisait un singulier contraste avec le délabrement du bouge. Pas une tache de rouille, par un grain de poussière ne les souillaient, c'étaient les outils du tueur, et dans un arsenal princier ils n'eussent pas été mieux entretenus, frottés d'huile, épongés de laine et conservés en leur état primitif. On eût dit qu'ils sortaient tout frais émoulus de la boutique. Lampourde, si négligent pour le reste, y mettait son amour-propre et sa curiosité. Cette recherche, quand on pensait au métier qu'il faisait, prenait un caractère horrible, et sur ces fers si bien polis, des reflets rouges semblaient flamboyer.

De sièges, il n'y en avait point, et l'on était libre de se tenir debout pour grandir, à moins qu'on ne préférât, si l'on ne voulait ménager la semelle de ses souliers, s'asseoir sur un vieux panier défoncé, une malle, ou un étui de luth qui traînait dans un coin.

La table se composait d'un volet abattu sur deux tréteaux. Elle servait aussi de lit. Après avoir fait carousse, le maître du logis s'y allongeait et, prenant le coin de la nappe, qui n'était autre que la panne de son manteau, dont il avait vendu le dessus pour se doubler la panse, il faisait demi-tour du côté de la muraille pour ne plus voir les bouteilles vides, spectacle singulièrement mélancolique aux ivrognes.

C'est dans cette position que Mérindol trouva Jacquemin Lampourde ronflant comme la pédale d'un tuyau d'orgue, bien que toutes les horloges des environs eussent sonné quatre heures de l'après-midi.

Un énorme pâté de venaison, qui montrait dans ses ruines vermeilles des marbrures de pistaches, gisait éventré sur le carreau, et plus qu'à moitié dévoré, comme un cadavre attaqué des loups au fond d'un bois, en compagnie d'un nombre fabuleux de flacons dont on avait sucé l'âme, et qui n'étaient plus que des

fantômes de bouteilles, des apparences creuses bonnes
à faire du verre cassé.

Un compagnon, que Mérindol n'avait pas aperçu
d'abord, dormait à poings tendus sous la table, tenant
encore au bec, entre ses dents, le tuyau cassé d'une
pipe, dont le fourneau avait roulé à terre tout bourré
d'un pétun qu'en son ivresse il avait oublié d'allumer.

« Hé, Lampourde! dit l'estafier de Vallombreuse,
c'est assez dormir comme cela; ne me regarde pas avec
ces yeux plus ronds que billes. Je ne suis point un
commissaire ou un sergent qui te vient querir pour te
mener au Châtelet. Il s'agit d'une affaire importante :
tâche de repêcher ta raison noyée au fond des pots,
et de m'écouter. »

Le personnage ainsi interpellé se souleva avec une
lenteur somnolente, se mit sur son séant, développa,
en s'étirant, de longs bras, dont les poings touchaient
presque aux deux murs de la chambre, ouvrit une
bouche immense dentée de crocs pointus, et, se tor-
dant la mâchoire, dessina un bâillement formidable,
semblable au rictus d'un lion ennuyé, le tout accompagné de gloussements inarticulés et gutturaux.

Ce n'était point un Adonis que Jacquemin Lampourde, bien qu'il se prétendît favorisé des femmes
autant que pas un, et même, à l'entendre, des plus
hautes et mieux situées. Sa grande taille dont il tirait
fierté, ses maigres jambes héronnières, son échine
efflanquée, sa poitrine osseuse et cardinalisée à la
boisson, qu'on voyait en ce moment par sa chemise
entrouverte, ses bras de singe assez longs pour qu'il
pût nouer ses jarretières sans presque se baisser, ne
composaient pas un physique bien agréable; quant à
sa figure, un nez prodigieux qui rappelait celui de
Cyrano de Bergerac, prétexte de tant de duels, y occupait la place la plus importante. Mais Lampourde s'en
consolait avec l'axiome populaire : « Jamais grand nez
n'a gâté visage. » Les yeux, quoique brouillés encore
d'ivresse et de sommeil, avaient dans leurs prunelles
de froids éclairs annonçant le courage et la résolution.
Sur les joues décharnées deux ou trois rides perpendiculaires, pareilles à des coups d'épée, dessinaient
leurs lignes rigides qui n'étaient pas précisément des
nids d'amours. Une tignasse de cheveux noirs fort
emmêlée pleuvait autour de cette physionomie bonne
à sculpter sur un manche de violon et dont personne

cependant n'avait envie de se moquer tant l'expression
en était inquiétante, narquoise et féroce.

« Que le Maulubec trousse l'animal qui me vient
ainsi troubler en mes joies et patauger parmi mes
rêves anacréontiques! J'étais heureux; la plus belle
princesse de la terre m'accueillait gracieusement. Vous
avez fait envoler mon songe.

— Trêve de billevesées, fit Mérindol avec impatience, prête-moi deux minutes ton ouï et ton attention.

— Je n'écoute personne quand je suis gris, répondit
majestueusement Jacquemin Lampourde en s'étayant
sur le coude. D'ailleurs j'ai de l'argent, beaucoup d'argent. Nous avons cette nuit détroussé un mylord
anglais tout cousu de pistoles, je suis en train de manger et de boire ma part. Mais avec un petit tour de
lansquenet ce sera bientôt fini. A ce soir donc les
affaires sérieuses. Trouvez-vous à minuit sur le terre-
plein du Pont-Neuf, au pied du cheval de bronze. J'y
serai, frais, limpide, alerte, jouissant de tous mes
moyens. Nous accorderons nos flûtes et conviendrons
des sommes, lesquelles doivent être considérables, car
j'aime à croire qu'on ne dérange pas un brave comme
moi pour des friponneries subalternes, des vols insi-
gnifiants ou autres menues peccadilles. Décidément le
vol m'ennuie, je ne fais plus que l'assassinat, c'est plus
noble. On est un carnassier léonin, et non une bête
de rapine. S'il s'agit de tuer, je suis votre homme, et
encore faut-il que l'attaqué se défende. Les victimes
sont si lâches parfois que cela me dégoûte. Un peu de
résistance donne du cœur à l'ouvrage.

— Oh! pour cela sois tranquille, répondit Mérindol
avec un mauvais sourire. Tu trouveras à qui parler.

— Tant mieux, fit Jacquemin Lampourde, il y a
longtemps que je ne me suis escrimé avec quelqu'un
de ma force. Mais en voilà assez. Sur ce, bonsoir, et
laisse-moi dormir. »

Mérindol parti, Jacquemin Lampourde essaya de se
rendormir, mais en vain. Le sommeil interrompu ne
revint pas. Le bretteur se leva, secoua rudement le
compagnon qui ronflait sous la table et tous deux s'en
allèrent dans un tripot où se jouaient le lansquenet et
la bassette. L'assistance était composée de plumets, de
spadassins, de filous, de laquais, de clercs, de quelques
bourgeois naïfs conduits là par des filles, pauvres
pigeons destinés à être plumés vifs. On n'entendait que

le bruit des dés roulant dans le cornet et le froissement des cartes battues, car les joueurs sont d'ordinaires silencieux, sauf, en cas de perte, quelques inter-
jections blasphématoires. Après les alternatives de
chance et de guignon, le vide, duquel la nature et
l'homme surtout ont horreur, fut hermétiquement pratiqué dans les pochettes de Lampourde. Il voulut jouer
sur parole, mais ce n'était pas une monnaie qui eût
cours en ce lieu, où les joueurs, en recevant leur gain,
mordaient les pièces par manière d'éprouvette, pour
voir si les louis n'étaient point en plomb doré et les
testons en étain à fondre des cuillères. Force lui fut
de se retirer nu comme un petit saint Jean, après être
entré gros seigneur et remuant les pistoles à pleine
main!

« Ouf! fit-il quand l'air frais de la rue le frappa au
visage et lui rendit son sang-froid, me voilà débarrassé; c'est drôle comme l'argent me grise et m'abru-
tit! Je ne m'étonne plus que les traitants soient si
bêtes. Maintenant que je n'ai plus le sol, je me sens
plein d'esprit; les idées bourdonnent autour de ma
cervelle comme abeilles autour d'une ruche. De Lari-
don je redeviens César! Mais voici que le clocheteur
de la Samaritaine martèle douze heures; Mérindol doit
m'attendre devant le roi de bronze. »

Et il se dirigea vers le Pont-Neuf. Mérindol était à
son poste, occupé à regarder son ombre au clair de
lune. Les deux spadassins, ayant regardé autour d'eux
pour voir si personne ne pouvait les entendre, par-
lèrent cependant à voix basse pendant assez longtemps. Ce qu'ils dirent, nous l'ignorons, mais, en quittant l'agent du duc de Vallombreuse, Lampourde
faisait sonner de l'or dans ses poches avec une impudence qui montrait combien il était redouté sur le
Pont-Neuf.

## XII

### LE RADIS COURONNÉ

En quittant Mérindol, une incertitude travaillait
Jacquemin Lampourde, et lorsqu'il fut arrivé au bout
du Pont-Neuf, il s'arrêta et demeura quelque temps

perplexe comme l'âne de Buridan entre ses deux mesures d'avoine, ou, si cette comparaison ne vous plaît point, comme un fer entre deux aimants d'égale force. D'une part le lansquenet exerçait sur lui une attraction impérieuse avec son tintement lointain de pièces d'or; de l'autre le cabaret se présentait orné de séductions non moindres, faisant sonner son carillon de pots. Embarrassante alternative! Bien que les théologiens fassent du libre arbitre la plus belle prérogative de l'homme, Lampourde, maîtrisé par deux penchants irrésistibles, car il était aussi joueur qu'ivrogne, et aussi ivrogne que joueur, ne savait réellement à quoi se décider. Il fit trois pas vers le tripot; mais les bouteilles pansues, couvertes de poussière, drapées de toiles d'araignée, coiffées d'un rouge casque de cire, apparurent à son imagination sous un rayon si vif qu'il en fit trois pas vers le cabaret. Alors le jeu agita fantastiquement à ses oreilles un cornet plein de dés plombés, et lui arrondit devant les yeux un demi-cercle de cartes bisautées, diapré comme une queue de paon, vision enchanteresse qui lui cloua les pieds au sol.

« Ah çà! est-ce que je vais rester là planté comme une idole, se dit à lui-même le bretteur impatienté de ses propres tergiversations; je dois avoir l'air d'un franc viédaze regardant voler des coquecigrues, avec ma mine ahurie et quidditative. Pardieu! si je n'allais ni au cabaret ni au tripot, et rendais visite à ma déesse, à mon Iris, à la non pareille beauté qui me retient en ses lacs. Mais peut-être, à cette heure, sera-t-elle occupée à quelque bal ou festin nocturne, hors de son logis. Et d'ailleurs la volupté amollit le courage, et les plus grands capitaines se sont repentis de s'être trop adonnés aux femmes. Témoin Hercule avec sa Déjanire, Samson avec sa Dalila, Marc-Antoine avec sa Cléopâtre, sans compter les autres dont je ne me souviens pas, car on a cueilli bien des fois les prunes depuis que j'ai fait mes classes. Donc, renonçons à cette fantaisie lascive et vitupérable. Mais que faire cependant entre ces deux charmants objets? Qui choisit l'un s'expose à regretter l'autre. »

En minutant ce monologue, Jacquemin Lampourde, les mains plongées dans ses poches, le menton appuyé sur sa fraise de manière à retrousser sa barbiche, semblait pousser des racines entre les pavés et se pétrifier en statue, comme cela arrive à plus d'un compagnon aux *Métamorphoses* d'Ovide. Tout à coup il fit un soubresaut si brusque qu'un bourgeois attardé qui passait par là s'en émut de peur et hâta le pas, croyant qu'il allait l'assaillir et à tout le moins lui tirer la laine. Lampourde n'avait aucune intention de détrousser ce nigaud, qu'en sa rêverie distraite il ne voyait même point; mais une idée triomphante venait de lui traverser la cervelle. Ses incertitudes étaient finies.

Il tira vivement un doublon de sa poche, le jeta en l'air après avoir dit : « Pile pour le cabaret, face pour le tripot! »

La pièce pirouetta plusieurs fois, et, ramenée à terre par sa pesanteur, retomba sur un pavé, faisant luire sa paillette d'or sous le rayon d'argent qui s'échappait de la lune, en ce moment débarrassée de tout nuage. Le bretteur s'agenouilla pour déchiffrer l'oracle rendu par le hasard. La pièce avait répondu pile à la question posée. Bacchus l'emportait sur la Fortune.

« C'est bien, je me griserai », dit Lampourde en remettant le doublon, dont il essuya la boue, en son escarcelle profonde comme l'abîme, étant destinée à engloutir beaucoup de choses.

Et, faisant de grandes enjambées, il se dirigea vers le cabaret du *Radis couronné*, sanctuaire habituel de ses libations au dieu de la vigne. Le *Radis couronné* présentait à Lampourde cet avantage d'être situé à l'angle du Marché-Neuf, à deux pas de son logis qu'il regagnait en quelques zigzags lorsqu'il s'était mis du vin jusqu'au nœud de la gorge, à partir de la semelle de ses bottes.

C'était bien le plus abominable bouge qu'on pût imaginer. Des piliers trapus, englués d'un rouge sanguinolent et vineux, supportaient l'énorme poutre qui lui servait de frise et dont les rugosités affectaient de certaines formes indiquant d'anciennes sculptures à demi effacées par le temps. Avec beaucoup d'attention on parvenait à y démêler un enroulement de ceps et de pampres, à travers lesquels gambadaient des singes tirant des renards par la queue. Sur le claveau de la porte figurait un énorme radis au naturel, feuillé de sinople et sommé d'une couronne d'or, le tout fort terni, qui depuis des générations de buveurs servait d'enseigne et de désignation au cabaret.

Les baies formées par l'espacement des piliers

étaient closes, en ce moment, de volets à lourdes ferrures capables de soutenir un siège, mais non si hermétiquement joints qu'ils ne laissassent filtrer des rais
de lumière rougeâtre, et s'échapper une sourde rumeur
de chansons et de querelles; ces lueurs, s'allongeant sur
le pavé miroité de boue, produisaient un effet étrange
dont Lampourde ne sentit pas le côté pittoresque, mais
qui lui indiqua qu'il y avait encore nombreuse compagnie au *Radis couronné*.

Heurtant la porte avec le pommeau de son épée, le
bretteur, par le rythme des coups qu'il frappa, se fit
reconnaître pour un habitué de la maison, et l'huis
s'entrebâilla afin de lui livrer passage.

La salle où se tenaient les buveurs avait assez l'air
d'une caverne. Elle était basse, et la maîtresse poutre
qui traversait le plafond, ayant fait ventre sous le
tassement des étages supérieurs, semblait près de
rompre, encore qu'elle fût solide à porter un beffroi,
pareille en cela à la tour de Pise ou des Asinelli de
Bologne qui penche toujours et ne tombe jamais. Les
fumées des pipes et des chandelles avaient rendu le
plafond aussi noir que l'intérieur des cheminées où
l'on prépare les harengs saurs, les boutargues et les
jambons. Anciennement les murs avaient été peints
d'une couleur rouge, encadrée de sarments et brindilles
de vigne, par la brosse de quelque décorateur italien
venu en France à la suite de Catherine de Médicis. La
peinture s'était conservée dans le haut de la salle,
quoique bien assombrie et ressemblant plus à des
plaques de sang figé qu'à cette réjouissante teinte écarlate dont elle devait briller en sa fleur de nouveauté.
L'humidité, le frottement des dos, la crasse des têtes
qui s'y appuyaient en avaient gâté et détruit tout le
bas, où le plâtre apparaissait sale, éraillé et nu. Jadis
le cabaret avait été mieux hanté; mais peu à peu,
aux courtisans et aux capitaines, les mœurs devenant
plus délicates, s'étaient substitués des brelandiers, des
aigrefins, des coupe-bourses et des coupe-jarrets, toute
une clientèle de truands hasardeux qui avaient donné
leur empreinte horrible au bouge, et fait de la gaie
taverne un repaire sinistre. Un escalier de bois conduisant à une galerie où s'ouvraient les portes de réduits
si bas, qu'on n'y pénétrait qu'en rentrant les cornes et
la tête comme un limaçon, occupait la paroi qui faisait face à l'entrée. Sous la cage de l'escalier, à l'ombre

de la soupente, quelques futailles, les unes pleines, les autres en vidange, étaient disposées dans une symétrie plus agréable aux ivrognes que toute autre sorte d'ornement. Dans la cheminée à grande hotte, flambaient des fagots de bourrée dont les bouts brûlaient jusque sur le plancher, qui, n'étant fait que d'un carrelage de vieilles briques, ne courait pas risque d'incendie. Ce feu illuminait de ses reflets l'étain du comptoir placé vis-à-vis et où trônait le cabaretier, derrière un rempart de pots, de pintes, de bouteilles et de brocs. Sa vive lueur, éteignant les auréoles jaunes des chandelles qui grésillaient dans la fumée, faisait danser le long des murailles les ombres des buveurs dessinées en caricatures, avec des nez extravagants, des mentons de galoche, des toupets de Riquet à la houppe et des déformations aussi bizarres que celles des *Songes drolatiques* de maître Alcofribas Nasier. Ce sabbat de découpures noires, s'agitant et fourmillant derrière les figures réelles, semblait s'en moquer et en faire spirituellement la parodie. Les habitués du bouge, assis sur des bancs, s'accoudaient sur des tables dont le bois tailladé d'estafilades, chamarré de noms gravés au couteau, tatoué de brûlures, était gras de sauces et de vins répandus; mais les manches qui l'essuyaient ne pouvaient pour la plupart être salies, quelques-unes même étant percées au coude n'y compromettaient que la chair du bras qu'elles étaient censées revêtir. Eveillées au tintamarre du cabaret, deux ou trois poules, Lazares emplumés, qui à cette heure eussent dû être juchées sur leur perchoir, s'étaient glissées dans la salle par une porte communiquant avec la cour, et picoraient sous les pieds et entre les jambes des buveurs les miettes tombées du festin.

Quand Jacquemin Lampourde entra au *Radis couronné,* le plus triomphant vacarme régnait dans l'établissement. Des gaillards à mine truculente, tendant leurs pots vides, frappaient sur les tables des coups de poing à tuer des bœufs et qui faisaient trembler les suifs emmanchés dans des martinets de fer. D'autres criaient « tope et masse » en répondant à des rasades. Ceux-ci accompagnaient une chanson bachique, hurlée en chœur avec des voix aussi lamentablement fausses que celles de chiens hurlant à la lune, d'un cliquetis de couteau sur les côtes de leurs

verres et d'un remuement d'assiettes tournées en meule.
Ceux-là inquiétaient la pudeur des Maritornes, qui, les
bras élevés au-dessus de la foule, portaient des plats
de victuailles fumantes et ne pouvaient se défendre
contre leurs galantes entreprises, tenant plus à conserver leur plat que leur vertu. Quelques-uns pétunaient
dans de longues pipes de Hollande et s'amusaient à
souffler de la fumée par les naseaux.

Il n'y avait pas que les hommes dans cette cohue,
le beau sexe y était représenté par quelques échan-
tillons assez laids; car le vice se permet parfois de
n'avoir pas le nez mieux fait que la vertu. Ces Philis,
dont le premier venu, moyennant la pièce ronde, pouvait être le Tircis ou le Tityre, se promenaient par
couples, s'arrêtant aux tables, et buvaient comme
colombes familières en la coupe de chacun. Ces
copieuses lampées, jointes à la chaleur du lieu, faisaient leurs joues cramoisies sous le rouge de brique
dont elles étaient enluminées, en sorte qu'elles semblaient des idoles peintes à deux couches. Des cheveux faux ou vrais, tournés en accroche-cœur, étaient
plaqués sur leurs fronts luisants de céruse ou, calamistrés au fer, allongeaient leurs spirales jusque sur
des poitrines largement découvertes et passées au
badigeon, non sans quelque veine d'azur dessinée en
leurs blancheurs postiches. Leurs ajustements affectaient une braverie mignarde et galante. Ce n'était que
rubans, plumes, broderies, galons, ferrets, aiguillettes,
couleurs vives; mais il était aisé de voir que ce luxe,
fait pour la montre, n'avait rien de réel et sentait la
friperie : les perles n'étaient que verre soufflé, les
bijoux d'or que cuivre, les robes de soie que vieilles
jupes retournées et reteintes; mais ces élégances de
mauvais aloi suffisaient à éblouir les yeux avinés des
compagnons réunis en ce bouge. Quant à l'odeur, si
ces dames ne flairaient pas la rose, elles sentaient le
musc comme un terrier de putois, seule odeur assez
forte pour dominer les infectes exhalaisons du taudis, et qu'on trouvait par comparaison plus suave que
baume, ambroisie et benjoin. Quelquefois un plumet
échauffé de luxure et de boisson faisait asseoir sur son
genou une de ces beautés peu farouches, et lui chu-
chotait à l'oreille, dans un gros baiser, des proposi-
tions anacréontiques reçues avec des rires affectés et
un « non » qui voulait dire « oui »; puis, au long de

l'escalier, on voyait des groupes qui montaient,
l'homme le bras sur la taille de la femme, la femme
se retenant à la rampe et faisant de petites façons
enfantines, car même en la débauche la plus abandonnée il faut encore quelques semblants de pudeur.
D'autres redescendaient la mine confuse, tandis que
leur Amaryllis de rencontre faisait bouffer sa jupe de
l'air le plus détaché du monde.

Lampourde, habitué de longue main à ces mœurs
qui, d'ailleurs, lui paraissaient naturelles, ne prêtait
aucune attention au tableau dont nous venons de tirer
un crayon rapide. Assis devant une table, le dos
appuyé au mur, il regardait d'un œil plein de tendresse et de concupiscence une bouteille de vin des
Canaries qu'une servante venait d'apporter, une bouteille antique et recommandable, de derrière les fagots
et du cas réservé aux goinfres et biberons émérites.
Quoique le bretteur fût seul, deux verres avaient été
placés sur la table, car on savait son horreur pour
l'ingurgitation solitaire des liquides, et d'un moment à
l'autre un compagnon de beuverie pouvait lui surve-
nir. En attendant ce convive fortuit, Lampourde élevait lentement, à la hauteur de sa visée, le verre effilé
de patte et tourné en clochette de liseron où brillait,
pailletée d'un point lumineux, la blonde et généreuse
liqueur. Puis, ayant satisfait le sens de la vue en admirant cette chaude couleur de topaze brûlée, il passait
au sens de l'odorat, et, remuant le vin par une secousse
ménagée qui lui imprimait une sorte de rotation, il
en humait l'arôme à narines aussi béantes que les
fosses d'un dauphin héraldique. Restait le sens du
goût. Les papilles du palais, convenablement excitées,
s'imprégnaient d'une gorgée de ce nectar; la langue la
promenait autour des badigoinces et l'envoyait enfin
au gosier avec un clappement approbatif. Ainsi maître
Jacquemin Lampourde, au moyen d'un seul verre,
flattait-il trois des cinq sens que l'homme possède, ce
qui était le fait d'un épicurien consommé tirant des
choses jusqu'au dernier suc et quintessence de plaisir
qu'elles contiennent. Encore prétendait-il bien que le
tact et l'ouïe pouvaient y avoir leur part de jouissance :
le tact, par le poli, la netteté et la forme du cristal; l'ouïe,
par la musique, vibration et parfait accord qu'il rend
lorsqu'on le choque avec le dos d'une lame ou qu'on
promène circulairement ses doigts mouillés sur le bord

du verre. Mais ce sont là paradoxes, billevesées et fantaisies d'un raffinement trop subtil, ne prouvant rien pour vouloir trop prouver, sinon le vicieux raffinement de ce maraud.

Notre bretteur était là depuis quelques minutes quand la porte du cabaret s'entrouvrit; un quidam, vêtu de noir de la tête aux pieds, n'ayant de blanc que son rabat et un flot de linge qui lui bouffait au ventre, entre sa veste et son haut-de-chausses, fit son apparition dans l'établissement. Quelques broderies de jayet, à moitié défilées, avaient la velléité, non suivie d'effet, d'agrémenter le délabrement de son costume, dont la coupe cependant trahissait un reste d'ancienne élégance.

Ce personnage offrait la particularité d'avoir la face d'une blancheur blafarde comme si elle avait été saupoudrée de farine, et le nez aussi rouge qu'un charbon ardent. De petites fibrilles violettes le veinaient et témoignaient d'un culte assidu pour la Dive Bouteille. Le calcul de ce qu'il avait fallu de tonneaux de vin et de fiasques d'eau-de-vie avant de l'amener à cette intensité d'érubescence effrayait l'imagination. Ce masque bizarre ressemblait à un fromage où l'on aurait planté une guigne. Pour achever la portraiture, il eût suffi de deux pépins de pomme à la place des yeux et d'une mince estafilade représentant la bouche fendue en tirelire. Tel était Malartic, l'ami de cœur, le Pylade, l'Euryale, le *fidus Achates* de Jacquemin Lampourde; il n'était pas beau, certes, mais les qualités morales rachetaient bien chez lui ces petits désagréments physiques. Après Jacquemin, à l'endroit duquel il professait la plus profonde admiration, c'était la meilleure lame de Paris. Au jeu, il retournait le roi avec un bonheur que personne ne se permettait de trouver insolent; il buvait toujours sans paraître jamais gris, et quoiqu'on ne lui connût point de tailleur, il était mieux fourni de manteaux que le courtisan le plus accommodé. Du reste, homme délicat à sa manière, ayant toutes les probités de la caverne, capable de se faire tuer pour soutenir un camarade et d'endurer, sans desserrer les dents, estrapade, brodequins, chevalet, même la question de l'eau, la plus tortionnaire pour un biberon de son calibre, plutôt que de compromettre sa bande par un mot indiscret. Un fort charmant sujet en son genre! aussi jouissait-il de l'estime générale dans le monde où s'exerçait son industrie.

Malartic alla droit à la table de Lampourde, prit un escabeau, s'assit en face de son ami, empoigna silencieusement le verre plein qui semblait l'attendre et le vida d'un trait. Son système différait de celui de Jacquemin, mais n'en était pas moins efficace, comme le prouvait la pourpre cardinalesque de son nez. Au bout de la séance, les deux amis comptaient le même nombre de marques à la craie sur l'ardoise de l'hôtelier, et le bon père Bacchus, à cheval sur la barrique, leur souriait sans préférence comme à deux dévots de culte divers, mais d'égale ferveur. L'un dépêchait sa messe, l'autre la faisait durer; mais toujours la messe était dite.

Lampourde, qui connaissait les mœurs du compagnon, lui remplit plusieurs fois son verre jusqu'au bord. Ce manège nécessita l'apparition d'une seconde bouteille, laquelle se trouva comme la première bientôt mise à sec; celle-là fut suivie d'une troisième qui tint plus longtemps et fit plus de façons pour se rendre. Après quoi, pour reprendre haleine, les deux bretteurs demandèrent des pipes et se mirent à envoyer au plafond, à travers le brouillard condensé au-dessus de leurs têtes, de longs tire-bouchons de fumée pareils à ceux que les enfants mettent aux cheminées des maisons qu'ils griffonnent sur leurs livres et leurs cahiers d'étude. Après un certain nombre de bouffées aspirées et rendues, ils disparurent à l'instar des dieux d'Homère et de Virgile, dans un nuage où le nez de Malartic flamboyait seul comme un rouge météore.

Enveloppés de cette brume, les deux compagnons isolés des autres buveurs commencèrent une conversation qu'il eût été dangereux que le Chevalier du Guet entendît; heureusement le *Radis couronné* était un lieu sûr, aucune mouche n'eût osé s'y risquer, et la trappe de la cave se fût ouverte sous les pieds de l'exempt assez audacieux pour pénétrer dans ce repaire. Il n'en serait sorti que haché menu comme chair à pâté.

« Comment vont les affaires, disait Lampourde à Malartic avec le ton d'un marchand qui se renseigne sur le cours des denrées; nous sommes dans une morte-saison. Le roi habite Saint-Germain où les courtisans le suivent. Cela fait du tort au commerce; il n'y a plus à Paris que des bourgeois et des gens de peu ou de rien.

— Ne m'en parle pas! répondit Malartic, c'est une indignité. L'autre soir j'arrête sur le Pont-Neuf un gaillard d'assez bonne apparence, je lui demande la bourse ou la vie; il me jette sa bourse, il n'y avait que trois ou quatre pièces de six blancs, et le manteau qu'il me laissa n'était que de serge avec un galon d'or faux. Au lieu d'être le voleur j'étais le volé. Au tripot, on ne rencontre plus que des laquais, des clercs de procureurs ou des enfants précoces qui ont pris dans le tiroir paternel quelques pistoles pour venir tenter la fortune. En deux coups de cartes et trois coups de dés on en a vu la fin. Il est outrageux de déployer ses talents pour un si mince résultat! Les Lucindes, les Dorimènes, les Cidalises, ordinairement si pitoyables aux braves, se refusent à payer les billets et les notes, encore que nous les rossions d'importance, sous prétexte que la cour n'étant plus ici, elles ne reçoivent ni régals ni cadeaux, et sont obligées pour vivre de mettre leurs nippes en gage. Sans un vieux cornard jaloux qui m'emploie à bâtonner les amants de sa femme, je n'aurais pas gagné ce mois-ci de quoi boire de l'eau, nécessité à laquelle nul dénuement ne me forcera, la mort perpendiculaire me semblant cent fois plus douce. On ne m'a pas commandé le moindre guet-apens, le plus léger rapt, le plus petit assassinat. En quel temps vivons-nous, mon Dieu! Les haines molissent, les rancunes s'en vont à vau-l'eau, le sentiment de la vengeance se perd; on oublie les insultes comme les bienfaits; le siècle embourgeoisé s'énerve et les mœurs deviennent d'une fadeur qui me dégoûte.

— Le bon temps est passé, répliqua Jacquemin Lampourde; autrefois un grand aurait pris nos courages à son service. Nous l'aurions aidé en ses expéditions et besognes secrètes, maintenant il faut travailler pour le public. Cependant il y a encore quelques bonnes aubaines. »

Et en disant ces mots il agitait des pièces d'or dans sa poche. Cette sonnerie mélodieuse fit pétiller étrangement l'œil de Malartic; mais, bientôt son regard reprit son expression placide, l'argent d'un camarade étant chose sacrée; il se contenta de pousser un soupir qui pouvait se traduire par ces mots : « Tu es bien heureux, toi! »

« Je pense d'ici à peu, continua Lampourde, pouvoir te procurer du travail, car tu n'es pas paresseux à la besogne, et tu as bientôt fait de retrousser ta manche lorsqu'il s'agit de détacher une estocade ou de tirer un coup de pistolet. Homme d'ordre, tu exécutes les commandes qu'on te fait dans le délai voulu, et tu prends sur toi les risques de police. Je m'étonne que la Fortune ne soit point descendue de sa boule de verre devant ta porte; il est vrai que cette guenipe, avec le mauvais goût ordinaire aux femmes, comble de ses faveurs un tas de freluquets et de béjaunes au détriment des gens de mérite. En attendant que la drôlesse ait un caprice pour toi, passons le temps à boire, *papaliter,* jusqu'à ce que le liège de nos semelles se gonfle. »

Cette résolution philosophique était trop incontestablement sage pour que le compagnon de Jacquemin y fît la moindre objection. Les deux bretteurs bourrèrent leurs pipes et remplirent leurs verres, s'accoudant à la table comme des gens qui s'établissent dans leur bien-être et ne veulent point qu'on les dérange de leur quiétude.

Ils en furent pourtant dérangés. Dans l'angle de la salle, une rumeur de voix s'élevait d'un groupe qui entourait deux hommes posant entre eux les conditions d'un pari à la suite de l'impossibilité chez l'un de croire à un fait avancé par l'autre, à moins de le voir de ses propres yeux.

Le groupe s'entrouvrit. Malartic et Lampourde, dont l'attention était éveillée, aperçurent un homme de moyenne taille, mais singulièrement alerte et vigoureux, hâlé de visage comme un More d'Espagne, les cheveux noués d'un mouchoir, vêtu d'un caban de couleur marron qui en s'entrouvrant permettait de voir un justaucorps de buffle et des chausses brunes ornées sur la couture d'un rang de boutons de cuivre en forme de grelots. Une large ceinture de laine rouge lui sanglait les reins, et il en avait tiré une navaja valencienne qui, ouverte, atteignait la longueur d'un sabre. Il en serra le cercle, en essaya la pointe avec le bout du doigt et parut satisfait de son examen, car il dit à son adversaire : « Je suis prêt », puis, avec un accent guttural, il siffla un nom bizarre que n'avaient jamais entendu les buveurs du *Radis couronné,* mais qui a déjà figuré plus d'une fois dans ces pages : « Chiquita! Chiquita! »

A la seconde appellation, une fillette maigre et hâve, endormie dans un coin sombre, se débarrassa de la

cape dont elle s'était soigneusement entortillée et qui
la faisait ressembler à un paquet de chiffons, s'avança
vers Agostin, car c'était lui, et fixant sur le bandit
ses grands yeux étincelants, avivés encore par une
auréole de bistre, elle lui dit d'une voix grave et profonde qui contrastait avec son apparence chétive :

« Maître, que veux-tu de moi? je suis prête à t'obéir
ici comme sur la lande, car tu es brave et ta navaja
compte bien des raies rouges. » Chiquita dit ces mots
en langue eskuara ou patois basque, aussi inintelligible
pour des Français que du haut allemand, de l'hébreu
ou du chinois.

Agostin prit Chiquita par la main et la plaça debout
contre la porte en lui recommandant de se tenir immobile. La petite, accoutumée à ces exercices, ne témoignait ni frayeur ni surprise; elle restait là, les bras
ballants, regardant devant elle avec une sérénité parfaite, tandis qu'Agostin placé à l'autre bout de la salle,
un pied avancé, l'autre en retraite, balançait le long
couteau dont le manche était appuyé sur son avant-
bras.

Une double haie de curieux formait une sorte d'allée d'Agostin à Chiquita, et ceux des truands qui
avaient la barrique proéminente la rentraient en retenant leur respiration, de peur qu'elle ne dépassât la
ligne. Les nez en flûtes d'alambic se reculaient prudemment pour n'être pas tranchés au vol.

Enfin le bras d'Agostin se détendit comme un ressort, un éclair brilla et l'arme formidable alla se planter dans la porte juste au-dessus de la tête de Chiquita, sans lui couper un cheveu, mais avec une
précision telle qu'il semblait qu'on eût voulu prendre la
mesure de sa taille.

Quand la navaja passa en sifflant, les spectateurs
n'avaient pu s'empêcher de baisser les yeux; mais
l'épaisse frange de cils de la jeune fille n'avait pas
même palpité. L'adresse du bandit excita une rumeur
admirative parmi ce public difficile. L'adversaire même
qui avait douté que ce coup fût possible battit des
mains plein d'enthousiasme.

Agostin détacha le couteau qui vibrait encore,
retourna à son poste, et cette fois fit passer la lame
entre le bras et le corps de Chiquita impassible. Si la
pointe eût dévié de trois ou quatre lignes, elle arrivait en plein cœur. Bien que la galerie criât que c'était

assez, Agostin recommença l'expérience de l'autre côté
du buste pour montrer que son adresse ne devait rien
au hasard.

Chiquita, enorgueillie par ces applaudissements qui
s'adressaient autant à son courage qu'à la dextérité
d'Agostin, promenait autour d'elle un regard de
triomphe; ses narines gonflées aspiraient l'air avec
force, et dans sa bouche entrouverte, ses dents pures
comme celles d'un animal sauvage brillaient d'une
blancheur féroce. L'éclat de sa denture, les paillettes
phosphoriques de ses prunelles mettaient à son visage
sombre, tanné par le grand air, trois points lumineux
qui l'éclairaient. Ses cheveux incultes se tordaient
autour de son front et de ses joues en longs serpents
noirs, mal retenus par un ruban incarnadin que débordaient et cachaient çà et là les boucles rebelles. A son
col, plus fauve que du cuir de Cordoue, luisaient
comme des gouttes laiteuses les perles du collier qu'elle
tenait d'Isabelle. Quant à son costume, il était changé
sinon amélioré. Chiquita ne portait plus la jupe jaune
serin brodée d'un perroquet, qui lui eût donné à Paris
l'aspect par trop étrange et remarquable. Elle avait
une courte robe bleu sombre, à petits plis froncés sur
les hanches, et une sorte de veste ou brassière en
bouracan noir que fermaient, à la naissance de la poitrine, deux ou trois boutons de corne. Ses pieds, habitués à fouler la bruyère fleurie et parfumée, étaient
chaussés de souliers beaucoup trop grands pour elle,
car le savetier n'en avait pu trouver d'assez petits en
son échoppe. Ce luxe paraissait la gêner; mais il avait
bien fallu faire cette concession aux froides boues pari-
siennes. Elle était tout aussi farouche qu'à l'auberge
du *Soleil bleu*, cependant on voyait qu'un plus grand
nombre d'idées passaient à travers sa sauvagerie, et,
dans l'enfant, déjà pointait quelque nuance de la jeune
fille.

Elle avait vu bien des choses depuis son départ de
la lande, et de ces spectacles son imagination naïve
gardait comme un éblouissement.

Elle regagna le coin qu'elle occupait et, s'enveloppant de sa mante, reprit son sommeil interrompu.
L'homme qui avait perdu le pari paya les cinq pistoles, montant de l'enjeu, au compagnon de Chiquita.
Celui-ci fit glisser les pièces dans sa ceinture et se
rassit à sa table devant le broc à demi vidé qu'il acheva

lentement, car n'ayant pas de logis déterminé, il préférait rester au cabaret à grelotter sous quelque arche de pont ou quelque porche de couvent en attendant le jour, si long à paraître en cette saison. Ce cas était celui de plusieurs autres pauvres diables qui ronflaient à poings fermés, les uns sur les bancs, les autres dessous, roulés dans leurs capes pour toute couverture. C'était un spectacle drolatique que celui de toutes ces bottes qui s'allongeaient sur le parquet comme des pieds de corps morts après la bataille. Bataille, en effet, où les navrés de Bacchus gagnaient en chancelant quelque angle obscur, et la tête appuyée à la muraille, écorchaient piteusement le renard, moqués de leurs compagnons plus robustes d'estomac et versaient du vin au lieu de sang.

« Par la Sainsanbreguoy, dit Lampourde à Malartic, voilà un drôle qui n'est pas manchot, et que je note pour le retrouver au besoin en des expéditions difficiles. Ce coup de couteau à distance vaut mieux pour les sujets d'approche farouche qu'une pistolade qui fait du feu, de la fumée et du bruit et semble appeler les sergents à l'aide.

— Oui, répondit Malartic, c'est un joli travail et proprement exécuté ; mais si l'on manque son coup, on est désarmé et l'on reste quinaud. Pour moi, ce qui me charme en cet exercice et montre d'adresse périlleuse, c'est la bravoure de la jeune fille. Cette mauviette! cela n'a pas deux onces de chair sur les os et cela loge dans l'étroite cage de sa maigre poitrine un vrai cœur de lion ou de héros antique. Elle me plaît d'ailleurs avec ses grands yeux charbonnés et fiévreux et sa mine tranquillement hagarde. Au milieu de ces outardes, tadornes, oies et autres oiseaux de basse-cour, elle a l'air d'un jeune faucon dans un poulailler. Je me connais en femmes, et je puis juger la fleur d'après le bourgeon. La Chiquita, comme l'appelle ce maraud basané, sera dans deux ou trois ans d'ici un morceau de roi...

— Ou de voleur, continua philosophiquement Jacquemin Lampourde. A moins que le sort ne concilie ces deux extrêmes en faisant de cette *morena,* comme disent les Espagnols, la maîtresse d'un filou et d'un prince. Cela s'est vu et ce n'est pas toujours le prince qu'on aime le plus, tant ces drôlesses ont la fantaisie coquine et déréglée. Mais laissons là ces discours superflus et venons aux choses sérieuses. J'aurais besoin peut-être, d'ici à peu, de quelques braves à tout poil pour une expédition qu'on me propose, non tant lointaine que celle des Argonautes au pourchas de la toison d'or.

— Belle toison! fit Malartic le nez dans son verre dont le vin semblait grésiller et bouillir au contact de ce charbon ardent.

— Expédition assez compliquée et dangereuse, poursuivit le bretteur; je suis chargé de supprimer un certain capitaine Fracasse, baladin de son métier, qui gêne à ce qu'il paraît les amours d'un fort grand seigneur. Pour ce travail, j'y suffirai bien tout seul; mais il s'agit aussi d'organiser le rapt de la donzelle aimée à la fois du grand et de l'histrion, et qui sera disputée aux ravisseurs par sa compagnie; dressons une liste d'amis solides et sans scrupules. Que te semble de Piquenterre?

— Excellent! répondit Malartic, mais il n'y faut pas compter. Il brandille à Montfaucon, au bout d'une chaîne de fer, en attendant que sa carcasse déchiquetée des oiseaux tombe en la fosse du gibet, sur les ossements des camarades qui l'ont précédé.

— C'est donc cela, dit Lampourde avec le plus beau sang-froid du monde, qu'on ne le voyait pas depuis quelque temps. Ce que c'est que la vie! Un soir, vous faites tranquillement carousse avec un ami dans un cabaret d'honneur; puis vous allez chacun de votre côté à vos petites affaires. Huit jours après quand vous demandez « que devient un tel », on vous répond : « Il est pendu. »

— Hélas! c'est comme cela, soupira l'ami de Lampourde en prenant une pose tragiquement élégiaque ou élégiaquement tragique; ainsi que le dit le sieur de Malherbe en sa consolation à Duperrier :

*Il* était de ce monde où les meilleures choses
Ont le pire destin.

— Ne nous abandonnons pas à des pleurnichements féminins, dit le bretteur. Montrons un mâle et stoïque courage et continuons à marcher dans la vie, le chapeau enfoncé jusqu'au sourcil et le poing sur le rognon, défiant la potence qui, après tout, fors l'honneur, n'est pas beaucoup plus redoutable que le feu des canons, pierriers, couleuvrines et bombardes qu'affrontent les soldats et capitaines, sans compter les mousquetades et l'arme blanche. A défaut de Piquenterre, qui doit être en la gloire près du bon larron, prenons Cornebœuf. C'est un gaillard râblé et trapu, bon pour les grosses besognes.

— Cornebœuf, répondit Malartic, est présentement en voyage le long des côtes barbaresques sous le commandement de Cadet la Perle. Le roi le tient en estime si particulière qu'il l'a fait blasonner d'une fleur de lis à l'épaule pour le retrouver partout au cas qu'il se perdît. Mais, par exemple, Piedgris, Tordgueule, La Râpée et Bringuenarilles sont libres et « *a la disposicion de usted* ».

— Ces noms me suffisent; ils appartiennent à des braves et tu m'aboucheras avec eux lorsqu'il en sera temps. Sur ce, achevons cette quarte bouteille et tirons nos grègues d'ici. Le lieu commence à devenir plus méphitique que le lac Averne, au-dessus duquel les oiseaux ne peuvent voler sans tomber morts pour la malignité des exhalaisons. Cela sent le gousset, l'écafignon, le faguenas et le cambouis. L'air frais de la nuit nous fera du bien. A propos, où couches-tu ce soir?

— Je n'ai point envoyé en avant mon fourrier préparer mes logis, répondit Malartic, et ma tente n'est dressée nulle part; je pourrais frapper à l'hôtel de la Limace, mais j'y ai un mémoire long comme mon épée, et rien n'est plus désagréable à voir au réveil que la mine refrognée d'un vieil hôte qui se refuse avec grognement à la moindre dépense nouvelle et réclame son dû, agitant une poignée de notes au-dessus de sa tête comme le sieur Jupin son foudre. L'apparition subite d'un exempt me serait moins maussade.

— Pur effet nerveux, faiblesse compréhensible, car chaque grand homme a la sienne, fit sentencieusement Lampourde; mais puisqu'il te répugne de te présenter à la Limace, et que l'hôtel de la Belle-Etoile est un peu trop réfrigérant par l'hiver qui court, je t'offre l'hospitalité antique de mon taudis aérien et pour couche la moitié de mon tréteau.

— J'accepte, répondit Malartic, avec une reconnaissance bien sentie. O trois et quatre fois heureux le mortel qui a des lares et des pénates et peut faire asseoir à son foyer l'ami de son cœur! »

Jacquemin Lampourde avait accompli la promesse

qu'il s'était faite après la réponse de l'oracle en faveur du cabaret. Il étai saoul comme grive en vendange; mais personne n'était maître de sa boisson
comme Lampourde. Il gouvernait le vin et le vin ne
le gouvernait pas. Pourtant quand il se leva, il lui
sembla que ses jambes pesaient comme saumons de
plomb et s'enfonçaient dans le plancher. D'un vigoureux coup de jarret il détacha ses pieds alourdis et
marcha résolument vers la porte, la tête haute et tout
d'une pièce. Malartic le suivit d'un pas assez ferme,
car rien ne pouvait ajouter à son ivresse. Plongez en la
mer une éponge saturée d'eau, elle n'en boira pas une
goutte de plus. Tel était Malartic, à cette différence
près que chez lui le liquide n'était pas eau, mais bien
pur jus de sarment. La sortie des deux camarades
s'effectua donc sans encombre, et ils parvinrent à se
hisser, quoiqu'ils ne fussent pas des anges, par l'échelle
de Jacob montant de la rue au grenier de Lampourde.

A cette heure, le cabaret présentait un aspect lamentablement ridicule. Le feu s'éteignait dans l'âtre. Les
chandelles, qu'on ne mouchait plus, avaient un pied
de nez, et leurs mèches balançaient de larges champignons noirs. Des stalactites de suif en coulaient le
long des chandeliers où elles se figeaient en se refroidissant. La fumée des pipes, des haleines et des mets
s'était condensée près du plafond en un épais brouillard; le plancher, couvert de débris et de boue, aurait
eu besoin pour le nettoyer qu'on y fît passer un fleuve
comme dans les étables d'Augias. Les tables étaient
jonchées de reliefs, de carcasses et d'os jamboniques
qu'on eût dit déchiquetés par les crocs de mâtins charogneux. Çà et là quelque broc renversé pendant le
tumulte d'une querelle épanchait un reste de vin, dont
les gouttes tombant dans la mare rouge qu'elles avaient
formée, semblaient les gouttes de sang d'une tête coupée reçues dans un bassin; le bruit de leur chute, intermittent et régulier, scandait comme le tic-tac d'une
horloge le ronflement des ivrognes.

Le petit More du Marché-Neuf frappa quatre heures.
Le cabaretier, qui s'était assoupi, la tête appuyée sur
ses bras en croix, s'éveilla, promena un regard inquisitif autour de la salle, et voyant que la consommation
s'était ralentie, il appela ses garçons et leur dit : « Il
se fait tard; balayez-moi ces marauds et ces coquines
avec les épluchures : aussi bien ils ne boivent plus! »

Les garçons brandirent leurs balais, jetèrent trois ou
quatre seaux d'eau, et en moins de cinq minutes, à
grand renfort de bourrades. le cabaret fut vidé dans
la rue.

XIII

DOUBLE ATTAQUE

Le duc de Vallombreuse n'était pas homme à négliger
son amour plus que sa vengeance. S'il haïssait mor-
tellement Sigognac, il avait pour Isabelle une de ces
passions furieuses que surexcite le sentiment de l'impossible chez ces âmes hautaines et violentes habituées
à ce que rien ne leur résiste. Triompher de la comédienne devenait la pensée dominante de sa vie; gâté
par les faciles victoires qu'il avait remportées en sa
carrière galante, il ne pouvait s'expliquer cette défaite,
et souvent il se disait, à travers les conversations, les
promenades, les exercices au théâtre comme au temple,
à la ville comme à la cour, pris d'un étonnement subit
en sa rêverie profonde : « Comment se fait-il qu'elle ne
m'aime pas? »

En effet, cela était difficile à comprendre pour
quelqu'un qui ne croyait pas à la vertu des femmes,
et encore moins à celle des actrices. Il se demandait
si la froideur d'Isabelle n'était pas un jeu concerté
pour obtenir de lui davantage, rien n'allumant le désir
comme ces pudicités feintes et mines de n'y vouloir
toucher. Cependant la façon dédaigneuse dont elle
avait renvoyé le coffret à bijoux placé dans sa
chambre par Léonarde prouvait surabondamment
qu'elle n'était pas de ces femmes qui marchandent
pour se vendre plus cher. Des parures encore plus
riches n'eussent pas produit meilleur effet. Puisque
Isabelle n'ouvrait même pas les écrins, que servait
qu'ils continssent des perles et des diamants à tenter
une reine? L'amour épistolaire ne l'eût pas touchée
non plus, quelque élégance et passion que les secré-
taires du jeune duc eussent pu mettre à peindre la
flamme de leur maître. Elle ne décachetait pas les
lettres. Ainsi prose et vers, tirades et sonnets n'au-

raient fait que mollir. D'ailleurs ces moyens langoureux, bons pour les galants transis, ne congruaient pas
à l'humeur entreprenante de Vallombreuse. Il fit appeler dame Léonarde, avec laquelle il n'avait cessé d'entretenir des intelligences secrètes, étant toujours bon
de maintenir un espion dans la place, même fût-elle
imprenable. Parfois la garnison se relâche, et une
poterne est bien vite ouverte, par quoi s'insinue
l'ennemi.

Léonarde, par un escalier dérobé, fut introduite en
la chambre particulière du duc, où il ne recevait que
ses plus intimes amis et fidèles serviteurs. C'était une
pièce de forme oblongue, revêtue d'une boiserie à
pilastres cannelés d'ordre ionique. dont les entre-
colonnements étaient occupés par des cadres ovales
d'un goût luxuriant et touffu sculptés dans le bois
plein et que semblaient suspendre à la corniche d'un
haut relief des nœufs de rubans et des lacs d'amour
dorés d'une ingénieuse complication. Ces médaillons
renfermaient sous apparences de mythologies, telles
que Flores, Vénus, Charites, Dianes, nymphes chasse-
resses et bocagères, les maîtresses du jeune duc, accou-
trées à la grecque et montrant l'une sa gorge
alabastrine, l'autre sa jambe faite au tour, celle-ci des
épaules à fossettes, celle-là des charmes plus mystérieux avec un artifice si subtil qu'on eût dit des
tableaux dus à la fantaisie du peintre plutôt que des
portraits d'après le vif. Les plus prudes avaient
cependant posé pour ces peintures qui étaient de Simon
Vouet, célèbre maître du temps, croyant faire une
faveur unique et ne s'imaginant pas former une galerie.

Au plafond creusé en conque était figurée une toilette de Vénus. La déesse se regardait du coin de l'œil,
après avoir été attifée par ses nymphes, à un miroir
que lui présentait un grand Cupidon hors de page à
qui l'artiste avait donné les traits du duc, mais on
voyait bien que son attention était plus pour l'Amour
que pour le miroir. Des cabinets incrustés en pierres
dures de Florence, bourrés de billets doux, de tresses
de cheveux, de bracelets et de bagues et autres témoignages de passions oubliées; une table de même
matière où sur un fond de marbre noir se découpaient
des bouquets de fleurs aux couleurs vives, muguetées
par des papillons ailés de pierreries; des fauteuils à

pieds tournés en bois d'ébène couverts d'une brocatelle saumon ramagée d'argent, un épais tapis de
Smyrne où peut-être s'étaient assises les sultanes, et
rapporté de Constantinople par l'ambassadeur de
France, composaient l'ameublement aussi riche que
voluptueux de ce réduit, que Vallombreuse préférait
aux appartements d'apparat et qu'il habitait d'ordinaire.

Le duc fit de la main un signe de condescendance
à Léonarde et lui indiqua un placet pour s'asseoir.
Léonarde était l'idéal de la douegna, et ce luxe frais
et jeune faisait encore ressortir son teint de vieille
cire jaune et sa laideur répulsive. Son costume noir
passementé de jais, ses coiffes rabattues lui donnaient
d'abord un aspect sévère et respectable; mais le sourire équivoque qui se jouait dans les bouquets de
poils obombrant les commissures de ses lèvres, le
regard hypocritement luxurieux de ses yeux cerclés de
rides brunes, l'expression basse, avide et servile de
sa mine vous détrompaient bientôt et vous disaient
que vous n'aviez pas devant vous une dame Pernelle,
mais une dame Macette, de celles qui lavent les jeunes
filles pour le sabbat et qui chevauchent le samedi un
balai entre les jambes.

« Dame Léonarde, dit le duc rompant le silence, je
vous ai fait venir, car je sais que vous êtes une personne fort experte aux choses d'amour pour les avoir
pratiquées en votre jeune temps et servies en votre
maturité, afin de me concerter avec vous sur les
moyens de séduire cette farouche Isabelle. Une duègne
qui a été jeune première doit connaître toutes les
rubriques.

— Monsieur le duc, répondit la vieille comédienne
d'un air de componction, fait beaucoup d'honneur à
mes faibles lumières et ne peut douter de mon zèle
à lui complaire en tout.

— Je n'en doute point, fit négligemment Vallombreuse; mais, cependant, mes affaires n'en sont guère
plus avancées. Que devient cette beauté revêche?
Est-elle toujours aussi entichée de son Sigognac?

— Toujours, répliqua dame Léonarde en poussant
un soupir; la jeunesse a de ces entêtements bizarres
qui ne s'expliquent point. Isabelle, d'ailleurs, ne
semble point pétrie dans le limon ordinaire. Aucune
tentation ne mord sur elle, et dans le Paradis terrestre

elle eût été femme à ne point écouter le serpent.

— Comment donc, s'écria le duc avec un mouvement de colère, ce damné Sigognac a-t-il pu se faire entendre de cette oreille si bien fermée aux propos des autres? Possède-t-il quelque philtre, quelque amulette, quelque talisman?

— Aucun, monseigneur, il était malheureux, et pour ces âmes tendres, romanesques et fières, consoler est le plus grand bonheur qui soit; elles préfèrent donner à recevoir, et la pitié, les yeux humides de larmes, ouvre la porte à l'amour. C'est le cas d'Isabelle.

— Vous me dites des choses de l'autre monde; être maigre, sans le sol, piteux, délabré, mal en point, ridicule, ce sont là, selon vous, des raisons d'être aimé! les dames de la cour riraient bien d'une pareille doctrine.

— En effet, elle n'est pas commune, heureusement, et l'on voit peu de femmes donner dans ce travers. Votre Seigneurie est tombée sur une exception.

— Mais c'est à devenir fou de rage, de penser que ce hobereau réussit là où j'échoue et entre les bras de sa maîtresse se raille de ma déconvenue.

— Votre Seigneurie peut s'épargner ce chagrin. Sigognac ne jouit point de ses amours au sens que l'entend monsieur le duc. La vertu d'Isabelle n'a reçu aucune brèche. La tendresse de ces parfaits amants, bien que vive, est toute platonique et se contente de quelque baiser sur la main ou sur le front. C'est pour cela qu'elle dure; satisfaite, elle s'éteindrait toute seule.

— Dame Léonarde, êtes-vous bien sûre de cela? est-il croyable qu'ils vivent ainsi chastement ensemble dans la licence des coulisses et des voyages, couchant sous le même toit, soupant à la même table, rapprochés sans cesse par les nécessités des répétitions et des jeux de scène? Il faudrait qu'ils fussent des anges.

— Isabelle est à coup sûr un ange, et elle n'a pas l'orgueil qui fit choir Lucifer du ciel. Quant à Sigognac, il obéit aveuglément à sa maîtresse, et accepte tous les sacrifices qu'elle lui impose.

— S'il en est ainsi, dit Vallombreuse, que pouvez-vous faire pour moi? Allons, cherchez dans quelque tiroir secret de votre boîte à malice un vieux stratagème irrésistible, une fourberie triomphante, une machination à rouages compliqués qui me donne la victoire; vous savez que l'or et l'argent ne me coûtent rien. »

Et il plongea sa main, plus blanche et aussi délicate que celle d'une femme, dans une coupe de Benvenuto Cellini, posée sur une table auprès de lui et remplie de pièces d'or. A la vue de ces monnaies qui bruissaient avec un tintement persuasif, les yeux de chouette de la douegna s'allumèrent, perçant de deux trous lumineux le cuir basané de sa face morte. Elle parut réfléchir profondément et resta quelques instants muette.

Vallombreuse attendait avec impatience le résultat de cette rêverie; enfin la vieille reprit la parole.

« A défaut de son âme, peut-être puis-je vous livrer son corps. Une empreinte de serrure à la cire, une fausse clef et un bon narcotique feraient l'affaire.

— Pas de cela! interrompit le duc, qui ne put se défendre d'un mouvement de dégoût. Fi donc! posséder une femme endormie, un corps inerte, une morte, une statue sans conscience, sans volonté, sans souvenir, avoir une maîtresse qui au réveil vous regarderait les yeux étonnés comme sortant d'un rêve, et reprendrait aussitôt son aversion pour vous avec son amour pour un autre! être un cauchemar, un songe lubrique qu'on oublie au matin! Jamais je ne descendrai si bas.

— Votre Seigneurie a raison, dit Léonarde, la possession n'est rien si l'on n'a le consentement, et je ne proposais cet expédient qu'à bout de ressources. Je n'aime pas non plus ces moyens ténébreux, et ces breuvages qui sentent la pharmacopée de l'empoisonneuse. Mais pourquoi étant beau comme Adonis favori de Vénus, splendide en vos ajustements, riche, puissant à la cour, ayant tout ce qui plaît aux femmes, ne faites-vous pas tout simplement la cour à Isabelle?

— Eh! pardieu, la vieille a raison », s'écria Vallombreuse, en jetant un regard de complaisance à un miroir de Venise supporté par deux amours sculptés qui se tenaient en équilibre sur une flèche d'or, de telle façon que la glace se penchait et se redressait à volonté pour qu'on pût s'y voir plus à son aise. « Isabelle a beau être froide et vertueuse, elle n'est pas aveugle, et la nature n'a pas été pour moi si marâtre que ma présence inspire l'horreur. Je lui ferai tou-

jours bien l'effet d'une statue ou d'un tableau qu'on
admire, encore qu'on ne l'aime pas, mais qui retient
les yeux, et les charme par sa symétrie et son coloris
agréable. Et puis je lui dirai de ces choses à quoi les
femmes ne résistent point, avec ces regards qui
fondent la glace des cœurs, et dont le feu, soit dit
sans fatuité, a incendié les belles les plus hyper-
boréennes et les plus glacées de la cour; cette comédienne d'ailleurs a de la fierté, et la poursuite d'un
duc ne peut que flatter son orgueil. Je l'appuierai à
la Comédie et dresserai des cabales en sa faveur. Ce
sera miracle alors si elle pense encore à ce petit Sigognac duquel je saurai bien me défaire.

— Monsieur le duc n'a rien à me dire de plus, fit
dame Léonarde, qui s'était levée et restait les mains
croisées sur sa ceinture dans une pose d'attente
respectueuse.

— Non, répondit Vallombreuse, vous pouvez vous
retirer, mais auparavant prenez ceci (et il lui tendit
une poignée de louis d'or), ce n'est pas votre faute
s'il se trouve en la troupe d'Hérode une pudicité
invraisemblable. »

La vieille remercia le jeune duc et se retira à la
reculade jusque vers la porte, sans se prendre les
pieds dans ses jupes, avec une habitude que lui avait
donnée le théâtre. Là elle se retourna tout d'une pièce
et disparut bientôt dans les profondeurs de l'escalier.
Resté seul, Vallombreuse sonna son valet de chambre
pour qu'il le vînt accommoder.

« Çà, Picard, dit le duc, il te faut surpasser et me
faire une toilette triomphante; je veux être plus beau
que Buckingham s'efforçant de plaire à la reine Anne
d'Autriche. Si je reviens bredouille de ma chasse à la
beauté, tu recevras les étrivières, car je n'ai aucun
défaut ou vice à dissimuler postichement.

— Votre Seigneurie a la meilleure grâce du monde,
répondit Picard, et chez elle l'Art n'a qu'à mettre la
Nature en son lustre. Si monsieur le duc veut s'asseoir
devant la glace et se tenir tranquille quelques minutes,
je vais le testonner et l'adoniser de telle sorte qu'il
ne rencontrera pas de cruelles. »

Ayant dit ces mots, Picard plongea des fers à friser
dans une coupe d'argent où, recouverts de cendre,
des noyaux d'olive faisaient un feu doux comme celui
des braseros espagnols, et quand ils furent chauds au

degré juste, ce qu'il reconnut en les approchant de sa joue, il commença à pincer par le bout ces belles boucles d'ébène dont la souplesse ne demandait pas mieux que de se tourner mignardement en spirales.

Lorsque M. le duc de Vallombreuse fut coiffé, et qu'un cosmétique d'un parfum suave mieux flairant que baume eut fixé ses fines moustaches semblables à l'arc de Cupidon, le valet de chambre, satisfait de son ouvrage, se renversa un peu en arrière pour le contempler, comme un peintre qui regarde, en clignant l'œil, la dernière touche posée à son tableau.

« Quel habit monsieur le duc désire-t-il mettre aujourd'hui? Si j'osais risquer un avis à qui n'en a pas besoin, je conseillerais à Sa Seigneurie le costume de velours noir à taillades et à bouffettes en satin de la même couleur, avec les bas de soie et un simple col en point de Raguse. Les brocarts, les satins brochés, les toiles d'or et d'argent, les pierreries pourraient, par leur éclat intempestif, distraire les regards qui se doivent porter uniquement sur la figure de monsieur, dont les charmes ne furent jamais plus irrésistibles; le noir relèvera cette pâleur délicate qui lui reste de sa blessure et lui donne tant d'intérêt.

— Le drôle a le goût bon, et sait flatter aussi bien qu'un courtisan, murmura intérieurement Vallombreuse; oui, le noir m'ira bien! Isabelle, d'ailleurs, n'est point femme à s'éblouir devant des orfrois de brocarts et des bluettes de diamants. Picard, continua-t-il tout haut, passez-moi le pourpoint et les chausses de velours, et donnez-moi l'épée d'acier bruni. Maintenant, dites à la Ramée qu'il fasse mettre les chevaux au carrosse, les quatre bais, et promptement. Je veux sortir dans un quart d'heure. »

Picard disparut aussitôt pour faire exécuter les ordres de son maître. Vallombreuse, en attendant la voiture, se promenait de long en large à travers la chambre, jetant, toutes les fois qu'il passait devant, un coup d'œil interrogatif au miroir de Venise, lequel, contre l'ordinaire des miroirs, lui faisait à chaque demande une réponse flatteuse.

« Il faudrait que cette péronnelle fût diantrement superbe, revêche et dégoûtée, pour ne pas devenir subitement toute vive amoureuse folle de moi, malgré ses simagrées de vertu et ses langueurs platoniques avec le Sigognac. Oui, ma toute belle, vous figurerez bientôt dans un de ces cadres ovales, peinte au naturel, en Phœbé forcée malgré sa froideur de venir baiser Endymion. Vous prendrez place parmi ces déités qui furent d'abord non moins prudes, farouches et hyrcaniennes que vous ne l'êtes, et qui sont plus grandes dames assurément que vous ne le serez jamais. Votre défaite ne manquera pas longtemps à ma gloire; car sachez, ma petite comédienne, que rien ne peut faire obstacle à la volonté d'un Vallombreuse. *Frango nec frangor,* telle est ma devise! »

Un laquais vint annoncer que le carrosse était avancé. La distance qui sépare la rue des Tournelles, où demeurait le duc de Vallombreuse, de la rue Dauphine fut bientôt franchie au trot de quatre vigoureux mecklembourgeois touchés par un cocher de grande maison, qui n'eût pas cédé le haut du pavé à un prince du sang, et qui coupait insolemment toutes les voitures. Quelque hardi et sûr de lui-même que fût le duc, pendant le trajet il ne put se défendre d'une certaine émotion assez rare chez lui. L'incertitude de savoir comment il serait reçu de cette dédaigneuse Isabelle lui faisait battre le cœur un peu plus vite que de coutume. Les sentiments qu'il éprouvait étaient de nature fort opposée. Ils variaient de la haine à l'amour, selon qu'il s'imaginait la jeune comédienne rebelle ou docile à ses vœux.

Quand le beau carrosse doré, traîné par des chevaux de prix et surchargé de laquais aux livrées de Vallombreuse, entra dans l'auberge de la rue Dauphine, dont les portes s'ouvrirent toutes grandes pour le recevoir, l'hôtelier, le bonnet à la main, se précipita plutôt qu'il ne descendit du haut du perron pour aller à la rencontre de ce magnifique visiteur et savoir ce qu'il désirait.

Si vite que l'hôtelier eût couru, Vallombreuse, sautant du carrosse à terre sans l'aide du marchepied, s'avançait déjà vers l'escalier d'un pas rapide. Le front de l'aubergiste, prosterné tout bas, lui heurta presque les genoux.

Le jeune duc, de cette voix stridente et brève qui lui était familière lorsque quelque passion l'agitait, lui dit :

« Mademoiselle Isabelle demeure en cette maison. Je la voudrais voir. Est-elle au logis à cette heure? Il n'est pas besoin de la prévenir de ma visite. Donnez-

moi seulement un laquais qui m'accompagne jusqu'à
sa porte. »

L'hôtelier avait répondu à ces questions par des
respectueuses inclinaisons de tête, et il ajouta :

« Monseigneur, laissez-moi la gloire de vous conduire
moi-même; un tel honneur n'est point fait pour un
maraud de valet. A peine si le maître de céans y
suffit.

— Comme vous voudrez, dit Vallombreuse avec une
nonchalance hautaine, mais faites vite; voici déjà des
têtes qui se mettent aux fenêtres et se penchent pour
me regarder comme si j'étais le Grand Turc ou l'Amo-
rabaquin.

— Je vais vous précéder pour vous montrer le chemin », dit l'hôtelier, tenant des deux mains son bonnet
pressé sur son cœur.

L'escalier franchi, le duc et son guide s'engagèrent
dans un long corridor sur lequel s'ouvraient des
portes comme dans un cloître de couvent. Arrivé
devant la chambre d'Isabelle, l'hôte s'arrêta et dit :

« Qui aurai-je l'honneur d'annoncer?

— Vous pouvez vous retirer maintenant, répondit
Vallombreuse en mettant la main sur la clef, je m'an-
noncerai moi-même. »

Isabelle, assise près de la fenêtre dans une chaise
haute, en manteau du matin, les pieds nonchalamment
allongés sur un tabouret de tapisserie, était en train
d'étudier le rôle qu'elle devait remplir dans la pièce
nouvelle. Les yeux fermés, afin de ne pas voir les
paroles écrites sur son cahier, elle répétait à voix
basse, comme un écolier sa leçon, les huit ou les dix
vers qu'elle venait de lire plusieurs fois. La lumière
de la croisée, dessinant le contour velouté de son
profil, piquait des étincelles d'or aux petits cheveux
follets qui se crespelaient sur sa nuque, et faisait luire
la nacre transparente de ses dents dans sa bouche
entrouverte. Un reflet tempérait par sa lueur argentée
ce que l'ombre, baignant les chairs et le vêtement,
aurait eu de trop noir, et produisait cet effet magique
si recherché des peintres, qu'ils appellent « clair-
obscur » en leur langage. Cette jeune femme ainsi
posée formait un tableau charmant, qui n'eût eu besoin
que d'être copié par un habile homme pour devenir
l'honneur et la perle d'une galerie.

Croyant que ce fût quelque fille de chambre qui

entrât pour les besoins du service, Isabelle n'avait pas
relevé ses longues paupières dont les cils, traversés du
jour, ressemblaient à des fils d'or, et continuait dans
une somnolence rêveuse à débiter machinalement ses
rimes comme on égrène un chapelet, presque sans y
penser. Elle n'avait d'ailleurs aucune défiance, en plein
jour, dans cette auberge toute pleine de monde, tout
près de ses camarades, et ne sachant pas que Vallombreuse fût à Paris. Les tentatives contre Sigognac ne
s'étaient pas renouvelées, et la jeune comédienne,
quelque timide qu'elle fût, commençait à reprendre
un peu d'assurance. Sa froideur avait sans doute
découragé le caprice du jeune duc, auquel en ce
moment elle ne pensait non plus qu'au prêtre Jean
ou à l'empereur de la Chine.

Vallombreuse s'était avancé jusqu'au milieu de la
chambre, suspendant ses pas, retenant son haleine,
pour ne pas déranger ce gracieux tableau qu'il contemplait avec un ravissement bien concevable; en attendant qu'Isabelle levât les yeux et l'aperçût, il avait
mis un genou en terre et tenait d'une main son feutre
dont la plume balayait le plancher, tandis qu'il
appuyait l'autre main sur son cœur dans une pose
qu'on n'eût pu désirer plus respectueuse pour une
reine.

Si la jeune comédienne était belle, Vallombreuse, il
faut l'avouer, n'était pas moins beau; la lumière donnait en plein sur sa figure d'une régularité parfaite et
semblable à celle d'un jeune dieu grec qui se serait
fait duc depuis la déchéance de l'Olympe. En ce
moment, l'amour et l'admiration qui s'y peignaient en
avaient fait disparaître cette expression impérieusement cruelle qu'on regrettait parfois d'y voir. Les yeux
jetaient des flammes, la bouche semblait lumineuse; à
ses joues pâles il montait du cœur comme une sorte
de clarté rose. Des éclairs bleuâtres passaient sur ses
cheveux bouclés et lustrés de parfums comme des
frissons de jour sur le jayet poli. Son col, délicat et
robuste à la fois, prenait des blancheurs de marbre.
Illuminé par la passion, il rayonnait, il étincelait, et
vraiment on comprenait qu'un duc fait de la sorte ne
pût admettre l'idée que déesse, reine ou comédienne
lui résistât.

Enfin Isabelle tourna la tête et vit le duc de Vallombreuse agenouillé à six pas d'elle. Persée lui eût porté

au visage le masque de Méduse, enchâssé dans son bouclier et faisant la grimace de l'agonie au milieu d'un éparpillement de serpenteaux, qu'elle n'eût pas éprouvé une stupeur pareille. Elle resta glacée, pétrifiée, les yeux dilatés de terreur, la bouche entrouverte et le gosier aride, sans pouvoir faire un mouvement ni pousser un cri. Une pâleur de mort se répandit sur ses traits, son dos s'emperla de sueur froide; elle crut qu'elle allait s'évanouir; mais, par un prodigieux effort de volonté, elle rappela ses sens pour ne pas rester exposée aux entreprises de ce téméraire.

« Je vous inspire donc une bien insurmontable horreur, dit Vallombreuse sans quitter sa position et de la voix la plus douce, que ma vue seule vous produit un tel effet. Un monstre d'Afrique sortant de sa caverne la gueule rouge, les dents aiguisées et les griffes en arrêt vous eût, certes, moins effrayée. Mon entrée, j'en conviens, a été un peu inopinée et subite; mais il ne faut pas en vouloir à la passion des incivilités qu'elle fait commettre. Pour vous voir, j'ai affronté votre courroux, et mon amour, au risque de vous déplaire, se met à vos pieds suppliant et timide.

— De grâce, monsieur le duc, relevez-vous, dit la comédienne, cette position ne vous convient point. Je ne suis qu'une pauvre actrice de province, et mes faibles charmes ne méritent pas une telle conquête. Oubliez un caprice passager et portez ailleurs des vœux que tant de femmes seraient heureuses de combler. Ne rendez point les reines, les duchesses et les marquises jalouses à cause de moi.

— Et que m'importent toutes ces femmes, fit impétueusement Vallombreuse en se relevant, si c'est votre fierté que j'adore, si vos rigueurs ont plus de charmes à mes yeux que les faveurs des autres, si votre sagesse m'enivre, si votre modestie excite ma passion jusqu'au délire, s'il faut que vous m'aimiez ou que je meure! Ne craignez rien, ajouta-t-il en voyant qu'Isabelle ouvrait la fenêtre comme pour se précipiter s'il se portait à quelque violence, je ne demande autre chose sinon que vous souffriez ma présence, que vous me permettiez de vous faire ma cour et d'attendrir votre cœur, comme font les amants les plus respectueux.

— Epargnez-moi ces poursuites inutiles, répondit Isabelle, et j'aurai pour vous, à défaut d'amour, une reconnaissance sans bornes.

— Vous n'avez ni père, ni mari, ni amant, dit Vallombreuse, qui se puisse opposer à ce qu'un galant homme vous recherche et tâche de vous agréer. Mes hommages ne sont pas une insulte. Pourquoi me repousser? Oh! vous ne savez pas quelle vie splendide j'ouvrirais devant vous si vous consentiez à m'accueillir. Les enchantements des féeries pâliraient à côté des imaginations de mon amour pour vous plaire. Vous marcheriez comme une déesse sur les nuées. Vos pieds ne fouleraient que de l'azur et de la lumière. Toutes les cornes d'abondance répandraient leurs trésors devant vos pas. Vos souhaits n'auraient pas le temps de naître, je les surprendrais dans vos yeux et je les devancerais. Le monde lointain s'effacerait comme un rêve, et d'un même vol, à travers les rayons, nous monterions vers l'Olympe plus beaux, plus heureux, plus enivrés que Psyché et l'Amour. Voyons, Isabelle, ne détournez pas ainsi la tête, ne gardez pas ce silence de mort, ne poussez pas au désespoir une passion qui peut tout, excepté renoncer à elle-même et à vous.

— Cette passion dont toute autre tirerait orgueil, répondit modestement Isabelle, je ne saurais la partager. La vertu que je fais profession d'estimer plus que la vie ne s'y opposerait point, que je déclinerais encore ce dangereux honneur.

— Regardez-moi d'un œil favorable, continua Vallombreuse, je vous rendrai un objet d'envie pour les plus grandes et les plus haut situées. A une autre femme je dirais : dans mes châteaux, dans mes terres, dans mes hôtels, prenez ce qui vous plaira, saccagez mes cabinets pleins de diamants et de perles, plongez vos bras jusqu'aux épaules au fond de mes coffres, habillez votre livrée d'habits trop riches pour des princes, faites ferrer d'argent fin les chevaux de vos carrosses, menez le train d'une reine; éblouissez Paris, qui pourtant ne s'étonne guère. Tous ces appâts sont trop grossiers pour une âme de la trempe dont est la vôtre. Mais cette gloire peut vous toucher d'avoir réduit et vaincu Vallombreuse, de le mener captif derrière votre char de triomphe, de nommer votre serviteur et votre esclave celui qui n'a jamais obéi, et que nuls fers n'ont pu retenir.

— Ce prisonnier serait trop illustre pour mes chaînes, dit la jeune actrice, et je ne voudrais pas contraindre une liberté si précieuse! »

Jusque-là le duc de Vallombreuse s'était contenu; il forçait sa violence naturelle à une douceur feinte, mais la résistance respectueuse et ferme d'Isabelle commençait à faire bouillonner sa colère. Il sentait un amour derrière cette vertu, et son courroux s'augmentait de sa jalousie. Il fit quelques pas vers la jeune fille, qui mit la main sur la ferrure de la fenêtre. Ses traits étaient contractés, il se mordait les lèvres et l'air de méchanceté avait reparu sur son visage.

« Dites plutôt, reprit-il d'une voix altérée, que vous êtes folle de Sigognac! Voilà la raison de cette vertu dont vous faites montre. Qu'a-t-il donc pour vous charmer de la sorte, cet heureux mortel? Ne suis-je pas plus beau, plus noble, plus riche, aussi jeune, aussi spirituel, aussi amoureux que lui!

— Il a du moins, répondit Isabelle, une qualité qui vous manque : celle de respecter ce qu'il aime.

— C'est qu'il n'aime pas assez », fit Vallombreuse en prenant dans ses bras Isabelle dont le corps penchait déjà hors de la fenêtre, et qui, sous l'étreinte de l'audacieux, poussa un faible cri.

Au même instant la porte s'ouvrit. Le Tyran, faisant des courbettes et des révérences outrées, pénétra dans la chambre et s'avança vers Isabelle, qu'aussitôt lâcha Vallombreuse avec une rage profonde d'être ainsi interrompu en ses prouesses amoureuses.

« Pardon, mademoiselle, dit le Tyran en lançant au duc un regard de travers, je ne vous savais pas en si bonne compagnie; mais l'heure de la répétition a sonné à toutes les horloges, et l'on n'attend plus que vous pour commencer. »

En effet, par la porte entrebâillée on voyait le Pédant, Scapin, Léandre et Zerbine, qui formaient un groupe rassurant pour la pudeur menacée d'Isabelle. Le duc eut un instant l'idée de fondre l'épée en main sur cette canaille et de la dispercer, mais cela eût fait un esclandre inutile; en tuant ou blessant deux ou trois de ces histrions il n'aurait pas arrangé ses affaires : d'ailleurs ce sang était trop vil pour qu'il y trempât ses nobles mains, il se contint donc, et saluant avec une politesse glaciale Isabelle, qui, toute tremblante, s'était rapprochée de ses amis, il sortit de la chambre, mais au seuil de la porte, il se retourna, fit un signe de la main, et dit : « Au revoir, mademoiselle! » une phrase bien simple assurément, mais

qui prenait du son de voix dont elle était prononcée
des signifiances menaçantes et terribles. La tête de
Vallombreuse, si charmante tout à l'heure, avait repris
son expression de perversité diabolique; Isabelle ne
put s'empêcher de frémir, bien que la présence des
comédiens la mît à l'abri de toute tentative. Elle eut
ce sentiment d'angoisse mortelle de la colombe au-
dessus de laquelle le milan trace dans l'air des cercles
de plus en plus rapprochés.

Vallombreuse regagna son carrosse suivi par l'hôtelier, qui se confondait derrière lui en politesses impa-
tientantes et superflues, et bientôt le grondement des
roues indiqua que le dangereux visiteur était enfin
parti.

Maintenant, voici comment s'explique le secours venu
si à propos pour Isabelle. L'arrivée du duc de Vallombreuse en carrosse doré à l'hôtel de la rue Dauphine
avait produit une rumeur d'étonnement et d'admiration dans toute l'auberge, qui était bientôt parvenue
aux oreilles du Tyran, occupé, comme Isabelle, à étudier dans sa chambre. En l'absence de Sigognac,
retenu au théâtre pour y essayer un costume nouveau,
le brave Hérode, connaissant les mauvaises intentions
de Vallombreuse, s'était bien promis de veiller au
grain, et l'oreille appliquée au trou de la serrure il
écoutait, par une indiscrétion louable, cet entretien
hasardeux, sauf à intervenir lorsque la scène chauffe-
rait trop. Sa prudence avait ainsi sauvé la vertu d'Isabelle des entreprises de ce méchant duc outrageux et
pervers.

Cette journée devait être orageuse. Lampourde, on
s'en souvient, avait reçu de Mérindol la mission de
dépêcher le capitaine Fracasse; aussi le bretteur, guettant l'occasion de l'attaquer, faisait-il pied de grue sur
l'esplanade où s'élève le roi de bronze, car Sigognac,
pour rentrer à l'auberge, devait forcément prendre le
Pont-Neuf. Jacquemin était là depuis plus d'une heure
soufflant dans ses doigts pour ne pas les avoir gourds
au moment de l'action, et battant la semelle afin de
se réchauffer les pieds. Le temps était froid et le
soleil se couchait derrière le pont Rouge, au-delà des
Tuileries, dans des nuages sanguinolents. Le crépuscule baissait rapidement, et déjà les passants se
faisaient rares.

Enfin Sigognac parut marchant d'un pas hâté, car

une vague inquiétude l'agitait à l'endroit d'Isabelle, et
il se pressait de rentrer au logis. Dans cette précipita-
tion, il ne vit pas Lampourde, qui, lui prenant le
bord du manteau, le lui tira d'un mouvement si sec
et si brusque que les cordons en rompirent. En un
clin d'œil Sigognac se trouva en simple pourpoint.
Sans chercher à disputer sa cape à cet assaillant qu'il
prit d'abord pour un vulgaire tire-laine, il mit, avec
la promptitude de l'éclair, flamberge au vent et tomba
en garde. De son côté, Lampourde n'avait pas été
moins prompt à dégainer. Il fut content de cette garde
et se dit : « Nous allons nous amuser un peu. » Les
lames s'engagèrent. Après quelques tâtonnements de
part et d'autre, Lampourde essaya une botte qui fut
aussitôt déjouée. « Bonne parade, continua-t-il; ce
jeune homme a des principes. »

Sigognac lia avec son épée le fer du bretteur et lui
poussa une flanconnade que celui-ci para avec une
retraite de corps, tout en admirant le coup de son
adversaire pour sa perfection et sa régularité académique.

« A vous celle-ci », s'écria-t-il, et son épée décrivit
un cercle étincelant, mais elle rencontra celle de Sigognac déjà revenue à son poste.

Épiant un jour pour y pénétrer, les lames liées par
les pointes tournaient l'une autour de l'autre, tantôt
lentes, tantôt rapides, avec des malices et des pru-
dences qui prouvaient la force des deux combattants.

« Savez-vous, monsieur, dit Lampourde, ne pouvant
contenir plus longtemps son admiration pour ce jeu
si sûr, si serré et si correct, savez-vous que vous avez
une méthode superbe!

— A votre service », répondit Sigognac, en allongeant une botte à fond au bretteur, qui la détourna
avec le pommeau de son épée par un coup de poignet
aussi roide que la détente d'un cranequin.

« Magnifique estocade, fit le bretteur de plus en plus
enthousiasmé, coup merveilleux! Logiquement j'aurais
dû être tué. Je suis dans mon tort; ma parade est une
parade de raccroc, irrégulière, sauvage, bonne tout au
plus pour ne pas être embroché en un cas extrême.
Je rougis presque de l'avoir employée avec un beau
tireur comme vous. »

Toutes ces phrases étaient entremêlées de froissements de fer, de quartes, de tierces, de demi-cercles, de coupés, de dégagés qui augmentaient l'estime de Lampourde pour Sigognac. Ce gladiateur ne prisait au monde que l'escrime, et il réglait le cas qu'il devait faire des gens d'après leur force aux armes. Sigognac prenait à ses yeux des proportions considérables.

« Serait-ce une indiscrétion, monsieur, que de vous demander le nom de votre maître? Girolamo, Para-guantes et Côte-d'Acier seraient fiers d'un tel élève.

— Je n'ai eu pour professeur qu'un vieux soldat nommé Pierre, répondit Sigognac, que ce babil étrange amusait; tenez, parez celle-là; c'est une de ses bottes favorites. » Et le Baron se fendit.

« Diable! s'écria Lampourde en rompant d'une semelle, j'ai failli être touché; la pointe a glissé sous le bras. En plein jour vous m'auriez perforé, mais vous n'avez pas encore l'habitude de ces combats crépusculaires et nocturnes qui exigent des yeux de chat. N'importe! c'était bien passé, bien allongé, bien porté. Maintenant, faites bien attention, je ne vous prends pas en traître. Je vais essayer sur vous ma botte secrète, le résultat de mes études, le *nec plus ultra* de ma science, l'élixir de ma vie. Jusqu'à présent ce coup d'épée infaillible a toujours tué son homme. Si vous le parez, je vous l'apprends. C'est mon seul héritage, et je vous le léguerai; sans cela j'emporterai cette botte sublime dans la tombe, car je n'ai encore rencontré personne capable de l'exécuter, si ce n'est vous, admirable jeune homme! Mais voulez-vous vous reposer un peu et reprendre haleine? »

En disant ces mots, Jacquemin Lampourde baissait la pointe de son épée. Sigognac en fit autant, et au bout de quelques minutes le duel recommença.

Après quelques passes, Sigognac, qui connaissait toutes les ruses de l'escrime, sentit, au travail particulier de Lampourde, dont l'épée se dérobait avec une rapidité éblouissante, que la fameuse botte allait fondre sur sa poitrine. En effet, le bretteur s'aplatit subitement comme s'il tombait sur le nez, et le Baron ne vit plus devant lui d'adversaire, mais un éclair fouetté dans un sifflement lui arriva si vite au corps, qu'il n'eut que le temps de le couper par un demi-cercle qui cassa net la lame de Lampourde.

« Si vous n'avez pas le reste de mon épée dans le ventre, dit Lampourde à Sigognac en se redressant et en agitant le tronçon qui lui restait dans la main, vous êtes un grand homme, un héros, un dieu.

— Non, répondit Sigognac, je ne suis pas touché, et si je voulais je pourrais même vous clouer contre un mur comme un hibou; mais cela répugne à ma générosité naturelle, et d'ailleurs vous m'avez amusé par votre bizarrerie.

— Baron, permettez-moi d'être désormais votre admirateur, votre esclave, votre chien. On m'avait payé pour vous tuer. J'ai même reçu des avances que j'ai mangées. C'est égal! Je volerai pour rendre l'argent. » Cela dit, il ramassa le manteau de Sigognac, le lui remit sur les épaules en valet de chambre officieux, le salua profondément et s'éloigna.

Les deux attaques du duc de Vallombreuse avaient manqué.

# XIV

## LES DÉLICATESSES DE LAMPOURDE

On peut aisément s'imaginer la fureur de Vallombreuse après l'échec que lui avait fait subir la vertu d'Isabelle secourue si à propos par l'intervention des comédiens. Quand il rentra à l'hôtel, l'aspect de son visage, blême d'une rage froide, donna à ses domestiques des claquements de dents et des sueurs d'agonie; car sa cruauté naturelle se livrait, en ces exaspérations, à des emportements néroniens, aux dépens du premier malheureux qui lui tombait sous la main. Ce n'était point un seigneur commode que le duc de Vallombreuse, même quand il était de joyeuse humeur; mais quand il était fâché, mieux eût valu se rencontrer nez à nez, sur le pont d'un torrent, avec un tigre à jeun. Il referma derrière lui toutes les portes qui s'ouvraient à son passage d'une telle violence qu'elles faillirent sauter hors des gonds, et que la dorure des ornements se détacha par écailles.

Arrivé à sa chambre, il jeta son feutre à terre si rudement que la forme en resta tout aplatie et que la plume ébouriffée se brisa net. Pour donner un peu d'air à sa furie, il se dégagea la poitrine sans prendre

garde aux boutons de diamant de son pourpoint qui
sautaient à droite ou à gauche sur le parquet, comme
des pois gris sur un tambour. Les dentelles de sa chemise ne furent bientôt plus, sous les crispations de
ses doigts nerveux, qu'une charpie effiloquée, et d'un
coup de pied il envoya rouler les quatre fers en l'air
un fauteuil qu'il avait rencontré dans ses déambula-
tions colériques, car il s'en prenait même aux objets
inanimés.

« L'impudente créature! s'écriait-il tout en se promenant avec une agitation extrême, j'ai bien envie de
la faire prendre par les sergents et jeter en un cul de
basse fosse d'où elle ne sortirait que rasée et fouettée
pour aller à l'hôpital ou à quelque couvent de filles
repenties. Il ne me serait pas difficile d'obtenir
l'ordre; mais non, sa constance ne ferait que s'affer-
mir de ces persécutions, et son amour pour Sigognac
s'augmenterait de toute la haine qu'elle prendrait à
mon endroit. Cela ne vaut rien; mais que faire? »

Et il continuait sa promenade forcenée d'un bout à
l'autre du cabinet comme une bête fauve en sa cage,
sans fatiguer sa rage impuissante.

Pendant qu'il se démenait ainsi, sans prendre garde
à la fuite des heures qui passent toujours d'un pied
égal, que nous soyons contents ou furieux, la nuit était
venue, et Picard, bien qu'on ne l'eût pas appelé, prit
sur lui d'entrer et d'allumer les bougies, ne voulant
pas laisser son maître se mélancolier dans l'ombre,
mère des humeurs noires.

En effet, comme si les lumières des candélabres lui
eussent éclairci l'intellect, Vallombreuse, que distrayait
son amour pour Isabelle, se ressouvint de sa haine pour
Sigognac.

« Mais comment se fait-il que ce gentillâtre de
malheur n'ait pas encore été dépêché, dit-il en s'arrêtant tout à coup, j'avais cependant donné l'ordre formel à Mérindol de l'expédier lui-même ou au moyen
de quelque gladiateur plus habile et plus brave que
lui s'il ne suffisait à cette besogne! « Morte la bête,
mort le venin », quoi qu'en dise Vidalinc. Le Sigognac supprimé, l'Isabelle reste à ma merci, frémissante
de terreur et déliée d'une fidélité désormais sans
objet. Sans doute elle ménage ce bélître dans l'idée de
s'en faire épouser, et c'est pour cela qu'elle se livre
à ces simagrées de pudeur hyrcanienne et de vertu

inexpugnable, repoussant l'amour des ducs les mieux faits comme s'ils fussent gueux de l'Hostière. Seule, j'en aurai bientôt raison, et en tout cas, je serai vengé d'un arrogant par trop outrageux, qui m'a navré au bras et que je trouve toujours comme un obstacle entre moi et mon désir. Çà, faisons comparaître Mérindol et sachons où en sont les choses. »

Mérindol, appelé par Picard, se présenta devant le duc plus pâle qu'un voleur qu'on mène pendre, les tempes emperlées de sueur, la gorge sèche et la langue empâtée; il lui eût été bon en ce moment d'angoisse d'avoir un caillou dans la bouche comme Démosthène, orateur athénien, haranguant la mer, pour se donner de la salive, faciliter la prononciation et délier la faconde, d'autant que la face du jeune seigneur était plus tempestueuse que celle d'aucune mer ou assemblée de peuple à l'Agora. Le malheureux, faisant effort pour se tenir droit sur ses jarrets titubants comme s'il fût ivre, encore qu'il n'eût bu depuis le matin de quoi noyer une mouche, tournait son chapeau devant sa poitrine avec un décontenancement idiot; il n'osait lever les yeux vers son maître dont il sentait le regard tomber sur lui comme une douche alternativement de feu et de glace.

« Eh bien, animal, dit brusquement Vallombreuse, vas-tu rester longtemps ainsi planté là avec cette mine patibulaire, comme si tu avais déjà au cou la cravate de chanvre que tu mérites encore plus pour ta lâcheté et maladresse que pour tes méfaits?

— J'attendais les ordres de monseigneur, fit Mérindol en essayant de sourire. Monsieur le duc sait que je lui suis dévoué jusqu'à la corde inclusivement : je me permets cette plaisanterie à cause de la gracieuse allusion que vient de faire...

— C'est bon, c'est bon, interrompit le duc, ne t'avais-je pas chargé de nettoyer mon chemin de ce Sigognac maudit qui me gêne et m'obstrue. Tu ne l'as pas fait, car j'ai bien vu à la joie et sérénité d'Isabelle que ce maraud respire encore, et que je n'ai point été obéi. En vérité, c'est bien la peine d'avoir des bretteurs à ses gages pour être servi de la sorte? Ne devriez-vous pas, sans que j'aie besoin de parler, deviner mes sentiments à l'éclair de mes yeux, aux palpitations de mes cils, et tuer silencieusement quiconque me déplaît? Mais vous n'êtes bons qu'à vous ruer en cuisine, et vous n'avez de cœur que pour égorger des poulets. Si vous continuez ainsi, je vous rendrai tous au bourreau qui vous attend, abjectes canailles que vous êtes, scélérats timides, gauches assassins, rebut et honte du bagne!

—- Monsieur le duc, je le vois avec peine, objecta Mérindol d'un ton humble et pénétré, méconnaît le zèle, et, j'oserai le dire, le talent de ses fidèles serviteurs. Mais le Sigognac n'est point un de ces gibiers ordinaires qu'on traque et qu'on abat au bout de quelques minutes de chasse. A une première rencontre, peu s'en est fallu qu'il ne me fendît le moule du bonnet jusqu'au menton, et si, n'avait-il qu'une épée de théâtre, émoussée et mornée, dont bien me prit. Une seconde embûche le trouva sur ses gardes, et tellement prêt à bien faire que force me fut, ainsi qu'à mes camarades, de m'éclipser sans risquer un combat inutile où il eût été secouru et qui eût fait un esclandre fâcheux. Maintenant il connaît ma figure, et je ne saurais l'approcher qu'il ne mette incontinent la main à la poignée de sa rapière. J'ai donc été obligé d'aller chercher un spadassin de mes amis, la meilleure lame de la ville, qui le guette et le dépêchera, sous prétexte de lui tirer la laine, à la première occasion crépusculaire ou nocturne sans que le nom de M. le duc puisse être prononcé en tout cela, comme il n'eût pas manqué si le coup avait été fait par nous qui appartenons à Sa Seigneurie.

— Le plan n'est pas mauvais, répondit négligemment Vallombreuse radouci, et peut-être vaut-il mieux que les choses se passent de la sorte. Mais tu es sûr du cœur et du bras de ce gladiateur? Il faut un brave pour défaire Sigognac, lequel, je l'avoue, bien que je le haïsse, n'est point lâche, puisqu'il a bien osé se mesurer contre moi-même.

— Oh! répliqua Mérindol avec importance et certitude, Jacquemin Lampourde est un héros... qui a mal tourné. Il passe en valeur les Achille de la fable et les Alexandre de l'histoire. Il n'est pas sans reproche, mais il est sans peur. »

Picard, qui depuis quelques minutes rôdait par la chambre, voyant l'humeur de Vallombreuse un peu rassérénée, ne feignit pas de lui dire qu'un homme d'assez bizarre tournure était là qui demandait instamment à lui parler pour chose d'importance.

« Fais entrer ce drôle, répondit le duc; mais malheur à lui s'il me dérange pour des billevesées, je le ferai pelauder si rudement qu'il y laissera son cuir. »

Le valet sortit afin d'introduire le nouveau visiteur, et Mérindol allait se retirer discrètement, quand l'entrée d'un étrange personnage lui cloua les pieds au plancher. Il y avait en effet de quoi rester stupide d'étonnement, car l'homme conduit près de Vallombreuse par Picard n'était autre que l'ami Jacquemin Lampourde, en personne naturelle. Sa présence inattendue en un tel lieu devait faire supposer quelque événement singulier et hors de toute prévision. Aussi Mérindol était-il fort inquiet en voyant paraître ainsi, sans intermédiaire, devant le maître, cet agent de seconde main, cette machine subalterne dont la besogne devait s'accomplir dans l'ombre.

Jacquemin Lampourde, du reste, ne semblait nullement décontenancé; dès la porte il avait même fait un petit clin d'œil amical à Mérindol, et il se tenait à quelques pas du duc recevant en plein sur la figure la lumière des bougies qui faisaient ressortir les détails de son masque caractéristique. Son front, où la pression habituelle du feutre avait tracé une raie rougeâtre transversale, pareille à la cicatrice d'une blessure, montrait par des gouttes de sueur, qui n'étaient pas séchées encore, que le spadassin avait marché vite ou venait de se livrer à un exercice violent; ses yeux, d'un gris bleuâtre mélangé de reflets métalliques, se fixaient sur ceux du jeune duc avec une impudence tranquille qui donnait le frisson à Mérindol. Quant à son nez, dont l'ombre lui couvrait toute une joue, comme l'ombre de l'Etna couvre une grande partie de la Sicile, ce promontoire de chair découpait grotesquement son profil étrange et monstrueux, doré sur la crête par un vif rayon de clarté qui le faisait reluire. Ses moustaches, poissées d'un cosmétique grossier, ressemblaient à une brochette dont on lui eût traversé la lèvre supérieure, et sa royale se retroussait comme une virgule mise à l'envers. Tout cela lui composait une physionomie la plus hétéroclite du monde, de celles que Jacques Callot aime à croquer de sa pointe originale et vive.

Son costume consistait en un pourpoint de buffle, des chausses grises et un manteau écarlate dont les galons

d'or paraissaient avoir été récemment décousus, comme
l'indiquaient des raies de couleur plus fraîche, visibles
sur le fond un peu fané de l'étoffe. Une épée à lourde
coquille était suspendue à un large ceinturon brodé de
cuivre, qui cerclait la taille efflanquée mais robuste du
maraud. Un détail inexplicable préoccupait singulièrement Mérindol, c'est que le bras de Lampourde, sortant de dessous son manteau comme une torchère à
supporter des bougies jaillissant d'une paroi de lambris, tenait au poing une bourse dont la panse ronde-
lette annonçait une somme respectable. Ce geste d'offrir de l'argent au lieu d'en prendre était tellement en
dehors des habitudes physiques et morales de maître
Jacquemin que le bretteur s'en acquittait avec une
gaucherie emphatique, solennelle et roide, tout à fait
risible. Ensuite, cette idée que Jacquemin Lampourde
abordait le duc de Vallombreuse comme s'il eût voulu
le rémunérer de quelque service était si monstrueuse-
ment en dehors de la vraisemblance que Mérindol en
écarquillait les yeux et en ouvrait la bouche toute
ronde, ce qui, au dire des peintres et physionomistes,
est la propre expression de la surprise à son comble.

« Eh bien, maroufle, dit le duc, lorsqu'il eut assez
considéré ce falot personnage, est-ce que tu veux me
faire l'aumône par hasard que tu me mets cette bourse
sous le nez, avec ton grand bras qu'on prendrait pour
un bras d'enseigne?

— D'abord, monsieur le duc, dit le bretteur après
avoir imprimé aux longues rides qui sabraient ses joues
et les coins de sa bouche une sorte de trépidation nerveuse, n'en déplaise à Votre Grandeur, je ne suis pas un
maroufle. Je m'appelle Jacquemin Lampourde, homme
d'épée. Mon état est honorable; aucun travail manuel,
aucun commerce ou industrie ne m'ont jamais dégradé.
Je n'ai même point, en mes plus dures infortunes, soufflé le verre, occupation qui n'emporte pas la qualité de
gentilhomme, car il y a péril, et les manants n'affrontent pas volontiers la mort. Je tue pour vivre, au
risque de ma peau et de mon col, car j'exerce toujours
seul et j'avertis qui j'attaque, ayant horreur de la traî-
trise et lâcheté. Quoi de plus noble? Retirez donc cette
épithète de maroufle que je ne saurais accepter qu'à
titre de plaisanterie amicale; elle outrage par trop sensiblement les délicatesses chatouilleuses de mon amour-
propre.

— Soit, maître Jacquemin Lampourde, puisque vous y tenez, répondit le duc de Vallombreuse, que les bizarreries formalistes de cet escogriffe si campé sur la hanche amusaient malgré lui, maintenant expliquez-moi ce que vous venez faire chez moi, une escarcelle au poing et secouant vos écus comme un fou sa marotte ou un ladre sa cliquette. »

Jacquemin, satisfait de cette concession à sa suscep-tibilité, inclina la tête tout en restant le corps droit, et fit exécuter à son feutre plusieurs passes qui consti-tuaient, à son idée, un salut mêlant à la mâle liberté du soldat la souplesse du courtisan.

« Voici la chose, monsieur le duc : j'ai reçu de Mérindol des avances pour expédier un certain Sigo-gnac, dit le capitaine Fracasse. Par des circonstances indépendantes de ma volonté, je n'ai pu satisfaire à cette commande, et comme j'ai de la probité dans mon industrie, je rapporte à qui de droit l'argent que je n'ai point gagné. »

En disant ces mots il posa, avec un geste qui ne manquait pas de dignité, la bourse sur un coin de la belle table incrustée en pierres dures de Florence.

« Voilà bien, dit Vallombreuse, ces bravaches bons à figurer dans les comédies, ces enfonceurs de portes ouvertes, ces soldats d'Hérode dont la valeur se déploie à l'encontre des enfants à la mamelle, et qui s'enfuient quand la victime leur montre les dents, ânes couverts d'une peau léonine dont le rugissement est un braire. Allons, avoue-le de bonne foi; le Sigognac t'a fait peur.

— Jacquemin Lampourde n'a jamais eu peur, reprit le spadassin d'un ton qui, malgré l'apparence grotesque du personnage, n'était pas dénué de noblesse, cela soit dit sans rodomontade et vantardise à l'espagnole ou à la gasconne; dans aucun combat l'adversaire n'a vu la figure de mes épaules; je suis inconnu de dos, et je pourrais être, incognito, bossu comme Esope. Ceux qui m'ont apprécié à l'œuvre savent que les besognes faciles me dégoûtent. Le péril me plaît et j'y nage comme le poisson dans l'eau. J'ai attaqué le Sigognac *secundum artem,* avec une de mes meilleures lames de Tolède, un Alonzo de Sahagun le vieux.

— Que s'est-il passé, dit le jeune duc, dans ce combat singulier où tu ne sembles pas avoir eu l'avantage puisque tu viens restituer les sommes?

— Tant en duels qu'en rencontres et assauts, contre

un ou plusieurs, j'ai couché sur le carreau trente-sept hommes qui ne s'en sont pas relevés; je néglige les estropiés ou navrés plus ou moins grièvement. Mais le Sigognac est enfermé dans sa garde comme dans une tour d'airain. J'ai employé contre lui toutes les ressources de l'escrime : feintes, surprises, dégagements, retraites, coups inusités, il a paradé et riposté à chaque attaque, et quelle fermeté jointe à quelle vitesse! quelle audace tempérée de prudence! quel beau sang-froid! quelle imperturbable maîtrise! Ce n'est pas un homme, c'est un dieu l'épée à la main. Au risque de me faire embrocher je jouissais de ce jeu si fin, si correct, si supérieur. J'avais en face un partenaire digne de moi; pourtant comme il fallait en finir, après avoir prolongé la lutte autant que possible pour me donner le temps d'admirer cette magnifique méthode, je pris mon temps et je risquai la botte secrète du Napolitain, que je possède seul au monde, puisque Girolamo est mort maintenant et me l'a léguée en héritage. Personne autre que moi n'est, d'ailleurs, capable de l'exécuter en toute sa perfection, d'où dépend le succès. Je la portai si bien et si à fond que Girolamo lui-même n'eût pu mieux faire. Eh bien, ce diable de capitaine Fracasse, ainsi qu'on le nomme, a paré avec une vitesse éblouissante et d'un revers si ferme qu'il ne m'a laissé au poing qu'un tronçon d'épée dont je m'escrimais comme une vieille femme qui menace un gamin d'une cuiller à pot. Tenez, voici ce qu'il a fait de mon Sahagun. »

Là-dessus Jacquemin Lampourde tira piteusement du fourreau un bout de rapière portant pour marque un S couronné, et montra au duc la cassure nette et brillante de la lame.

« Ne voilà-t-il pas un coup prodigieux, continua le spadassin, qu'on pourrait attribuer à la Durandal de Roland, à la Tisona du Cid, ou à la Hauteclaire d'Amadis de Gaule? Tuer le capitaine Fracasse est au-dessus de mes talents, je l'avoue en toute modestie. La botte que je lui ai portée n'a eu jusqu'à présent que cette parade, la pire de toutes, celle qui se fait avec le corps. Quiconque l'a essuyée a eu à son pourpoint une boutonnière de plus par où l'âme s'est enfuie. En outre, comme tous les vaillants, ce capitaine fut généreux : il me tenait au bout de son épée, assez estomaqué et pantois de ma déconvenue, et il me pouvait mettre à la brochette, comme un becfigue, rien qu'en étendant le bras, il ne l'a point fait, ce qui est très délicat de la part d'un gentilhomme assailli à la brune, en plein Pont-Neuf. Je lui dois la vie, et encore que ce ne soit pas grand-chose vu le cas que j'en fais, je lui suis lié de reconnaissance; je n'entreprendrai plus rien contre lui, et il m'est sacré. D'ailleurs, en eussé-je les moyens, je me ferais scrupule de gâter ou détruire un si beau tireur, d'autant plus qu'ils se font rares par ce temps de ferrailleurs vulgaires où l'on tient une épée comme un manche à balai. C'est pourquoi je viens prévenir M. le duc qu'il ne compte plus sur moi. J'aurais peut-être pu garder l'argent comme dédommagement de mes risques et périls; mais ma conscience y répugne.

— De par tous les diables, reprends ta somme au plus vite, dit Vallombreuse d'un ton qui n'admettait pas de réplique, ou je te fais jeter par les fenêtres sans les ouvrir, toi et ta monnaie. Je ne vis jamais coquin si scrupuleux. Ce n'est pas toi, Mérindol, qui serais capable de ce beau trait à insérer dans les exemples de la jeunesse. »

Comme il vit que le bretteur hésitait, il ajouta : « Je te donne ces pistoles pour boire à ma santé.

— Cela, monsieur le duc, sera religieusement exécuté, répondit Lampourde; cependant je pense que Sa Seigneurie ne serait pas désobligée si j'en jouais quelques-unes. » En achevant ces mots, il fit un pas vers la table, étendit son bras osseux, saisit la bourse avec une dextérité d'escamoteur et la fit disparaître comme par enchantement dans la profondeur de sa poche où elle heurta, en rendant un son métallique, un cornet de dés et un jeu de cartes. Il était aisé de voir que ce geste lui était beaucoup plus naturel que l'autre, tant il y mettait d'aisance.

« Je me retire de l'affaire en ce qui concerne Sigognac, dit Lampourde, mais elle sera reprise, s'il convient à Votre Seigneurie, par mon *alter ego,* le chevalier Malartic, à qui l'on peut confier les entreprises les plus hasardeuses, tant il est habile homme. Il a la tête qui conçoit et la main qui exécute. C'est d'ailleurs l'esprit le plus dégagé de préjugés et de superstitions qui soit. J'avais ébauché, pour l'enlèvement de la comédienne à laquelle vous faites l'honneur de vous intéresser, une sorte de plan qu'il achèvera avec ce fini et cette perfection de détails qui caractérisent sa manière. Oh! plus d'un auteur de comédie applaudi au théâtre en l'arrangement de ses pièces devrait consulter Malartic pour la subtilité de ses intrigues, l'invention de ses stratagèmes, le jeu de ses machines. Mérindol, qui le connait, se portera garant de ses rares qualités. Certes, monsieur le duc ne saurait mieux choisir, et c'est un véritable cadeau que je lui fais. Mais je ne veux pas abuser plus longtemps de la patience de Sa Seigneurie. Quand elle sera décidée, elle n'a qu'à faire tracer par un homme à elle une croix à la craie sur le pilier gauche du *Radis couronné*. Malartic comprendra et, dûment déguisé, se rendra à l'hôtel Vallombreuse pour prendre les derniers ordres et recorder ses flûtes. »

Ce triomphant discours achevé, maître Jacquemin Lampourde fit exécuter à son feutre les mêmes évolutions qu'il avait déjà décrites en saluant le duc au commencement de l'entretien, l'enfonça sur sa tête, rabattit le bord sur ses yeux et sortit de la chambre à pas comptés et majestueux, satisfait de son éloquence et de sa bonne tenue devant un si grand seigneur.

Cette apparition bizarre, moins étrange cependant en ce siècle de raffinés et de bretteurs qu'elle ne l'eût été à toute autre époque, avait amusé et intéressé le jeune duc de Vallombreuse. Le caractère original de Jacquemin Lampourde, honnête à sa façon, ne lui déplaisait point; il lui pardonnait même de n'avoir pas réussi à tuer Sigognac. Puisque le Baron avait résisté à ce gladiateur de profession, c'est qu'il était réellement invincible, et la honte d'en avoir été blessé lui était moins cuisante à l'amour-propre. Ensuite, quelque forcené que fût Vallombreuse, cette action de faire assassiner Sigognac lui paraissait un peu énorme, non par aucune tendresse ou susceptibilité de conscience, mais parce que son ennemi était gentilhomme; car il ne se fût fait nul scrupule de meurtrir et trucider une demi-douzaine de bourgeois qui l'eussent gêné, le sang de telles ribaudailles n'ayant de valeur à ses yeux non plus que l'eau des fontaines. Il eût préféré dépêcher son rival lui-même, sans la supériorité de Sigognac à l'escrime, supériorité dont son bras, cicatrisé à peine, avait gardé le souvenir, et qui ne lui permettait pas de risquer, avec des chances favorables, un nouveau duel ou une attaque à main armée. Ses pensées se tournèrent donc vers l'enlèvement d'Isabelle, qui lui souriait davantage par les perspectives amoureuses qu'il ouvrait à son imagination. Il ne se doutait pas que la jeune comédienne, une fois séparée de Sigognac et de ses camarades, ne s'humanisât et ne devînt sensible aux charmes d'un duc si bien fait de sa personne, et dont raffolaient les plus hautes dames de la cour. La fatuité de Vallombreuse était incorrigible, car jamais il n'en fut de mieux fondée. Elle justifiait toutes ses prétentions, et ses plus impertinentes vanteries n'étaient que vérités. Aussi, malgré l'échec récemment subi près d'Isabelle, semblait-il au jeune duc illogique, absurde, incroyable et outrageux de n'être point aimé.

« Que je la tienne, se disait-il, quelques jours en une retraite d'où elle ne puisse m'échapper, et je saurai bien la réduire. Je serai si galant, si passionné, si persuasif, qu'elle s'étonnera bientôt elle-même de m'avoir si longtemps tenu rigueur. Je la verrai se troubler, muer de couleur, baisser ses longues paupières à mon aspect, et, quand je la tiendrai entre mes bras, pencher sa tête sur mon épaule pour y cacher sa pudeur et sa confusion. Dans un baiser, elle me dira qu'elle m'a toujours aimé, et que ses fuites n'étaient que pour m'enflammer mieux, ou bien encore appréhensions et timidités de mortelle poursuivie par un dieu, ou autres telles charmantes mignardises que les femmes savent trouver en ces rencontres, même les plus chastes. Mais quand j'aurai son âme et son corps, ah! c'est alors que je me vengerai de ses anciennes rebuffades. »

## XV

### MALARTIC A L'ŒUVRE

Si la colère du duc en rentrant chez lui avait été vive, celle du Baron ne fut pas moindre en apprenant l'équipée de Vallombreuse à l'encontre d'Isabelle. Il fallut que le Tyran et Blazius lui tinssent de longs raisonnements pour l'empêcher de courir à l'hôtel de ce seigneur dans le but de le provoquer à un combat qu'il eût certainement refusé, car Sigognac n'étant ni le frère, ni le mari, ni le galant avoué de la comédienne, il n'avait aucun droit à demander raison d'un acte qui d'ailleurs s'excusait de lui-même. En France, il y a toujours eu liberté de faire la cour aux jolies femmes.

L'agression du spadassin sur le Pont-Neuf était, à coup
sûr, moins légitime; mais, bien qu'il fût probable que
le coup vînt de la part du duc, comment suivre les
ramifications ténébreuses qui reliaient cet homme de
sac et de corde à ce magnifique seigneur? Et, en sup-
posant même qu'on les eût découvertes, comment les
prouver, et à qui demander justice de ces lâches
attaques? Aux yeux du monde, Sigognac, cachant sa
qualité, était un vil histrion, un farceur de bas étage
qu'un gentilhomme comme Vallombreuse pouvait, à sa
fantaisie, faire bâtonner, emprisonner ou tuer, sans
que personne y trouvât à redire, s'il le fâchait ou le
gênait en quelque chose. Isabelle, pour sa résistance
honnête, eût paru une mijaurée et une bégueule; la
vertu des femmes de théâtre comptant beaucoup de Tho-
mas incrédules et de Pyrrhons sceptiques. Il n'y avait
donc pas moyen de s'en prendre ouvertement au duc, ce
dont enrageait Sigognac, reconnaissant malgré lui la
vérité des motifs qu'alléguaient Hérode et le Pédant de
faire les morts, mais l'œil ouvert et l'oreille au guet;
car ce damné seigneur, beau comme un ange et
méchant comme un diable, n'abandonnerait certes pas
son entreprise, quoiqu'elle eût manqué sur tous les
points. Un doux regard d'Isabelle, qui prit entre ses
blanches mains les mains frémissantes de Sigognac,
en l'engageant à dompter son courage pour l'amour
d'elle, pacifia tout à fait le Baron, et les choses reprirent leur train habituel.

Les débuts de la troupe avaient obtenu beaucoup de
succès. La grâce pudique d'Isabelle, la verve étincelante de la Soubrette, la coquetterie élégante de Sérafine, l'extravagance superbe du capitaine Fracasse,
l'emphase majestueuse du Tyran, les dents blanches et
les gencives roses de Léandre, la bonhomie grotesque du
Pédant, l'esprit madré de Scapin, la perfection comique
de la Duègne produisaient le même effet à Paris qu'en
province; il ne leur manquait plus, ayant celle de la
ville, que l'approbation de la cour, où sont les plus
gens de goût et les plus fins connaisseurs; il était question de les appeler même à Saint-Germain, car le roi,
sur le bruit qui s'en faisait, les désirait voir; ce qui
réjouissait fort Hérode, chef et caissier de la compagnie. Souvent des personnes de qualité les demandaient
pour donner la comédie en leur hôtel, à l'occasion de
quelque fête ou régal, à des dames curieuses de voir

ces acteurs qui balançaient ceux de l'hôtel de Bourgogne et de la troupe du Marais.

Aussi Hérode ne fut-il pas surpris, accoutumé qu'il était à semblables requêtes, lorsqu'un beau matin, à l'auberge de la rue Dauphine, se présenta une sorte d'intendant ou majordome, d'aspect vénérable comme l'ont ces serviteurs vieillis dans la domesticité des grandes maisons, qui demandait à lui parler de la part de son maître, le comte de Pommereuil, pour affaires de théâtre.

Ce majordome, vêtu de velours noir de la tête aux pieds, avait au cou une chaîne en or de ducats, des bas de soie et des souliers à larges cocardes, carrés du bout, un peu amples, comme il convient à un vieillard qui parfois a les gouttes. Un collet en forme de rabat étalait sa blancheur sur le noir du pourpoint, et relevait le teint de la face basanée par le grand air de la campagne où ressortaient comme des touches de neige sur une antique sculpture, les sourcils, les moustaches et la barbiche. Ses longs cheveux tout chenus lui tombaient jusqu'aux épaules et lui donnaient la physionomie la plus patriarcale et la plus honnête. Ce devait être un de ces intendants dont la race est perdue, qui soignent la fortune de leur maître plus âprement que la leur propre, font des remontrances sur les dépenses folles et, aux époques des revers, apportent leurs minces épargnes pour soutenir la famille qui les a nourris en ses prospérités.

Hérode ne se pouvait lasser d'admirer la bonne mine et prud'homie de cet intendant, qui, l'ayant salué, lui dit avec paroles courtoises :

« Vous êtes bien cet Hérode qui gouverne, d'une main aussi ferme que celle d'Apollon, la troupe des Muses, cette excellente compagnie dont la renommée se répand par la ville, et en a déjà dépassé l'enceinte ; car elle est venue jusqu'au fond du domaine que mon maître habite.

— C'est moi qui ai cet honneur, répondit Hérode en faisant le salut le plus gracieux que lui permît sa mine rébarbative et tragique.

— Le comte de Pommereuil, reprit le vieillard, désirerait fort, pour divertir des hôtes d'importance, leur offrir la comédie en son château. Il a pensé que nulle troupe mieux que la vôtre ne remplirait ce but, et il m'envoie vous demander s'il vous serait possible d'aller donner une représentation à sa terre, qui n'est distante d'ici que de quelques lieues. Le comte, mon maître, est un seigneur magnifique qui ne regarde pas à la dépense, et à qui rien ne coûtera pour posséder votre illustre compagnie.

— Je ferai tout pour contenter un si galant homme, répondit le Tyran, encore qu'il nous soit difficile de quitter Paris, fût-ce pour quelques jours, au moment le plus vif de notre vogue.

— Trois journées suffiront bien, dit le majordome : une pour le voyage, l'autre pour la représentation, et la dernière pour le retour. Il y a au château un théâtre tout machiné où vous n'aurez qu'à poser vos décorations; de plus, voici cent pistoles que le comte de Pommereuil m'a chargé de remettre entre vos mains pour les menus frais de déplacement; vous en recevrez autant après la comédie, et les actrices auront sans doute quelque présent, bagues, épingles ou bracelets, à quoi est toujours sensible la coquetterie féminine. »

Joignant l'action aux paroles, l'intendant du comte de Pommereuil tira de sa poche une longue et pesante bourse, hydropique de monnaie, la pencha et en fit couler sur la table cent beaux écus neufs de l'éclat le plus engageant.

Le Tyran regardait ces pièces couchées les unes sur les autres, d'un air de satisfaction, en caressant sa large barbe noire. Quand il les eut assez contemplées, il les releva, les mit en pile, puis les jeta dans son gousset avec un geste d'acquiescement.

« Ainsi donc, dit l'intendant, vous acceptez, et je puis dire à mon maître que vous vous rendrez à son appel.

— Je suis à la disposition de Sa Seigneurie avec tous mes camarades, répondit Hérode; maintenant désignez-moi le jour où doit avoir lieu la représentation et la pièce que M. le comte désire, afin que nous emportions les costumes et les accessoires nécessaires.

— Il serait bon, répondit l'intendant, que ce fût jeudi, car l'impatience de mon maître est grande; quant à la pièce, il en laisse le choix à votre goût et commodité.

— *L'Illusion comique,* dit Hérode, d'un jeune auteur normand qui promet beaucoup, est ce qu'il y a de plus nouveau et de plus couru en ce moment.

— Va pour *L'Illusion comique :* les vers n'en sont

point méchants et il y a un rôle de Matamore superbe.

— A présent, il ne reste plus qu'à nous indiquer, d'une façon précise à ce que nous ne puissions errer, les site et plantation du château avec le chemin à suivre pour y parvenir. »

L'intendant du comte de Pommereuil donna des renseignements si exacts et si détaillés qu'ils eussent suffi à un aveugle tâtant la terre de son bâton; mais, craignant sans doute que le comédien une fois en route ne se rappelât plus bien nettement ces : allez devant vous, puis tournez à droite et ensuite prenez à gauche, il ajouta : « Ne chargez pas votre mémoire, obstruée des plus beaux vers de nos meilleurs poètes, de si vulgaires et prosaïques notions; j'enverrai un laquais, lequel vous servira de guide. »

L'affaire ainsi conclue, le vieillard se retira avec force salutations qu'Hérode lui rendait, et qu'après la courbette du comédien il réitérait en s'inclinant plus bas. Ils avaient l'air de deux parenthèses prises de la danse de Saint-Guy, et se trémoussant l'une vis-à-vis l'autre. Ne voulant pas être vaincu en ce combat de politesse, le Tyran descendit l'escalier, traversa la cour et ne s'arrêta que sur le seuil, d'où il adressa au bonhomme un salut suprême : le dos convexe, la poitrine concave autant que son bedon le lui permettait, les bras ballants et la tête touchant presque la terre.

Si Hérode eût suivi du regard l'intendant du comte de Pommereuil jusqu'au bout de la rue, peut-être eût-il remarqué, chose contraire aux lois de la perspective, que sa taille grandissait en raison inverse de l'éloignement. Son dos voûté s'était redressé, le tremblement sénile de ses mains avait disparu, et à la vivacité de son allure il ne semblait du tout si goutteux; mais Hérode était déjà rentré dans la maison et ne vit rien de tout cela.

Le mercredi matin, comme des garçons d'auberge chargeaient les décorations et paquets sur une charrette attelée de deux forts chevaux et louée par le Tyran pour le transport de la troupe, un grand maraud de laquais en livrée fort propre et chevauchant un bidet percheron, se présenta faisant claquer son fouet à la porte de l'auberge, afin de hâter le départ des comédiens et de leur servir de courrier. Les femmes, qui sont toujours paresseuses au lit et longues à s'attifer, même les comédiennes ayant l'habitude de s'habiller et de se déshabiller en un clin d'œil pour les changements de costumes qu'exige le théâtre, descendirent enfin et s'arrangèrent le plus commodément qu'elles purent sur les planches rembourrées de paille qu'on avait suspendues aux ridelles de la charrette. Le marmouset de la Samaritaine martelait huit heures sur son timbre quand la lourde machine s'ébranla et se mit en marche. On eut en moins d'une demi-heure dépassé la porte Saint-Antoine et la Bastille, mirant ses faisceaux de tours dans l'eau noire de ses douves. L'on franchit ensuite le faubourg et ses vagues cultures semées de maisonnettes, et l'on chemina à travers la campagne dans la direction de Vincennes, qui montrait au loin son donjon derrière une légère gaze de vapeur bleuâtre, reste de l'humidité nocturne se dissipant aux rayons du soleil, comme une fumée d'artillerie que le vent disperse.

Bientôt, car les chevaux étaient frais et marchaient d'un bon pas, l'on atteignit la vieille forteresse dont les défenses gothiques avaient encore bonne apparence, quoiqu'elles ne fussent plus capables de résister aux canons et aux bombardes. Les croissants dorés qui surmontaient les minarets de la chapelle bâtie par Pierre de Montereau brillaient joyeusement au-dessus des remparts comme s'ils eussent été fiers de se trouver à côté de la croix, signe de rédemption. Ensuite, après avoir admiré quelques minutes ce monument de l'ancienne splendeur de nos rois, on entra dans le bois, où, parmi les halliers et les baliveaux, s'élevaient majestueusement quelques vieux chênes, contemporains sans doute de celui sous lequel saint Louis rendait la justice, occupation bien séante à un monarque.

Comme la route n'était guère fréquentée, quelquefois des lapins s'ébattant et se passant la patte sur les moustaches étaient surpris par l'arrivée de la charrette, qu'ils n'avaient point entendue, car elle roulait à petit bruit, la terre étant molle et souvent tapissée d'herbe. Ils détalaient grand-erre et comme s'ils eussent eu les chiens aux trousses; ce qui divertissait les comédiens. Plus loin, un chevreuil traversait la route tout effaré, et l'on pouvait suivre quelque temps de l'œil sa fuite à travers les arbres dénués de feuillage. Sigognac surtout s'intéressait à ces choses, ayant été élevé et nourri en la campagne. Cela le réjouissait de voir des champs, des buissons, des bois, des animaux en liberté, spectacle dont il était privé depuis qu'il habitait la ville, où l'on ne voit que maisons, rues boueuses, cheminées qui fument, l'œuvre des hommes, et non l'œuvre de Dieu. Il s'y serait fort ennuyé s'il n'avait eu la compagnie de cette douce femme, dont les yeux contenaient assez d'azur pour remplacer le ciel.

Au sortir du bois une petite côte à monter se présenta. Sigognac dit à Isabelle. « Chère âme, pendant que le coche gravira lentement cette pente, ne vous conviendrait-il point de descendre et de mettre votre bras sur le mien pour faire quelques pas? Cela vous réchauffera les pieds et dégourdira les jambes. La route est unie, et il fait un joli temps d'hiver clair, frais et piquant, mais non trop froid. »

La jeune comédienne accepta l'offre de Sigognac, et, posant le bout de ses doigts sur la main qu'il lui présentait, elle sauta légèrement à terre. C'était un moyen d'accorder à son amant un innocent tête-à-tête que sa pudeur lui eût refusé dans la solitude d'une chambre fermée. Ils marchaient tantôt presque soulevés par leur amour, et rasant le sol comme des oiseaux, tantôt s'arrêtant à chaque pas pour se contempler et jouir d'être ensemble, côte à côte, les bras enlacés et les regards plongés dans les yeux l'un de l'autre. Sigognac disait à Isabelle combien il l'aimait; cette phrase qu'il avait dite plus de vingt fois, paraissait à la jeune femme nouvelle, comme dut l'être le premier mot d'Adam essayant le Verbe le lendemain de la création. Comme c'était la personne du monde la plus délicate et la plus désintéressée en fait de sentiments, elle tâchait par des fâcheries et des négations caressantes de contenir dans les limites de l'amitié un amour qu'elle ne voulait pas couronner, le jugeant nuisible à l'avenir du Baron.

Mais ces jolis débats et contestations ne faisaient qu'aviver l'amour de Sigognac, qui ne songeait, en ce moment, à la dédaigneuse Yolande de Foix, non plus que si elle n'eût jamais existé.

« Quoi que vous fassiez, mignonne, disait-il à son aimée, vous ne parviendrez pas à lasser ma constance. S'il le faut, j'attendrai que vos scrupules se soient dissipés d'eux-mêmes jusqu'à ce que vos beaux cheveux d'or se soient mués en cheveux d'argent.

— Oh! fit Isabelle. alors je serai un vrai remède

d'amour et aide à épouvanter le plus fier courage;
j'aurais peur, en la récompensant, de punir votre fidélité.

— Même à soixante ans vous garderez vos charmes
comme la belle vieille de Maynard, répondit galamment Sigognac, car votre beauté vient de l'âme, qui
est immortelle.

— C'est égal, reprit la jeune femme, vous seriez
bien attrapé si je vous prenais au mot, et vous pro-
mettais ma main pour l'époque où je compterai seulement dix lustres d'âge. Mais, continua-t-elle en
reprenant son sérieux, cessons ces badineries; vous
savez ma résolution, contentez-vous d'être aimé plus
que ne le fut jamais aucun mortel, depuis que des
cœurs palpitent sur la terre.

— Un si charmant aveu me devrait satisfaire, j'en
conviens; mais, comme mon amour est infini, il ne
saurait souffrir au moindre barrière. Dieu peut bien
dire à la mer : Tu n'iras pas plus loin, et en être obéi.
Une passion telle que la mienne ne connaît pas de
rivage et elle monte toujours, encore que de votre
voix céleste vous lui disiez : « Arrête-toi là. »

— Sigognac, vous me fâchez par ces discours », dit
Isabelle en faisant au Baron une petite moue plus
gracieuse que le plus charmant sourire; car, malgré
elle, son âme était inondée de joie à ces protestations
d'un amour qu'aucune froideur ne rebutait.

Ils firent quelques pas sans se parler; Sigognac, en
insistant davantage, craignait de déplaire à celle qu'il
aimait plus que sa vie. Tout à coup Isabelle lui quitta
brusquement la main et courut vers le bord de la
route avec un cri d'enfant et une légèreté de biche.

Elle venait, sur le revers d'un fossé, au pied d'un
chêne, parmi les feuilles sèches entassées par l'hiver,
d'apercevoir une violette, la première de l'année à
coup sûr, car on n'était encore qu'au mois de février;
elle s'agenouilla, écarta délicatement les feuilles
mortes et les brins d'herbe, coupa de son ongle la
frêle tige et revint avec la fleurette plus contente que
si elle eût trouvé une agrafe de pierreries oubliée
dans la mousse par une princesse.

« Voyez, comme elle est mignonne, dit-elle, en la
montrant à Sigognac, avec ses feuilles à peine
dépliées à ce premier rayon de soleil.

— Ça n'est pas le soleil, répondit Sigognac, c'est

votre regard qui l'a fait éclore. Sa fleur a précisément la nuance de vos prunelles.

— Son parfum ne se répand pas, parce qu'elle a froid », reprit Isabelle, en mettant dans sa gorgerette la fleur frileuse. Au bout de quelques minutes elle la reprit, la respira longuement, et la tendit à Sigognac, après y avoir mis furtivment un baiser.

« Comme elle fleure bon, maintenant! la chaleur de mon sein lui fait exhaler sa petite âme de fleur timide et modeste.

— Vous l'avez parfumée, répondit Sigognac, portant la violette à ses lèvres pour y prendre le baiser d'Isabelle; cette délicate et suave odeur n'a rien de terrestre.

— Ah! le méchant, fit Isabelle, je lui donne à la bonne franquette une fleur à sentir, et le voilà qui aiguise des *concetti* en style marinesque, comme si au lieu d'être sur un grand chemin il coquetait dans la ruelle de quelque illustre précieuse. Il n'y a pas moyen d'y tenir; à toute parole, même la plus simple du monde, il répond par un madrigal! »

Cependant, en dépit de cette bouderie apparente, la jeune comédienne n'en voulait sans doute pas beaucoup à Sigognac, car elle lui reprit le bras, et peut-être même s'y appuya-t-elle un peu plus que ne l'exigeaient sa démarche, ordinairement si légère, et le chemin, uni en cet endroit comme une allée de jardin. Ce qui prouve que la vertu la plus pure n'est pas insensible à la louange et que la modestie même sait récompenser une flatterie.

La charrette gravissait avec lenteur sur une pente assez roide, au bas de laquelle quelques chaumines s'étaient accroupies, comme pour s'éviter la peine de la monter. Les manants qui les habitaient étaient allés aux champs pour quelques travaux de culture. et l'on ne voyait au bord du chemin qu'un aveugle accompagné d'un jeune garçon, resté là, sans doute, pour implorer la charité des voyageurs.

Cet aveugle, qui semblait accablé par l'âge, psalmodiait d'un ton nasillard une espèce de complainte, où il déplorait sa cécité et implorait la charité des passants, leur promettant ses prières et leur garantissant le paradis en retour de leur aumône. Depuis longtemps déjà sa voix lamentable parvenait aux oreilles d'Isabelle et de Sigognac, comme un bourdonnement

importun et fâcheux à travers leurs douces causeries
d'amour, et même le Baron s'en impatientait; car
lorsque le rossignol chante près de vous, il est
ennuyeux d'entendre au loin croasser le corbeau.

Quand ils arrivèrent près du vieux pauvre, celui-ci,
averti par son guide, redoubla de gémissements et de
supplications. Pour exciter leur pitié aux largesses,
d'un mouvement saccadé il secouait une sébile de
bois où tintaient quelques liards, deniers, blancs et
autres pièces de menue monnaie. Une guenille trouée
lui entourait la tête, et sur son dos courbé comme
une arche de pont était jetée une grosse couverture
de laine brune fort rude et fort pesante, plutôt faite
pour une bête de somme que pour un chrétien, et
qu'il avait sans doute héritée de quelque mulet mort
du farcin ou de la rogne. Ses yeux retournés ne
montraient que le blanc et, sur cette face brune et
ridée, produisaient un effet hideux; le bas du visage
s'ensevelissait dans une longue barbe grise, digne
d'un frère capucin ou d'un ermite, qui lui tombait
jusqu'au nombril, comme un antipode de chevelure.
De tout son corps on ne voyait que les mains qui sortaient tremblotantes par l'ouverture du manteau pour
agiter l'écuelle élémosinaire. En signe de piété et de
soumission aux décrets de la Providence, l'aveugle
était agenouillé sur quelques brins de paille plus tri-
turés et pourris que l'antique fumier de Job. La
commisération, devant ce haillon humain, devait fris-
sonner de dégoût, et l'aumône lui jetait son obole en
détournant la tête.

L'enfant, debout à côté de l'aveugle, avait une
mine hagarde et farouche. Son visage était à moitié
voilé par les longues mèches de cheveux noirs qui lui
pleuvaient le long des joues. Un vieux chapeau
défoncé beaucoup trop grand pour lui, et ramassé au
coin de quelque borne, lui baignait d'ombre le haut
du masque, ne laissant en lumière que le menton et
la bouche, dont les dents brillaient d'une blancheur
sinistre. Une espèce de sayon en grosse toile rapiécée
formait tout son vêtement et dessinait un corps
maigre et nerveux, non sans élégance malgré toute
cette misère. Les pieds délicats et purs rougissaient
sans bas ni chaussures sur la terre froide.

Isabelle se sentit touchée à l'aspect de ce groupe
pitoyable où se réunissaient les infortunes de la vieil-

lesse et de l'enfance, et elle s'arrêta devant l'aveugle,
qui débitait ses patenôtres avec une volubilité toujours croissante accompagné par la voix aiguë de son
guide, cherchant dans sa pochette une pièce de monnaie blanche pour la donner au mendiant. Mais elle
ne trouva pas sa bourse, et, se retournant vers Sigognac, le pria de lui prêter un teston ou deux, ce à
quoi s'accorda bien volontiers le Baron, quoique cet
aveugle, avec ses jérémiades, ne lui plût guère. En
galant homme, pour éviter à Isabelle d'approcher
cette vermine, il s'avança lui-même et mit la pièce en
la sébile.

Alors, au lieu de remercier Sigognac de cette
aumône, le mendiant si courbé tout à l'heure se
redressa, au grand effroi d'Isabelle, et ouvrant les
bras comme un vautour qui, pour prendre l'essor,
palpite des ailes, déploya ce grand manteau brun sous
lequel il semblait accablé, le ramassa sur son épaule
et le lança avec un mouvement pareil à celui des
pêcheurs qui jettent l'épervier dans un étang ou une
rivière. La lourde étoffe s'étala comme un nuage par-
dessus la tête de Sigognac, le coiffa, et retomba
pesamment le long de son corps, car les bords en
étaient plombés comme ceux d'un filet, lui ôtant du
même coup la vue, la respiration, l'usage des mains
et des pieds.

La jeune actrice, pétrifiée d'épouvante, voulut crier,
fuir, appeler au secours, mais avant qu'elle eût pu
tirer un son de sa gorge, elle se sentit enlevée de
terre avec une prestesse extrême. Le vieil aveugle
devenu, en une minute, jeune et clairvoyant par un
miracle plus infernal que céleste, l'avait saisie sous
les bras, tandis que le jeune garçon lui soutenait les
jambes. Tous deux gardaient le silence et l'empor-
taient hors du chemin. Ils s'arrêtèrent derrière la
masure où attendait un homme masqué monté sur un
cheval vigoureux.

Deux autres hommes, également à cheval, masqués,
armés jusqu'aux dents, se tenaient derrière un mur
qui empêchait qu'on ne les vît de la route, prêts à
venir en aide au premier, en cas de besoin.

Isabelle, plus qu'à demi morte de frayeur, fut assise
sur l'arçon de la selle, recouvert d'un manteau plié en
plusieurs doubles, de façon à former une espèce de
coussin. Le cavalier lui entoura la taille d'une cour-

roie en cuir assez lâche pour l'environner lui-même
à la hauteur des reins et, les choses ainsi arrangées
avec une dextérité rapide prouvant une grande pratique de ces enlèvements hasardeux, il donna de
l'éperon à son cheval, qui s'écrasa sous ses jarrets et
partit d'un train à prouver que cette double charge
ne lui pesait guère : il est vrai que la jeune comédienne n'était pas bien lourde.

Tout ceci se passa dans un temps moins long que
celui nécessaire pour l'écrire. Sigognac se démenait
sous le lourd manteau du faux aveugle, comme un
rétiaire entortillé par le filet de son adversaire. Il
enrageait, pensant à quelque trahison de Vallombreuse, à l'endroit d'Isabelle, et s'épuisait en efforts.
Heureusement cette idée lui vint de tirer sa dague et
de fendre l'épaisse étoffe qui le chargeait comme ces
chapes de plomb que portent les damnés du Dante.

En deux ou trois coups de dague, il ouvrit sa prison, et, comme un faucon désencapuchonné, parcourant la campagne d'un regard perçant et rapide, il vit
les ravisseurs d'Isabelle qui coupaient à travers
champs, et semblaient s'efforcer de gagner un petit bouquet de bois non loin de là. Quant à l'aveugle et à l'enfant,
ils avaient disparu, s'étant cachés en quelque fossé ou
sous quelque broussaille. Mais ce n'était point à ce vil
gibier qu'en voulait Sigognac. Jetant son manteau,
qui l'eût gêné, il se lança à la poursuite de ces
coquins avec une furie désespérée. Le Baron était
alerte, bien découplé, taillé pour la course, et, en sa
jeunesse, il avait souvent lutté de vitesse contre les
plus agiles enfants du village. Les ravisseurs, en se
retournant sur leur selle, voyaient diminuer la distance qui les séparait du Baron, et l'un d'eux lui
lâcha même un coup de pistolet pour l'arrêter en sa
poursuite. Mais il le manqua, car Sigognac, tout en
courant, sautait à droite et à gauche afin de ne pouvoir être ajusté sûrement. Le cavalier qui portait Isabelle essayait de prendre les devants, laissant à son
arrière-garde le soin de se débrouiller avec Sigognac,
mais la jeune femme placée sur l'arçon ne lui permettait pas de conduire sa monture comme il l'eût
voulu, car elle se débattait et s'agitait, tâchant de glisser à terre.

Sigognac se rapprochait de plus en plus, le terrain
n'étant plus favorable aux chevaux. Il avait dégainé,

sans ralentir sa course, son épée, qu'il portait haute;
mais il était à pied, seul, contre trois hommes bien
montés, et le vent commençait à lui manquer; il fit
un effort prodigieux, et en deux ou trois bonds joignit les cavaliers qui protégeaient la fuite du ravisseur. Pour ne pas perdre de temps à lutter contre
eux, il piqua, à deux ou trois reprises, avec la pointe
de sa rapière, la croupe de leurs bêtes, comptant
qu'aiguillonnées de la sorte elles s'emporteraient. En
effet, les chevaux, affolés de douleur, se cabrèrent,
lancèrent des ruades et, prenant le mors aux dents,
quelques efforts que leurs cavaliers fissent pour les
contenir, ils gagnèrent à la main et se mirent à galo-
per comme si le diable les emportait, sans souci des
fossés ni des obstacles, si bien qu'en un moment ils
furent hors de vue.

Haletant, la figure baignée de sueur, la bouche
aride, croyant à chaque minute que son cœur allait
éclater dans sa poitrine, Sigognac atteignit enfin
l'homme masqué qui tenait Isabelle en travers sur le
garrot de sa monture. La jeune femme criait : « A
moi, Sigognac, à moi! » — « Me voici », râla le
Baron d'une voix entrecoupée et sifflante, et de la
main gauche il se suspendit à la courroie qui reliait
Isabelle au brigand. Il s'efforçait de le tirer à bas,
courant à côté du cheval! comme ces écuyers que les
Latins nommaient *desultores*. Mais le cavalier serrait
les genoux, et il eût été aussi facile de dévisser le
torse d'un centaure que de l'arracher de sa selle; en
même temps il cherchait des talons le ventre de sa
bête pour l'enlever, et tâchait de secouer Sigognac
qu'il ne pouvait charger, car il avait les mains occupées à tenir la bride et à contraindre Isabelle. La
course du cheval ainsi tiraillé et empêché perdait de
sa vitesse, ce qui permit à Sigognac de reprendre un
peu haleine; même il profita de ce léger temps d'arrêt
pour chercher à percer son adversaire; mais la
crainte de blesser Isabelle en ses mouvements tumultueux fit qu'il assura mal son coup. Le cavalier,
lâchant un instant les rênes, prit dans sa veste un
.couteau dont il trancha la courroie à laquelle Sigognac s'accrochait désespérément; puis il enfonça, à en
faire jaillir le sang, les molettes étoilées de ses éperons dans les flancs du pauvre animal, qui se porta
en avant avec une impétuosité irrésistible. La lanière

de cuir resta au poing de Sigognac, qui n'ayant plus
d'appui et ne s'attendant pas à cette feinte, tomba fort
rudement sur le dos; quelque agilité qu'il mît à se
relever et à ramasser son épée roulée à quatre pas de
lui, ce court intervalle avait suffi au cavalier pour
prendre une avance que le Baron ne devait pas espé-
rer faire disparaître, fatigué comme il l'était par
cette lutte inégale et cette course furibonde. Cependant, aux cris de plus en plus faibles d'Isabelle, il se
lança de nouveau à la poursuite du ravisseur; inutile
effort d'un grand cœur qui se voit enlever ce qu'il
aime! Mais il perdait sensiblement du terrain, et déjà
le cavalier avait gagné le bois dont la masse, bien que
dénuée de feuilles, suffisait par l'enchevêtrement de
ses troncs et de ses branches à masquer la direction
qu'avait prise le bandit.

Quoique forcené de rage et outré de douleur, il
fallut bien que Sigognac s'arrêtât, laissant son Isabelle si chère aux griffes de ce démon; car il ne la
pouvait secourir même avec l'aide d'Hérode et de
Scapin, qui, au bruit de la pistolade, étaient sautés à
bas de la charrette, bien que le maraud de laquais
tâchât à les retenir, se doutant de quelque algarade,
mésaventure ou guet-apens. En quelques mots brefs et
saccadés, Sigognac les mit au courant de l'enlèvement
d'Isabelle et de tout ce qui s'était passé.

« Il y a du Vallombreuse là-dessous, dit Hérode;
a-t-il eu vent de notre voyage au château de Pommereuil et nous a-t-il dressé cette embuscade? ou bien
cette comédie pour laquelle j'ai reçu des sommes
n'était-elle d'un stratagème destiné à nous attirer hors
de la ville où de semblables coups sont difficiles et
dangereux à faire? En ce cas, le sacripant qui a joué
le majordome vénérable est le plus grand acteur que
j'aie jamais vu. J'aurais juré que ce drôle était un naïf
intendant de bonne maison tout pétri de vertus et
de qualités. Mais, maintenant que nous voilà trois,
fouillons en tous sens ce bocage pour trouver au
moins quelque indice de cette bonne Isabelle que
j'aime, tout tyran que je suis, plus que ma fressure
et mes petits boyaux. Hélas! j'ai bien peur que cette
innocente abeille soit prise en la toile d'une araignée
monstrueuse qui ne la tue avant que nous ne puissions la dépêtrer de ses réseaux trop bien ourdis.

— Je l'écraserai, dit Sigognac en frappant la terre

du talon comme s'il tenait l'araignée sous sa botte, je l'écraserai, la bête venimeuse! »

L'expression terrible de sa physionomie ordinairement si calme et si douce montrait que ce n'était point là une vaine fanfaronnade et qu'il le ferait comme il le disait.

« Çà, dit Hérode, sans perdre plus de temps en paroles, entrons dans le bois et battons-le. Le gibier ne peut pas être encore bien loin. »

En effet, de l'autre côté de la futaie que Sigognac et les comédiens traversèrent, en dépit des broussailles qui leur entravaient les jambes et des gaulis qui leur fouettaient la figure, un carrosse à rideaux fermés détalait de toute la vitesse que pouvait donner à quatre chevaux de poste une mousquetade de coups de fouet. Les deux cavaliers dont Sigognac avait piqué les montures, ayant réussi à les calmer, galopaient près des portières, et l'un d'eux tenait en laisse le cheval de l'homme masqué; car le compagnon était entré dans la voiture sans doute afin d'empêcher qu'Isabelle ne soulevât les mantelets pour appeler au secours, ou même n'essayât de sauter à terre au péril de sa vie.

A moins d'avoir les bottes de sept lieues que le Petit Poucet ravit si subtilement à l'Ogre, il était insensé de courir pédestrement après un carrosse mené de ce train et si bien accompagné. Tout ce que purent faire Sigognac et ses camarades, ce fut d'observer la direction que prenait le cortège, bien faible indice pour retrouver Isabelle. Le Baron essaya de suivre les traces des roues, mais le temps était sec et leurs bandes n'avaient laissé que de légères marques sur la terre dure; encore les marques s'embrouillaient-elles bientôt avec les sillons d'autres carrosses et charrettes passés sur la route les jours précédents. Arrivé à un carrefour où le chemin se divisait en plusieurs branches, le Baron perdit tout à fait la piste et demeura plus embarrassé qu'Hercule entre la Volupté et la Vertu. Force lui fut de retourner sur ses pas, un faux jugement pouvant l'éloigner davantage de son but. La petite troupe revint donc piteusement vers le chariot, où les autres comédiens attendaient avec assez d'inquiétude et d'anxiété l'éclaircissement de tout ce mystère.

Dès l'engagement de l'affaire, le laquais conducteur

avait pressé la marche de la charrette pour ôter à
Sigognac le secours des comédiens, bien qu'ils lui
criassent d'arrêter; et lorsque le Tyran et Scapin, au
bruit du pistolet, étaient descendus malgré lui, il avait
piqué des deux et, franchissant le fossé, gagné au
large pour rejoindre ses complices, se souciant fort
peu, désormais, que la troupe comique atteignît ou
non le château de Pommereuil, si toutefois ce château
existait : question au moins douteuse, après ce qui
venait de se passer.

Hérode s'enquit d'une vieille qui cheminait par là,
un fagot de bourrée sur sa bosse, si l'on était bien
loin encore de Pommereuil : à qui la vieille répondit
qu'elle ne connaissait aucune terre, bourg ou château
de ce nom, à plusieurs lieues à la ronde, quoiqu'elle
eût, en son âge de soixante-dix ans, battu depuis son
enfance tout le pays d'alentour, son industrie étant
de quémander et chercher sa misérable vie par voies
et par chemins.

Il devenait de toute évidence que cette histoire de
comédie était un coup monté par des coquins subtils
et ténébreux. au profit de quelque grand, qui ne pouvait être que Vallombreuse, amoureux d'Isabelle, car
il avait fallu beaucoup de monde et d'argent pour faire
jouer cette machination compliquée.

Le chariot retourna vers Paris; mais Sigognac,
Hérode et Scapin restèrent à l'endroit même, ayant
intention de louer, à quelque prochain village, des
chevaux qui leur permissent de se mettre plus effica-
cement à la recherche et poursuite des ravisseurs.

Isabelle. après la chute du Baron, avait été portée
dans une clairière du bois, descendue de cheval et
mise en carrosse, bien qu'elle se débattît de son
mieux, en moins de trois ou quatre minutes; puis la
voiture s'était éloignée dans un tonnerre de roues,
comme le char de Capanée sur le pont d'airain. En
face d'elle était respectueusement assis l'homme masqué qui l'avait emportée sur sa selle.

A un mouvement qu'elle fit pour mettre la tête à la
portière, l'homme avança le bras et la retint. Il n'y
avait pas moyen de lutter contre cette main de fer.
Isabelle se rassit et se mit à crier, espérant être entendue de quelque passant.

« Mademoiselle, calmez-vous, de grâce, dit le ravisseur mystérieux avec toutes les formes de la plus

exquise politesse. Ne me forcez point à employer la contrainte matérielle avec une si charmante et si adorable personne. On ne vous veut aucun mal, peut-être même vous veut-on beaucoup de bien. Ne vous obstinez pas à des révoltes inutiles : si vous êtes sage, j'aurai pour vous les plus grands égards, et une reine captive ne serait pas mieux traitée; mais si vous faites le diable, si vous vous démenez et criez pour appeler un secours qui ne vous viendra point, j'ai de quoi vous réduire. Ceci vous rendra muette et cela vous fera rester tranquille. »

Et l'homme tirait de sa poche un bâillon fort artistement fabriqué et une longue cordelette de soie roulée sur elle-même.

« Ce serait une barbarie, continua-t-il, d'adapter cette espèce de muselière au caveçon à une bouche si fraîche, si rose et si mellifue: des cercles de corde iraient très mal aussi, convenez-en, à des poignets mignons et délicats faits pour porter des bracelets d'or constellés de diamants. »

La jeune comédienne, quelque courroucée et désolée qu'elle fût, se rendit à ces raisons qui, en effet, étaient bonnes. La résistance physique ne pouvait servir à rien. Isabelle se réfugia donc dans l'angle du carrosse et demeura silencieuse. Mais des soupirs gonflaient sa poitrine et, de ses beaux yeux, des larmes roulaient sur ses joues pâles, comme des gouttes de pluie sur une rose blanche. Elle pensait aux risques que courait sa vertu et au désespoir de Sigognac.

« A la crise nerveuse, pensa l'homme masqué, succède la crise humide; les choses suivent leur cours régulier. Tant mieux, cela m'eût ennuyé d'agir brutalement avec cette aimable fille. »

Tapie dans son coin, Isabelle jetait de temps en temps un regard craintif vers son gardien, qui s'en aperçut et lui dit d'une voix qu'il s'efforçait de rendre douce, quoiqu'elle fût naturellement rauque : « Vous n'avez rien à redouter de moi, mademoiselle, je suis galant homme et n'entreprendrai rien qui vous déplaise. Si la fortune m'avait plus favorisé de ses biens, certes, honnête, belle et pleine de talent comme vous l'êtes, je ne vous eusse point enlevée au profit d'un autre; mais les rigueurs du sort obligent parfois la délicatesse des actions un peu bizarres.

— Vous convenez donc, dit Isabelle, qu'on vous a

soudoyé pour me ravir, chose infâme, abusive et cruelle!

— Après ce que j'ai fait, répondit l'homme au masque du ton le plus tranquille, il serait tout à fait oiseux de le nier. Nous sommes ainsi, sur le pavé de Paris, un certain nombre de philosophes sans passions, qui nous intéressons pour de l'argent à celles des autres et les mettons à même de les satisfaire en leur prêtant notre esprit et notre courage, notre cervelle et notre bras; mais, pour changer d'entretien, que vous étiez charmante dans la dernière comédie! Vous avez dit la scène de l'aveu avec une grâce à nulle autre seconde. Je vous ai applaudie à tout rompre. Cette paire de mains qui sonnaient comme battoirs de lavandières, c'était moi!

— Je vous dirai à mon tour : laissons là ces propos et compliments déplacés. Où me menez-vous ainsi, malgré ma volonté, et en dépit de toute loi et convenance?

— Je ne saurais vous le dire, et cela d'ailleurs vous serait parfaitement inutile; nous sommes obligés au secret comme les confesseurs et les médecins; la discrétion la plus absolue est indispensable en ces affaires occultes, périlleuses et fantasques, qui sont conduites par des ombres anonymes et masquées. Souvent, pour plus de sûreté, nous ne connaissons pas celui qui nous fait agir et il ne nous connaît pas.

— Ainsi, vous ne savez pas la main qui vous pousse à cet acte outrageant et coupable d'enlever sur une grande route une jeune fille à ses compagnons?

— Que je le sache ou que je l'ignore, la chose revient au même puisque la conscience de mes devoirs me clôt le bec. Cherchez parmi vos amoureux le plus ardent et le plus maltraité. Ce sera sans doute celui-là. »

Voyant qu'elle ne tirerait rien de plus, Isabelle n'adressa plus la parole à son gardien. D'ailleurs, elle ne doutait pas que ce ne fût Vallombreuse l'auteur du coup. La façon menaçante dont il lui avait jeté, du seuil de la porte, ces mots : « Au revoir, mademoiselle », lors de la visite à la rue Dauphine, lui était restée en mémoire, et avec un homme de cette trempe, si furieux en ses désirs, si âpre en ses volontés, cette simple phrase ne présageait rien de bon. Cette conviction redoublait les transes de la pauvre comédienne, qui pâlissait, en songeant aux assauts qu'allait avoir à subir sa pudicité, de la part de ce seigneur altier, plus blessé d'orgueil encore que d'amour. Elle espérait que le courage de Sigognac lui viendrait en aide. Mais cet ami fidèle et vaillant parviendrait-il à la découvrir opportunément en la retraite absconse où ses ravisseurs la conduisaient? « En tout cas, se dit-elle, si ce méchant duc me veut affronter, j'ai dans ma gorge le couteau de Chiquita, et je sacrifierai ma vie à mon honneur. » Cette résolution prise lui rendit un peu de tranquillité.

Le carrosse roulait du même train depuis deux heures, sans autre arrêt que quelques minutes pour changer les chevaux à un relais disposé d'avance. Comme les rideaux baissés empêchaient la vue, Isabelle ne pouvait deviner dans quel sens on l'entraînait ainsi. Bien qu'elle ne connût pas cette campagne, si elle eût eu la faculté de regarder au-dehors, elle se fût orientée quelque peu d'après le soleil; mais elle était emportée obscurément vers l'inconnu.

En sonnant sur les poutres ferrées d'un pont-levis, les roues du carrosse avertirent Isabelle qu'on était arrivé au terme de la course. En effet, la voiture s'arrêta, la portière s'ouvrit et l'homme masqué offrit la main à la jeune comédienne pour descendre.

Elle jeta un coup d'œil autour d'elle et vit une grande cour carrée formée par quatre corps de logis en briques, dont le temps avait changé la couleur vermeille en une teinte sombre assez lugubre. Des fenêtres étroites et longues perçaient les façades intérieures, et derrière leurs carreaux verdâtres on apercevait des volets clos, indiquant que les chambres auxquelles elles donnaient du jour étaient inhabitées depuis longtemps. Un cadre de mousse sertissait chaque pavé de la cour, et vers le pied des murailles quelques herbes avaient poussé. Au bas du perron deux sphinx à l'égyptiaque allongeaient sur un socle leurs griffes émoussées, et des plaques de cette lèpre jaune et grise qui s'attache à la vieille pierre tigraient leurs croupes arrondies. Bien que frappé de cette tristesse qu'imprime aux habitations l'absence du maître, le château inconnu avait encore fort bon air et sentait sa seigneurie. Il était désert, mais non abandonné et nul symptôme de ruine ne s'y faisait remarquer. Le corps était intact, l'âme seule y manquait.

L'homme masqué remit Isabelle aux mains d'une sorte de laquais en livrée grise. Ce laquais la conduisit, par un vaste escalier dont la rampe très ouvragée se tordait en ces enroulements et arabesques de serrurerie de mode sous l'autre règne, à un appartement qui avait dû jadis sembler le *nec plus ultra* du luxe, et dont la richesse fanée valait bien les élégances modernes. Des boiseries de vieux chêne recouvraient les murailles de la première chambre, figurant des architectures avec des pilastres, des corniches et des cadres en feuillages sculptés remplis par des verdures de Flandre. Dans la seconde, également boisée de chêne, mais d'une ornementation plus recherchée et rehaussée de quelque dorure, des peintures remplaçaient les tapisseries et représentaient des allégories dont le sens eût été assez difficile à découvrir sous les fumées du temps et les couches de vernis jaune; les noirs avaient repoussé, et seules les portions claires se distinguaient encore. Ces figures de divinités, de nymphes et de héros, se dégageant à demi de l'ombre et n'étant saisissables que par leur côté lumineux, produisaient un effet singulier et qui, le soir, aux clartés douteuses d'une lampe, pouvait devenir effrayant. Le lit occupait une alcôve profonde et se drapait d'un couvrepied en tapisserie au petit point, rayé de bandes de velours; le tout fort magnifique, mais amorti de ton. Quelques fils d'or et d'argent brillaient parmi les soies et les laines passées, et des écrasements bleuâtres miroitaient la nuance autrefois rouge de l'étoffe. Une toilette admirablement sculptée inclinait un miroir de Venise qui fit voir à Isabelle la pâleur et l'altération de ses traits. Un grand feu, montrant que la jeune comédienne était attendue, brûlait dans la cheminée, vaste monument supporté par des Hermès à gaines et tout chargé de volutes, consoles, guirlandes et ornements d'une richesse un peu lourde, au milieu desquels était enchâssé un portrait d'homme dont l'expression frappa beaucoup Isabelle. Cette figure ne lui était pas inconnue; il lui semblait se la rappeler comme au réveil une de ces formes aperçues en rêve et qui, ne s'évanouissant pas avec le songe, vous suivent longtemps dans la vie. C'était une tête pâle aux yeux noirs, aux lèvres vermeilles, aux cheveux bruns, accusant une quarantaine d'années et d'une fierté pleine de noblesse. Une cuirasse d'acier bruni, rayée de rubans d'or niellés et traversée d'une écharpe blanche, recouvrait la poitrine. Malgré les préoccupations et les terreurs bien légitimes que lui inspirait sa situation, Isabelle ne pouvait s'empêcher de regarder ce portrait et d'y reporter ses yeux comme fascinée. Il y avait dans cette figure quelque ressemblance avec celle de Vallombreuse; mais l'expression en était si différente que ce rapport disparaissait bientôt.

Elle était dans cette rêverie quand le laquais en livrée grise qui s'était éloigné quelques instants revint avec deux valets portant une petite table à un couvert, et dit à la captive : « Mademoiselle est servie. » Un des valets avança silencieusement un fauteuil, l'autre découvrit une soupière en vieille argenterie massive, et il s'en éleva un tourbillon de fumée odorante annonçant un bouillon plein de succulence.

Isabelle, en dépit du chagrin que lui causait son aventure, se sentait une faim qu'elle se reprochait, comme si jamais la nature perdait ses droits; mais l'idée que ces mets renfermaient peut-être quelque narcotique qui la livrerait sans défense aux entreprises l'arrêta, et elle repoussa l'assiette où déjà elle avait plongé sa cuiller.

Le laquais en livrée grise parut deviner cette appréhension, et il fit devant Isabelle l'essai du vin, de l'eau et de tous les mets placés sur la table. La prisonnière, un peu rassurée, but une gorgée de bouillon, mangea une bouchée de pain, suça l'aile d'un poulet et, ce léger repas achevé, comme les émotions de la journée lui avaient donné un mouvement de fièvre, elle approcha son fauteuil du feu et resta ainsi quelque temps, le coude sur le bras de son siège, le menton dans la main, et l'esprit perdu en une vague et douloureuse rêverie.

Elle se leva ensuite et s'approcha de la fenêtre pour voir quel horizon l'on en découvrait. Il n'y avait aucune grille ou barreau, ni rien qui rappelât une prison. Mais en se penchant elle vit, au pied de la muraille, l'eau stagnante et verdie d'un fossé profond qui entourait le château. Le pont-levis sur lequel avait passé le carrosse était ramené, et à moins de franchir le fossé à la nage, tout moyen de communication avec l'extérieur était impossible. Encore eût-il été bien difficile de remonter à pic le revêtement en pierre de la douve.

Quant à l'horizon, une sorte de boulevard, formé d'arbres séculaires plantés autour du manoir, l'interceptait complètement. Des fenêtres on n'apercevait que leurs branches entrelacées qui, même dépouillées de feuilles, obstruaient la perspective. Il fallait renoncer à tout espoir de fuite ou de délivrance, et attendre l'événement avec cette inquiétude nerveuse pire peut-être que la catastrophe la plus terrible.

Aussi la pauvre Isabelle tressaillait-elle au plus léger bruit. Le murmure de l'eau, un soupir du vent, un craquement de la boiserie, une crépitation du feu lui faisaient perler dans le dos des sueurs froides. A chaque instant elle s'attendait à ce qu'une porte s'ouvrît. à ce qu'un panneau se déplaçât, trahissant un corridor secret, et que de ce cadre sombre il sortît *quelqu'un,* homme ou fantôme. Peut-être même le spectre l'eût-il moins effrayée. Avec le crépuscule qui allait s'assombrissant ses terreurs augmentaient; un grand laquais entra apportant un flambeau chargé de bougies, elle faillit s'évanouir.

Tandis qu'Isabelle tremblait de frayeur dans son appartement solitaire, ses ravisseurs, en une salle basse, faisaient carousse et chère lie, car ils devaient rester au château comme une sorte de garnison, en cas d'attaque de la part de Sigognac. Ils buvaient tous comme des éponges, mais un d'eux surtout déployait une remarquable puissance d'ingurgitation. C'était l'homme qui avait emporté Isabelle en travers de son cheval, et comme il avait déposé son masque il était loisible à chacun de contempler sa face blême comme un fromage où flambait un nez chauffé au rouge. A ce nez couleur de guigne, on a reconnu Malartic, l'ami de Lampourde.

# XVI

## VALLOMBREUSE

ISABELLE, restée seule dans cette chambre inconnue où le péril pouvait surgir d'un moment à l'autre sous une forme mystérieuse, se sentait le cœur oppressé d'une inexprimable angoisse. quoique sa vie errante l'eût rendue plus courageuse que ne le sont ordinairement les femmes. Le lieu n'avait pourtant rien de sinistre dans son luxe ancien mais bien conservé. Les flammes dansaient joyeusement sur les énormes bûches du foyer; les bougies jetaient une clarté vive qui, pénétrant jusqu'aux moindres recoins, en chassait avec l'ombre les chimères de la peur. Une douce chaleur y régnait, et tout y conviait aux nonchalances du bien-être. Les peintures des panneaux recevaient trop de lumière pour prendre des aspects fantastiques, et, dans son cadre d'ornementations au-dessus de la cheminée, le portrait d'homme remarqué par Isabelle n'avait pas ce regard fixe et qui cependant semble vous suivre, si effrayant chez certains portraits. Il paraissait plutôt sourire avec une bonté tranquille et protectrice, comme une image de saint qu'on peut invoquer à l'heure du danger. Tout cet ensemble de choses calmes, rassurantes, hospitalières ne détendait point les nerfs d'Isabelle, frémissants comme les cordes d'une guitare qu'on vient de pincer; ses yeux erraient autour d'elle, inquiets et furtifs, voulant voir et craignant de voir, et ses sens surexcités démêlaient avec terreur, au milieu du profond repos de la nuit, ces bruits imperceptibles qui sont la voix du silence. Dieu sait les significations formidables qu'elle leur attribuait! Bientôt son malaise devint si fort qu'elle se résolut à quitter cette chambre si éclairée, si chaude et si commode pour s'aventurer par les corridors du château, au risque de quelque rencontre fantasmatique, à la recherche de quelque issue oubliée ou de quelque lieu de refuge. Après s'être assurée que les portes de sa chambre n'étaient point fermées à double tour, elle prit sur le guéridon la lampe que le laquais y avait laissée pour la nuit, et l'abritant de sa main elle se mit en marche.

D'abord elle rencontra l'escalier à la rampe de serrurerie compliquée qu'elle avait monté sous l'escorte du domestique; elle le descendit, pensant avec raison qu'aucune sortie favorable à son évasion ne se pouvait trouver au premier étage. Au bas de l'escalier, sous le vestibule, elle aperçut une grande porte à deux battants dont elle tourna le bouton, et qui s'ouvrit devant elle avec un craquement de bois et un grincement de gonds dont le bruit lui parut égal à celui du tonnerre, encore qu'il fût impossible de l'entendre à

trois pas. La faible clarté de la lampe grésillant dans
l'air humide d'un appartement longtemps fermé
découvrit ou plutôt fit entrevoir à la jeune comédienne
une vaste pièce, non pas délabrée, mais ayant ce
caractère mort des lieux qu'on n'habite plus; de
grands bancs de chêne s'adossaient aux murailles
revêtues de tapisseries à personnages; des trophées
d'armes, gantelets, épées et boucliers révélés par
de brusques éclairs, y étaient suspendus. Une lourde
table à pieds massifs, contre laquelle la jeune
femme faillit se heurter, occupait le milieu de la pièce;
elle la contourna, mais quelle ne fut pas sa terreur
quand, en approchant de la porte qui faisait face à la
porte d'entrée et donnait accès dans la salle suivante,
elle aperçut deux figures armées de pied en cap, qui
se tenaient immobiles en sentinelle de chaque côté du
chambranle, les gantelets croisés sur la garde de
grandes épées ayant la pointe fichée en terre : les
cribles de leurs casques représentaient des faces d'oiseaux hideux, dont les trous simulaient les prunelles,
et le nasal le bec; sur les cimiers se hérissaient,
comme des ailes irritées et palpitantes, des lamelles
de fer ciselées en pennes; le ventre du plastron frappé
d'une paillette lumineuse se bombait d'une façon
étrange, comme soulevé par une respiration profonde;
des genouillères et des cubitières jaillissait une pointe
d'acier recourbé en façon de serre d'aigle, et le bout
des pédieux s'allongeait en griffe. Aux clartés vacil-
lantes de la lampe qui tremblait à la main d'Isabelle,
ces deux fantômes de fer prenaient une apparence
vraiment effrayante et bien faite pour alarmer les plus
fiers courages. Aussi le cœur de la pauvre Isabelle pal-
pitait-il si fort qu'elle en entendait les battements et
en sentait les trépidations jusque dans sa gorge.
Croyez qu'elle regrettait alors d'avoir quitté sa
chambre pour cette aventureuse promenade nocturne.
Cependant, comme les guerriers ne bougeaient pas
quoiqu'ils eussent dû remarquer sa présence, et qu'ils
ne faisaient pas mine de brandir leurs épées pour lui
barrer le passage, elle s'approcha de l'un d'eux et lui
mit la lumière sous le nez. L'homme d'armes ne s'en
émut nullement et conserva sa pose avec une insensi-
bilité parfaite. Isabelle enhardie et se doutant de la
vérité, lui leva sa visière, qui, ouverte, ne laissa voir
qu'un vide plein d'ombre comme les timbres dont on

décore les blasons. Les deux sentinelles n'étaient que
des panoplies, des armures allemandes curieuses, disposées là sur le squelette d'un mannequin. Mais l'illusion était bien permise à une pauvre captive errant
la nuit dans un château solitaire, tant ces carapaces
métalliques, moulées sur le corps humain comme des
statues de la guerre, en rappellent la forme même
lorsqu'elles sont vides, et la rendent plus formidable
par les rigueurs de leurs angles et des nodosités de
leurs articulations. Isabelle, malgré sa tristesse, ne put
s'empêcher de sourire en reconnaissant son erreur, et
pareille aux héros des romans de chevalerie, lorsqu'au
moyen d'un talisman ils ont rompu le charme qui
défendait un palais enchanté, elle entra bravement
dans la seconde salle sans plus se soucier désormais
des deux gardiens réduits à l'impuissance.

C'était une vaste salle à manger comme en témoignaient de hauts dressoirs en chêne sculpté, où luisaient vaguement des blocs d'orfèvrerie : aiguières,
salières, boîtes à épices, hanaps, vases à panses ren-
flées, grands plats d'argent ou de vermeil, semblables
à des boucliers ou à des roues de char, et des verreries de Bohême et de Venise, aux formes grêles et
capricieuses, qui jetaient, surprises par la lumière, des
feux verts, rouges et bleus. Des chaises à dossier carré
rangées autour de la table paraissaient attendre des
convives qui ne devaient pas venir, et, la nuit, pouvaient servir à faire asseoir un festin d'ombres. Un
vieux cuir de Cordoue gaufré d'or et ramagé de fleurs,
tendu au-dessus d'un revêtement de chêne à mi-hau-
teur, s'illuminait par places d'un reflet fauve au passage de la lampe, et donnait à l'obscurité une richesse
chaude et sombre. Isabelle, d'un coup d'œil, entrevit
ces vieilles magnificences et se hâta de franchir la
troisième porte.

Cette salle, qui semblait le salon d'honneur, était
plus grande que les autres, déjà fort spacieuses. La
petite lumière de la lampe n'en éclairait pas les profondeurs et son faible rayonnement s'éteignait, à
quelques pas d'Isabelle, en filaments jaunâtres comme
les rais d'une étoile parmi le brouillard. Si pâle qu'elle
fût, cette clarté suffisait pour rendre l'ombre visible
et donner aux ténèbres des figurations effrayantes et
difformes, vagues ébauches que la peur achevait. Des
fantômes se drapaient avec les plis des rideaux ; les

bras des fauteuils semblaient envelopper des spectres,
et des larves monstrueuses s'accroupissaient dans les
coins obscurs, hideusement repliées sur elles-mêmes
ou accrochées par des ongles de chauve-souris.

Domptant ces terreurs chimériques, Isabelle continua son chemin et vit au fond de la salle un dais seigneurial coiffé de plumes, historié d'armoiries dont il
eût été difficile de déchiffrer le blason, et surmontant
un fauteuil en forme de trône posé sur une estrade
recouverte d'un tapis où l'on accédait par trois
marches. Tout cela éteint, confus, baigné d'ombre et
trahi seulement par quelque reflet, prenait du mystère
une grandeur farouche et colossale. On eût dit une
chaire à présider un sanhédrin d'esprits, et il n'eût
pas fallu un grand effort d'imagination pour y voir
un ange sombre assis entre ses longues ailes noires.

Isabelle pressa le pas, et, quelque légère que fût sa
démarche, les craquements de ses chaussures acqué-
raient à travers ce silence des sonorités terribles. La
quatrième salle était une chambre à coucher occupée
en partie par un lit énorme dont les rideaux, en damas
des Indes, rouge sombre, retombaient pesamment
autour de la couchette. Dans la ruelle un prie-Dieu
d'ébène faisait miroiter le crucifix d'argent qui le surmontait. Un lit fermé a, même le jour, quelque chose
d'inquiétant. On se demande ce qu'il y a derrière ces
voiles rabattus; mais la nuit, dans une chambre abandonnée, un lit hermétiquement clos est effrayant. Il
peut cacher un dormeur comme un cadavre ou même
encore un vivant qui guette. Isabelle crut entendre
derrière le rideau le rythme intermittent et profond
d'une respiration endormie; était-ce une illusion ou
une réalité? Elle n'osa pas s'en assurer en écartant les
plis de l'étoffe rouge et en faisant tomber sur le lit le
rayon de sa lampe.

La bibliothèque suivait la chambre à coucher; dans
les armoires, surmontées par des bustes de poètes, de
philosophes et d'historiens qui regardaient Isabelle de
leurs grands yeux blancs, de nombreux volumes assez
en désordre montraient leurs dos étiquetés de chiffres
et de titres, dont l'or se ravivait au passage de la
lumière. Là, le bâtiment faisait un retour d'équerre et
l'on débouchait dans une longue galerie occupant une
autre façade de la cour. C'était la galerie où, par
ordre chronologique, se succédaient les portraits de

**famille.** Une rangée de fenêtres correspondait à la paroi où ils étaient accrochés dans des cadres de vieil or rougi. Des volets percés dans le haut d'un trou ovale fermaient ces fenêtres, et cette disposition produisait en ce moment un effet singulier. La lune s'était levée, et par la découpure de ces trous envoyait un rayon qui en reportait l'image sur la muraille opposée; il arrivait parfois que la tache de lumière bleuâtre tombât sur le visage d'un portrait et s'y adaptât comme un masque blafard. Sous cette lueur magique, la peinture prenait une vie alarmante d'autant plus que, le corps restant dans l'ombre, ces têtes aux pâleurs argentées avec leur relief subit paraissaient jaillir en ronde-bosse de leur cadre comme pour voir passer Isabelle. D'autres, que le reflet seul de la lampe atteignait, conservaient sous le jaune vernis leur attitude solennellement morte, mais il semblait que par leurs noires prunelles l'âme des aïeux vînt regarder dans le monde comme à travers des ouvertures ménagées exprès, et ce n'était pas les moins sinistres effigies de la collection.

Ce fut pour le courage d'Isabelle une action aussi brave de traverser cette galerie bordée de figures fantastiques que pour un soldat de marcher au pas devant un feu de peloton. Une froide sueur d'angoisse mouillait sa chemisette entre les épaules, et elle s'imaginait que derrière elle ces fantômes à cuirasses et à pourpoints ornés d'ordres de chevalerie, ces douairières à hautes fraises et à vertugadins démesurés descendaient de leurs bordures et se mettaient à la suivre en procession funèbre. Elle croyait même entendre leurs pas d'ombres frôler imperceptiblement le parquet sur ses talons. Enfin elle atteignit l'extrémité de ce large couloir et rencontra une porte vitrée qui donnait sur la cour; elle l'ouvrit non sans se meurtrir les doigts sur la vieille clef rouillée qui eut peine à tourner dans la serrure, et après avoir eu soin d'abriter sa lampe pour la retrouver en revenant sur ses pas, elle sortit de la galerie, séjour de terreurs et d'illusions nocturnes.

A l'aspect du ciel libre où quelques étoiles, que n'éteignait pas tout à fait la lueur blanche de la lune, brillaient avec une scintillation d'argent, Isabelle se sentit une joie délicieuse et profonde comme si elle revenait de la mort à la vie; il lui semblait que Dieu la voyait maintenant de son firmament, tandis qu'il eût bien pu l'oublier lorsqu'elle était perdue dans ces ténèbres intenses, sous ces plafonds opaques, à travers ce dédale de chambres et de couloirs. Quoique sa situation ne fût en rien améliorée, un poids immense était enlevé de dessus sa poitrine. Elle continua ses explorations, mais la cour était exactement fermée partout comme l'enceinte d'une forteresse, à l'exception d'une poterne ou arcade de brique donnant probablement sur le fossé, car Isabelle, en s'y penchant avec précaution, sentit la fraîcheur humide de l'eau profonde lui monter à la figure comme une bouffée de vent, et elle entendit le faible murmure d'une petite vague se brisant au pied de la douve. C'était probablement par là qu'on approvisionnait les cuisines du château; mais, pour arriver ou s'en éloigner, il fallait une petite barque rangée, sans doute, au bas du rempart, en quelque remise d'eau hors de la portée d'Isabelle.

L'évasion était donc impossible de ce côté comme des autres. C'est ce qui expliquait la liberté relative laissée à la prisonnière. Elle avait sa cage ouverte comme ces oiseaux exotiques qu'on transporte sur des navires et qu'on sait bien être forcés de revenir se percher sur la mâture après quelque courte excursion, car la terre la plus prochaine est si éloignée encore que l'aile s'userait avant d'y arriver. Le fossé autour du château faisait l'office de l'océan autour du navire.

Dans un coin de la cour, une lueur rougeâtre filtrait à travers les volets d'une salle basse, et dans le silence de la nuit, une certaine rumeur se dégageait de cet angle baigné d'ombre. La jeune fille se dirigea vers cette lumière et ce bruit, mue d'une curiosité facile à concevoir; elle appliqua son œil à la fente d'un volet moins hermétiquement clos que les autres, et elle put aisément découvrir ce qui se passait à l'intérieur de la salle.

Autour d'une table qu'éclairait une lampe à trois becs, suspendue au plafond par une chaîne de cuivre, banquetaient des gaillards de mine farouche et truculente, dans lesquels Isabelle, bien qu'elle ne les eût vus que masqués, reconnut sans peine les hommes qui avaient concouru à son enlèvement. C'étaient Piedgris, Tordgueule, La Râpée et Bringuenarilles, dont le physique répondait à ces noms charmants. La lumière tombant du haut faisait luire leur front, plongeait leurs yeux dans l'ombre, dessinait l'arête de leur nez et se raccrochait à leurs moustaches extravagantes, de manière à exagérer encore la sauvagerie de ces têtes qui n'avaient pas besoin de cela pour paraître effrayantes. Un peu plus loin, au bout de la table, était assis, comme brigand de province ne pouvait aller de pair avec des spadassins de Paris, Agostin, débarrassé de la perruque et de la fausse barbe qui lui avaient servi à jouer l'aveugle. A la place d'honneur siégeait Malartic, élu roi du festin à l'unanimité. Sa face était plus blême et son nez plus rouge qu'à l'ordinaire; phénomène qui pouvait s'expliquer par le nombre de bouteilles vides rangées sur le buffet comme des corps emportés de la bataille, et par le nombre de bouteilles pleines que le sommelier plantait devant lui avec une prestesse infatigable.

De la conversation confuse des buveurs, Isabelle ne démêlait que quelques mots dont le sens lui échappait le plus souvent; car c'étaient des vocables de tripot, de cabaret et de salle d'armes, quelquefois même de hideux termes d'argot empruntés au dictionnaire de la cour des Miracles, où se parlent les langues d'Egypte et de Bohême; elle n'y trouvait rien qui l'éclairât sur le sort qu'on lui réservait, et un peu saisie par le froid, elle allait se retirer lorsque Malartic donna sur la table, pour obtenir le silence, un épouvantable coup de poing qui fit chanceler les bouteilles comme si elles eussent été ivres, et cliqueter les verres les uns contre les autres avec une sonnerie cristalline donnant en musique *ut, mi, sol, si*. Les buveurs, quelque peu abrutis qu'ils fussent, en sautèrent d'un demi-pied en l'air sur leur banc, et toutes les trognes se tournèrent instantanément vers Malartic.

Profitant de cette trêve dans le vacarme de l'orgie, Malartic se leva et dit, en élevant son verre dont il fit briller le vin à la lumière comme un chaton de bague : « Amis, écoutez cette chanson que j'ai faite, car je m'aide de la lyre aussi bien que de l'épée, une chanson bachique comme il convient à un bon ivrogne. Les poissons, qui boivent de l'eau, sont muets; s'ils buvaient du vin, ils chanteraient. Donc, montrons que nous sommes des humains par une beuverie mélodieuse.

— La chanson! la chanson! » crièrent Bringuena-

rilles, La Râpée, Tordgueule et Piedgris, **incapables**
de suivre cette dialectique subtile.

Malartic se nettoya le gosier par quelques vigoureux
hum! hum! et, avec toutes les manières d'un chanteur
appelé dans la chambre du roi, il entonna d'une voix
qui, bien qu'un peu rauque, ne manquait pas de justesse, les couplets suivants :

> A Bacchus, biberon insigne,
> Crions : « Masse! » et chantons en chœur :
> Vive le pur sang de la vigne
> Qui sort des grappes qu'on trépigne!
> Vive ce rubis en liqueur!
>
> Nous autres prêtres de la treille,
> Du vin nous portons les couleurs.
> Notre fard est dans la bouteille
> Qui nous fait la trogne vermeille
> Et sur le nez nous met des fleurs.
>
> Honte à qui d'eau claire se mouille
> Au lieu de boire du vin frais.
> Devant les brocs qu'il s'agenouille!
> Ou soit mué d'homme en grenouille
> Et barbote dans les marais!

La chanson fut accueillie par des cris de joie, et
Tordgueule, qui se piquait de poésie, ne craignit point
de proclamer Malartic l'émule de Saint-Amant, avis qui
prouvait combien l'ivresse faussait la judiciaire du
compagnon. On décréta un rouge-bord en l'honneur du
chansonnier, et quand les verres furent vidés, chacun
fit rubis sur l'ongle pour montrer qu'il avait bu
consciencieusement sa rasade. Ce coup acheva les plus
faibles de la bande; La Râpée glissa sous la table, où
il fit matelas à Bringuenarilles. Piedgris et Tordgueule,
plus robustes, laissèrent seulement choir leurs têtes
en avant et s'endormirent ayant pour oreiller leurs
bras croisés. Quant à Malartic, il se tenait droit dans
sa chaise le gobelet au poing, les yeux écarquillés et
le nez enluminé d'un rouge si vif qu'il semblait jeter
des étincelles comme un fer tiré de la forge; il répétait machinalement avec l'hébétude solennelle de
l'ivresse contenue, sans que personne fît chorus :

> A Bacchus, biberon insigne,
> Crions : « Masse! » et chantons en chœur :...

Dégoûtée de ce spectacle, Isabelle quitta la fente du volet et poursuivit ses investigations, qui l'amenèrent bientôt sous la voûte où pendaient avec leur contre-poids les chaînes du pont-levis ramené vers le châ-teau. Il n'y avait aucun espoir de mettre en branle cette lourde machine, et, comme il fallait abattre le pont pour sortir, la place n'ayant pas d'autre issue, la captive dut renoncer à tout projet d'évasion. Elle alla reprendre sa lampe où elle l'avait laissée dans la galerie des portraits, qu'elle parcourut cette fois avec moins de terreur, car elle savait maintenant l'objet de son épouvante, et la peur est faite d'inconnu. Elle tra-versa rapidement la bibliothèque, la salle d'honneur et toutes les pièces qu'elle avait explorées avec une précaution anxieuse. Les armures dont elle s'était si fort effrayée lui parurent presque risibles, et d'un pas délibéré elle monta l'escalier descendu tout à l'heure en retenant son souffle et sur la pointe du pied, de peur d'éveiller le moindre écho assoupi dans la cage sonore.

Mais quel ne fut pas son effroi lorsque du seuil de sa chambre elle aperçut une figure étrange assise au coin de sa cheminée. Ce n'était pas un fantôme assu-rément, car la lumière des bougies et le reflet du foyer l'éclairaient d'une façon trop nette pour qu'on pût s'y méprendre; c'était bien un corps grêle et délicat, il est vrai, mais très vivant ainsi que l'attestaient deux grands yeux noirs d'un éclat sauvage, et n'ayant nulle-ment le regard atone des spectres, qui se fixaient sur Isabelle, encadrée dans le chambranle de la porte, avec une tranquillité fascinante. De grands cheveux bruns rejetés en arrière permettaient de voir en tous ses détails une figure d'une teinte olivâtre, aux traits fine-ment sculptés par une maigreur juvénile et vivace, et dont la bouche entrouverte découvrait une denture d'une blancheur éclatante. Les mains tannées au grand air, mais de forme mignonne, se croisaient sur la poi-trine montrant des ongles plus pâles que les doigts. Les pieds nus n'atteignaient pas la terre, les jambes étant trop courtes pour arriver du fauteuil au parquet. Par l'interstice d'une grossière chemise de toile bril-laient vaguement quelques grains d'un collier en perles.

A ce détail du collier, on a sans doute reconnu Chi-quita. C'était elle en effet, non pas sous son costume de fille, mais encore travestie en garçon, déguisement qu'elle avait pris pour jouer le conducteur du faux aveugle. Cet habit, composé d'une chemise et de larges braies, ne lui seyait point mal; car elle avait cet âge où le sexe est douteux entre la fillette et le jouvenceau.

Dès qu'elle eut reconnu la bizarre créature, Isabelle se remit de l'émotion que lui avait fait éprouver cette apparition inattendue. Chiquita n'était pas par elle-même bien redoutable, et d'ailleurs elle semblait professer, à l'endroit de la jeune comédienne, une sorte de reconnaissance désordonnée et fantasque qu'elle avait prouvée à sa manière dans une première rencontre.

Chiquita, tout en regardant Isabelle, murmurait à demi-voix cette espèce de chanson en prose qu'elle avait fredonnée avec un accent de folie, le corps engagé dans l'œil-de-bœuf, lors de la première tentative d'enlèvement aux *Armes de France* : « Chiquita danse sur la pointe des grilles, Chiquita passe par le trou des serrures. »

« As-tu toujours le couteau, dit cette singulière créature à Isabelle lorsqu'elle se fut approchée de la cheminée, le couteau à trois raies rouges?

— Oui, Chiquita, répondit la jeune femme, je le porte là, entre ma chemisette et mon corsage. Mais pourquoi cette question, ma vie est-elle donc en péril?

— Un couteau, dit la petite dont les yeux brillèrent d'un éclat féroce, un couteau est un ami fidèle; il ne trahit pas son maître, si son maître le fait boire; car le couteau a soif.

— Tu me fais peur, mauvaise enfant, reprit Isabelle, que troublaient ces paroles sinistrement extravagantes, mais qui, dans la position où elle se trouvait, pouvaient renfermer un avertissement profitable.

— Aiguise la pointe au marbre de la cheminée, continua Chiquita, repasse la lame sur le cuir de ta chaussure.

— Pourquoi me dis-tu tout cela? fit la comédienne toute pâle.

— Pour rien; qui veut se défendre prépare ses armes, voilà tout. »

Ces phrases bizarres et farouches inquiétaient Isabelle, et cependant, d'un autre côté, la présence de Chiquita dans sa chambre la rassurait. La petite sem-

blait lui porter une sorte d'affection qui, pour être
basée sur un motif futile, n'en était pas moins réelle.
« Je ne te couperai jamais le col », avait dit Chiquita;
et, dans ses idées sauvages, c'était une solennelle promesse, un pacte d'alliance auquel elle ne devait pas
manquer. Isabelle était la seule créature humaine qui,
après Agostin, lui eût témoigné de la sympathie. Elle
tenait d'elle le premier bijou dont se fût parée sa
coquetterie enfantine, et, trop jeune encore pour être
jalouse, elle admirait naïvement la beauté de la jeune
comédienne. Ce doux visage exerçait une séduction
sur elle, qui n'avait vu jusqu'alors que des mines
hagardes et féroces exprimant des pensées de rapine,
de révolte et de meurtre.

« Comment se fait-il que tu sois ici? lui dit Isabelle
après un moment de silence. As-tu pour charge de me
garder?

— Non, répondit Chiquita; je suis venue toute seule
où la lumière et le feu m'ont guidée. Cela m'ennuyait
de rester dans un coin pendant que ces hommes
buvaient bouteille sur bouteille. Je suis si petite, si
jeune et si maigre qu'on ne fait pas plus attention à
moi qu'à un chat qui dort sous la table. Au plus fort
du tapage, je me suis esquivée. L'odeur du vin et des
viandes me répugne, habituée que je suis au parfum
des bruyères et à la senteur résineuse des pins.

— Et tu n'as pas eu peur à errer sans chandelle, à
travers ces longs couloirs obscurs, ces grandes
chambres pleines de ténèbres?

— Chiquita ne connaît pas la peur; ses yeux voient
dans l'ombre, ses pieds y marchent sans trébucher. Si
elle rencontre une chouette, la chouette ferme ses prunelles; la chauve-souris ploie ses membranes quand
elle approche. Le fantôme se range pour la laisser
passer ou retourne en arrière. La Nuit est sa camarade
et ne lui cache aucun de ses mystères. Chiquita sait
le nid du hibou, la cachette du voleur, la fosse de
l'assassiné, l'endroit que hante le spectre; mais elle ne
l'a jamais dit au Jour. »

En prononçant ces paroles étranges, les yeux de
Chiquita brillaient d'un éclat surnaturel. On devinait
que son esprit, exalté par la solitude, se croyait une
espèce de pouvoir magique. Les scènes de brigandage
et de meurtre auxquelles son enfance s'était mêlée
avaient dû agir fortement sur son imagination ardente,

inculte et fébrile. Sa conviction agissait sur Isabelle, qui la regardait avec une appréhension superstitieuse.

« J'aime mieux, continua la petite, rester là, près du feu, à côté de toi. Tu es belle, et cela me plaît de te voir; tu ressembles à la bonne Vierge que j'ai vue briller sur l'autel; mais de loin seulement, car on me chassait de l'église avec les chiens, sous prétexte que j'étais mal peignée et que mon jupon jaune serin aurait fait rire les fidèles. Comme ta main est blanche! la mienne posée dessus à l'air d'une patte de singe. Tes cheveux sont fins comme de la soie; ma tignasse se hérisse comme une broussaille. Oh! je suis bien laide, n'est-ce pas?

— Non, chère petite, répondit Isabelle, que cette admiration naïve touchait malgré elle, tu as la beauté aussi; il ne te manque que d'être un peu accommodée pour valoir les plus jolies filles.

— Tu crois : pour être brave, je volerai de beaux habits, et alors Agostin m'aimera. »

Cette idée illumina d'une lueur rose le visage fauve de l'enfant, et, pendant quelques minutes, elle demeura comme perdue dans une rêverie délicieuse et profonde.

« Sais-tu où nous sommes, reprit Isabelle, lorsque Chiquita releva ses paupières frangées de longs cils noirs qu'elle avait tenues un instant abaissées.

— Dans un château appartenant au seigneur qui a tant d'argent, et qui voulait déjà te faire enlever à Poitiers. Je n'avais qu'à tirer le verrou, c'était fait. Mais tu m'avais donné le collier de perles, et je ne voulais pas te causer de la peine.

— Pourtant, cette fois, tu as aidé à m'emporter, dit Isabelle; tu ne m'aimes donc plus, que tu me livres à mes ennemis?

— Agostin avait commandé; il fallait obéir. D'ailleurs un autre aurait fait le conducteur de l'aveugle, et je ne serais pas entrée au château avec toi. Ici, je puis te servir peut-être à quelque chose. Je suis courageuse, agile et forte, quoique petite, et je veux pas qu'on te fasse mal.

— Est-ce bien loin de Paris, ce château où l'on me tient prisonnière, dit la jeune femme en attirant Chiquita entre ses genoux; en as-tu entendu prononcer le nom par quelqu'un de ces hommes?

— Oui, Tordgueule a dit que l'endroit se nommait...

comment donc déjà? fit la petite, en se grattant la tête d'un air d'embarras.

— Tâche de t'en souvenir, mon enfant, dit Isabelle en flattant de la main les joues brunes de Chiquita, qui rougit de plaisir à cette caresse, car jamais personne n'avait eu pareille attention pour elle.

— Je crois que c'est Vallombreuse, répondit Chiquita, syllabe par syllabe comme si elle écoutait un écho intérieur. Oui, Vallombreuse, j'en suis sûre maintenant; le nom même du seigneur que ton ami le capitaine Fracasse a blessé en duel. Il aurait mieux fait de le tuer. Ce duc est très méchant, quoiqu'il jette l'or à poignées comme un semeur le grain. Tu le hais, n'est-ce pas? et tu serais bien contente si tu parvenais à lui échapper?

— Oh! oui; mais c'est impossible, dit la jeune comédienne; un fossé profond entoure le château; le pont-levis est ramené. Toute évasion est impraticable.

— Chiquita se rit des grilles, des serrures, des murailles et des douves; Chiquita peut sortir à son gré de la prison la mieux close et s'envoler dans la lune aux yeux du geôlier ébahi. Si elle veut, avant que le soleil se lève, le Capitaine saura où est cachée celle qu'il cherche.

Isabelle craignait, en entendant ces phrases incohérentes, que la folie n'eût troublé le faible cerveau de Chiquita; mais la physionomie de l'enfant était si parfaitement calme, ses yeux avaient un regard si lucide et le son de sa voix un tel accent de conviction que cette supposition n'était pas admissible; cette étrange créature possédait certainement une partie du pouvoir presque magique qu'elle s'attribuait.

Comme pour convaincre Isabelle qu'elle ne se vantait point, elle lui dit : « Je vais sortir d'ici tout à l'heure; laisse-moi réfléchir un instant pour trouver le moyen; ne parle pas, retiens ta respiration; le moindre bruit me distrait; il faut que j'entende l'Esprit. »

Chiquita pencha la tête, mit la main sur ses yeux afin de s'isoler, resta quelques minutes dans une immobilité morte, puis elle releva le front, ouvrit la fenêtre, monta sur l'appui et plongea dans l'obscurité un regard d'une intensité profonde. Au bas de la muraille clapotait l'eau sombre du fossé poussée par la bise nocturne.

« Va-t-elle, en effet, prendre son vol comme une

chauve-souris », se disait la jeune actrice, qui suivait d'un œil attendri tous les mouvements de Chiquita.

En face de la fenêtre, de l'autre côté de la douve, se dressait un grand arbre plusieurs fois centenaire, dont les maîtresses branches s'étendaient presque horizontalement moitié sur la terre, moitié sur l'eau du fossé; mais il s'en fallait de huit ou dix pieds que l'extrémité du plus long branchage atteignît la muraille. C'était sur cet arbre qu'était basé le projet d'évasion de Chiquita. Elle rentra dans la chambre, elle tira d'une de ses poches une cordelette de crin, très fine, très serrée, mesurant de sept à huit brasses, la déroula méthodiquement sur le parquet; tira de son autre poche une sorte d'hameçon de fer qu'elle accrocha à la corde; puis elle s'approcha de la fenêtre et lança le crochet dans les branches de l'arbre. La première fois l'ongle de fer ne mordit pas et retomba avec la corde en sonnant sur les pierres du mur. A la seconde tentative, la griffe de l'hameçon piqua l'écorce et Chiquita tira la corde à elle, en priant Isabelle de s'y suspendre de tout son poids. La branche accrochée céda autant que la flexibilité du tronc le permettait et se rapprocha de la croisée de cinq ou six pieds. Alors Chiquita fixa la cordelette après la serrurerie du balcon par un nœud qui ne pouvait glisser et, soulevant son corps frêle avec une agilité singulière, elle se pendit des mains au cordage, et par des déplacements de poignets eut bientôt gagné la branche qu'elle enfourcha dès qu'elle la sentit solide.

« Défais maintenant le nœud de la corde que je la retire à moi, dit-elle à la prisonnière d'une voix basse mais distincte, à moins que tu n'aies envie de me suivre, mais la peur te serrerait le col, et le vertige te tirerait par les pieds pour te faire tomber dans l'eau. Adieu! je vais à Paris et je serai bientôt de retour. On marche vite au clair de lune. »

Isabelle obéit, et l'arbre, n'étant plus maintenu, reprit sa position ordinaire, reportant Chiquita à l'autre bord du fossé. En moins d'une minute, s'aidant des genoux et des mains, elle se retrouva au bas du tronc, sur la terre ferme, et bientôt la captive la vit s'éloigner d'un pas rapide et se perdre dans les ombres bleuâtres de la nuit.

Tout ce qui venait de se passer semblait un rêve à Isabelle. En proie à une sorte de stupeur, elle n'avait pas encore refermé la fenêtre, et elle regardait l'arbre immobile qui dessinait en face d'elle les linéaments noirs de son squelette sur le gris laiteux d'un nuage pénétré d'une lumière diffuse par le disque de l'astre qu'il cachait à demi. Elle frémissait en voyant combien était frêle à son extrémité la branche à laquelle n'avait pas craint de se confier la courageuse et légère Chiquita. Elle s'attendrissait à l'idée de l'attachement que lui montrait ce pauvre être misérable et sauvage dont les yeux étaient si beaux, si lumineux et si passionnés, yeux de femme dans un visage d'enfant, et qui montrait tant de reconnaissance pour un chétif cadeau. Comme la fraîcheur la saisissait et faisait s'entre-choquer avec une crépitation fébrile ses petites dents de perles, elle referma la croisée, rabattit les rideaux et s'arrangea dans un fauteuil, au coin du feu, les pieds sur les boules de cuivre des chenets.

Elle était à peine assise que le majordome entra suivi des deux mêmes valets qui portaient une petite table couverte d'une riche nappe à frange ouvragée, où était servi un souper non moins fin et délicat que le dîner. Quelques minutes plus tôt, l'entrée de ces laquais eût déjoué l'évasion de Chiquita. Isabelle, tout agitée encore de cette scène émouvante, ne toucha point aux mets placés devant elle, et fit signe qu'on les remportât. Mais le majordome fit placer près du lit un en-cas de blancs-mangers et de massepains; il fit aussi déployer sur un fauteuil une robe, des coiffes et un manteau de nuit tout garni de dentelles et de la bonne faiseuse. D'énormes bûches furent jetées sur les braises croulantes et l'on renouvela les bougies. Cela fait, le majordome dit à Isabelle que si elle avait besoin d'une femme de chambre qui l'accommodât, on allait lui en envoyer une.

La jeune comédienne ayant fait un geste de dénégation, le majordome s'en alla, sur un salut le plus respectueux du monde.

Lorsque le majordome et les laquais furent retirés, Isabelle, ayant jeté le manteau de nuit sur ses épaules, se coucha tout habillée sans se mettre entre les draps, pour être promptement debout en cas d'alerte. Elle sortit de son corsage le couteau de Chiquita, l'ouvrit, en tourna la virole et le plaça près d'elle à portée de sa main. Ces précautions prises, elle abaissa ses longues paupières avec la volonté de dormir, mais le sommeil se faisait prier. Les événements de la journée avaient agité les nerfs d'Isabelle, et les appréhensions de la nuit n'étaient guère faites pour les calmer. D'ailleurs, ces châteaux anciens qu'on n'habite plus ont, pendant les heures sombres, des physionomies singulières; il semble qu'on y dérange quelqu'un, et qu'un hôte invisible se retire à votre approche par quelque couloir secret caché dans les murs. Toutes sortes de petits bruits inexplicables s'y produisent inopinément. Un meuble craque, l'horloge de la mort frappe ses coups secs contre la boiserie, un rat passe derrière la tenture, une bûche piquée des vers éclate dans le feu comme un marron d'artifice et vous réveille avec transes au moment même où vous alliez vous assoupir. C'est ce qui arrivait à la jeune prisonnière; elle se dressait, ouvrait des yeux effarés, promenait ses regards autour de la chambre, et, n'y voyant rien que d'ordinaire, elle reposait sa tête sur l'oreiller. Le somme finit cependant par l'envahir, de manière à la séparer du monde réel dont les rumeurs ne lui parvenaient plus. Vallombreuse, s'il eût été là, aurait eu beau jeu pour ses entreprises téméraires et galantes; car la fatigue avait vaincu la pudeur. Heureusement pour Isabelle, le jeune duc n'était point encore arrivé au château. Ne se souciait-il déjà plus de sa proie la tenant désormais dans son aire, et la possibilité de satisfaire son caprice l'avait-il éteint? Nullement; la volonté était plus tenace chez ce beau et méchant duc, surtout la volonté de mal faire; car il éprouvait, en dehors de la volupté, un certain plaisir pervers à se jouer de toute loi divine et humaine; mais, pour détourner les soupçons, le jour même de l'enlèvement, il s'était montré à Saint-Germain, avait fait sa cour au roi, suivi la chasse, et, sans affectation, parlé à plusieurs personnes. Le soir, il avait joué et perdu ostensiblement des sommes qui eussent été importantes pour quelqu'un de moins riche. Il avait paru de charmante humeur, surtout depuis qu'un affidé venu à franc étrier s'était incliné en lui remettant un pli. Ce besoin d'établir, en cas de recherches, un incontestable alibi, avait sauvegardé cette nuit-là la pudicité d'Isabelle.

Après un sommeil traversé de rêves bizarres où tantôt elle voyait Chiquita courir en agitant ses bras comme des ailes devant le capitaine Fracasse à cheval, tantôt le duc de Vallombreuse avec des yeux flam-

boyants pleins de haine et d'amour, Isabelle s'éveilla
et fut surprise du temps qu'elle avait dormi. Les bougies avaient brûlé jusqu'aux bobèches, les bûches
s'étaient consumées, et un gai rayon de soleil pénétrant
par l'interstice des rideaux s'émancipait jusqu'à jouer
sur son lit encore qu'il n'eût pas été présenté. Ce fut
pour la jeune femme un grand soulagement que le
retour de la lumière. Sa position, sans doute, n'en
valait guère mieux; mais le danger n'était plus grossi
de ces terreurs fantastiques que la nuit et l'inconnu
apportent aux esprits les plus fermes. Pourtant sa joie
ne fut pas de longue durée, car un grincement de
chaînes se fit entendre; le pont-levis s'abaissa : le roulement d'un carrosse mené d'un grand train retentit
sur le plateau du tablier, gronda sous la voûte comme
un tonnerre sourd et s'éteignit dans la cour intérieure.

Qui pouvait entrer de cette façon altière et magistrale si ce n'est le seigneur du lieu, le duc de Vallombreuse lui-même? Isabelle sentit à ce mouvement qui
avertit la colombe de la présence du vautour, bien
qu'elle ne le voie pas encore, que c'était bien l'ennemi
et non un autre. Ses belles joues en devinrent pâles
comme cire vierge, et son pauvre petit cœur se mit
à battre la chamade dans la forteresse de son corsage
quoiqu'il n'eût aucune envie de se rendre. Mais bientôt faisant effort sur elle-même, cette courageuse fille
rappela ses esprits et se prépara pour la défense.
« Pourvu, se disait-elle, que Chiquita arrive à temps et
m'amène du secours! » et ses yeux involontairement se
tournaient vers le médaillon placé au-dessus de la cheminée : « O toi, qui as l'air si noble et si bon, pro-
tège-moi contre l'insolence et la perversité de ta race.
Ne permets pas que ces lieux où rayonne ton image
soient témoins de mon déshonneur! »

Au bout d'une heure, que le jeune duc employa à
réparer le désordre qu'apporte toujours dans une toilette un voyage rapide, le majordome entra cérémo-
nieusement chez Isabelle et lui demanda si elle pouvait recevoir monsieur le duc de Vallombreuse.

« Je suis prisonnière, répondit la jeune femme avec
beaucoup de dignité; ma réponse n'est pas plus libre
que ma personne, et cette demande, qui serait polie en
situation ordinaire, n'est que dérisoire en l'état où je
suis. Je n'ai aucun moyen d'empêcher monsieur le duc
d'entrer dans cette chambre d'où je ne puis sortir. Sa

visite, je ne l'accepte point; je la subis. C'est un cas
de force majeure. Qu'il vienne s'il lui plaît de venir, à
cette heure ou à une autre : ce m'est tout un. Allez
lui redire mes paroles. »

Le majordome s'inclina, se retira à reculons vers la
porte, car les plus grands égards lui avaient été recom-
mandés à l'endroit d'Isabelle, et disparut pour aller
dire à son maître que « mademoiselle » consentait à le
recevoir.

Au bout de quelques instants le majordome reparut,
annonçant le duc de Vallombreuse.

Isabelle s'était levée à demi de son fauteuil, où
l'émotion la fit retomber couverte d'une mortelle pâleur.
Vallombreuse s'avança vers elle, chapeau bas, dans l'attitude du plus profond respect. Comme il la vit tressaillir à son approche, il s'arrêta au milieu de la
chambre, salua la jeune comédienne, et lui dit de cette
voix qu'il savait rendre si douce pour séduire :

« Si ma présence est trop odieuse maintenant à la
charmante Isabelle, et qu'elle ait besoin de quelque
temps pour s'habituer à l'idée de me voir, je me reti-
rerai. Elle est ma prisonnière, mais je n'en suis pas
moins son esclave.

— Cette courtoisie vient tard, répondit Isabelle,
après la violence que vous avez exercée contre moi.

— Voilà ce que c'est, reprit le duc, que de pousser
les gens à bout par une vertu trop farouche. N'ayant
plus d'espoir, ils se portent aux dernières extrémités,
sachant qu'ils ne peuvent empirer leur situation. Si
vous aviez bien voulu souffrir que je vous fisse ma
cour, et montrer quelque complaisance à ma flamme,
je serais resté parmi les rangs de vos adorateurs,
essayant, à force de galanteries délicates, de magnificences amoureuses, de dévouements chevaleresques, de
passion ardente et contenue, d'attendrir lentement ce
cœur rebelle. Je vous aurais inspiré sinon de l'amour,
du moins cette pitié tendre qui parfois le précède et
l'amène. A la longue, peut-être, votre froideur se serait
trouvée injuste, car rien ne m'eût coûté pour la mettre
dans son tort.

— Si vous aviez employé ces moyens si honnêtes, dit
Isabelle, j'aurais plaint un amour que je n'aurais pu
partager, puisque mon cœur ne se donnera jamais, et,
du moins, je n'eusse pas été contrainte de vous haïr,

sentiment qui n'est point fait pour mon âme, et qu'il
lui est douloureux d'éprouver.

— Vous me détestez donc bien? fit le duc de Vallombreuse avec un tremblement de dépit dans la voix.
Je ne le mérite pas, cependant. Mes torts envers vous,
si j'en ai, viennent de ma passion même; et quelle
femme, pour chaste et vertueuse qu'elle soit, en veut
sérieusement à un galant homme de l'effet que ses
charmes ont produit sur lui malgré elle?

— Certes, ce n'est point un motif d'aversion lorsque
l'amant se tient dans les limites du respect et soupire
avec une timidité discrète. La plus prude le peut supporter; mais quand son impatience insolente se livre
tout d'abord aux derniers excès et procède par le guet-
apens, le rapt et la séquestration, comme vous n'avez
pas craint de le faire, il n'est pas d'autre sentiment
possible qu'une invincible répugnance. Toute âme un
peu haute et fière se révolte quand on la prétend forcer. L'amour, qui est chose divine, ne se commande
ni ne s'extorque. Il souffle où il veut.

— Ainsi, une répugnance invincible, voilà tout ce
que je puis attendre de vous, répondit Vallombreuse
dont les joues étaient devenues pâles et qui s'était
mordu plus d'une fois les lèvres pendant qu'Isabelle
lui parlait avec cette fermeté douce qui était le ton
naturel de cette jeune personne aussi sage qu'aimable.

— Vous auriez un moyen de reconquérir mon estime
et de gagner mon amitié. Rendez-moi noblement la
liberté que vous m'avez prise. Faites-moi reconduire
par un carrosse à mes compagnons inquiets qui ne
savent ce que je suis devenue et me cherchent éperdument, avec transes mortelles. Laissez-moi reprendre
mon humble vie de comédienne avant que cette aventure, dont mon honneur pourrait souffrir, ne s'ébruite
parmi le public étonné de mon absence.

— Quel malheur, s'écria le duc, que vous me deman-
diez la seule chose que je ne saurais vous accorder
sans me trahir moi-même. Que ne désirez-vous un
empire, un trône, je vous le donnerais; une étoile,
j'irais vous la chercher en escaladant le ciel. Mais vous
voulez que je vous ouvre la porte de cette cage où vous
ne rentreriez jamais une fois sortie. C'est impossible!
Je sais que vous m'aimez si peu que je n'ai d'autre
ressource pour vous voir que de vous enfermer. Quoi

qu'il en coûte à mon orgueil, je l'emploie; car je ne peux pas plus me passer de votre présence qu'une plante de la lumière. Ma pensée se tourne vers vous comme vers son soleil, et il fait nuit pour moi où vous n'êtes point. Si ce que j'ai hasardé est un crime, il faut au moins que j'en profite, car vous ne me le pardonneriez pas, quoique vous le disiez. Ici, du moins, je vous tiens, je vous entoure, j'enveloppe votre haine de mon amour, je souffle sur les glaçons de votre froideur la chaude haleine de ma passion. Vos prunelles sont forcées de refléter mon image, vos oreilles d'entendre le son de ma voix. Quelque chose de moi s'insinue malgré vous dans votre âme; j'agis sur vous, ne fût-ce que par l'effroi que je vous cause, et le bruit de mon pas dans l'antichambre vous fait tressaillir. Et puis, cette captivité vous sépare de celui que vous regrettez et que j'abhorre pour avoir détourné ce cœur qui eût été mien. Ma jalousie satisfaite se résout à ce mince bonheur et ne veut point le jouer en vous rendant cette liberté dont vous feriez usage contre moi.

— Et jusques à quand, dit la jeune femme, avez-vous la prétention de me tenir en chartre privée, non pas comme seigneur chrétien, mais comme corsaire barbaresque?

— Jusqu'à ce que vous m'aimiez ou que vous me le disiez, ce qui revient au même », répondit le jeune duc avec un sérieux parfait et de l'air le plus convaincu du monde. Puis il fit à Isabelle le salut le plus gracieux et opéra une sortie pleine d'aisance, comme un véritable homme de cour qu'aucune situation n'embarrasse.

Une demi-heure après, un laquais apportait un bouquet, assemblage des fleurs les plus rares, mêlant leurs couleurs et leurs parfums; d'ailleurs, toutes étaient rares à cette époque de l'année, et il avait fallu tout le talent des jardiniers et l'été factice des serres pour déterminer ces charmantes filles de Flore à s'épanouir si précocement. La queue du bouquet était serrée d'un bracelet magnifique et digne d'une reine. Parmi les fleurs un papier blanc plié en deux attirait l'œil. Isabelle le prit, car, dans sa situation, ces menus détails de galanterie n'avaient plus la signifiance qu'ils auraient eue si elle eût été libre.

Ce papier était un billet de Vallombreuse conçu en ces termes et tracé d'une écriture hardie congruant au caractère du personnage. La prisonnière y reconnut la main qui avait écrit « pour Isabelle » sur la cassette à bijoux dans sa chambre à Poitiers :

« *Chère Isabelle,*

   « *Je vous envoie ces fleurs quoique je sois certain qu'elles seront mal accueillies. Venant de moi, leur fraîcheur et nouveauté ne trouveront pas grâce devant vos rigueurs non pareilles. Mais, quel que soit leur sort, et ne vous occupiez-vous d'elles que pour les jeter par la fenêtre en signe de grand dédain, elles obligeront, par la colère même, votre pensée à s'arrêter un instant, ne fût-ce que pour le maudire, sur celui qui se déclare, en dépit de tout, votre opiniâtre adorateur.*

                        « VALLOMBREUSE. »

   Ce billet, d'une galanterie précieuse mais qui révélait chez celui qui l'avait écrit une ténacité formidable, et que rien ne saurait rebuter, produisit en partie l'effet que le duc s'en était promis. Isabelle le tenait à la main d'un air morne, et la figure de Vallombreuse se présentait à son esprit sous une apparence diabolique. Les parfums des fleurs, la plupart étrangères, posées près d'elle, sur le guéridon, où le laquais les avait mises, se développaient à la chaleur de la chambre, et leurs arômes exotiques s'épandaient puissants et vertigineux. Isabelle les prit et les jeta dans l'antichambre, sans retirer le bracelet de diamants qui entourait les queues, craignant qu'elles ne fussent imprégnées de quelque philtre subtil, narcotique ou aphrodisiaque, propre à troubler la raison. Jamais plus belles fleurs ne furent plus maltraitées, et cependant Isabelle les aimait fort; mais elle eût craint, si elle les eût conservées, que la fatuité du duc n'en prît avantage; et d'ailleurs ces plantes aux formes bizarres, aux couleurs étranges, aux parfums inconnus n'avaient pas le charme modeste des fleurs ordinaires; leur beauté orgueilleuse rappelait celle de Vallombreuse et lui ressemblait trop.

   Elle avait à peine déposé le bouquet proscrit sur une crédence de la pièce voisine, et s'était remise sur son fauteuil, qu'une fille de chambre se présenta pour l'accommoder. Cette fille, assez jolie, très pâle, l'air triste

et doux, avait dans son empressement quelque chose
d'inerte, et semblait brisée par une terreur secrète ou
un ascendant terrible. Elle offrit ses services à Isabelle,
sans presque la regarder, et d'une voix atone comme
si elle eût craint d'être entendue par l'oreille des murailles. Sur un signe affirmatif de la jeune femme, elle
lui peigna ses cheveux blonds tout en désordre, à la
suite des scènes violentes de la veille et des inquiétudes
nerveuses de la nuit, en noua les boucles soyeuses avec
des nœuds de velours et s'acquitta de sa besogne en
coiffeuse qui sait son métier. Elle tira ensuite d'une
armoire pratiquée dans le mur plusieurs robes d'une
richesse et d'une élégance rares, qui semblaient coupées à la taille d'Isabelle, mais dont la jeune actrice
ne voulut point, encore que la sienne fût défraîchie et
fripée, car elle eût paru porter ainsi la livrée du duc,
et son intention bien formelle était de ne rien accepter
qui vînt de lui, dût sa captivité se prolonger plus
qu'elle ne pensait.

La fille de chambre n'insista point et respecta ce
caprice, de même qu'on laisse faire aux personnes
condamnées ce qu'elles veulent dans l'enceinte de leur
prison. On eût dit aussi qu'elle évitait de se lier avec
sa maîtresse temporaire, de peur d'y prendre un intérêt inutile. Elle se réduisait autant que possible à l'état
d'automate. Isabelle, qui pensait en tirer quelque
lumière, comprit qu'il était superflu de l'interroger, et
s'abandonna à ses soins muets non sans une espèce
de terreur.

Quand la fille de chambre se fut retirée, on apporta
le dîner, et, malgré la tristesse de sa situation, Isabelle
y fit honneur; la nature réclame impérieusement ses
droits même chez les personnes les plus délicates. Cette
réfection lui donna les forces dont elle avait grand
besoin, les siennes étant épuisées par ces émotions et
assauts divers. L'esprit un peu plus tranquille, la prisonnière se mit à songer au courage de Sigognac, qui
s'était si vaillamment conduit, et l'eût arrachée aux
ravisseurs, quoique seul, s'il n'eût perdu quelques minutes à se désencapuchonner du manteau jeté par le
traître aveugle. Il devait être prévenu maintenant, et
nul doute qu'il n'accourût à la défense de celle qu'il
aimait plus que sa vie. A l'idée des dangers auxquels
il allait s'exposer en cette entreprise périlleuse, car le
duc n'était pas homme à lâcher sa proie sans résis-

tance, le sein d'Isabelle se gonfla d'un soupir et une
larme monta de son cœur à ses yeux; elle s'en voulait
d'être la cause de ces conflits, et maudissait presque
sa beauté, origine de tout le mal. Cependant elle était
modeste, et par coquetterie n'avait point cherché à
exciter les passions autour d'elle, comme font beaucoup de comédiennes et même de grandes dames ou
bourgeoises.

Elle en était là de sa rêverie, lorsqu'un petit coup sec
vint à sonner contre la fenêtre dont un carreau s'étoila,
comme s'il eût été frappé d'un grêlon. Isabelle s'approcha de la croisée, et vit dans l'arbre en face Chiquita, qui lui faisait mystérieusement signe d'ouvrir la
fenêtre, et balançait la cordelette munie, à son extrémité, d'une griffe de fer. La comédienne prisonnière
comprit l'intention de l'enfant, obéit à son geste, et le
crampon, lancé d'une main sûre, vint mordre l'appui
du balcon. Chiquita noua l'autre bout de la corde à la
branche, et s'y suspendit comme la veille : mais elle
n'était pas à moitié chemin que le nœud se défit, à la
grande frayeur d'Isabelle, et se détacha de l'arbre. Au
lieu de tomber dans l'eau verte du fossé, comme on
pouvait le craindre, Chiquita, dont cet accident, si c'en
était un, n'avait pas troublé la présence d'esprit, vint
donner avec la corde retenue au balcon par le crampon de fer contre la muraille du château, au-dessus de
la fenêtre, qu'elle eut bientôt gagnée en s'aidant des
mains et des pieds qu'elle appuyait contre la paroi.
Puis elle enjamba le balcon et sauta légèrement dans
la chambre; et, voyant Isabelle toute pâle, et presque
évanouie, elle lui dit avec un sourire :

— Tu as eu peur et tu as cru que Chiquita allait
rejoindre les grenouilles du fossé. Je n'avais fait à la
branche qu'un nœud coulant pour pouvoir ramener la
corde à moi. Au bout de cette ligne noire je devais
avoir l'air, maigre et brune comme je suis, d'une araignée qui remonte après son fil.

— Chère petite, dit Isabelle en baisant Chiquita au
front, tu es une brave et courageuse enfant.

— J'ai vu tes amis, ils t'avaient bien cherchée; mais,
sans Chiquita, ils n'auraient jamais découvert ta
retraite. Le Capitaine allait et venait comme un lion;
sa tête fumait, ses yeux lançaient des éclairs. Il m'a
posée sur l'arçon de sa selle, et il est caché dans un
petit bois non loin du château avec ses camarades. Il

ne faut pas qu'on les voie. Ce soir, dès que l'ombre sera
tombée, ils tenteront ta délivrance; il y aura des coups
d'épée et de pistolet. Ce sera superbe. Rien n'est beau
comme des hommes qui se battent; mais ne va pas t'effrayer et pousser des cris. Les cris des femmes
dérangent les ouvrages. Si tu veux, je me tiendrai près
de toi pour te rassurer.

— Sois tranquille, Chiquita, je ne gênerai pas par
de sottes frayeurs les braves amis qui exposeront leur
vie pour me sauver.

— C'est bien, reprit la petite, défends-toi jusqu'à ce
soir avec le couteau que je t'ai donné. Le coup doit se
porter de bas en haut, ne l'oublie pas. Pour moi,
comme il ne faut pas qu'on nous voie ensemble, je vais
chercher quelque coin où je puisse dormir. Surtout, ne
regarde point par la fenêtre, cela inspirerait des soupçons et montrerait peut-être que tu attends du secours
de ce côté. Alors on ferait une battue autour du château et l'on découvrirait tes amis. Le coup serait manqué et tu resterais au pouvoir de ce Vallombreuse que
tu détestes.

— Je n'approcherai pas de la croisée, répondit Isabelle, je te le promets, quelque curiosité qui me
pousse. »

Rassurée sur ce point important, Chiquita disparut et
alla rejoindre dans la salle basse les spadassins, qui,
noyés de boisson, appesantis par un sommeil bestial,
ne s'étaient même pas aperçus de son absence. Elle
s'adossa contre le mur, joignit les mains sur sa poitrine, ce qui était sa position favorite, ferma les yeux
et ne tarda pas à s'endormir; car ses petits pieds de
biche avaient fait plus de huit lieues la nuit précé-
dente, entre Vallombreuse et Paris. Le retour à cheval, allure qui ne lui était pas habituelle, l'avait peut-
être fatiguée davantage. Quoique son frêle corps eût
la vigueur de l'acier, elle était rompue, et son sommeil était si profond qu'elle semblait morte.

« Comme cela dort, ces enfants! dit Malartic, qui
s'était enfin éveillé; malgré notre bacchanal, elle n'a
fait qu'un somme! Holà! vous autres, aimables brutes,
tâchez de vous dresser sur vos pattes de derrière, et
allez dans la cour vous répandre un seau d'eau froide
sur la tête. La Circé de l'ivresse a fait de vous des
pourceaux, redevenez hommes par ce baptême, et
ensuite nous irons faire une ronde pour voir s'il ne se

trame rien en faveur de la beauté dont le seigneur Vallombreuse nous a confié la garde et la défense. »

Les bretteurs se soulevèrent pesamment et sortirent non sans dessiner quelques crochets de la table à la porte, pour obtempérer aux prescriptions si sages de leur chef. Quand ils furent à peu près rentrés en leur sang-froid, Malartic prit avec lui Tordgueule, Piedgris et La Râpée, se dirigea vers la poterne, ouvrit le cadenas qui fermait la chaîne de la barque amarrée à la porte d'eau de la cuisine, et le batelet, poussé par une perche et déchirant le manteau glauque des lentilles aquatiques, aborda bientôt à un étroit escalier pratiqué dans le revêtement de la douve.

« Toi, dit Malartic à La Rapée, quand ses hommes eurent monté sur le revers du talus, tu vas rester là et garder la barque, en cas où l'ennemi voudrait s'en emparer pour pénétrer dans la place. Aussi bien, tu ne parais pas fort solide sur ton socle. Nous autres, nous allons faire la patrouille et battre un peu les buissons, afin d'en faire envoler les oiseaux. »

Malartic, suivi de ses deux acolytes, se promena autour du château pendant plus d'une heure, sans rien rencontrer de suspect; et quand il revint à son point de départ, il trouva La Râpée qui dormait debout adossé à un arbre.

« Si nous étions une troupe régulière, lui dit-il en l'éveillant d'un coup de poing, je te ferais passer par les armes pour avoir tapé de l'œil en faction, chose contraire à toute bonne discipline martiale; mais puisque je ne puis te faire arquebuser, je te pardonne et te condamne seulement à boire une pinte d'eau.

— J'aimerai mieux, répondit l'ivrogne, deux balles dans la tête qu'une pinte d'eau sur l'estomac.

— Cette réponse est belle, fit Malartic, et digne d'un héros de Plutarque. Ta faute t'est remise sans punition, mais ne pèche plus. »

La patrouille rentra, et la barque fut soigneusement rattachée et cadenassée avec des précautions dont on use dans une place forte. Satisfait de son inspection, Malartic se dit à lui-même : « Si la charmante Isabelle sort d'ici, ou si le valeureux capitaine Fracasse y entre, car il faut prévoir les deux cas, que mon nez devienne blanc ou que ma face rougisse. »

Restée seule, Isabelle ouvrit un volume de *L'Astrée,*

par le sieur Honoré d'Urfé, qui traînait oublié sur une console. Elle essaya d'attacher sa pensée à cette lecture. Mais ses yeux seuls suivaient machinalement les lignes. L'esprit s'envolait loin des pages, et ne s'associait pas un instant à ces bergerades déjà surannées. D'ennui, elle jeta le volume et se croisa les bras dans l'attente des événements. A force de faire des conjectures, elle s'en était lassée, et sans chercher à deviner comment Sigognac la délivrerait, elle comptait sur l'absolu dévouement de ce galant homme.

Le soir était venu. Les laquais allumèrent les bougies, et bientôt le majordome parut annonçant la visite du duc de Vallombreuse. Il entra sur les pas du valet et salua sa captive avec la plus parfaite courtoisie. Il était vraiment d'une beauté et d'une élégance suprêmes. Son visage charmant devait inspirer l'amour à tout cœur non prévenu. Une veste de satin gris de perle, un haut-de-chausses de velours incarnadin, des bottes à entonnoir en cuir blanc remplies de dentelles, une écharpe de brocart d'argent soutenant une épée à pommeau de pierreries faisaient merveilleusement ressortir les avantages de sa personne, et il fallait toute la vertu et constance d'Isabelle pour ne point en être touché.

« Je viens voir, adorable Isabelle, dit-il en s'asseyant dans un fauteuil près de la jeune femme, si je serai mieux reçu que mon bouquet; je n'ai pas la fatuité de le croire, mais je veux vous habituer à moi. Demain, nouveau bouquet et nouvelle visite.

— Bouquets et visites seront inutiles, répondit Isabelle, il en coûte à ma politesse de le dire, mais ma sincérité ne doit vous laisser aucun espoir.

— Eh bien, fit le duc avec un geste d'insouciance hautaine, je me passerai de l'espoir et me contenterai de la réalité. Vous ne savez donc pas, pauvre enfant, ce que c'est que Vallombreuse, vous qui essayez de lui résister. Jamais désir inassouvi n'est rentré dans son âme; il marche à ce qu'il veut sans que rien le puisse fléchir ou détourner : ni larmes, ni supplications, ni cris, ni cadavres jetés en travers, ni ruines fumantes; l'écroulement de l'univers ne l'étonnerait pas, et sur les débris du monde il accomplirait son caprice. N'augmentez pas sa passion par l'attrait de l'impossible, imprudente qui faites flairer l'agneau au tigre et le retirez. »

Isabelle fut effrayée du changement de physionomie opéré sur le visage de Vallombreuse pendant qu'il prononçait ces paroles. L'expression gracieuse en avait disparu. On n'y lisait plus qu'une méchanceté froide et une résolution implacable. Par un mouvement instinctif, Isabelle recula son fauteuil et porta la main à son corsage pour y sentir le couteau de Chiquita. Vallombreuse rapprocha son siège sans affectation. Maîtrisant sa colère, il avait déjà fait reprendre à sa figure cet air charmant, enjoué et tendre qui jusque-là avait été irrésistible.

« Faites un effort sur vous-même; ne vous retournez pas vers une vie qui doit être désormais comme un songe oublié. Abandonnez ces obstinations de fidélité chimérique à un languissant amour indigne de vous, et songez qu'aux yeux du monde vous m'appartenez dès à présent. Songez surtout que je vous adore avec un emportement, une frénésie, un délire qu'aucune femme ne m'a jamais inspirés. N'essayez pas d'échapper à cette flamme qui vous enveloppe, à cette volonté inéluctable que rien ne peut faire dévier. Comme un métal froid jeté dans un creuset où bout déjà du métal en fusion, votre indifférence jetée dans ma passion y fondra en s'amalgamant avec elle. Quoi que vous fassiez, vous m'aimerez de gré ou de force, parce que je le veux, parce que vous êtes jeune et belle, et que je suis jeune et beau. Vous avez beau vous roidir et vous débattre, vous n'ouvrirez pas les bras fermés sur vous. Donc toute résistance aurait mauvaise grâce, puisqu'elle serait inutile. Résignez-vous en souriant; est-ce donc un si grand malheur, après tout, que d'être éperdument aimée du duc de Vallombreuse! Ce malheur ferait la félicité de plus d'une. »

Pendant qu'il parlait avec cet entraînement chaleureux qui enivre la raison des femmes et fait céder leurs pudeurs, mais qui n'avait cette fois aucune action, Isabelle, attentive à la moindre rumeur du dehors d'où lui devait venir la délivrance, croyait entendre un petit bruit presque imperceptible arrivant de l'autre bord du fossé. Il était sourd et rythmique comme le froissement d'un travail régulier dirigé avec précaution contre quelque obstacle. Craignant que Vallombreuse ne le remarquât, la jeune femme répondit de manière à blesser la fatuité orgueilleuse du jeune duc. Elle l'aimait mieux irrité qu'amoureux, et préférait ses éclats à ses tendresses. Elle espérait d'ailleurs, en le querellant, l'empêcher d'entendre.

« Cette félicité serait une honte à laquelle j'échapperais par la mort si je n'avais pas d'autre moyen. Vous n'aurez jamais de moi que mon cadavre. Vous m'étiez indifférent; je vous hais pour votre conduite outrageuse, infâme et violente. Oui, j'aime Sigognac, que vous avez essayé à plusieurs reprises de faire assassiner. »

Le petit bruit continuait toujours, et Isabelle, ne ménageant plus rien, haussait la voix pour le couvrir.

A ces mots audacieux, Vallombreuse pâlit de rage, ses yeux lancèrent des regards vipérins; une légère écume moussa aux coins de ses lèvres; il porta convulsivement la main à la garde de son épée. L'idée de tuer Isabelle lui avait traversé le cerveau comme un éclair; mais, par un prodigieux effort de volonté, il se contint et se mit à rire d'un rire strident et nerveux en s'avançant vers la jeune comédienne.

« De par tous les diables, s'écria-t-il, tu me plais ainsi; quand tu m'injuries, tes yeux prennent un lumineux particulier, ton teint un éclat surnaturel; tu redoubles de beauté. Tu as bien fait de parler franc. Ces contraintes m'ennuyaient. Ah! tu aimes Sigognac! tant mieux! il ne m'en sera que plus doux de te posséder. Quel plaisir de baiser ces lèvres qui vous disent : « Je t'abhorre! » Cela a plus de ragoût que cet éternel et fade : « Je t'aime », dont les femmes vous écœurent. »

Effrayée de la résolution de Vallombreuse, Isabelle s'était levée et avait retiré de son corset le couteau de Chiquita.

« Bon! fit le duc en voyant la jeune femme armée, déjà le poignard au vent! Si vous n'aviez oublié l'histoire romaine, vous sauriez, ma toute belle, que madame Lucrèce ne se servit de sa dague qu'après l'attentat de Sextus, fils de Tarquin le Superbe. Cet exemple de l'Antiquité est bon à suivre. »

Et, sans plus se soucier du couteau que d'un aiguillon d'abeille, il s'avança vers Isabelle, qu'il saisit entre ses bras avant qu'elle eût le temps de lever sa lame.

Au même instant, un craquement se fit entendre, suivi bientôt d'un fracas horrible; la fenêtre, comme si elle eût reçu par dehors le coup de genou d'un géant, tomba avec un tintamarre de carreaux pulvérisés dans la chambre, où pénétrèrent des masses de branches formant une sorte de catapulte chevelu et de pont volant.

C'était la cime de l'arbre qui avait favorisé la sortie et la rentrée de Chiquita. Le tronc, scié par Sigognac et ses camarades, cédait aux lois de la pesanteur. Sa chute avait été dirigée de manière à jeter un trait d'union au-dessus de l'eau de la berge à la fenêtre d'Isabelle.

Vallombreuse, surpris de l'irruption soudaine de cet arbre se mêlant à une scène d'amour, lâcha la jeune actrice et mit l'épée à la main, prêt à recevoir le premier qui se présenterait à l'assaut.

Chiquita, qui était entrée sur la pointe du pied, légère comme une ombre, tira Isabelle par la manche, et lui dit : « Abrite-toi derrière ce meuble, la danse va commencer. »

La petite disait vrai, deux ou trois coups de feu retentirent dans le silence de la nuit. La garnison avait éventé l'attaque.

# XVII

## LA BAGUE D'AMÉTHYSTE

Montant les degrés quatre à quatre, Malartic, Bringuenarilles, Piedgris et Tordgueule accoururent dans la chambre d'Isabelle pour soutenir l'assaut et porter aide à Vallombreuse, tandis que La Râpée, Mérindol et les bretteurs ordinaires du duc, qu'il avait amenés avec lui, traversaient le fossé dans la barque afin d'opérer une sortie et de prendre l'ennemi en queue. Stratégie savante et digne d'un bon général d'armée!

La cime de l'arbre obstruait la fenêtre, d'ailleurs assez étroite, et ses branches s'étendaient presque jusqu'au milieu de la chambre; on ne pouvait donc présenter aux assaillants un assez large front de bataille. Malartic se rangea avec Piedgris d'un côté contre la muraille, et fit mettre de l'autre côté Tordgueule et Bringuenarilles pour qu'ils n'eussent pas à supporter la première furie de l'attaque et fussent plus à leur avantage. Avant d'entrer dans la place, il fallait fran-

chir cette haie de gaillards farouches qui attendaient
l'épée d'une main et le pistolet de l'autre. Tous avaient
repris leurs masques, car nul de ces honnêtes gens ne
se souciait d'être reconnu au cas où l'affaire tournerait mal, et c'était un spectacle assez effrayant que
ces quatre hommes au visage noir, immobiles et silencieux comme des spectres.

« Retirez-vous ou masquez-vous, dit Malartic d'une
voix basse à Vallombreuse, il est inutile qu'on vous
voie en cette rencontre.

— Que m'importe, répondit le jeune duc, je ne
crains personne au monde, et ceux qui m'auront vu
n'iront pas le dire, ajouta-t-il en agitant son épée d'une
façon menaçante.

— Emmenez au moins dans une autre pièce, Isabelle, l'Hélène de cette autre guerre de Troie, qu'une
pistolade égarée pourrait gâter d'aventure, ce qui serait
dommage. »

Le duc, trouvant le conseil judicieux, s'avança vers
Isabelle, qui se tenait abritée avec Chiquita derrière
un bahut de chêne, et la prit dans ses bras quoiqu'elle s'accrochât de ses doigts crispés aux saillies
des sculptures et fit aux efforts de Vallombreuse la
résistance la plus vive; cette vertueuse fille, surmontant
les timidités de son sexe, préférait rester sur le champ
de bataille, exposée à des balles et pointes d'épée qui
n'eussent tué que sa vie, à demeurer seule avec Vallombreuse abritée du combat, mais exposée à des entreprises qui eussent tué son honneur.

« Non, non, laissez-moi », s'écria-t-elle en se débat-
tant et en se rattrapant d'un effort désespéré au chambranle de la porte, car elle sentait que Sigognac ne
pouvait être loin.

Enfin le duc parvint à entrouvrir le battant et il
allait entraîner Isabelle dans l'autre pièce, lorsque la
jeune femme se dégagea de ses mains et courut vers
la fenêtre; mais Vallombreuse la reprit, lui fit quitter
la terre et l'emporta vers le fond de l'appartement.

« Sauvez-moi, cria-t-elle d'une voix faible, se sentant à bout de force, sauvez-moi, Sigognac! »

Un bruit de branches froissées se fit entendre, et
une forte voix qui semblait venir du ciel jeta dans la
chambre ces mots : « Me voici! » et avec la vitesse
de l'éclair, une ombre noire passa entre les quatre
bretteurs, poussée d'un tel élan qu'elle était déjà au

milieu de la pièce lorsque quatre détonations de pistolets éclatèrent presque simultanément. Des nuages de fumée se répandirent en épais flocons qui cachèrent quelques secondes le résultat de ce feu quadruple; quand ils furent un peu dissipés, les bretteurs virent Sigognac, ou pour mieux dire le capitaine Fracasse, car ils ne le connaissaient que sous ce nom, debout, l'épée au poing et sans autre blessure que la plume de son feutre coupée, les batteries à rouet des pistolets n'ayant pu partir assez vite pour que les balles l'atteignissent en ce passage aussi inattendu que rapide.

Mais Isabelle et Vallombreuse n'étaient plus là. Le duc avait profité du tumulte pour emporter sa proie à moitié évanouie. Une porte solide, un verrou poussé s'interposaient entre la pauvre comédienne et son généreux défenseur, déjà bien empêché par cette bande qu'il avait sur les bras. Heureusement, vive et souple comme une couleuvre, Chiquita, dans l'espérance d'être utile à Isabelle, s'était glissée par l'entrebâillement de la porte sur les pas du duc, qui, en ce désordre d'une action violente, au milieu de ces bruits d'armes à feu, ne prit pas garde à elle, d'autant plus qu'elle se dissimula bien vite dans un angle obscur de cette vaste salle, assez faiblement éclairée par une lampe posée sur une crédence.

« Misérables, où est Isabelle? cria Sigognac en voyant que la jeune comédienne n'était pas là! j'ai tout à l'heure ouï sa voix.

— Vous ne nous l'avez pas donnée à garder, répondit Malartic avec le plus beau sang-froid du monde, et nous sommes d'ailleurs d'assez mauvaises duègnes. »

Et, en disant ces mots, il fondait l'épée haute sur le Baron, qui le reçut de la belle manière. Ce n'était pas un adversaire à dédaigner que Malartic; il passait, après Lampourde, pour le gladiateur le plus adroit de Paris, mais il n'était pas de force à lutter longtemps contre Sigognac.

« Veillez à la fenêtre tandis que je m'occupe avec ce compagnon », dit-il tout en ferraillant à Piedgris, Tordgueule et Bringuenarilles, qui rechargeaient leurs pistolets en toute hâte.

Au même instant un nouvel assiégeant débusqua dans la chambre en faisant le saut périlleux. C'était Scapin à qui son ancien métier de bateleur et de soldat donnait des facilités singulières pour ces sortes d'ascen-

sions obsidionales. D'un coup d'œil rapide, il vit que
les mains des bretteurs étaient occupées à verser de la
poudre et des balles dans leurs armes, et qu'ils avaient
déposé leurs épées à côté d'eux; aussi prompt que
l'éclair, il profita d'un moment d'incertitude chez l'ennemi étonné de son entrée bizarre, ramassa les rapières
et les jeta par la fenêtre; puis il courut sur Bringuenarilles, le saisit à bras-le-corps et se fit de son ennemi
un bouclier, le poussant devant lui et le tournant de
manière à le présenter aux gueules des pistolets bra-
qués sur lui.

« De par tous les diables, ne tirez pas, hurlait Bringuenarilles à demi suffoqué par les bras nerveux de
Scapin, ne tirez pas. Vous me casseriez les reins ou la
tête, et cela me serait particulièrement dur d'être meurtri par des camarades. »

Pour ne pas donner à Tordgueule et à Piedgris la
facilité de le viser par-derrière, Scapin s'était prudemment adossé à la muraille, leur opposant Bringuenarilles comme rempart; et, dans le but de changer le
point de mire, il secouait çà et là le bretteur, qui,
encore que ses pieds touchassent parfois la terre, ne
reprenait pas de nouvelles forces comme Antée.

Ce manège était fort judicieux; car Piedgris, qui
n'aimait pas beaucoup Bringuenarilles et se souciait
de la vie d'un homme autant que d'un fétu, cet homme
fût-il son compagnon, ajusta la tête de Scapin dont la
taille dépassait un peu celle du spadassin; le coup
partit mais le comédien s'était baissé haussant Bringuenarilles pour se garantir, et la balle alla trouer la
boiserie, emportant l'oreille du pauvre diable qui se
prit à hurler : « Je suis mort! je suis mort! » avec
une vigueur qui prouvait qu'il était bien vivant.

Scapin, qui n'était pas d'humeur à attendre un
second coup de pistolet, sachant bien que le plomb
passerait pour l'atteindre à travers le corps de Bringuenarilles, sacrifié par des amis peu délicats, et le
pourrait encore navrer grièvement, se servit du blessé
comme d'un projectile et le lança si rudement contre
Tordgueule, qui s'avançait abaissant le canon de son
arme, que le pistolet lui échappa de la main et que le
bretteur roula pêle-mêle sur le plancher avec son
camarade, dont le sang lui jaillissait au visage et
l'aveuglait.

La chute avait été si roide qu'il en resta quelques

minutes étourdi et froissé, ce qui donna le temps à Scapin de repousser du pied le pistolet sous un meuble et de mettre sa dague au vent pour recevoir Piedgris, qui le chargeait avec furie, un poignard au poing, enragé d'avoir manqué son coup.

Scapin se baissa, et de sa main gauche saisit au poignet le bras dont Piedgris tenait le poignard et le força à rester en l'air, tandis que de l'autre main armée d'une dague il portait à son ennemi un coup qui certainement l'eût tué sans l'épaisseur de son gilet de buffle. La lame traversa pourtant le cuir, ouvrit les chairs, mais glissa sur une côte. Quoiqu'elle ne fût ni mortelle ni même bien dangereuse, la blessure étonna Piedgris et le fit chanceler; en sorte que le comédien, imprimant au bras qu'il n'avait pas lâché une brusque saccade, n'eut pas de peine à renverser son ennemi affaissé déjà sur un genou. Par surcroît de précaution, il lui martela quelque peu la tête avec le talon pour le faire tenir tout à fait tranquille.

Pendant que ceci se passait, Sigognac s'escrimait contre Malartic avec la furie froide d'un homme qui peut mettre une profonde science au service d'un grand courage. Il parait toutes les bottes du spadassin, et déjà il lui avait effleuré le bras, comme le témoignait une rougeur subite à la manche de Malartic. Celui-ci, sentant que si le combat se prolongeait il était perdu, résolut de tenter un suprême effort, et il se fendit à fond pour allonger un coup droit à Sigognac. Les deux fers se froissèrent d'un mouvement si rapide et si sec que le choc en fit jaillir des étincelles; mais l'épée du Baron, vissée à un poing de bronze, reconduisit en dehors l'épée gauchie du bretteur. La pointe passa sous l'aisselle du capitaine Fracasse, lui égratignant l'étoffe du pourpoint sans en entamer le moule. Malartic se releva; mais, avant qu'il se fût remis sur la défensive, Sigognac lui fit sauter la rapière de la main, posa le pied dessus, et lui portant la lame à la gorge, lui cria : « Rendez-vous, ou vous êtes mort! »

A ce moment critique, un grand corps, brisant les menues branches, fit son entrée au milieu de la bataille, et le nouveau venu, avisant la situation perplexe de Malartic, lui dit d'un ton d'autorité : « Tu peux te soumettre, sans déshonneur, à ce vaillant; il a ta vie au bout de son épée. Tu as loyalement fait ton devoir; considère-toi comme prisonnier de guerre. »

Puis se tournant vers Sigognac : « Fiez-vous à sa parole, dit-il, c'est un galant homme à sa manière et il n'entreprendra rien sur vous désormais. »

Malartic fit un signe d'acquiescement, et le Baron abaissa la pointe de sa formidable rapière. Quant au bretteur, il ramassa son arme d'un air assez piteux, la remit au fourreau, et alla s'asseoir silencieusement sur un fauteuil où il serra de son mouchoir son bras dont la tache rouge s'élargissait.

« Pour ces drôles plus ou moins blessés ou morts, dit Jacquemin Lampourde (car c'était lui), il est bon de s'en assurer, et nous allons, s'il vous plaît, leur ficeler les pattes comme à des volailles qu'on porte au marché la tête en bas. Ils pourraient se relever et mordre, ne fût-ce qu'au talon. Ce sont de pures canailles capables de feindre d'être hors de combat, afin de ménager leur peau, qui pourtant ne vaut pas grand-chose. »

Et se penchant vers les corps gisants sur le plancher, il tira de son haut-de-chausses des bouts de fine corde dont il lia avec une dextérité merveilleuse les pieds et les mains de Tordgueule, qui fit mine de résister, de Brinquenarilles, qui se mit à pousser des cris de geai plumé vif, et même de Piedgris, quoiqu'il ne bougeât non plus qu'un cadavre dont il avait la pâleur livide.

Si l'on s'étonne de voir Lampourde au nombre des assiégeants, nous répondrons que le bretteur s'était pris d'une admiration fanatique à l'endroit de Sigognac, dont la belle méthode l'avait tant charmé dans sa rencontre avec lui sur le Pont-Neuf, et qu'il avait mis ses services à la disposition du Capitaine; services qui n'étaient pas à dédaigner en ces circonstances difficiles et périlleuses. Il arrivait d'ailleurs souvent que dans ces entreprises hasardeuses des camarades soldés par des intérêts divers se rencontrassent la flamberge ou la dague au vent, mais cela ne faisait point scrupule.

On n'a pas oublié que La Râpée, Agostin, Mérindol, Azolan et Labriche, franchissant le fossé dans la barque dès le commencement de l'attaque, étaient sortis du château pour opérer une diversion et tomber sur les derrières de l'ennemi. Ils avaient en silence contourné le fossé et étaient arrivés à l'endroit où, détaché de son tronc, le grand arbre tombé en travers de l'eau servait à la fois de pont volant et d'échelle aux libérateurs de la jeune comédienne. Le brave Hérode, comme on le pense bien, n'avait pas manqué d'offrir son bras et son courage à Sigognac, qu'il prisait fort et qu'il eût suivi jusque dans la propre gueule de l'enfer, quand bien même il ne se fût point agi de la chère Isabelle aimée de toute la troupe et de lui particulièrement. Si on ne l'a pas encore vu figurer au plus fort de la bataille, cela ne tient nullement à sa couardise; car il avait du cœur, bien qu'histrion, autant qu'un capitaine. Il s'était engagé sur l'arbre à califourchon, comme les autres, se soulevant des mains et avançant par secousses aux dépens de sa culotte dont le fond s'éraillait aux rugosités de l'écorce. Devant lui chevauchait tant bien que mal le portier de la comédie, déterminé gaillard habitué à jouer des poings et à se débattre contre les assauts de la foule. Le portier, arrivé à l'endroit où les rameaux se bifurquaient, empoigna une grosse branche et continua son ascension; mais, parvenu au bout du tronc, Hérode, doué d'une corpulence de Goliath, très bonne aux rôles de tyran, mal propre aux escalades, sentit le branchage plier sous lui et craquer d'une façon inquiétante. Il regarda en bas et entrevit dans l'ombre, à une trentaine de pieds de profondeur, l'eau noire du fossé. Cette perspective le fit réfléchir et prendre son assiette sur une portion de bois plus solide, capable de porter son corps.

« Humph! dit-il mentalement, il serait aussi sage à un éléphant de danser sur un fil d'araignée qu'à moi de me risquer sur ces brindelles que ferait courber un moineau. Cela est bon à des amoureux, à des Scapins et autres gens agiles forcés d'être maigres par leur emploi. Roi et Tyran de comédie plus adonné à la table qu'aux femmes, je n'ai pas de ces légèretés acrobatiques et funambulesques. Si je fais un pas de plus pour aller au secours du Capitaine, qui doit en avoir besoin, car je comprends aux détonations des pistolets et au martèlement des épées que l'affaire doit être chaude, je tombe dans cette eau stygienne épaisse et noire comme encre, verdie de plantes visqueuses, fourmillante de grenouilles et de crapauds et je m'y enfonce en la vase jusque par-dessus la tête, mort inglorieuse, tombeau fétide, fin du tout misérable et

sans profit aucun, car je n'aurai navré nul ennemi. Il
n'y a point de vergogne à retourner. Le courage ici ne
peut rien. Fussé-je Achille, Roland ou le Cid, je ne
saurais m'empêcher de peser deux cent quarante
livres et quelques onces sur une branche grosse comme
le petit doigt. Ce n'est plus affaire d'héroïsme mais
de statique. Donc, volte-face; je trouverai bien quelque
moyen subreptice de pénétrer en la forteresse et d'être
utile à ce brave Baron, qui doit présentement douter
de mon amitié, s'il a le temps de penser à quelqu'un
ou à quelque chose. »

Ce monologue achevé, avec la rapidité de la parole
intérieure plus prompte cent fois que l'autre, à laquelle
cependant le bon Homérus donne l'épithète d'ailée,
Hérode fit un brusque tête-à-queue sur son cheval de
bois, c'est-à-dire sur le tronc de l'arbre, et commença
prudemment sa descente. Tout à coup il s'arrêta. Un
léger bruit comme d'un frottement de genoux contre
l'écorce, et d'une haleine d'homme s'efforçant pour
gravir parvenait à son oreille, et quoique la nuit fût
obscure et rendue plus opaque encore que l'ombre du
château, il lui semblait démêler une vague forme faisant une gibbosité à la ligne droite de l'arbre. Pour
n'être point aperçu il se pencha, s'aplatit autant que
lui permettait son bedon majestueux, et laissa venir,
immobile et retenant son haleine. Il releva un peu la
tête au bout de deux minutes, et voyant l'adversaire
tout près de lui, il se redressa soudainement présentant sa large face au traitre qui le pensait surprendre
et frapper dans le dos. Pour ne se point gêner les
mains occupées à l'escalade, Mérindol, le chef
d'attaque, portait son couteau entre les dents, ce qui
à travers l'ombre lui donnait l'air d'avoir de prodi-
gieuses moustaches. Hérode avec sa forte main lui
saisit le col, et lui serra la gorge de telle sorte que
Mérindol, étranglé comme s'il eût la tête passée dans
le nœud de la hart, ouvrit le bec afin de reprendre
son vent et laissa choir son couteau, qui tomba au
fossé. Comme la pression à la gorge continuait, ses
genoux se desserrèrent, ses bras flottants firent
quelques mouvements convulsifs; et bientôt le bruit
d'une lourde chute résonna dans l'ombre, et l'eau du
fossé rejaillit en gouttes jusque sous les pieds
d'Hérode.

« Et d'un, se dit le Tyran; s'il n'est pas étouffé, il

sera noyé. Cette alternative m'est douce. Mais poursuivons cette descente périlleuse. »

Il avança encore de quelques pieds. Une petite étincelle bleuâtre tremblotait à une petite distance de lui, trahissant une mèche de pistolet; le déclic du rouet joua avec un bruit sec, une lueur traversa l'obscurité, une détonation se fit entendre et une balle passa à deux ou trois pouces au-dessus d'Hérode, qui s'était baissé dès qu'il avait vu le point brillant et avait rentré la tête en ses épaules comme une tortue en sa carapace, dont bien lui prit.

« Triple corne de cocu! grogna une voix rauque, qui n'était autre que celle de La Râpée, j'ai manqué mon coup.

— Un peu, mon petit, répondit Hérode, je suis pourtant assez gros; il faut que tu sois diantrement maladroit; mais toi, pare celle-là. »

Et le Tyran leva un gourdin attaché à son poignet par un cordon de cuir, arme peu noble, mais qu'il maniait avec une dextérité admirable, ayant longtemps, en ses tournées, pratiqué les bâtonnistes de Rouen. Le gourdin rencontra l'épée que le spadassin avait tirée de son fourreau, après avoir remis le pistolet inutile dans sa ceinture, et la fit voler en éclats comme verre, de sorte qu'il n'en demeura que le tronçon au poing de La Râpée. Le bout du gourdin lui atteignit même l'épaule et lui fit une contusion assez légère à la vérité, la force du coup ayant été rompue.

Les deux ennemis se trouvant face à face, car l'un descendait toujours et l'autre s'efforçait de monter, s'empoignèrent à bras-le-corps et tâchèrent de se précipiter dans le gouffre du fossé noir et béant sous eux. Quoique La Râpée fût un maraud plein de vigueur et d'adresse, une masse comme celle du Tyran n'était pas facile à ébranler. Autant eût valu essayer de déraciner une tour. Hérode avait entrelacé ses pieds sous le tronc de l'arbre, et il y tenait comme avec des crampons rivés. La Râpée, serré entre ses bras non moins musculeux que ceux d'Hercule, suait et soufflait d'ahan. Presque aplati sur le large buste du Tyran, il lui appuyait les mains sur les épaules, pour tâcher de se soustraire à cette formidable étreinte. Par une feinte habile, Hérode desserra un peu l'étau et le spadassin se haussa aspirant une large et profonde gorgée d'air, puis Hérode, le lâchant tout à coup, le reprit plus bas au défaut des flancs, et, l'élevant en l'air, lui fit quitter son point d'appui. Maintenant il suffisait au Tyran d'ouvrir les mains pour envoyer La Râpée faire un trou aux lentilles d'eau du fossé. Il ouvrit les mains toutes grandes et le bretteur tomba; mais c'était un gaillard leste et robuste, comme nous l'avons dit, et de ses doigts crispés, il se retint à l'arbre, faisant osciller son corps suspendu sur l'abîme, pour tâcher de rattraper le tronc avec les pieds ou les jambes. Il n'y réussit pas et resta allongé comme un I majuscule, le bras horriblement tenaillé par le poids du reste. Les doigts, ne voulant pas lâcher prise, s'enfonçaient dans l'écorce comme des griffes de fer, et les nerfs se tendaient sur la main près de se rompre, ainsi que les cordes d'un violon dont on tourne trop les chevilles. S'il eût fait clair, on eût pu voir le sang jaillir des ongles bleuis.

La position n'était pas gaie. Accroché par un seul bras qu'étirait affreusement le poids de son corps, La Râpée, outre la souffrance physique, éprouvait la vertigineuse horreur de la chute mêlée d'attirance qu'inspire la suspension au-dessus d'un gouffre. Ses yeux dilatés regardaient fixement la profondeur sombre; ses oreilles bourdonnaient; des sifflements traversaient ses tempes comme des flèches; il avait des envies de se précipiter que refrénait l'instinct toujours vivace de la conservation : il ne savait pas nager, et pour lui, ce fossé c'était le tombeau.

Malgré son air farouche et ses sourcils charbonnés, au fond Hérode était assez bonasse. Il eut pitié de ce pauvre diable qui pendillait dans le vide depuis quelques minutes longues comme l'éternité, et dont l'agonie se prolongeait avec des angoisses atroces. Se penchant sur le tronc d'arbre, il dit à La Râpée :

« Coquin, si tu me promets sur ta vie en l'autre monde, car en celui-ci elle m'appartient, de rester neutre dans le combat, je vais te déclouer du gibet d'où tu pends comme le mauvais larron.

— Je le jure, râla d'une voix sourde La Râpée à bout de forces; mais faites vite, par pitié, je tombe. »

Da sa poigne herculéenne, Hérode saisit le bras du maraud et remonta, grâce à sa vigueur prodigieuse, le corps jusque sur l'arbre où il le mit à cheval en face de lui, le maniant avec autant d'aisance qu'une poupée de chiffon.

Quoique La Râpée ne fût pas une petite-maîtresse sujette aux pâmoisons, il était presque évanoui lorsque le brave comédien le retira de l'abîme, où, sans la large main qui le soutenait, il serait retombé comme une masse inerte.

« Je n'ai pas de sels à te faire respirer ni de plumes à te brûler sous le nez, lui dit le Tyran, en fouillant à sa poche; mais voici un cordial qui te remettra, c'est de la pure eau-de-vie d'Hendaye, de la quintessence solaire. »

Et il appliqua le goulot de la bouteille aux lèvres du bretteur défaillant.

« Allons, tète-moi ce petit-lait; deux ou trois gorgées encore, et tu seras vif comme un émerillon qu'on décapuchonne. »

Le généreux breuvage agit bientôt sur le spadassin, qui remercia Hérode de la main et agita son bras engourdi pour lui faire reprendre sa souplesse.

« Maintenant, dit Hérode, sans plus nous amuser à la moutarde, descendons de ce perchoir où je n'ai pas toutes mes aises, sur le sacro-saint plancher des vaches qui sied mieux à ma corpulence. Va devant », ajouta-t-il, en retournant La Râpée et le mettant à califourchon dans l'autre sens.

La Râpée se laissa glisser et le Tyran le suivit. Arrivé au bas de l'arbre, ayant Hérode derrière lui, le spadassin discerna sur le bord du fossé un groupe en sentinelle composé d'Agostin, d'Azolan et de Basque. « Ami », leur cria-t-il à haute voix, et tournant la tête, il dit à voix basse au comédien : « Ne sonnez mot et marchez sur mes talons. »

Quand ils eurent pris pied, La Râpée s'approcha d'Azolan et lui souffla le mot d'ordre à l'oreille. Puis il ajouta : « Ce compagnon et moi nous sommes blessés et nous allons nous retirer un peu à l'écart pour laver nos plaies et les bander. »

Azolan fit un signe d'acquiescement. Rien n'était plus naturel que cette fable. La Râpée et le Tyran s'éloignèrent. Quand ils furent engagés sous le couvert des arbres qui, bien que dénués de feuilles, suffisaient à les cacher, la nuit aidant, le spadassin dit à Hérode : « Vous m'avez généreusement octroyé la vie. Je viens de vous sauver de la mort, car ces trois gaillards vous eussent assommé. J'ai payé ma dette, mais je ne me regarde point comme quitte; si vous avez jamais besoin de moi, vous me trouverez. Maintenant allez à vos affaires. Je tourne par ici, tournez par là. »

Hérode, resté seul. continua à suivre l'allée, regardant, à travers les arbres, le maudit château où il n'avait pu pénétrer à son grand regret. Aucune lumière ne brillait aux fenêtres, excepté du côté de l'attaque, et le reste du manoir était enseveli dans l'ombre et le silence. Cependant, sur la façade en retour, la lune qui se levait commençait à répandre ses molles lueurs et glaçait d'argent les ardoises violettes du toit. Sa clarté naissante permettait de voir un homme en faction promenant son ombre sur une petite esplanade au bord du fossé. C'était Labriche, qui gardait la barque au moyen de laquelle Mérindol, La Râpée, Azolan et Agostin avaient traversé le fossé.

Cette vue fit réfléchir Hérode. « Que diable peut faire cet homme tout seul à cet endroit désert pendant que ses camarades jouent des couteaux? Sans doute de peur de surprise ou pour assurer la retraite, il garde quelque passage secret, quelque poterne masquée par où, peut-être, en l'étourdissant d'un coup de gourdin sur la tête, je parviendrai à m'introduire en ce damné manoir et montrer à Sigognac que je ne l'oublie pas. »

En ratiocinant de la sorte, Hérode, suspendant ses pas et ne faisant non plus de bruit que si ses semelles eussent été doublées de feutre, s'approchait de la sentinelle avec cette lenteur moelleuse et féline dont sont doués les gros hommes. Quand il fut à portée, il lui assena sur le crâne un coup suffisant pour mettre hors de combat, mais non pour tuer celui qui le recevait. Comme on l'a pu voir, Hérode n'était point autrement cruel et ne désirait point la mort du pêcheur.

Aussi surpris que si la foudre fût tombée sur sa tête par un temps serein, Labriche roula les quatre fers en l'air et ne bougea plus; car la force du choc l'avait étourdi et fait se pâmer. Hérode s'avança jusqu'au parapet du fossé et vit qu'à une étroite coupure du garde-fou aboutissait un escalier diagonal taillé dans le revêtement de la douve, et qui menait au fond du fossé ou du moins jusqu'au niveau de l'eau clapotant sur ses dernières marches. Le Tyran descendit les degrés avec précaution et se sentant le pied mouillé s'arrêta, tâchant de percer l'obscurité du regard. Il démêla bientôt la forme de la barque, rangée à l'ombre du mur, et l'attira par la chaîne qui l'amarrait au bas de l'escalier. Rompre la chaîne ne fut qu'un jeu pour le robuste tragédien, et il entra dans le bateau que son poids pensa faire tourner. Quand les oscillations se furent apaisées et que l'équilibre se fut rétabli, Hérode fit jouer doucement l'aviron unique placé en la poupe pour servir à la fois de rame et de gouvernail. La barque, cédant à l'impulsion, sortit bientôt de la tranche d'ombre pour entrer dans la tranche de lumière, où sur l'eau huileuse tremblotaient comme des écailles d'ablette les paillons de la lune. La clarté pâle de l'astre découvrit à Hérode, dans le soubassement du château, un petit escalier pratiqué sous une arcade de brique. Il y aborda, et suivant la voûte, il parvint sans encombre à la cour intérieure, complètement déserte en ce moment.

« Me voici donc au cœur de la place, se dit Hérode en se frottant les mains; mon courage a meilleure assiette sur les larges dalles bien cimentées que sur ce bâton à perroquet d'où je descends. Ça, orientons-nous et allons rejoindre les compagnons. »

Il avisa le perron gardé par les deux sphinx de pierre et jugea fort sainement que cette entrée architecturale conduisait aux plus riches salles du logis, où sans doute Vallombreuse avait mis la jeune comédienne et où devait s'agiter la bataille en l'honneur de cette Hélène sans Ménélas et vertueuse surtout pour Pâris. Les sphinx ne firent pas mine de lever la griffe pour l'arrêter au passage.

La victoire semblait restée aux assaillants, Bringuenarilles, Tordgueule et Piedgris gisaient sur le plancher comme veaux sur la paille. Malartic, le chef de la bande, avait été désarmé. Mais en réalité les vainqueurs étaient captifs. La porte de la chambre, fermée en dehors, s'interposait entre eux et l'objet de leur recherche, et cette porte, d'un chêne épais, historiée d'élégantes ferrures en acier poli, pouvait devenir un obstacle infranchissable à des gens qui ne possédaient ni haches ni pinces pour l'enfoncer. Sigognac, Lampourde et Scapin appuyant l'épaule contre les battants s'efforçaient de la faire céder, mais elle tenait bon et leurs vigueurs réunies y mollissaient.

« Si nous y mettions le feu, dit Sigognac, qui se désespérait, il y a des bûches enflammées dans l'âtre.

— Ce serait bien long, répondit Lampourde; le

cœur de chêne brûle malaisément; prenons plutôt ce bahut et nous en faisons une sorte de catapulte ou bélier propre à effondrer cette barrière trop importune. »

Ce qui fut dit fut fait, et le curieux meuble ouvragé de délicates sculptures, empoigné brutalement et lancé avec force, alla heurter les solides parois, sans autre succès que d'en rayer le poli et d'y perdre une jolie tête d'ange ou d'amour mignonnement taillée qui formait un de ses angles. Le Baron enrageait, car il savait que Vallombreuse avait quitté la chambre emportant Isabelle, malgré la résistance désespérée de la jeune fille.

Tout à coup un grand bruit se fit entendre. Les branchages qui obstruaient la fenêtre avaient disparu et l'arbre tombait dans l'eau du fossé avec un fracas auquel se mêlaient des cris humains, ceux du portier de comédie qui s'était arrêté dans son ascension, la branche étant devenue trop faible pour le supporter. Azolan, Agostin et Basque avaient eu cette triomphante idée de pousser l'arbre à l'eau afin de couper la retraite aux assiégeants.

« Si nous ne jetons bas cette porte, dit Lampourde, nous sommes pris comme rats au piège. Au diable soient les ouvriers du temps jadis qui travaillaient de façon si durable! Je vais essayer de découper le bois autour de la serrure avec mon poignard pour la faire sauter, puisqu'elle tient si fort. Il faut sortir d'ici à tout prix; nous n'avons plus la ressource de nous accrocher à notre arbre comme les ours à leur tronc dans les fossés de Berne en Suisse. »

Lampourde allait se mettre à l'œuvre, quand un léger grincement pareil à celui d'une clef qui tourne résonna dans la serrure, et la porte inutilement attaquée s'ouvrit d'elle-même.

« Quel est le bon ange, s'écria Sigognac, qui vient de la sorte à notre secours! et par quel miracle cette porte cède-t-elle toute seule après avoir tant résisté?

— Il n'y a ni ange ni miracle, répondit Chiquita en sortant de derrière la porte et fixant sur le Baron son regard mystérieux et tranquille.

— Où est Isabelle? » cria Sigognac, parcourant de l'œil la salle faiblement éclairée par la lueur vacillante d'une petite lampe.

Il ne l'aperçut point d'abord. Le duc de Vallom-

breuse, surpris par la brusque ouverture des battants,
s'était acculé dans un angle, plaçant derrière lui la
jeune comédienne à demi pâmée d'épouvante et de
fatigue; elle s'était affaissée sur ses genoux, la tête
appuyée à la muraille, les cheveux dénoués et flottants,
les vêtements en désordre, les ferrets de son corsage
brisés tant elle s'était désespérément tordue entre les
bras de son ravisseur, qui, sentant sa proie lui échapper, avait essayé vainement de lui dérober quelques
baisers lascifs, comme un faune poursuivi entraînant
une jeune vierge au fond des bois.

« Elle est ici, dit Chiquita, dans ce coin, derrière
le seigneur Vallombreuse; mais, pour avoir la femme,
il faut tuer l'homme.

— Qu'à cela ne tienne, je le tuerai, fit Sigognac en
s'avançant l'épée droite vers le jeune duc déjà tombé
en garde.

— C'est ce que nous verrons, monsieur le capitaine
Fracasse, chevalier de bohémiennes », répondit le
jeune duc d'un air de parfait dédain.

Les fers étaient engagés et se suivaient en tournant
autour l'un de l'autre avec cette lenteur prudente
qu'apportent aux luttes qui doivent être mortelles les
habiles de l'escrime. Vallombreuse n'était pas d'une
force égale à celle de Sigognac; mais il avait, comme
il convenait à un homme de sa qualité, fréquenté longtemps les académies, mouillé plus d'une chemise aux
salles d'armes, et travaillé sous les meilleurs maîtres.
Il ne tenait donc pas son épée comme un balai, suivant la dédaigneuse expression de Lampourde à
l'adresse des ferrailleurs maladroits qui, selon lui,
déshonoraient le métier. Sachant combien son adversaire était redoutable, le jeune duc se renfermait dans
la défensive, parait les coups et n'en portait point. Il
espérait lasser Sigognac déjà fatigué par l'attaque du
château et son duel avec Malartic, car il avait entendu
le bruit des épées à travers la porte. Cependant, tout
en déjouant le fer du Baron, de sa main gauche il
cherchait sur sa poitrine un petit sifflet d'argent
suspendu à une chaînette. Quand il l'eut trouvé, il le
porta à ses lèvres et en tira un son aigu et prolongé.
Ce mouvement pensa lui coûter cher; l'épée du Baron
faillit lui clouer la main sur la bouche; mais la pointe,
relevée par une riposte un peu tardive, ne fit que lui
égratigner le pouce. Vallombreuse reprit sa garde. Ses

yeux lançaient des regards fauves pareils à ceux des jettatores et des basilics, qui ont la vertu de tuer; un sourire d'une méchanceté diabolique crispait les coins de sa bouche, il rayonnait de férocité satisfaite, et sans se découvrir il avançait sur Sigognac, lui poussant des bottes toujours parées.

Malartic, Lampourde et Scapin regardaient avec admiration cette lutte d'un intérêt si vif d'où dépendait le sort de la bataille, les chefs des deux partis opposés étant en présence et combattant corps à corps. Même Scapin avait apporté les flambeaux de l'autre chambre pour que les rivaux y vissent plus clair. Attention touchante!

« Le petit duc ne va pas mal, dit Lampourde appréciateur impartial du mérite, je ne l'aurais pas cru capable d'une telle défense; mais s'il se fend, il est perdu. Le capitaine Fracasse a le bras plus long que lui. Ah! diable, cette parade de demi-cercle est trop large. Qu'est-ce que je vous disais? voilà l'épée de l'adversaire qui passe par l'ouverture. Vallombreuse est touché; non, il a fait une retraite à propos. »

Au même instant un bruit tumultueux de pas qui approchaient se fit entendre. Un panneau de la boiserie s'ouvrit avec fracas, et cinq ou six laquais armés se précipitèrent impétueusement dans la salle.

« Emportez cette femme, leur cria Vallombreuse, et chargez-moi ces drôles. Je fais mon affaire du Capitaine »; et il courut sur lui l'épée haute.

L'irruption de ces marauds surprit Sigognac. Il serra un peu moins sa garde; car il suivait des yeux Isabelle tout à fait évanouie que deux laquais, protégés par le duc, entraînaient vers l'escalier, et l'épée de Vallombreuse lui effleura le poignet. Rappelé au sentiment de la situation par cette éraflure, il porta au duc une botte à fond qui l'atteignit au-dessus de la clavicule et le fit chanceler.

Cependant Lampourde et Scapin recevaient les laquais de la belle manière; Lampourde les lardait de sa longue rapière comme des rats, et Scapin leur martelait la tête avec la crosse d'un pistolet qu'il avait ramassé. Voyant leur maître blessé qui s'adossait au mur et s'appuyait sur la garde de son épée, la figure couverte d'une paleur blafarde, ces misérables canailles, lâches d'âme et de courage, abandonnèrent la partie et gagnèrent au pied. Il est vrai que Vallombreuse n'était point aimé de ses domestiques, qu'il traitait en tyran plutôt qu'en maître, et brutalisait avec une férocité fantasque.

« A moi, coquins! à moi, soupira-t-il, d'une voix faible. Laisserez-vous ainsi votre duc sans aide et sans secours? »

Pendant que ces incidents se passaient, comme nous l'avons dit, Hérode montait d'un pas aussi leste que sa corpulence le permettait, le grand escalier, éclairé, depuis l'arrivée de Vallombreuse au château, d'une grande lanterne fort ouvragée et suspendue à un câble de soie. Il arriva au palier du premier étage, au moment même où Isabelle, échevelée, pâle, sans mouvement, était emportée comme une morte par les laquais. Il crut que pour sa résistance vertueuse le jeune duc l'avait tuée ou fait tuer, et, sa furie s'exaspérant à cette idée, il tomba à grands coups d'épée sur les marauds, qui, surpris de cette agression subite dont ils ne pouvaient se défendre, ayant les mains empêchées, lâchèrent leur proie et détalèrent comme s'ils eussent eu le diable à leurs trousses. Hérode, se penchant, releva Isabelle, lui appuya la tête sur son genou, lui posa la main sur le cœur et s'assura qu'il battait encore. Il vit qu'elle ne paraissait avoir aucune blessure et commençait à soupirer faiblement comme une personne à qui revient peu à peu le sentiment de l'existence.

En cette posture, il fut bientôt rejoint par Sigognac, qui s'était débarrassé de Vallombreuse, en lui allongeant ce furieux coup de pointe fort admiré de Lampourde. Le baron s'agenouilla près de son amie, lui prit les mains et, d'une voix qu'Isabelle entendait vaguement comme du fond d'un rêve, il lui dit : « Revenez à vous, chère âme, et n'ayez plus de crainte. Vous êtes entre les bras de vos amis, et personne maintenant ne vous saurait nuire. »

Quoiqu'elle n'eût point encore ouvert les yeux, un languissant sourire se dessina sur les lèvres décolorées d'Isabelle, et ses doigts pâles, moites des froides sueurs de la pâmoison, serrèrent imperceptiblement la main de Sigognac.

Lampourde considérait d'un air attendri ce groupe touchant, car les galanteries l'intéressaient, et il prétendait se connaître mieux que pas un aux choses du cœur.

Tout à coup, une impérieuse sonnerie de cor éclata
dans le silence qui avait succédé au tumulte de la
bataille. Au bout de quelques minutes elle se répéta
avec une fureur stridente et prolongée. C'était un appel
de maître auquel il fallait obéir. Des froissements de
chaînes se firent entendre. Un bruit sourd indiqua
l'abaissement du pont-levis; un tourbillonnement de
roues tonna sous la voûte, et aux fenêtres de l'escalier
flamboyèrent subitement les lueurs rouges de torches
disséminées dans la cour. La porte du vestibule
retomba bruyamment sur elle-même, et des pas hâtifs
retentirent dans la cage sonore de l'escalier.

Bientôt parurent quatre laquais à grande livrée, portant des cires allumées avec cet air impassible et cet
empressement muet qu'ont les valets de noble maison.
Derrière eux, montait un homme de haute mine, vêtu
de la tête aux pieds d'un velours noir passementé de
jayet. Un ordre, de ceux que se réservent les rois et
les princes, ou qu'ils n'accordent qu'aux plus illustres
personnages, brillait à sa poitrine sur le fond sombre de
l'étoffe. Arrivés au palier, les laquais se rangèrent
contre le mur, comme des statues portant au poing des
torches, sans qu'aucune palpitation de paupière, sans
qu'un tressaillement de muscles indiquât en aucune
façon qu'ils aperçussent le spectacle assez singulier
pourtant qu'ils avaient sous les yeux. Le maître
n'ayant point encore parlé, ils ne devaient pas avoir
d'opinion.

Le seigneur vêtu de noir s'arrêta sur le palier. Bien
que l'âge eût mis des rides à son front et à ses joues,
jauni son teint et blanchi son poil, on pouvait encore
reconnaître en lui l'original du portrait qui avait
attiré les regards d'Isabelle en sa détresse, et qu'elle
avait imploré comme une figure amie. C'était le prince
père de Vallombreuse. Le fils portait le nom d'un
duché, en attendant que l'ordre naturel des succes-
sions le rendît à son tour chef de famille.

A l'aspect d'Isabelle, que soutenaient Hérode et
Sigognac, et à qui sa pâleur exsangue donnait l'air
d'une morte, le prince leva les bras au ciel en poussant
un soupir. « Je suis arrivé trop tard, dit-il, quelque
diligence que j'aie faite », et il se baissa vers la jeune
comédienne, dont il prit la main inerte.

A cette main blanche comme si elle eût été sculptée
dans l'albâtre brillait au doigt annulaire une bague

dont une améthyste assez grosse formait le chaton. Le
vieux seigneur parut étrangement troublé à la vue de
cette bague. Il la tira du doigt d'Isabelle avec un
tremblement convulsif, fit signe à un des laquais porteurs de torche de s'approcher, et à la lueur plus vive
de la cire déchiffra le blason gravé sur la pierre, mettant l'anneau tout près de la clarté et l'éloignant
ensuite pour en mieux saisir les détails avec sa vue de
vieillard.

Sigognac, Hérode et Lampourde suivaient anxieusement les gestes égarés du prince, et ses changements
de physionomie à la vue de ce bijou qu'il paraissait
bien connaître, et qu'il tournait et retournait entre
ses mains, comme ne pouvant se décider à admettre
une idée pénible.

« Où est Vallombreuse, s'écria-t-il enfin d'une voix
tonnante, où est ce monstre indigne de ma race? »

Il avait reconnu, à n'en point douter, dans cette
bague, l'anneau orné d'un blason de fantaisie avec
lequel il scellait jadis les billets qu'il écrivait à Cornélia mère d'Isabelle. Comment cet anneau se trou-
vait-il au doigt de cette jeune actrice enlevée par
Vallombreuse et de qui le tenait-elle? « Serait-elle la
fille de Cornélia, se disait le prince, et la mienne?
Cette profession de comédienne qu'elle exerce, son
âge, sa figure où se retrouvent quelques traits adoucis
de sa mère, tout concorde à me le faire croire. Alors,
c'est sa sœur que poursuivait ce damné libertin; cet
amour est un inceste; oh! je suis cruellement puni
d'une faute ancienne. »

Isabelle ouvrit enfin les yeux, et son premier regard
rencontra le prince tenant la bague qu'il lui avait ôtée
du doigt. Il lui sembla avoir déjà vu cette figure, mais
jeune encore, sans cheveux blancs ni barbe grise. On
eût dit la copie vieillie du portrait placé au-dessus de
la cheminée. Un sentiment de vénération profonde
envahit à son aspect le cœur d'Isabelle. Elle vit aussi
près d'elle le brave Sigognac et le bon Hérode, tous
deux sains et saufs, et aux transes de la lutte succéda
la sécurité de la délivrance. Elle n'avait plus rien à
craindre ni pour ses amis ni pour elle. Se soulevant à
demi, elle inclina la tête devant le prince, qui la
contemplait avec une attention passionnée, et paraissait chercher dans les traits de la jeune fille une ressemblance à un type autrefois chéri.

« De qui, mademoiselle, tenez-vous cet anneau qui me rappelle certains souvenirs; l'avez-vous depuis longtemps en votre possession? dit le vieux seigneur d'une voix émue.

— Je le possède depuis mon enfance, et c'est l'unique héritage que j'aie recueilli de ma mère, répondit Isabelle.

— Et qui était votre mère, que faisait-elle? dit le prince avec un redoublement d'intérêt.

— Elle s'appelait Cornélia, repartit modestement Isabelle, et c'était une pauvre comédienne de province qui jouait les reines et les princesses tragiques dans la troupe dont je fais partie encore.

— Cornélia! Plus de doute, fit le prince troublé, oui, c'est bien elle; mais, dominant son émotion, il reprit un air majestueux et calme, et dit à Isabelle : Permettez-moi de garder cet anneau. Je vous le remettrai quand il faudra.

— Il est bien entre les mains de Votre Seigneurie, répondit la jeune comédienne, en qui, à travers les brumeux souvenirs de l'enfance, s'ébauchait le souvenir d'une figure que, toute petite, elle avait vue se pencher vers son berceau.

— Messieurs, dit le prince, fixant son regard ferme et clair sur Sigognac et ses compagnons, en toute autre circonstance je pourrais trouver étrange votre présence armée dans mon château; mais je sais le motif qui vous a fait envahir cette demeure jusqu'à présent sacrée. La violence appelle la violence, et la justifie. Je fermerai les yeux sur ce qui vient d'arriver. Mais où est donc le duc de Vallombreuse, ce fils dégénéré qui déshonore ma vieillesse? »

Comme s'il eût répondu à l'appel de son père, Vallombreuse, au même instant, parut sur le seuil de la salle, soutenu par Malartic; il était affreusement pâle, et sa main crispée serrait un mouchoir contre sa poitrine. Il marchait cependant, mais comme marchent les spectres, sans soulever les pieds. Une volonté terrible, dont l'effort donnait à ses traits l'immobilité d'un masque en marbre, le tenait seule debout. Il avait entendu la voix de son père, que, tout dépravé qu'il fût, il redoutait encore, et il espérait lui cacher sa blessure. Il mordait ses lèvres pour ne pas crier, et ravalait l'écume sanglante qui lui montait aux coins de la bouche; il ôta même son chapeau, malgré la douleur atroce que lui causait le mouvement de lever le bras, et resta ainsi découvert et silencieux.

« Monsieur, dit le prince, vos équipées dépassent les bornes, et vos déportements sont tels que je serai forcé d'implorer du roi, pour vous, la faveur d'un cachot ou d'un exil perpétuels. Le rapt, la séquestration, le viol ne sont plus de la galanterie et, si je peux passer quelque chose aux égarements d'une jeunesse licencieuse, je n'excuserai jamais le crime froidement médité. Savez-vous, monstre, continua-t-il en s'approchant de Vallombreuse et lui parlant à l'oreille de façon à n'être entendu de personne, savez-vous quelle est cette jeune fille, cette Isabelle que vous avez enlevée en dépit de sa vertueuse résistance? — votre sœur!

— Puisse-t-elle remplacer le fils que vous allez perdre, répondit Vallombreuse, pris d'une défaillance qui fit apparaître sur son visage livide les sueurs de l'agonie; mais je ne suis pas coupable comme vous le pensez. Isabelle est pure, je l'atteste sur le Dieu devant qui je vais paraître. La mort n'a pas l'habitude de mentir, et l'on peut croire à la parole d'un gentilhomme expirant. »

Cette phrase fut prononcée d'une voix assez haute pour être entendue de tous. Isabelle tourna ses beaux yeux humides de larmes vers Sigognac, et vit sur la figure de ce parfait amant qu'il n'avait pas attendu, pour croire à la vertu de celle qu'il aimait, l'attestation *in extremis* de Vallombreuse.

« Mais qu'avez-vous donc? dit le prince en étendant la main vers le jeune duc, qui chancelait malgré le soutien de Malartic.

— Rien, mon père, répondit Vallombreuse d'une voix à peine articulée... rien... Je meurs »; et il tomba tout d'une pièce sur les dalles du palier sans que Malartic pût le retenir.

« Il n'est pas tombé sur le nez, dit sentencieusement Jacquemin Lampourde, ce n'est qu'une pâmoison; il en peut réchapper encore. Nous connaissons ces choses-là, nous autres hommes d'épée, mieux que les hommes de lancette et les apothicaires.

— Un médecin! un médecin! s'écria le prince, oubliant son ressentiment à ce spectacle; peut être y a-t-il encore quelque espoir. Une fortune à qui sauvera mon fils, le dernier rejeton d'une noble race!

Mais allez donc! que faites-vous là? courez, précipi-tez-vous! »

Deux des laquais impassibles qui avaient éclairé cette scène de leurs torches sans faire même un cli-gnement d'œil se détachèrent de la muraille et se hâtèrent pour exécuter les ordres de leur maître.

D'autres domestiques, avec toutes les précautions imaginables, soulevèrent le corps de Vallombreuse, et, sur l'ordre de son père, le transportèrent à son appartement, où ils le déposèrent sur son lit.

Le vieux seigneur suivit d'un regard où la douleur éteignait déjà la colère ce cortège lamentable. Il voyait sa race finie avec ce fils aimé et détesté à la fois, mais dont il oubliait en ce moment les vices pour ne se souvenir que de ses qualités brillantes. Une mélan-colie profonde l'envahissait, et il resta quelques minutes plongé dans un silence que tout le monde respecta.

Isabelle, tout à fait remise de son évanouissement, se tenait debout, les yeux baissés, près de Sigognac et d'Hérode, rajustant d'une main pudique le désordre de ses habits. Lampourde et Scapin, un peu en arrière, s'effaçaient comme des figures de second plan, et dans le cadre de la porte on entrevoyait les têtes curieuses des bretteurs qui avaient pris part à la lutte et n'étaient pas sans inquiétude sur leur sort, craignant qu'on ne les envoyât aux galères ou au gibet pour avoir aidé Vallombreuse en ses méchantes entreprises.

Enfin le prince rompit ce silence embarrassant et dit : « Quittez ce château à l'instant, vous tous qui avez mis vos épées au service des mauvaises passions de mon fils. Je suis trop gentilhomme pour faire l'office des archers et du bourreau; fuyez, disparais-sez, rentrez dans vos repaires. La justice saura bien vous y retrouver. »

Le compliment n'était pas fort gracieux; mais il eût été hors de propos de montrer une susceptibilité trop farouche. Les bretteurs, que Lampourde avait déliés dès le commencement de cette scène, s'éloi-gnèrent sans demander leur reste, avec Malartic leur chef.

Quand ils se furent retirés, le père de Vallombreuse prit Isabelle par la main et, la détachant du groupe où elle se trouvait, la fit ranger près de lui et lui dit : « Restez là, mademoiselle; votre place est désormais à mes côtés. C'est bien le moins que vous me rendiez une fille puisque vous m'ôtez un fils. » Et il essuya une larme qui, malgré lui, débordait de sa paupière. Puis se retournant vers Sigognac avec un geste d'une incomparable noblesse : « Monsieur, vous pouvez vous en aller avec vos compagnons. Isabelle n'a rien à redouter près de son père, et ce château sera dès à présent sa demeure. Maintenant que sa naissance est connue, il ne convient pas que ma fille retourne à Paris. Je la paie assez cher pour la garder. Je vous remercie, quoiqu'il m'en coûte l'espoir d'une race perpétuée, d'avoir épargné à mon fils une action honteuse,˜ que dis-je, un crime abominable! Sur mon blason je préfère une tache de sang à une tache de boue. Puisque Vallombreuse était infâme, vous avez bien fait de le tuer; vous avez agi en vrai gentilhomme, et l'on m'assure que vous l'êtes, en protégeant la faiblesse, l'innocence et la vertu. C'était votre droit. L'honneur de ma fille sauvé rachète la mort de son frère. Voilà ce que la raison me dit; mais mon cœur paternel en murmure et d'injustes idées de vengeance pourraient me prendre dont je ne serais pas maître. Disparaissez, je ne ferai aucune poursuite, et je tâcherai d'oublier qu'une nécessité rigoureuse a dirigé votre fer sur le sein de mon fils!

— Monseigneur, répondit Sigognac sur le ton du plus profond respect, je fais à la douleur d'un père une part si grande que j'eusse sans sonner mot accepté les injures les plus sanglantes et les plus amères, bien qu'en ce désastreux conflit ma loyauté ne me fasse aucun reproche. Je ne voudrais rien dire, pour me justifier à vos yeux, qui accusât cet infortuné duc de Vallombreuse; mais croyez que je ne l'ai point cherché, qu'il s'est jeté de lui-même sur ma route et que j'ai tout fait, en plus d'une rencontre, pour l'épargner. Ici même, c'est sa fureur aveugle qui l'a précipité sur mon épée. Je laisse en vos mains Isabelle, qui m'est plus chère que la vie, et me retire à jamais désolé de cette triste victoire pour moi véritable défaite, puisqu'elle détruit mon bonheur! Ah! que mieux eût valu que je fusse tué et victime au lieu de meurtrier! »

Là-dessus, Sigognac fit au prince un salut, et lançant à Isabelle un long regard chargé d'amour et de regret, descendit les marches de l'escalier, suivi de Scapin et de Lampourde, non sans retourner plus d'une fois la

tête, ce qui lui permit de voir la jeune fille appuyée
contre la rampe de peur de défaillir, et portant son
mouchoir à ses yeux pleins de larmes. Etait-ce la mort
de son frère ou le départ de Sigognac qu'elle pleurait?
Nous pensons que c'était le départ de Sigognac, l'aversion que lui inspirait Vallombreuse n'ayant point encore
eu le temps de se changer chez elle en tendresse à cette
révélation de parenté subite. Du moins le Baron,
quelque modeste qu'il fût, en jugea ainsi, et, chose
étrange que le cœur humain, s'éloigna consolé par les
larmes de celle qu'il aimait.

Sigognac et sa troupe sortirent par le pont-levis et,
tout en longeant le fossé pour aller reprendre leurs
chevaux dans le petit bois où ils les avaient laissés,
ils entendirent une voix plaintive s'élever du fossé à
l'endroit même que comblait l'arbre renversé. C'était
le portier de la comédie, qui n'avait pu se dégager de
l'enchevêtrement des branches, et criait piteusement à
l'aide, n'ayant que la tête hors de l'eau, et risquant
d'avaler ce fade liquide qu'il haïssait plus que médecine noire, toutes les fois qu'il ouvrait le bec pour
appeler au secours. Scapin, qui était fort agile et délié
de son corps, se risqua sur l'arbre et eut bientôt repê-
ché le portier tout ruisselant d'eau et d'herbes aquatiques.

Les chevaux n'avaient point bougé de leur couvert
et, bientôt enfourchés par leurs cavaliers, ils reprirent
allégrement la route de Paris.

« Que vous semble, monsieur le Baron, de tous ces
événements? disait Hérode à Sigognac, qui cheminait
botte à botte avec lui. Cela s'arrange comme une fin
de tragi-comédie. Qui se fût attendu au milieu de l'algarade à l'entrée seigneuriale de ce père précédé de
flambeaux, et venant mettre le holà aux fredaines un
peu trop fortes de monsieur son fils? Et cette reconnaissance d'Isabelle au moyen d'une bague à cachet
blasonné? ne l'a-t-on pas déjà vue au théâtre? Après
tout, puisque le théâtre est l'image de la vie, la vie lui
doit ressembler comme un original à son portrait.
J'avais toujours entendu dire dans la troupe qu'Isabelle était de noble naissance. Blazius et Léonarde se
souvenaient même d'avoir vu le prince, qui n'était
encore que duc, lorsqu'il faisait sa cour à Cornélia.
Léonarde plus d'une fois avait engagé la jeune fille à
rechercher son père; mais celle-ci, douce et modeste

de nature, n'en avait rien fait, ne voulant pas s'imposer
à une famille qui l'eût rejetée peut-être, et s'était
contentée de son modeste sort.

— Oui, je savais cela, répondit Sigognac; sans attacher autrement d'importance à cette illustre origine,
Isabelle m'avait conté l'histoire de sa mère et parlé
de la bague. On voyait bien d'ailleurs à la délicatesse
de sentiment que professait cette aimable fille qu'il
y avait du sang illustre dans ses veines. Je l'aurais
deviné quand même elle ne me l'eût pas dit. Sa beauté
chaste, fine et pure révélait sa race. Aussi mon amour
pour elle a-t-il toujours été mêlé de timidité et de
respect, quoique volontiers la galanterie s'émancipe
avec les comédiennes. Mais quelle fatalité que ce
damné Vallombreuse se trouve précisément son frère!
Il y a maintenant un cadavre entre nous deux; un
ruisseau de sang nous sépare, et pourtant je ne pouvais sauver son honneur que par cette mort. Malheureux que je suis! j'ai moi-même créé l'obstacle où doit
se briser mon amour, et tué mon espérance avec l'épée
qui défendait mon bien. Pour garder ce que j'aime, je
me l'ôte à jamais. De quel front irai-je me présenter les
mains rouges de sang, à Isabelle en deuil? Hélas, ce
sang, je l'ai versé pour sa propre défense, mais c'était
le sang fraternel! Quand bien même elle me pardonne-
rait et me verrait sans horreur, le prince, qui maintenant a sur elle des droits de père, repoussera, en le
maudissant, le meurtrier de son fils. Oh! je suis né
sous une étoile enragée.

— Tout cela sans doute est fort lamentable, répondit Hérode, mais les affaires du Cid et de Chimène
étaient encore bien autrement embrouillées comme on
le voit en la pièce de M. Pierre de Corneille, et cependant, après bien des combats entre l'amour et le devoir, elles finirent par s'arranger à l'amiable, non sans
quelques antithèses et agudezas un peu forcées dans le
goût espagnol, mais d'un bon effet au théâtre. Vallombreuse n'est que d'un côté frère d'Isabelle. Ils n'ont
point puisé le jour au même sein, et ne se sont connus
comme parents que pendant quelques minutes, ce qui
diminue fort le ressentiment. Et d'ailleurs notre jeune
amie haïssait comme peste ce forcené gentilhomme, qui
la poursuivait de ses galanteries violentes et scandaleuses. Le prince lui-même n'était guère content de
son fils, lequel était féroce comme Néron, dissolu

comme Héliogabale, pervers comme Satan, et qui eût
été déjà vingt fois pendu, n'était sa qualité de duc. Ne
vous désespérez donc point ainsi. Les choses prendront
peut-être une meilleure tournure que vous ne pensez.

— Dieu le veuille, mon bon Hérode, répondit Sigognac, mais naturellement je n'ai point de bonheur. Le
guignon et les méchantes fées bossues présidèrent à ma
nativité. Il eût été vraiment plus heureux pour moi
d'être tué, puisque, par l'arrivée de son père, la vertu
d'Isabelle était sauve sans la mort de Vallombreuse, et
puis, il faut tout vous dire, je ne sais quelle horreur
secrète a pénétré avec un froid de glace jusqu'à la
moelle de mes os, lorsque j'ai vu ce beau jeune homme
si plein de vie, de feu et de passion, tomber tout d'une
pièce, roide, froid et pâle devant mes pieds. Hérode,
c'est une chose grave que la mort d'un homme, et
quoique je n'aie point de remords n'ayant pas commis
de crime, je vois là Vallombreuse étendu, les cheveux
épars sur le marbre de l'escalier et une tache rouge à
la poitrine.

— Chimères que tout cela, dit Hérode, vous l'avez
tué dans les règles. Votre conscience peut être tranquille. Un temps de galop dissipera ces scrupules qui
viennent d'un mouvement fiévreux et du frisson de la
nuit. Ce à quoi il faut aviser promptement, c'est à quitter Paris et à gagner quelque retraite où l'on vous
oublie. La mort de Vallombreuse fera du bruit à la cour
et à la ville, quelque soin qu'on prenne de la celer.
Et, encore qu'il ne soit guère aimé, on pourrait vous
chercher noise. Or çà, sans plus discourir, donnons
de l'éperon à nos montures et dévorons ce ruban de
queue qui s'étend devant nous, ennuyeux et grisâtre,
entre deux rangées de manches à balai, sous la lueur
froide de la lune. »

Les chevaux, sollicités du talon, prirent une allure
plus vive; mais pendant qu'ils cheminent, retournons
au château, aussi calme maintenant qu'il était bruyant
tout à l'heure, et entrons dans la chambre où les domestiques ont déposé Vallombreuse. Un chandelier à plusieurs branches, posé sur un guéridon, l'éclairait d'une
lumière dont les rayons tombaient sur le lit du jeune
duc, immobile comme un cadavre, et qui semblait
encore plus pâle sur le fond cramoisi des rideaux et
aux reflets rouges de la soie. Une boiserie d'ébène,
incrustée de filets en cuivre, montait à hauteur

d'homme et servait de soubassement à une tapisserie de haute lice représentant l'histoire de Médée et de Jason, toute remplie de meurtres et de magies sinistres. Ici, l'on voyait Médée couper en morceaux Pélias, sous prétexte de le rajeunir comme Eson. Là, femme jalouse et mère dénaturée, elle égorgeait ses enfants. Sur un autre panneau, elle s'enfuyait, ivre de vengeance, dans son char traîné par des dragons vomissant le feu. Certes, la tenture était belle et de prix, et de main d'ouvrier; mais ces mythologies féroces avaient je ne sais quoi de lugubre et de cruel qui trahissait un naturel farouche chez celui qui les avait choisies. Dans le fond du lit, les rideaux relevés laissaient voir Jason combattant les monstrueux taureaux d'airain, défenseurs de la Toison d'or, et on eût dit que Vallombreuse, gisant inanimé au-dessous d'eux, fût une de leurs victimes.

Des habits de la plus somptueuse élégance, essayés et dédaignés ensuite, étaient jetés çà et là sur les chaises, et dans un grand cornet du Japon, chamarré de dessins bleus et rouges, posé sur une table en ébène comme tous les meubles de la chambre, trempait un magnifique bouquet formé des fleurs les plus rares et destiné à remplacer celui qu'avait refusé Isabelle, mais qui n'était pas arrivé à destination à cause de l'attaque inopinée du château. Ces fleurs épanouies et superbes, témoignage encore frais d'une préoccupation galante, faisaient un contraste étrange avec ce corps étendu sans mouvement, et un moraliste aurait trouvé là de quoi philosopher tout le saoul.

Le prince, assis dans un fauteuil auprès du lit, regardait d'un œil morne ce visage aussi blanc que l'oreiller de dentelles qui ballonnait autour de lui. Cette pâleur même en rendait encore les traits plus délicats et plus purs. Tout ce que la vie peut imprimer de vulgaire à une figure humaine y disparaissait dans une sérénité de marbre, et jamais Vallombreuse n'avait été plus beau. Aucun souffle ne semblait sortir de ses lèvres entrouvertes, dont les grenades avaient fait place aux violettes de la mort. En contemplant cette forme charmante qui bientôt allait se dissoudre, le prince oubliait que l'âme d'un démon venait d'en sortir, et il songeait tristement à ce grand nom que les siècles passés s'étaient respectueusement légué et qui n'arriverait pas aux siècles futurs. C'était plus que la

mort de son fils qu'il déplorait, c'était la mort de sa
maison : une douleur inconnue aux bourgeois et aux
manants. Il tenait la main glacée de Vallombreuse entre
les siennes, et y sentant un peu de chaleur, il ne réfléchissait pas qu'elle venait de lui et se laissait aller à
un espoir chimérique.

Isabelle était debout au pied du lit, les mains jointes
et priant Dieu avec toute la ferveur de son âme pour
ce frère dont elle causait innocemment la mort, et qui
payait de sa vie le crime d'avoir trop aimé, crime que
les femmes pardonnent volontiers, surtout lorsqu'elles
en sont l'objet.

« Et ce médecin qui ne vient pas! fit le prince avec
impatience, il y a peut-être encore quelque remède. »

Comme il disait ces mots, la porte s'ouvrit et le chirurgien parut, accompagné d'un élève qui lui portait
sa trousse d'instruments. Après un léger salut, sans
dire une parole, il alla droit à la couche où gisait le
jeune duc, lui tâta le pouls, lui mit la main sur le
cœur et fit un signe découragé. Cependant, pour donner à son arrêt une certitude scientifique, il tira de sa
poche un petit miroir d'acier poli et l'approcha des
lèvres de Vallombreuse, puis il examina attentivement
le miroir; un léger nuage s'était formé à la surface du
métal et le ternissait. Le médecin étonné réitéra son
expérience. Un nouveau brouillard couvrit l'acier. Isabelle et le prince suivaient anxieusement les gestes du
chirurgien, dont le visage s'était un peu déridé.

« La vie n'est pas complètement éteinte, dit-il enfin
en se tournant vers le prince et en essuyant son
miroir; le blessé respire encore et, tant que la mort
n'a pas mis son doigt sur un malade, il y a de l'espérance. Mais, pourtant, ne vous livrez pas à une joie
prématurée qui rendrait ensuite votre douleur plus
amère : j'ai dit que M. le duc de Vallombreuse n'avait
point exhalé le dernier soupir; voilà tout. De là à le
ramener en santé, il y a loin. Maintenant je vais examiner sa blessure, laquelle peut-être n'est point mortelle puisqu'elle ne l'a point tué sur-le-champ.

— Ne restez pas là, Isabelle, fit le père de Vallombreuse, de tels spectacles sont trop tragiques et
navrants pour une jeune fille. On vous informera de la
sentence que portera le docteur quand il aura terminé
son examen. »

La jeune fille se retira, conduite par un laquais qui

la mena à un autre appartement, celui qu'elle occupait étant encore tout en désordre et saccagé par la lutte qui s'y était passée.

Aidé de son élève, le chirurgien défit le pourpoint de Vallombreuse, déchira la chemise et découvrit une poitrine aussi blanche que l'ivoire où se dessinait une plaie étroite et triangulaire, emperlée de quelques gouttelettes de sang. La plaie avait peu saigné. L'épanchement s'était fait en dedans; le suppôt d'Esculape débrida les lèvres de la blessure et la sonda. Un léger tressaillement contracta la face du patient dont les yeux restaient toujours fermés, et qui ne bougeait non plus qu'une statue sur un tombeau, dans une chapelle de famille.

« Bon cela, fit le chirurgien en observant cette contraction douloureuse; il souffre, donc il vit. Cette sensibilité est de favorable augure.

— N'est-ce pas qu'il vivra, fit le prince; si vous le sauvez, je vous ferai riche, je réaliserai tous vos souhaits; ce que vous demanderez, vous l'obtiendrez.

— Oh! n'allons pas si vite, dit le médecin, je ne réponds de rien encore; l'épée a traversé le haut du poumon droit. Le cas est grave, très grave. Cependant, comme le sujet est jeune, sain, vigoureux, bâti, sans cette maudite blessure, pour vivre cent ans, il se peut qu'il en réchappe, à moins de complications imprévues : il y a pour de tels cas des exemples de guérison. La nature chez les jeunes gens a tant de ressources! La sève de la vie encore ascendante répare si vite les pertes et rajuste si bien les dégâts! Avec des ventouses et des scarifications, je vais tâcher de dégager la poitrine du sang qui s'est répandu à l'intérieur et finirait par étouffer M. le duc, s'il n'était heureusement tombé entre les mains d'un homme de science, cas rare en ces villages et châteaux loin de Paris. Allons, bêlître, continua-t-il en s'adressant à son élève, au lieu de me regarder comme un cadran d'horloge avec tes grands yeux ronds, roule les bandes et ploie les compresses, que je pose le premier appareil. »

L'opération terminée, le chirurgien dit au prince : « Ordonnez, s'il vous plaît, monseigneur, qu'on nous tende un lit de camp dans un coin de cette chambre et qu'on nous serve une légère collation, car moi et mon élève nous veillerons tour à tour M. le duc de Vallombreuse. Il importe que je sois là, épiant chaque symptôme, le combattant s'il est défavorable, l'aidant s'il est heureux. Ayez confiance en moi, monseigneur, et croyez que tout ce que la science humaine peut risquer pour sauver une vie sera fait avec audace et prudence. Rentrez dans vos appartements, je vous réponds de la vie de M. votre fils... jusqu'à demain. »

Un peu calmé par cette assurance, le père de Vallombreuse se retira chez lui, où toutes les heures un laquais lui venait apporter des bulletins de l'état du jeune duc.

Isabelle trouva dans le nouveau logis qu'on lui avait assigné cette même femme de chambre, morne et farouche, qui l'attendait pour la défaire; seulement l'expression de sa physionomie était totalement changée. Ses yeux brillaient d'un éclat singulier, et le rayonnement de la haine satisfaite illuminait sa figure pâle. La vengeance arrivée enfin d'un outrage inconnu et dévoré silencieusement dans la rage froide de l'impuissance faisait du spectre muet une femme vivante. Elle arrangeait les beaux cheveux d'Isabelle avec une allégresse mal dissimulée, lui passait complaisamment les bras dans les manches de sa robe de nuit, s'agenouillait pour la déchausser, et paraissait aussi caressante qu'elle s'était montrée revêche. Ses lèvres, si bien scellées naguère, pétillaient d'interrogations.

Mais Isabelle, préoccupée des tumultueux événements de la soirée, n'y prit pas garde autrement, et ne remarqua pas non plus la contraction de sourcils et l'air irrité de cette fille lorsqu'un domestique vint dire que tout espoir n'était pas perdu pour M. le duc.

A cette nouvelle, la joie disparut de son masque sombre, éclairé un instant, et elle reprit son attitude morne jusqu'au moment où sa maîtresse la congédia d'un geste bienveillant.

Couchée dans un lit moelleux, bien fait pour servir d'autel à Morphée, et que pourtant le sommeil ne se hâtait pas de visiter, Isabelle cherchait à se rendre compte des sentiments que lui inspirait ce revirement subit de destinée. Hier encore elle n'était qu'une pauvre comédienne, sans autre nom que le nom de guerre par lequel la désignait l'affiche aux coins des carrefours. Aujourd'hui, un grand la reconnaissait pour sa fille; elle se greffait, humble fleur, sur un des rameaux de ce puissant arbre généalogique dont les racines plongeaient si avant dans le passé, et qui portait à chaque branche un illustre, un héros! Ce prince si vénérable, et qui n'avait de supérieur que les têtes couronnées, était son père. Ce terrible duc de Vallombreuse, si beau malgré sa perversité, se changeait d'amant en frère, et s'il survivait, sa passion, sans doute, s'éteindrait en une amitié pure et calme. Ce château, naguère sa prison, était devenu sa demeure; elle y était chez elle, et les domestiques lui obéissaient avec un respect qui n'avait plus rien de contraint ni de simulé. Tous les rêves qu'eût pu faire l'ambition la plus désordonnée, le sort s'était chargé de les accomplir pour elle et sans sa participation. De ce qui semblait devoir être sa perte sa fortune avait surgi radieuse, invraisemblable, au-dessus de toute attente.

Si comblée de bonheurs, Isabelle s'étonnait de ne pas éprouver une plus grande joie; son âme avait besoin de s'accoutumer à cet ordre d'idées si nouveau. Peut-être même, sans bien s'en rendre compte, regrettait-elle sa vie de théâtre; mais ce qui dominait tout, c'était l'idée de Sigognac. Ce changement dans sa position l'éloignait-il ou la rapprochait-il de cet amant si parfait, si dévoué, si courageux? Pauvre, elle l'avait refusé pour époux de peur d'entraver sa fortune; riche, c'était pour elle un devoir bien cher de lui offrir sa main. La fille reconnue d'un prince pouvait bien devenir la baronne de Sigognac. Mais le Baron était le meurtrier de Vallombreuse. Leurs mains ne sauraient se rejoindre par-dessus une tombe. Si le jeune duc ne succombait pas, peut-être garderait-il de sa blessure et de sa défaite surtout, car il avait l'orgueil plus sensible que la chair, un trop durable ressentiment. Le prince, de son côté, était capable, quelque bon et généreux qu'il fût, de ne pas voir de bon œil celui qui avait failli le priver d'un fils; il pouvait aussi désirer pour Isabelle une autre alliance; mais, intérieurement, la jeune fille se promit d'être fidèle à ses amours de comédienne et d'entrer plutôt en religion que d'accepter un duc, un marquis, un comte, le prétendant fût-il beau comme le jour et doué comme un prince des contes de fées.

Satisfaite de cette résolution elle allait s'endormir, lorsqu'un bruit léger lui fit rouvrir les yeux, et elle aperçut Chiquita, debout au pied de son lit, qui la regardait en silence et d'un air méditatif.

« Que veux-tu, ma chère enfant? lui dit Isabelle de

sa voix la plus douce, tu n'es donc pas partie avec les autres; si tu désires rester près de moi, je te garderai, car tu m'as rendu bien des services.

— Je t'aime beaucoup, répondit Chiquita; mais je ne puis rester avec toi tant qu'Agostin vivra. Les lames d'Albacète disent : « *Soy de un dueño,* » ce qui signifie : « Je n'ai qu'un maître », une belle parole digne de l'acier fidèle. Pourtant j'ai un désir. Si tu trouves que j'ai payé le collier de perles, embrasse-moi. Je n'ai jamais été embrassée. Cela doit être si bon!

— Oh! de tout mon cœur! fit Isabelle en prenant la tête de l'enfant et en baisant ses joues brunes, qui se couvrirent de rougeur tant son émotion était forte.

— Maintenant, adieu! » dit Chiquita, qui avait repris son calme habituel.

Elle allait se retirer comme elle était venue, lorsqu'elle avisa sur la table le couteau dont elle avait enseigné le maniement à la jeune comédienne pour se défendre contre les entreprises de Vallombreuse, et elle dit à Isabelle :

« Rends-moi mon couteau, tu n'en as plus besoin. » Et elle disparut.

## XVIII

### EN FAMILLE

Le chirurgien avait répondu jusqu'au lendemain de la vie de Vallombreuse. Sa promesse s'était réalisée. Le jour, en pénétrant dans la chambre en désordre, où traînaient sur les tables des linges ensanglantés, avait retrouvé le jeune malade respirant encore. Ses paupières même s'entr'ouvraient, laissant errer un regard atone et vitreux chargé des vagues épouvantes de l'anéantissement. A travers le brouillard des pâmoisons, le masque décharné de la mort lui était apparu, et par instants, ses yeux, s'arrêtant sur un point fixe, semblaient discerner un objet effrayant invisible pour d'autres. Pour échapper à cette hallucination, il abaissait ses longs cils dont les franges noires faisaient ressortir la pâleur de ses joues envahies par des tons de cire, et il les tenait obstinément fermés; puis la vision s'évanouissait. Son visage reprenait alors une ex-

pression moins alarmée, et sa vue de nouveau se mettait
à flotter autour de lui. Lentement son âme revenait des
limbes, et son cœur, à petit bruit, sous l'oreille appliquée du médecin, recommençait à battre: faibles pul-
sations, témoignages sourds de la vie, que la science
seule pouvait entendre. Les lèvres entrouvertes découvraient la blancheur des dents, et simulaient un languissant sourire, plus triste que les contractions de la
souffrance; car c'était celui que dessine sur les bouches
humaines l'approche du repos éternel : cependant
quelques légères nuances vermeilles se mêlaient aux
teintes violettes et montraient que le sang reprenait
peu à peu son cours.

Debout au chevet du blessé, maître Laurent le chirurgien observait ces symptômes, si malaisément appré-
ciables, avec une attention profonde et perspicace.
C'était un homme instruit que maître Laurent, et à qui,
pour être connu comme il le méritait de l'être, il n'avait
manqué jusque-là que des occasions illustres. Son talent ne s'était exercé encore que *in anima vili,* et il
avait guéri obscurément des manants, de petits bourgeois, des soldats, des greffiers, des procureurs et
autres bas officiers de justice, dont la vie ou la mort ne
signifiait rien. Il attachait donc à la cure du jeune duc
une importance énorme. Son amour-propre et son ambition étaient en jeu également dans ce duel qu'il soutenait contre la Mort. Pour se garder entière la gloire
du triomphe, il avait dit au prince, qui voulait faire
venir de Paris les plus célèbres médecins, que lui seul
suffirait à cette besogne, et que rien n'était plus grave
qu'un changement de méthode dans le traitement d'une
telle blessure.

« Non, il ne mourra point, se disait-il, tout en exa-
minant le jeune duc; il n'a pas la face hippocratique,
ses membres gardent de la souplesse, et il a bien supporté cette angoisse du matin qui redouble les mala-
dies et détermine les crises funestes. D'ailleurs, il faut
qu'il vive, son salut est ma fortune: je l'arracherai des
pattes osseuses de la camarde, ce beau jeune homme
héritier d'une noble race! Les sculpteurs attendront
encore longtemps pour tailler son marbre. C'est lui qui
me tirera de ce village où je végète. Tâchons d'abord,
au risque de déterminer la fièvre, de lui rendre un peu
de force par quelque cordial énergique. »

Ouvrant lui-même sa boîte de médicaments, car son

famulus, qui avait veillé une partie de la nuit, dormait sur le lit de camp improvisé, il en tira plusieurs petits flacons contenant des essences teintes diversement, les unes rouges comme le rubis, les autres vertes comme l'émeraude, celles-ci d'un jaune d'or, celles-là d'une transparence diamantée. Des étiquettes latines abréviées et semblables, pour l'ignorant, à des formules cabalistiques, étaient collées sur le cristal des flacons. Maître Laurent, bien qu'il fût sûr de lui-même, lut à plusieurs reprises le titre des fioles qu'il avait mises à part, en mira le contenu à la lumière, profitant d'un rayon du soleil levant qui filtrait à travers les rideaux, pesa les quantités qu'il empruntait à chaque bouteille dans une éprouvette d'argent dont il connaissait le poids, et composa du tout une potion d'après une recette dont il faisait mystère.

Le mélange préparé, il réveilla son famulus et lui ordonna de hausser un peu la tête de Vallombreuse, puis il desserra, au moyen d'une mince spatule, les dents du blessé, et parvint à introduire entre leur double rangée de perles le mince goulot du flacon. Quelques gouttes du liquide pénétrèrent dans le palais du jeune duc, et leur saveur âcre et puissante fit se contracter légèrement ses traits immobiles. Une gorgée descendit dans la poitrine, bientôt suivie d'une autre, et la dose entière, au grand contentement du médecin, fut absorbée sans trop de peine. A mesure que Vallombreuse buvait, une imperceptible rougeur montait à ses pommettes; une lueur chaude brillantait ses yeux, et sa main inerte, allongée sur le drap, cherchait à se déplacer. Il poussa un soupir et promena autour de lui, comme quelqu'un qui se réveille d'un rêve, un regard où revenait l'intelligence.

« Je jouais gros jeu, fit maître Laurent en lui-même, ce médicament est un philtre. Il peut tuer ou ressusciter. Il a ressuscité! Esculape, Hygie et Hippocrate soient bénis! »

En ce moment, une main écarta avec précaution la tapisserie de la portière, et sous le pli relevé apparut la tête vénérable du prince, fatiguée et plus vieillie par l'angoisse de cette nuit terrible que par dix années. « Eh bien, maître Laurent? » murmura-t-il d'une voix anxieuse. Le chirurgien posa son doigt sur sa bouche, et de l'autre main lui montra Vallombreuse, un peu soulevé sur l'oreiller, et n'ayant plus l'aspect cadavérique; car la potion le brûlait et le ranimait par sa flamme.

Maître Laurent, de ce pas léger habituel aux personnes qui soignent les malades, vint trouver le prince sur le seuil de la porte et, le tirant un peu à part, il lui dit : « Vous voyez, monseigneur, que l'état de monsieur votre fils, loin d'avoir empiré, s'améliore sensiblement. Sans doute, il n'est point sauvé encore; mais, à moins d'une complication imprévue que je fais tous mes efforts pour prévenir, je pense qu'il s'en tirera et pourra continuer ses destinées glorieuses comme s'il n'eût point été blessé. »

Un vif sentiment de joie paternelle illumina la figure du prince; et, comme il s'avançait vers la chambre pour embrasser son fils, maître Laurent lui posa respectueusement la main sur la manche et l'arrêta : « Permettez-moi, prince, de m'opposer à l'accomplissement de ce désir si naturel; les docteurs sont fâcheux souvent, et la médecine a des rigueurs à nulle autre pareilles. De grâce, n'entrez pas chez le duc. Votre présence chérie et redoutée pourrait, en l'affaiblissement où il se trouve, provoquer une crise dangereuse. Toute émotion lui serait fatale, et capable de briser le fil bien frêle dont je l'ai rattaché à la vie. Dans quelques jours, sa plaie étant en voie de cicatrisation, et ses forces revenues peu à peu, vous aurez tout à votre aise et sans péril cette douceur de le voir. »

Le prince, rassuré et se rendant aux justes raisons du chirurgien, se retira dans son appartement, où il s'occupa de lectures pieuses jusqu'au coup de midi, heure à laquelle le majordome le vint avertir « que le dîner de monseigneur était servi sur table ».

« Qu'on prévienne la comtesse Isabelle de Lineuil ma fille, — tel est le titre qu'elle portera désormais, — de vouloir bien descendre dîner », dit le prince au majordome, qui s'empressa d'obéir à cet ordre.

Isabelle traversa cette antichambre aux armures, cause de ses terreurs nocturnes, et ne la trouva du tout si lugubre aux vives clartés du jour. Une lumière pure tombait des hautes fenêtres que n'aveuglaient plus les volets fermés. L'air avait été renouvelé. Des fagots de genévrier et de bois odorant, brûlés à grande flamme dans les cheminées avaient chassé l'odeur de relent et de moisissure. Par la présence du maître, la vie était revenue à ce logis mort.

La salle à manger ne se ressemblait plus, et cette table qui la veille paraissait dressée pour un festin de spectres, recouverte d'une riche nappe où la cassure des plis dessinait des carrés symétriques, prenait tout à fait bon air avec sa vieille vaisselle plate chargée de ciselures et blasonnée d'armoiries, ses flacons en cristal de Bohême mouchetés d'or, ses verres de Venise aux pieds en spirale, ses drageoirs à épices et ses mets d'où montaient des fumées odorantes.

D'énormes bûches jetées sur des chenets formés de grosses boules de métal poli superposées envoyaient le long d'une plaque au blason du prince de larges tourbillons de flamme mêlés de joyeuses crépitations d'étincelles, et répandaient une douce chaleur dans la vaste pièce. Les orfèvreries des dressoirs, les vernis d'or et d'argent de la tenture en cuir de Cordoue prenaient à ce foyer, malgré la clarté du jour, des reflets et des paillettes rouges.

Quand Isabelle entra, le prince était déjà en sa chaise dont le haut dossier figurait une sorte de dais. Derrière lui se tenaient deux laquais en grande livrée. La jeune fille adressa à son père une révérence modeste qui ne sentait pas son théâtre, et que toute grande dame eût approuvée. Un domestique lui avança un siège, et, sans trop d'embarras, elle prit place en face du prince à l'endroit qu'il lui désignait de la main.

Les potages servis, l'écuyer-tranchant découpa sur une crédence les viandes que lui portait de la table un officier de bouche, et que les valets y reportaient disséquées.

Un laquais versait à boire à Isabelle, qui n'usait de vin que fort trempé, en personne réservée et sobre qu'elle était. Tout émue des événements de la journée et de la nuit précédentes, tout éblouie et troublée par le brusque changement de sa fortune, inquiète de son frère si grièvement navré, perplexe sur le sort de son bien-aimé Sigognac, elle ne touchait non plus aux mets placés devant elle que du bout des dents.

« Vous ne mangez ni ne buvez, comtesse, lui dit le prince; acceptez donc cette aile de perdrix. »

A ce titre de comtesse prononcé d'une voix amicale et pourtant sérieuse, Isabelle tourna vers le prince ses beaux yeux bleus étonnés avec un regard timidement interrogatif.

« Oui, comtesse de Lineuil; c'est le titre d'une terre que je vous donne, car ce nom d'Isabelle, tout charmant qu'il soit, ne saurait convenir à ma fille, sans être quelque peu accompagné. »

Isabelle, cédant à un impétueux mouvement de cœur, se leva, passa de l'autre côté de la table et, s'agenouillant près du prince, lui prit la main et la baisa en reconnaissance de cette délicatesse.

« Relevez-vous, ma fille, reprit le prince d'un air attendri, et reprenez votre place. Ce que je fais est juste. La destinée seule m'empêcha de le faire plus tôt, et cette terrible rencontre qui nous a tous réunis a quelque chose où je vois le doigt du ciel. Votre vertu a empêché qu'un grand crime fût commis, et je vous aime pour cette honnêteté, dût-elle me coûter la vie de mon fils. Mais Dieu le sauvera, pour qu'il se repente d'avoir outragé la plus pure innocence. Maître Laurent m'a donné bon espoir, et du seuil d'où je le contemplais en son lit, Vallombreuse ne m'a point paru avoir sur le front ce cachet de la mort que nous autres gens de guerre savons bien reconnaître. »

On donna à laver dans une magnifique aiguière de vermeil, et le prince, jetant sa serviette, se dirigea vers le salon, où, sur un signe, Isabelle le suivit. Le vieux seigneur s'assit près de la cheminée, monument sculptural qui s'élevait jusqu'au plafond, et sa fille prit place à côté de lui sur un pliant. Comme les laquais s'étaient retirés, le prince prit tendrement la main d'Isabelle entre les siennes, et contempla quelque temps en silence cette fille si étrangement retrouvée. Ses yeux exprimaient une joie mêlée de tristesse. Car, malgré les assurances du médecin, la vie de Vallombreuse pendait encore à un fil. Heureux d'une part, il était malheureux de l'autre; mais le charmant visage d'Isabelle dissipa bientôt cette impression pénible, et le prince tint ce discours à la nouvelle comtesse :

« Sans doute, ma chère fille, en cet événement qui nous réunit d'une façon bizarre, romanesque et surnaturelle, la pensée doit vous être venue que, pendant tout ce temps écoulé depuis votre enfance jusqu'à ce jour, je ne vous ai point cherchée, et que le hasard seul a remis l'enfant perdu au père oublieux. Ce serait mal connaître mes sentiments, et vous avez l'âme si bonne que cette idée a dû être bientôt abandonnée par vous. Votre mère Cornélia, vous ne l'ignorez pas, était d'hu-

meur arrogante et fière; elle prenait tout avec une violence extraordinaire, et, lorsque de hautes conve-
nances, je dirai presque des raisons d'Etat, me for-
cèrent à me séparer d'elle, bien malgré moi, pour un
mariage ordonné par un de ces désirs suprêmes qui
sont des ordres auxquels nul ne résiste, outrée de dépit
et de colère, elle refusa obstinément tout ce qui pouvait adoucir sa situation et assurer la vôtre à l'avenir.
Terres, châteaux, contrats de rente, argent, bijoux, elle
me renvoya tout avec un outrageux dédain. Ce désintéressement que j'admirais ne me trouva pas moins
entêté, et je laissai chez une personne de confiance les
sommes et les titres renvoyés pour qu'elle les pût
prendre... au cas où son caprice changerait. Mais elle
persista dans ses refus et, changeant de nom, passa à
une autre troupe avec laquelle elle se mit à courir en
province, évitant Paris et les endroits où je me trouvais. Je perdis bientôt sa trace, d'autant plus que le
roi mon maître me chargea d'ambassades et missions
délicates qui me tinrent longtemps à l'étranger. Quand
je revins, par des affidés aussi sûrs qu'intelligents, lesquels avaient questionné et fait jaser des comédiens
de divers théâtres, j'appris que Cornélia était morte
depuis quelques mois déjà. Quant à l'enfant on n'en
avait point entendu parler, et l'on ne savait pas ce
qu'il était devenu. Le voyage perpétuel de ces compagnies comiques, les noms de guerre qu'adoptent les
acteurs qui les composent, et dont ils changent souvent par nécessité ou caprice, rendent fort difficiles
ces recherches à qui ne peut les faire lui-même. Le
frêle indice qui guiderait l'intéressé ne suffit pas à
l'agent qu'anime seulement un motif cupide. On me
signala bien quelques petites filles parmi ces troupes;
mais le détail de leur naissance ne se rapportait point
à la vôtre. Même quelquefois des suppositions furent
hasardées par des mères peu soucieuses de conserver
leur fruit et je dus me tenir en garde contre ces ruses.
On n'avait point touché aux sommes déposées. Evidemment la rancunière Cornélia avait voulu me dérober sa fille et se venger ainsi. Je dus croire à votre
mort, et cependant un instinct secret me disait que
vous existiez. Je me rappelais combien vous étiez gentille et mignonne en votre berceau, et comme de vos
petits doigts roses vous tiriez ma moustache, noire
alors, quand je me penchais pour vous baiser. La

naissance de mon fils avait ravivé ce souvenir au lieu de l'éteindre. Je pensais, en le voyant grandir au sein du luxe, couvert de rubans et de dentelles comme un enfant royal, ayant pour hochets des joyaux qui eussent été la fortune d'honnêtes familles, que peut-être, en ce moment, vêtue à peine de quelque oripeau fané de théâtre, vous souffriez du froid et de la faim sur une charrette ou dans une grange ouverte à tous les vents. Si elle vit, me disais-je, quelque directeur de troupe la malmène et la bat. Suspendue à un fil d'archal, elle fait, à demi morte de peur, les amours et les petits génies dans les vols des pièces à machines. Ses larmes mal contenues coulent sillonnant le fard grossier dont on a barbouillé ses joues pâles, ou bien, tremblante d'émotion, elle balbutie à la fumée des chandelles un petit bout de rôle enfantin qui lui a valu déjà bien des soufflets. Et je me repentais de n'avoir pas, dès le jour de sa naissance, enlevé l'enfant à sa mère; mais alors je croyais ces amours éternelles. Plus tard, ce furent d'autres tourments. En cette vie errante et dissolue, belle comme elle promettait de l'être, que d'attaques sa pudicité n'a-t-elle point à souffrir de la part de ces libertins qui volent aux comédiennes comme papillons aux lumières, et le rouge me montait à la figure à l'idée que mon sang qui coule dans vos veines subissait ces outrages. Bien des fois, affectant plus de goût que je n'en avais pour le comédie, je me rendais aux théâtres, cherchant à découvrir parmi les ingénues quelque jeune personne de l'âge que vous eussiez dû avoir et de la beauté que je vous supposais. Mais je ne vis que mines affétées et fardées, et qu'effronterie de courtisane sous des grimaces d'innocente. Aucune de ces péronnelles ne pouvait être vous.

« J'avais donc tristement renoncé à l'espoir de retrouver cette fille dont la présence eût égayé ma vieillesse; la princesse ma femme, morte après trois ans d'union, ne m'avait donné d'autre enfant que Vallombreuse, qui, par son caractère effréné, me causait bien des peines. Il y a quelques jours, étant à Saint-Germain auprès du roi, pour devoirs de ma charge, j'entendis des courtisans parler avec faveur de la troupe d'Hérode, et ce qu'ils en dirent me fit naître l'envie d'assister à une représentation de ces comédiens, les meilleurs qui fussent venus depuis longtemps de province à Paris. On louait surtout une certaine Isabelle pour son jeu correct, décent, naturel et tout plein d'une grâce naïve. Ce rôle d'ingénue qu'elle rendait si bien au théâtre, elle le soutenait, assurait-on, à la ville, et les plus méchantes langues se taisaient devant sa vertu. Agité d'un secret pressentiment, je me rendis à la salle où récitaient ces acteurs, et je vous vis jouer à l'applaudissement général. Votre air de jeune personne honnête, vos façons timides et modestes, le son de votre voix si frais et si argentin, tout cela me troublait l'âme d'étrange sorte. Il est impossible même à l'œil d'un père de reconnaître dans la belle fille de vingt ans l'enfant qu'il n'a pas vue depuis le berceau, et surtout à la lueur des chandelles, à travers l'éblouissement du théâtre; mais il me semblait que si un caprice de la fortune poussait sur les planches une fille de qualité, elle aurait cette mine réservée et discrète tenant à distance les autres comédiens, cette distinction qui fait dire à tout le monde : « Comment se trouve-t-elle là? » Dans la même pièce figurait un pédant dont la trogne avinée ne m'était point inconnue. Les années n'avaient en rien altéré sa laideur grotesque, et je me souviens que déjà il faisait les Pantalons et les vieillards ridicules dans la compagnie où jouait Cornélia. Je ne sais pourquoi mon imagination établissait un rapport entre vous et ce pédant jadis camarade de votre mère. La raison avait beau alléguer que cet acteur pouvait bien avoir pris de l'emploi en cette troupe, sans que pour cela vous y fussiez; il me semblait qu'il tenait entre ses mains le bout du fil mystérieux à l'aide duquel je me guiderais dans ce dédale d'événements obscurs. Aussi formai-je la résolution de l'interroger, et l'aurais-je fait si, quand j'envoyai à l'auberge de la rue Dauphine, on ne m'eût dit que les comédiens d'Hérode étaient partis pour donner une représentation dans un château aux environs de Paris. Je me serais tenu tranquille jusqu'au retour des acteurs, si un brave serviteur ne me fût venu prévenir, craignant quelque rencontre fâcheuse, que le duc de Vallombreuse, amoureux à la folie d'une comédienne nommée Isabelle qui lui résistait avec la plus ferme vertu, avait fait le projet de l'enlever pendant cette expédition supposée, au moyen d'une escouade de spadassins à gages, action par trop énorme et violente, capable de mal tourner, la jeune fille étant accompagnée d'amis qui n'allaient pas sans armes. Le soupçon que j'avais de votre naissance me jeta, à cet avertissement, dans une perturbation d'âme étrange à concevoir. Je frémis à l'idée de cet amour criminel qui se changeait en amour monstrueux, si mes pressentiments ne me trompaient point, puisque vous étiez, aux cas qu'ils fussent vrais, la propre sœur de Vallombreuse. J'appris que les ravisseurs devaient vous transporter en ce château, et je m'y rendis en toute diligence. Vous étiez déjà délivrée sans que votre honneur eût souffert, et la bague d'améthyste a confirmé ce que me disait à votre vue la voix du sang.

— Croyez, monseigneur et père, répondit Isabelle, que je ne vous ai jamais accusé. Habituée d'enfance à cette vie ambulante de comédienne, j'avais facilement accepté mon sort, n'en connaissant et n'en rêvant pas d'autre. Le peu que je savais du monde me faisait comprendre que j'aurais mauvaise grâce à vouloir entrer dans une famille illustre, que des raisons puissantes forçaient sans doute à me laisser dans l'obscurité et l'oubli. Le souvenir confus de ma naissance m'inspirait parfois de l'orgueil, et je me disais, en voyant l'air dédaigneux que prennent les grandes dames à l'endroit des comédiennes : « Moi aussi je suis de noble race! » Mais ces légères fumées se dissipaient bientôt, et je ne gardais que l'invincible respect de moi-même. Pour rien au monde je n'aurais souillé le pur sang qui coulait dans mes veines. Les licences des coulisses, et les poursuites dont sont l'objet les actrices, même lorsqu'elles manquent de beauté, ne m'inspiraient que du dégoût. J'ai vécu au théâtre presque comme en un couvent, car on peut être sage partout, quand on le veut. Le Pédant était pour moi comme un père, et certes Hérode eût brisé les os à quiconque eût osé me toucher du doigt, ou seulement me dire une parole libre. Quoique comédiens, ce sont de très braves gens, et je vous les recommande s'ils se trouvent jamais en quelque nécessité. Je leur dois en grande partie de pouvoir présenter sans rougir mon front à vos lèvres, et me dire hautement votre fille. Mon seul regret est d'avoir été la cause bien innocente du malheur arrivé à M. le duc votre fils, et j'aurais souhaité entrer dans votre famille sous de meilleurs auspices.

— Vous n'avez rien à vous reprocher, ma chère fille, vous ne pouviez deviner ces mystères qui ont éclaté tout à coup par un concours de circonstances qu'on trouverait romanesques si on les rencontrait en un livre, et ma joie de vous revoir aussi digne de moi que si vous n'eussiez pas vécu à travers les hasards d'une vie errante, et d'une profession peu rigoureuse d'ordinaire, efface bien la douleur où m'a jeté la fâcheuse blessure de mon fils. Qu'il survive ou succombe, je ne saurais vous en vouloir. En tout cas, votre vertu l'a sauvé d'un crime. Ainsi, ne parlons plus de cela. Mais, parmi vos libérateurs, quel était ce jeune homme qui semblait diriger l'attaque, et qui a blessé Vallombreuse? Un comédien, sans doute, quoiqu'il m'ait paru de bien grand air et de hardi courage.

— Oui, mon père, répondit Isabelle dont les joues se couvrirent d'une faible et pudique rougeur, un comédien. Mais s'il m'est permis de trahir un secret qui n'en est plus un déjà pour monsieur le duc, je vous dirai que ce prétendu capitaine Fracasse (tel est son emploi dans la troupe) cache sous son masque un noble visage, et sous son nom de théâtre un nom de race illustre.

— En effet, répondit le prince, je crois avoir entendu parler de cela. Il eût été étonnant qu'un comédien se risquât à cet acte téméraire de contrecarrer un duc de Vallombreuse, et d'entrer en lutte avec lui. Il faut un sang généreux pour de telles audaces. Un gentilhomme seul peut vaincre un gentilhomme, de même qu'un diamant n'est rayé que par un autre diamant. »

L'orgueil nobiliaire du prince éprouvait quelque consolation à penser que son fils n'avait point été navré par quelqu'un de bas lieu. Les choses reprenaient ainsi une situation régulière. Ce combat devenait une sorte de duel entre gens de condition égale, et le motif en était avouable; l'élégance n'avait rien à souffrir de cette rencontre.

« Et comment se nomme ce valeureux champion, reprit le prince, ce preux chevalier défenseur de l'innocence?

— Le baron de Sigognac, répondit Isabelle d'une voix légèrement tremblante, je livre son nom sans crainte à votre générosité. Vous êtes trop juste pour poursuivre en lui le malheur d'une victoire qu'il déplore.

— Sigognac, dit le prince, je pensais cette race éteinte. N'est-ce pas une famille de Gascogne?

— Oui, mon père, son castel se trouve aux environs de Dax.

— C'est bien cela. Les Sigognac ont des armes parlantes; ils portent d'azur à trois cigognes d'or, deux et une. Leur noblesse est fort ancienne. Palamède de Sigognac figurait glorieusement à la première croisade. Un Raimbaud de Sigognac, le père de celui-ci, sans doute, était fort ami et compagnon de Henri IV en sa jeunesse, mais il ne le suivit point à la cour; car ses affaires, dit-on, étaient fort dérangées, et l'on ne gagnait guère que des coups sur les talons du Béarnais.

— Si dérangées, que notre troupe, forcée par une nuit pluvieuse à chercher un asile, trouva le fils dans une tourelle à hiboux tout en ruine, où se consumait sa jeunesse, et que nous l'arrachâmes à ce château de la misère, craignant qu'il n'y mourût de faim par fierté et mélancolie; je n'ai jamais vu infortune plus vaillamment supportée.

— Pauvreté n'est pas forfaiture, dit le prince, et toute noble maison qui n'a point failli à l'honneur peut se relever. Pourquoi, en son désastre, le baron de Sigognac ne s'est-il pas adressé à quelqu'un des anciens compagnons d'armes de son père, ou même au roi, le protecteur né de tous les gentilshommes?

— Le malheur rend timide, quelque brave qu'on soit, répondit Isabelle, et l'amour-propre retient le courage. En venant avec nous, le Baron comptait rencontrer à Paris une occasion favorable qui ne s'est point présentée; pour n'être point à notre charge, il a voulu remplacer un de nos camarades mort en route, et comme cet emploi se joue sous le masque, il n'y pensait pas compromettre sa dignité.

— Sous ce déguisement comique, sans être sorcier, je devine bien un petit brin d'amourette, dit le prince en souriant avec une maligne bonté; mais ce ne sont point là mes affaires; je connais assez votre vertu, et je ne m'alarme point de quelques soupirs discrets poussés à votre intention. Il n'y a pas assez longtemps d'ailleurs que je suis votre père pour me permettre de vous sermonner. »

Pendant qu'il s'exprimait ainsi, Isabelle fixait sur le prince ses grands yeux bleus, où brillaient la plus pure innocence et la plus parfaite loyauté. La nuance rosé dont le nom de Sigognac avait coloré son beau visage s'était dissipée; sa physionomie n'offrait aucun signe de honte ou d'embarras. Dans son cœur le regard d'un père, le regard de Dieu même, n'eût rien trouvé de répréhensible.

L'entretien en était là quand l'élève de maître Laurent se fit annoncer; il apportait un bulletin favorable de la santé de Vallombreuse. L'état du blessé était aussi satisfaisant que possible; après la potion, une crise heureuse avait eu lieu, et le médecin répondait désormais de la vie du jeune duc. Sa guérison n'était plus qu'une affaire de temps.

A quelques jours de là, Vallombreuse, soutenu par deux ou trois oreillers, paré d'une chemise à collet en point de Venise, les cheveux séparés et remis en ordre, recevait dans son lit la visite de son fidèle ami le chevalier de Vidalinc, qu'on ne lui avait pas encore permis de voir. Le prince était assis dans la ruelle, regardant avec une profonde joie paternelle le visage pâle et amaigri de son fils, mais qui n'offrait plus aucun symptôme alarmant. La couleur était revenue aux lèvres, et l'étincelle de la vie brillait dans les yeux. Isabelle était debout près du chevet. Le jeune duc lui tenait la main entre ses doigts fluets, et d'un blanc bleuâtre comme ceux des malades abrités du grand air et du soleil depuis quelque temps. Comme il lui était défendu de parler encore autrement que par monosyllabes, il témoignait ainsi sa sympathie à celle qui était la cause involontaire de sa blessure, et lui faisait comprendre combien il lui pardonnait de grand cœur. Le frère avait chez lui remplacé l'amant, et la maladie, en calmant sa fougue, n'avait pas peu contribué à cette transition difficile. Isabelle était bien réellement pour lui la comtesse de Lineuil, et non plus la comédienne de la troupe d'Hérode. Il fit un signe de tête amical à Vidalinc, et dégagea un moment sa main de celle de sa sœur pour la lui tendre. C'était tout ce que le médecin autorisait pour cette fois.

Au bout de deux ou trois semaines, Vallombreuse, fortifié par de légers aliments, put passer quelques heures sur une chaise longue et supporter l'air d'une fenêtre ouverte, par où entraient les souffles balsamiques du printemps. Isabelle souvent lui tenait compagnie et lui faisait la lecture, fonction à laquelle son ancien métier de comédienne la rendait merveilleusement propre, par l'habitude de soutenir la voix et de varier à propos les intonations.

Un jour qu'ayant achevé un chapitre elle allait en recommencer un autre dont elle avait déjà lu l'argument, le duc de Vallombreuse lui fit signe de poser le livre, et lui dit :

« Chère sœur, ces aventures sont les plus divertissantes du monde, et l'auteur peut se compter parmi les plus gens d'esprit de la cour et de la ville; il n'est bruit que de son livre dans les ruelles, mais j'avoue que je préfère à cette lecture votre conversation charmante. Je n'aurais pas cru tant gagner en perdant tout espoir. Le frère est auprès de vous en meilleur posture que l'amant; autant vous étiez rigoureuse à l'un, autant vous êtes douce à l'autre. Je trouve à ce sentiment paisible des charmes dont je ne me doutais point. Vous me révélez tout un côté inconnu de la femme. Emporté par des passions ardentes, poursuivant le plaisir que me promettait la beauté, m'exaltant et m'irritant aux obstacles, j'étais comme ce féroce chasseur de la légende que rien n'arrête; je ne voyais qu'une proie dans l'objet aimé. L'idée d'une résistance me semblait impossible. Le mot de vertu me faisait hausser les épaules, et je puis dire sans fatuité à la seule qui ne m'ait point cédé, que j'avais bien des raisons de n'y pas croire. Ma mère était morte quand je ne comptais encore que trois ans; vous n'étiez pas retrouvée, et j'ignorais tout ce qu'il y a de pur, de tendre, de délicat dans l'âme féminine. Je vous vis; une irrésistible sympathie, où la voix secrète du sang était sans doute pour quelque chose, m'entraîna vers vous, et pour la première fois un sentiment d'estime se mêla dans mon cœur à l'amour. Votre caractère, tout en me désespérant, me plaisait. J'approuvais cette fermeté modeste et polie avec laquelle vous repoussiez mes hommages. Plus vous me rejetiez, plus je vous trouvais digne de moi. La colère et l'admiration se succédaient en moi, et quelquefois y régnaient ensemble. Même en mes plus violentes fureurs, je vous ai toujours respectée. Je pressentais l'ange à travers la femme, et je subissais l'ascendant d'une pureté céleste. Maintenant je suis heureux, car j'ai de vous précisément ce que je désirais de vous sans le savoir, cette affection dégagée de tout alliage terrestre, inaltérable, éternelle; je possède enfin une âme.

— Oui, cher frère, répondit Isabelle, vous la possédez, et ce m'est un grand bonheur que de pouvoir vous le dire. Vous avez en moi une sœur dévouée qui vous aimera double pour le temps perdu, surtout si, comme vous l'avez promis, vous modérez ces fougues dont s'alarme notre père, et ne laissez paraître que ce qu'il y a d'excellent en vous.

— Voyez la jolie prêcheuse, dit Vallombreuse en souriant; il est vrai que je suis un bien grand monstre, mais je m'amenderai sinon par amour de la vertu, du moins pour ne pas voir ma grande sœur prendre son air sévère à quelque nouvelle escapade. Pourtant je crains d'être toujours la folie, comme vous serez toujours la raison.

— Si vous me complimentez ainsi, fit Isabelle avec un petit air de menace, je vais reprendre mon livre, et il vous faudra ouïr tout au long l'histoire qu'allait raconter, dans la cabine de sa galère, le corsaire barbaresque à l'incomparable princesse Aménaïde, sa captive, assise sur des carreaux de brocart d'or.

— Je n'ai pas mérité une si dure punition. Dussé-je paraître bavard, j'ai envie de parler. Ce damné médecin m'a posé si longtemps sur les lèvres le cachet du silence et fait ressembler à une statue d'Harpocrate!

— Mais ne craignez-vous pas de vous fatiguer? Votre blessure est cicatrisée à peine. Maître Laurent m'a tant recommandé de vous faire la lecture, afin qu'en écoutant vous ménagiez votre poitrine.

— Maître Laurent ne sait ce qu'il dit, et veut prolonger son importance. Mes poumons aspirent et rendent l'air avec la même facilité qu'auparavant. Je me sens tout à fait bien, et j'ai des envies de monter à cheval pour faire une promenade dans la forêt.

— Il vaut mieux encore faire la conversation; le danger, certes, sera moindre.

— D'ici à peu je serai remis sur pied, ma sœur, et je vous présenterai dans le monde où votre rang vous appelle, et où votre beauté si parfaite ne manquera pas d'amener à vos pieds nombre d'adorateurs, parmi lesquels la comtesse de Lineuil pourra se choisir un époux.

— Je n'ai aucune envie de me marier, et croyez que

ce ne sont point là propos de jeune fille qui serait
bien fâchée d'être prise au mot. J'ai assez donné ma
main à la fin des pièces où je jouais pour n'être pas
si pressée de le faire dans la vie réelle. Je ne rêve pas
d'existence plus douce que de rester près du prince
et de vous.

— Un père et un frère ne suffisent pas toujours,
même à la personne la plus détachée du monde. Ces
tendresses-là ne remplissent pas tout le cœur.

— Elles rempliront tout le mien, cependant, et si
elles me manquaient un jour, j'entrerais en religion.

— Ce serait vraiment pousser l'austérité trop loin.
Est-ce que le chevalier de Vidalinc ne vous paraît pas
avoir tout ce qu'il faut pour faire un mari parfait?

— Sans doute. La femme qu'il épousera pourra se
dire heureuse; mais, quelque charmant que soit votre
ami, mon cher Vallombreuse, je ne serai jamais cette
femme.

— Le chevalier de Vidalinc est un peu rousseau, et
peut-être êtes-vous comme notre roi Louis XIII, qui
n'aime pas cette couleur, fort prisée des peintres
cependant. Mais ne parlons plus de Vidalinc. Que vous
semble du marquis de l'Estang, qui vint l'autre jour
savoir de mes nouvelles et ne vous quitta pas des yeux
tant que dura sa visite? Il était si émerveillé de votre
grâce, si ébloui de votre beauté non pareille qu'il
s'empêtrait en ses compliments et ne faisait que bal-
butier. Cette timidité à part, qui doit trouver excuse
à vos yeux puisque vous en étiez cause, c'est un cavalier accompli. Il est beau, jeune, d'une grande naissance et d'une grande fortune. Il vous conviendrait
fort.

— Depuis que j'ai l'honneur d'appartenir à votre
illustre famille, répondit Isabelle un peu impatientée
de ce badinage, trop d'humilité ne me siérait pas. Je
ne dirai donc point que je me regarde comme indigne
d'une pareille union; mais le marquis de l'Estang
demanderait ma main à mon père, que je refuserais.
Je vous l'ai déjà dit, mon frère, je ne veux point me
marier, et vous le savez bien, vous qui me tourmentez
de la sorte.

— Oh! quelle humeur virginale et farouche vous
avez, ma sœur! Diane n'est pas plus sauvage en ses
forêts et vallées de l'Hémus. Encore, s'il faut en croire
les mauvaises langues mythologiques, le seigneur

Endymion trouva-t-il grâce à ses yeux. Vous vous
fâchez parce que je vous propose, en causant, quelques
partis sortables; si ceux-là vous déplaisent, nous vous
en découvrirons d'autres.

— Je ne me fâche pas, mon frère; mais décidément
vous parlez trop pour un malade, et je vous ferai
gronder par maître Laurent. Vous n'aurez pas, à souper, votre aile de poulet.

— S'il en est ainsi, je me tais, fit Vallombreuse avec
un air de soumission, mais croyez que vous ne serez
mariée que de ma main. »

Pour se venger de la moquerie opiniâtre de son
frère, Isabelle commença l'histoire du corsaire barbaresque d'une voix haute et vibrante qui couvrait celle
de Vallombreuse.

« Mon père, le duc de Fossombrone, se promenait
« avec ma mère, l'une des plus belles femmes, sinon
« la plus belle du duché de Gênes, sur le rivage de la
« Méditerranée où descendait l'escalier d'une superbe
« villa qu'il habitait l'été, quand les pirates d'Alger,
« cachés derrière des roches, s'élancèrent sur lui,
« triomphèrent par le nombre de sa résistance déses-
« pérée, le laissèrent pour mort sur la place et
« emportèrent la duchesse, alors enceinte de moi, mal-
« gré ses cris, jusqu'à leur barque, qui s'éloigna rapi-
« dement en faisant force de rames, et rejoignit la
« galère capitane abritée dans une crique. Présentée
« au dey, ma mère lui plut et devint sa favorite... »

Vallombreuse, pour déjouer la malice d'Isabelle,
ferma les yeux et sur ce passage plein d'intérêt feignit
de s'endormir.

Le sommeil que Vallombreuse avait d'abord feint
devint bientôt véritable, et la jeune fille, voyant son
frère endormi, se retira sur la pointe du pied.

Cette conversation, où le duc semblait avoir voulu
mettre une intention malicieuse, troublait Isabelle quoi
qu'elle en eût. Vallombreuse, conservant une rancune
secrète à l'endroit de Sigognac, bien qu'il n'en eût
pas encore prononcé le nom depuis l'attaque du château, cherchait-il à élever par un mariage un obstacle
insurmontable entre le Baron et sa sœur ou désirait-il
simplement savoir si la comédienne transformée en
comtesse n'avait pas changé de sentiment comme de
fortune? Isabelle ne pouvait répondre à ces deux
points d'interrogation que se posait alternativement sa

rêverie. Puisqu'elle était la sœur de Vallombreuse, la rivalité de Sigognac et du jeune duc tombait d'elle-même; mais, d'un autre côté, il était difficile de supposer qu'un caractère si altier, si orgueilleux et si vindicatif eût oublié la honte d'une première défaite, et surtout celle d'une seconde. Quoique les positions fussent changées, Vallombreuse, en son cœur, devait toujours haïr Sigognac. Eût-il assez de grandeur d'âme pour lui pardonner, la générosité n'exigeait pas qu'il l'aimât et l'admît dans sa famille. Il fallait renoncer à l'espoir d'une réconciliation. Le prince, d'ailleurs, ne verrait jamais avec plaisir celui qui avait mis en péril les jours de son fils. Ces réflexions jetaient Isabelle en une mélancolie qu'elle essayait vainement de secouer. Tant qu'elle s'était considérée dans son état de comédienne comme un obstacle à la fortune de Sigognac, elle avait repoussé toute idée d'union avec lui; mais, maintenant qu'un coup inopiné du sort la comblait de tous les biens qu'on souhaite, elle eût aimé à récompenser par le don de sa main celui qui la lui avait demandée quand elle était méprisée et pauvre. Elle trouvait une sorte de bassesse à ne point faire partager sa prospérité au compagnon de sa misère. Mais tout ce qu'elle pouvait faire, c'était de lui garder une inaltérable fidélité, car elle n'osait parler en sa faveur ni au prince ni à Vallombreuse.

Bientôt le jeune duc fut assez bien pour pouvoir dîner à table avec son père et sa sœur; il déployait à ces repas une déférence respectueuse envers le prince, une tendresse ingénieuse et délicate à l'endroit d'Isabelle, et montrait qu'il avait, malgré sa frivolité apparente, l'esprit orné plus qu'on n'eût pu le supposer chez un jeune homme adonné aux femmes, aux duels et à toutes sortes de dissipations. Isabelle se mêlait modestement à ces conversations, et le peu qu'elle disait était si juste, si fin et si à propos que le prince en était émerveillé, d'autant plus que la jeune fille, avec un tact parfait, évitait préciosité et pédanterie.

Vallombreuse, tout à fait rétabli, proposa à sa sœur une promenade à cheval dans le parc, et les deux jeunes gens suivirent au pas une longue allée, dont les arbres centenaires se rejoignaient en voûte et formaient un couvert impénétrable aux rayons du soleil; le duc avait repris toute sa beauté, Isabelle était charmante, et jamais couple plus gracieux ne chevaucha côte à côte. Seulement la physionomie du jeune homme exprimait la gaieté et celle de la jeune fille la mélancolie. Parfois les saillies de Vallombreuse lui arrachaient un vague et faible sourire, puis elle retombait dans sa languissante rêverie; mais son frère ne paraissait pas s'apercevoir de cette tristesse, et il redoublait de verve. « Oh! la bonne chose que de vivre, disait-il; on ne se doute pas du plaisir qu'il y a dans cet acte si simple : respirer! Jamais les arbres ne m'ont semblé si verts, le ciel si bleu, les fleurs si parfumées! C'est comme si j'étais né d'hier et que je visse la création pour la première fois. Quand je songe que je pourrais être allongé sous un marbre et que je me promène avec ma chère sœur, je ne me sens pas d'aise! ma blessure ne me fait plus souffrir du tout, et je crois que nous pouvons risquer un petit temps de galop pour retourner au château où le prince s'ennuie à nous attendre. »

Malgré les observations d'Isabelle, toujours craintive, Vallombreuse chercha les flancs de sa monture, et les deux chevaux partirent d'un train assez vif. Au bas du perron, en enlevant sa sœur de dessus la selle, le jeune duc lui dit : « Maintenant me voilà un grand garçon, et j'obtiendrai la permission de sortir seul.

— Eh quoi! vous voulez donc nous quitter à peine guéri, méchant que vous êtes?

— Oui, j'ai besoin de faire un voyage de quelques jours », répondit négligemment Vallombreuse.

En effet, le lendemain il partit après avoir pris congé du prince, qui ne s'opposa point à son départ, et dit à Isabelle d'un ton énigmatique et bizarre : « Au revoir, petite sœur, vous serez contente de moi! »

## XIX

### ORTIES ET TOILES D'ARAIGNÉE

Le conseil d'Hérode était sage, et Sigognac se résolut à le suivre; aucun attrait d'ailleurs, Isabelle devenue de comédienne grande dame, ne le rattachait plus à la troupe. Il fallait disparaître quelque temps, se plonger dans l'oubli, jusqu'à ce que le ressentiment causé par la mort probable de Vallombreuse se fût apaisé. Aussi après avoir fait, non sans émotion, ses adieux à ces braves acteurs qui s'étaient montrés si bons camarades pour lui, Sigognac s'éloigna de Paris, monté sur un vigoureux bidet, les poches assez convenablement garnies de pistoles, produit de sa part sur les recettes. A petites journées, il se dirigeait vers sa gentilhommière délabrée; car, après l'orage, l'oiseau retourne toujours à son nid, ne fût-il que de bûchettes et de vieille paille. C'était le seul gîte où il pût se réfugier, et dans ses désespérances il éprouvait une sorte de plaisir à retourner au pauvre manoir de ses pères, qu'il eût peut-être mieux fait de ne pas quitter. En effet, sa fortune ne s'était guère améliorée, et cette dernière aventure ne pouvait que lui nuire. « Allons, se disait-il tout en cheminant, j'étais prédestiné à mourir de faim et d'ennui entre ces murailles lézardées, sous ce toit qui laisse passer la pluie comme un crible. Nul n'évite son sort et j'accomplirai le mien : je serai le dernier des Sigognac. »

Il est inutile de décrire tout au long ce voyage qui dura une vingtaine de jours et ne fut égayé d'aucune rencontre curieuse. Il suffira de dire qu'un beau soir Sigognac aperçut de loin les deux tourelles de son château, illuminées par le couchant et se détachant en clair du fond violet de l'horizon. Un caprice de la lumière les faisait paraître plus rapprochées qu'elles ne l'étaient réellement, et dans un des rares carreaux de la façade, le soleil encadrait une scintillation rouge du plus vif éclat. On eût dit une monstrueuse escarboucle.

Cette vue causa au Baron un attendrissement bizarre; certes, il avait bien souffert dans ce castel en ruine, et cependant il éprouvait à le retrouver l'émotion que procure au retour un ancien ami dont l'absence a fait oublier les défauts. Sa vie s'était écoulée là pauvre, obscure, solitaire, mais non sans quelques secrètes douceurs; car la jeunesse ne peut être tout à fait malheureuse. La plus découragée a encore ses rêves et ses espérances. L'habitude d'une peine finit par avoir son charme, et l'on regrette certaines tristesses plus que certaines joies.

Sigognac donna de l'éperon à son cheval pour lui faire hâter l'allure et arriver avant la nuit. Le soleil ayant baissé et ne laissant plus voir au-dessus de la ligne brune tracée par la lande sur le ciel qu'un mince segment de son disque échancré, la lueur rouge de la vitre s'était éteinte, et le manoir ne formait plus qu'une tache grise se confondant presque avec l'ombre; mais Sigognac connaissait bien la route, et bientôt il s'engagea dans le chemin fréquenté jadis, désert maintenant, qui conduisait au château. Les branches gourmandes de la haie lui fouettaient les bottes, et, devant les pas de son cheval, les rainettes peureuses sautaient à travers l'herbe humide et rosée; un faible et lointain aboi de chien, quêtant tout seul comme pour se désennuyer, se faisait entendre dans le silence profond de la campagne. Sigognac arrêta sa monture pour mieux écouter. Il avait cru reconnaître la voix enrouée de Miraut. Bientôt l'aboi se rapprocha et se changea en un jappement réitéré et joyeux, entrecoupé par une course haletante; Miraut avait éventé son maître, et il accourait de toute la vitesse de ses vieilles pattes. Le Baron siffla d'une certaine façon, et au bout de quelques minutes, le bon et brave chien déboucha impétueusement par une brèche de la haie, hurlant, sanglotant, poussant des cris presque humains. Quoique essoufflé et pantelant, il sautait au nez du cheval, tâchait d'escalader la selle pour parvenir jusqu'à son maître, et donnait les plus extravagants témoignages de joie canine que jamais animal de son espèce ait manifestés. Argus lui-même reconnaissant Ulysse chez Eumée n'était pas si content que Miraut. Sigognac se baissa et lui flatta la tête de la main pour calmer cette furie sympathique.

Satisfait de cet accueil, et voulant porter la bonne nouvelle aux habitants du château, c'est-à-dire à Pierre, à Bayard et à Béelzébuth, Miraut partit comme un trait et se mit à aboyer de telle sorte devant le vieux serviteur assis dans la cuisine que celui-ci comprit qu'il se passait quelque chose d'extraordinaire.

« Est-ce que le jeune maître reviendrait? » se dit Pierre en se levant et en marchant à la suite de Miraut, qui le tirait par le pan de son sayon. Comme la nuit s'était faite, Pierre avait allumé au foyer où cuisait son frugal souper un éclat de bois résineux, dont, à l'entrée du chemin, la fumée rougeâtre illumina tout à coup Sigognac et son cheval.

« C'est vous, monsieur le Baron, s'écria joyeuse-

ment le brave Pierre à la vue de son maître; Miraut
me l'avait déjà dit en son honnête langage de chien;
car nous sommes si seuls ici que bêtes et gens, ne
parlant qu'entre eux, finissent par se comprendre.
Cependant n'ayant point été averti de votre retour, je
craignais de me tromper. Attendu ou non, soyez le
bienvenu dans votre domaine; on tâchera de vous
fêter le mieux possible.

— Oui, c'est bien moi, mon bon Pierre, Miraut ne
t'a pas menti; moi, sinon plus riche, du moins sain et
sauf; allons, marche devant avec ta torche et rentrons
au logis. »

Pierre, non sans effort, ouvrit les battants de la
vieille porte, et le baron de Sigognac passa sous le
portail éclairé d'une manière fantastique par les
reflets de la torche. A cette lueur les trois cigognes
sculptées sur le blason à la voûte parurent s'animer et
palpiter des ailes comme si elles eussent voulu saluer
le retour du dernier rejeton de la famille qu'elles
avaient symbolisée pendant tant de siècles. Un hennissement prolongé semblable à un clairon se fit
entendre. C'était Bayard qui du fond de son écurie
sentait son maître et tirait de ses vieux poumons
asthmatiques cette fanfare éclatante!

« Bien, bien, je t'entends, mon pauvre Bayard, dit
Sigognac en descendant de cheval et en jetant les
rênes à Pierre; je vais t'aller dire bonjour. » Et il se
dirigeait du côté de l'écurie lorsqu'il faillit choir :
une masse noirâtre s'enchevêtrait dans ses jambes
miaulant, ronronnant, faisant le gros dos. C'était Béelzébuth qui exprimait sa joie avec tous les moyens que
la nature a donnés à la race féline; Sigognac le prit
entre ses bras et l'éleva à la hauteur de son visage.
Le matou était au comble du bonheur; ses yeux ronds
s'illuminaient de lueurs phosphoriques; des frémisse-
ments nerveux lui faisaient ouvrir et fermer ses pattes
aux ongles rétractiles. Il s'étranglait à force de filer
vite son rouet et poussait avec une passion éperdue
son nez, noir et grenu comme une truffe, contre la
moustache de Sigognac. Après l'avoir bien caressé, car
il ne dédaignait pas ces témoignages d'affection
d'humbles amis, le Baron remit délicatement Béelzébuth à terre, et ce fut le tour de Bayard, qu'il flatta,
à plusieurs reprises, en lui frappant du plat de la
main le col de la croupe. Le bon animal mettait sa

tête sur l'épaule de son maître, grattait le sol de son
pied et de l'arrière-train essayait une courbette fringante. Il accueillit poliment le bidet qu'on installa près
de lui, se sentant sûr de l'affection de Sigognac et
peut-être satisfait d'entrer en relation avec un animal
de son espèce, ce qui ne lui était pas arrivé depuis
longtemps.

« Maintenant que j'ai répondu aux civilités de mes
bêtes, dit Sigognac à Pierre, il ne serait peut-être pas
mal à propos d'aller voir à la cuisine ce que contient
ton garde-manger; j'ai mal déjeuné ce matin, mais
je n'ai pas dîné du tout, car je voulais arriver au but
de mon voyage devant qu'il fît nuit. A Paris, j'ai un
peu perdu mes habitudes de sobriété, et je ne serai
pas fâché de souper, ne fût-ce que d'un rogaton.

— Maître, il y a un reste de miasson, un peu de
lard et du fromage de chèvre. Ce sont des mets sauvages et rustiques que vous ne trouverez peut-être pas
mangeables depuis que vous avez tâté de la grande
cuisine. S'ils ne flattent pas le palais, ils empêchent
du moins de mourir de faim.

— C'est tout ce qu'un homme peut demander à la
nourriture, répondit Sigognac, et je ne suis point
ingrat, comme tu sembles le penser, envers les aliments simples qui ont soutenu ma jeunesse et m'ont
fait sain, alerte et vigoureux; sers ton miasson, ton
lard et ton fromage avec la fierté d'un maître d'hôtel
qui apporterait sur un plat d'or un paon faisant la
roue. »

Rassuré sur sa cuisine, Pierre couvrit en hâte la
table où d'habitude Sigognac prenait son maigre repas,
d'une nappe bise mais propre; il plaça d'un côté le
gobelet, de l'autre le pot de grès plein d'une piquette
acide pour faire symétrie au bloc de miasson et se tint
debout derrière son maître comme un majordome servant un prince. Selon l'antique cérémonial, Miraut,
assis à sa droite sur son derrière, et Béelzébuth,
accroupi à gauche, regardaient avec extase le baron
de Sigognac et suivaient les voyages que sa main
faisait du plat à sa bouche et de sa bouche au plat
dans l'attente de quelque morceau qu'il leur jetait
impartialement.

Ce tableau bizarre était éclairé par l'éclat de bois
résineux que Pierre avait planté sur une fiche en fer,
à l'intérieur de la cheminée, pour que la fumée ne se

répandît pas dans la chambre. Il répétait si exactement la scène décrite au commencement de cette histoire que le Baron, frappé de cette ressemblance,
s'imaginait avoir fait un rêve et n'être jamais sorti de
son château.

Le temps, qui, à Paris, avait coulé si vite et si chargé
d'événements, semblait s'être arrêté au château de
Sigognac. Les heures endormies ne s'étaient pas donné
la peine de retourner leur sablier plein de poussière.
Tout était à la même place. Les araignées sommeil-
laient toujours aux encoignures dans leur hamac grisâtre, attendant la venue de quelque mouche impro-
bable. Quelques-unes même s'étaient découragées et
n'avaient point raccommodé leurs toiles, n'ayant plus
assez de substance pour tirer du fil de leur ventre;
sur la cendre blanche de l'âtre un charbon qui paraissait ne pas avoir brûlé depuis le départ du Baron
dégageait une petite fumée grêle comme celle d'une
pipe près de s'éteindre; seulement les orties et les
ciguës avaient grandi dans la cour, l'herbe qui encadrait les pavés était plus haute; une branche d'arbre,
n'arrivant jadis qu'à la fenêtre de la cuisine, y poussait maintenant un jet feuillu par la maille d'un carreau cassé. C'était tout ce qu'il y avait de nouveau.

Malgré lui, Sigognac se sentait repris par ce milieu.
Ses anciennes pensées lui revenaient en foule; et il se
perdait en des rêveries silencieuses que respectait
Pierre et que n'osaient troubler Miraut et Béelzébuth
par des caresses intempestives. Tout ce qui s'était
passé ne lui faisait plus l'effet que d'aventures qu'il
aurait lues dans un livre et dont le souvenir lui serait
vaguement resté. Le capitaine Fracasse, déjà effacé à
demi, ne lui apparaissait plus dans le lointain que
comme un pâle spectre émané et détaché à tout jamais
de lui-même. Son combat avec Vallombreuse ne se
dessinait en sa mémoire que sous forme d'une gesti-
culation bizarre à laquelle sa volonté était demeurée
étrangère. Aucune des actions accomplies pendant
cette période ne lui semblait tenir à lui, et son retour
au château avait rompu les fils qui les rattachaient à
sa vie. Seul son amour pour Isabelle ne s'était pas
envolé, et il le retrouvait toujours vivace en son cœur,
mais plutôt encore comme une aspiration de l'âme
que comme une passion réelle, puisque celle qui en
était l'objet ne pouvait plus lui appartenir. Il compre-

nait que la roue de son char un moment lancé sur une autre route était retombée dans son ornière fatale, et il s'y résignait avec un accablement tranquille. Seulement il se blâmait d'avoir eu quelques minutes d'espérance et d'illusion. Pourquoi diable aussi les malheureux veulent-ils être heureux? Quelle sottise!

Cependant il parvint à secouer cette torpeur, et comme il voyait dans les yeux de Pierre pointer de timides interrogations, il narra brièvement à ce digne serviteur les faits principaux qui pouvaient l'intéresser dans cette histoire; au récit des deux duels de son élève avec Vallombreuse, le bonhomme, fier d'avoir formé un tel disciple, rayonnait d'aise et simulait contre la muraille, au moyen d'un bâton, les coups que lui décrivait Sigognac.

« Hélas! mon brave Pierre, dit le Baron en soupirant, tu m'as trop bien montré tous ces secrets d'escrime que personne ne possède comme toi. Cette victoire m'a perdu et renvoyé pour longtemps, sinon pour toujours, en ce pauvre et triste manoir. J'ai cette chance particulière que le triomphe m'abat et ruine mes affaires au lieu de les accommoder. Il eût mieux valu que je fusse blessé ou même tué en cette rencontre fâcheuse.

— Les Sigognac, fit sentencieusement le vieux serviteur, ne sauraient être battus. Quoi qu'il arrive, maître, je suis content que vous ayez tué ce Vallombreuse. La chose a dû être faite dans les règles, j'en suis sûr, et c'est tout ce qu'il faut. Que peut objecter un homme qui meurt d'un beau coup d'épée, étant en garde?

— Rien, certainement, répondit Sigognac, que la philosophie prévôtale du vieux maître d'armes faisait sourire; mais je me sens un peu fatigué. Allume la lampe et conduis-moi à ma chambre. »

Pierre obéit. Le Baron, précédé de son domestique et suivi de son chien et de son chat, monta lentement le vieil escalier aux fresques éteintes et passées de ton. Les Hercules à gaines de plus en plus pâles faisaient des efforts pour soutenir la feinte corniche dont le poids semblait les écraser. Ils gonflaient désespérément leurs muscles appauvris, et cependant n'avaient pu empêcher que quelques plaques de crépi ne se détachassent du mur. Les empereurs romains en valaient guère mieux, et quoiqu'ils affectassent en leurs niches des mines de rodomonts et de triomphateurs, ils avaient perdu qui leur couronne, qui leur sceptre, qui leur pourpre. Le treillage peint de la voûte s'était défoncé en maint endroit, et les pluies d'hiver, filtrant par les lézardes, avaient géographié des Amériques nouvelles à côté des vieux continents et des îles déjà tracées.

Ce délabrement auquel Sigognac, avant d'être sorti de sa gentilhommière, n'était pas autrement sensible. le frappa et le jeta, tandis qu'il montait, en des mélancolies profondes. Il y voyait l'inévitable et fatale décadence de sa race et se disait : « Si cette voûte avait quelque sentiment de pitié pour la famille qu'elle a jusqu'ici abritée, elle devrait bien s'écrouler et m'écraser sur place! » Arrivé à la porte des appartements, il prit la lampe des mains de Pierre, qu'il remercia et renvoya, ne voulant pas lui laisser voir son émotion.

Sigognac traversa lentement la première salle où avait eu lieu, il y a quelques mois, le souper des comédiens. Le souvenir de ce joyeux tableau la rendait plus lugubre encore. Troublé un instant, le silence semblait s'y être réinstallé à tout jamais, plus morne, plus profond, plus formidable. Dans ce tombeau, un grignotement le rat usant ses incisives prenait des résonances étranges. Eclairés par le faible jour de la lampe, les portraits, accoudés sur leurs cadres d'or fané comme à des balcons, devenaient inquiétants. On eût dit qu'ils voulaient s'arracher de leur fond d'ombre et venir saluer leur malheureux rejeton. Une vie spectrale animait ces antiques effigies : leurs lèvres peintes remuaient, murmurant des paroles que l'âme entendait à défaut de l'oreille; leurs yeux se levaient tristement au plafond et, sur leurs joues vernies, la sueur de l'humidité se condensait en grosses gouttes que la lumière faisait briller comme des larmes. Les esprits des aïeux erraient, certes, autour de ces images qui représentaient la forme terrestre qu'ils avaient animée autrefois, et Sigognac sentait leur présence invisible dans l'horreur secrète de cette demi-obscurité. Toutes ces figures à cuirasses ou à vertugadins avaient l'air lamentable et désolé. Seul, le dernier portrait, celui de la mère de Sigognac, semblait sourire. La lumière tombait précisément dessus, et, soit que la peinture plus récente et d'une meilleure main fît illusion, soit qu'en effet l'âme vînt un instant vivifier cette apparence, le portrait avait un air de tendresse confiante et gaie dont Sigognac s'étonna et qu'il prit pour un favorable présage, car l'expression de cette tête lui avait toujours paru mélancolique.

Enfin Sigognac entra dans sa chambre et posa la lampe sur la petite table où gisait encore le volume de Ronsard qu'il lisait lorsque les comédiens vinrent frapper nuitamment à la porte du manoir. Le papier, couturé de ratures, brouillon d'un sonnet inachevé, était toujours à la même place. Le lit, qu'on n'avait pas refait, gardait moulée l'empreinte des dernières personnes qui s'y étaient reposées. Isabelle avait dormi là. Sa jolie tête s'était appuyée à cet oreiller, confident de bien des rêves!

A cette pensée, Sigognac se sentit le cœur voluptueusement torturé par une agréable douleur, si l'on peut joindre ensemble ces mots ennemis de nature. Son imagination se représentait avec vivacité les appas de cette adorable fille: sa raison, d'une voix importune et chagrine, lui disait qu'Isabelle était à jamais perdue pour lui, et pourtant il lui semblait voir par l'effet d'une fantasmagorie amoureuse ce pur et charmant visage entre les plis des rideaux entrouverts comme celui d'une chaste épouse qui attend le retour de l'époux.

Pour en finir avec ces visions qui lui amollissaient le courage, il se déshabilla et se coucha, baisant la place autrefois occupée par Isabelle; mais, malgré la fatigue, le sommeil fut long à venir, et ses yeux errèrent plus d'une heure autour de la chambre délabrée, tantôt suivant quelque bizarre reflet de lune sur les vitres dépolies, tantôt regardant avec une fixité inconsciente le chasseur de halbrans dans la forêt d'arbres bleus et jaunes, sujet de la vieille tapisserie.

Si le maître veillait, l'animal dormait. Béelzébuth, roulé en boule aux pieds de Sigognac, ronflait comme le chat de Mahomet sur la manche du prophète. La profonde quiétude de la bête finit par gagner l'homme, et le jeune Baron partit pour le pays des rêves.

Quand vint l'aurore, Sigognac fut plus frappé qu'il ne l'avait été la veille de l'état de dévastation où se trouvait son manoir. Le jour n'a pas de compassion pour les ruines et les vieilleries; il en montre cruellement les pauvretés, les rides, les taches, les décolorations, les poussières, les moisissures; la nuit, plus miséricordieuse, adoucit tout de ses ombres amies, et du pan de son voile essuie les larmes des choses. Les chambres, si vastes jadis, lui paraissaient petites, et il s'étonnait de les avoir gardées tellement grandes en son souvenir; mais bientôt il reprit la mesure de son manoir et rentra dans sa vie ancienne comme dans un vieil habit qu'on a quelque temps quitté pour en mettre un neuf; il se sentait à l'aise dans ce vêtement usé dont ses habitudes avaient formé les plis. Sa journée s'arrangeait ainsi. Il allait faire une courte prière dans la chapelle en ruine où reposaient ses aïeux, arrachait quelque ronce d'une tombe brisée, dépêchait son frugal repas, tirait des armes avec Pierre, montait Bayard ou le bidet qu'il avait conservé et, après une longue excursion, revenait au logis, silencieux et morne comme autrefois, puis il soupait entre Béelzébuth et Miraut et se couchait en feuilletant, pour s'endormir, un des volumes dépareillés et déjà cent fois lus de sa bibliothèque dévastée par les rats faméliques. Comme on voit, il ne survivait rien du brillant capitaine Fracasse, du hardi rival de Vallombreuse; Sigognac était bien redevenu le châtelain du château de la Misère.

Un jour, il descendit au jardin où il avait conduit les deux jeunes comédiennes. Le jardin était plus inculte, plus désordonné et plus touffu en mauvaises herbes que jamais; cependant l'églantier, qui avait fourni une rose pour Isabelle et un bouton pour Sérafine, afin qu'il ne fût pas dit que deux dames sortissent d'un parterre sans être quelque peu fleuries, semblait cette fois, comme l'autre, s'être piqué d'honneur.

Sur la même branche s'épanouissaient deux charmantes petites roses, aux frêles pétales, ouvertes le matin et gardant encore dans leur cœur deux ou trois perles de rosée.

Cette vue attendrit singulièrement Sigognac par le souvenir qu'elle éveillait en lui. Il se rappela cette phrase d'Isabelle : « Dans cette promenade au jardin où vous écartiez les ronces devant moi, vous m'avez cueilli une petite rose sauvage, seul cadeau que vous puissiez me faire; j'y ai laissé tomber une larme avant de la mettre dans mon sein, et silencieusement je vous ai donné mon âme en échange. »

Il prit la rose, en aspira passionnément l'odeur et mit ses lèvres sur les feuilles, croyant que ce fussent les lèvres de son amie non moins douces, vermeilles et parfumées. Depuis qu'il était séparé d'Isabelle, il ne

faisait qu'y penser, et il comprenait combien elle était
indispensable à sa vie. Pendant les premiers jours,
l'étourdissement de toutes ces aventures accumulées, la
stupeur de ces revirements de fortune, la distraction
forcée du voyage l'avaient empêché de se rendre
compte du véritable état de son âme. Mais, rentré dans
la solitude, le calme et le silence, il retrouvait Isabelle
au bout de toutes ses rêveries. Elle remplissait sa tête
et son cœur. L'image même d'Yolande s'était effacée
comme une vapeur légère. Il ne se demandait même
pas s'il l'avait jamais aimée, cette beauté orgueilleuse :
il n'y songeait plus. « Et pourtant Isabelle m'aime »,
se disait-il, après avoir récapitulé pour la centième
fois tous les obstacles qui s'opposaient à son bonheur.

Deux ou trois mois se passèrent ainsi, et Sigognac
était en sa chambre cherchant la pointe finale d'un
sonnet à la louange de son aimée, lorsque Pierre vint
annoncer à son maître qu'un gentilhomme était là qui
demandait à lui parler.

« Un gentilhomme qui veut me parler, fit Sigognac,
tu rêves ou il se trompe! Personne au monde n'a rien
à me dire; cependant, pour la rareté du fait, introduis ce mortel singulier. Quel est son nom, du moins?

— Il n'a pas voulu le décliner, prétendant que ce
nom ne vous apprendrait rien », répondit Pierre en
ouvrant la porte à deux battants.

Sur le seuil apparut un beau jeune homme, vêtu d'un
élégant costume de cheval en drap couleur noisette,
agrémenté de vert, chaussé de bottes en feutre gris
aux éperons d'argent, et tenant en main un chapeau à
larges bords orné d'une longue plume verte, ce qui
permettait de voir en pleine lumière sa tête fière, délicate et charmante dont plus d'une femme eût jalousé
les traits corrects dignes d'une statue antique.

Ce cavalier accompli ne parut pas faire sur Sigognac
une impression agréable, car il pâlit légèrement, et
d'un bond courut à son épée suspendue au chevet du
lit, la tira du fourreau et se mit en garde.

« Pardieu! monsieur le duc, je croyais vous avoir
bien tué! Est-ce vous ou votre ombre qui m'apparaissez
ainsi?

— C'est moi-même Hannibal de Vallombreuse, répondit le jeune duc, moi-même en chair et en os, aussi peu
décédé que possible; mais rengainez au plus tôt cette

rapière. Nous nous sommes déjà battus deux fois. C'est assez. Le proverbe dit que les choses répétées plaisent, mais qu'à la troisième redite elles deviennent fastidieuses. Je ne viens pas en ennemi. Si j'ai quelques petites peccadilles à me reprocher à votre endroit, vous avez bien pris votre revanche. Partant nous sommes quittes. Pour vous prouver mes bonnes intentions, voilà un brevet signé du roi qui vous donne un régiment. Mon père et moi avons fait souvenir Sa Majesté de l'attachement des Sigognac aux rois ses aïeux. J'ai voulu vous apporter en personne cette nouvelle favorable; et maintenant, car je suis votre hôte, faites tordre le col à n'importe quoi, mettez à la broche qui vous voudrez; mais, pour. Dieu, donnez-moi à manger. Les auberges de cette route sont désastreuses, et mes fourgons, ensablés à quelque distance d'ici, contiennent mes provisions de bouche.

— J'ai bien peur, monsieur le duc, que mon dîner ne vous paraisse une vengeance, répondit Sigognac avec une courtoisie enjouée; mais n'attribuez pas à la rancune la pauvre chère que vous ferez. Vos procédés francs et cordiaux me touchent au plus tendre de l'âme, et vous n'aurez pas désormais d'ami plus dévoué que moi. Bien que vous n'ayez guère besoin de mes services, ils vous sont tout acquis. Holà! Pierre, trouve des poulets, des œufs, de la viande, et tâche à régaler de ton mieux ce seigneur qui meurt de faim et n'en a pas l'habitude comme nous. »

Pierre mit en poche quelques-unes des pistoles envoyées par son maître et qu'il n'avait pas touchées encore, enfourcha le bidet et courut bride abattue au village le plus proche, en quête de provisions. Il trouva quelques poulets, un jambon, une fiasque de vin vieux, et chez le curé de l'endroit, qu'il détermina non sans peine à le lui céder, un pâté de foies de canard, friandise digne de figurer sur la table d'un évêque ou d'un prince.

Au bout d'une heure il fut de retour, confia le soin de tourner la broche à une grande fille hâve et déguenillée qu'il avait rencontrée sur la route et envoyée au château, et mit le couvert dans la salle aux portraits, en choisissant parmi les faïences des dressoirs celles qui n'avaient qu'une écornure ou qu'une étoile, car il ne fallait point penser à l'argenterie, la dernière pièce ayant été depuis longtemps fondue. Cela fait, il vint annoncer à son maître « que ces messieurs étaient servis ».

Vallombreuse et Sigognac s'assirent en face l'un de l'autre sur les moins boiteuses des six chaises, et le jeune duc, que cette situation nouvelle pour lui égayait, attaqua les mets réunis à grand-peine par Pierre, avec une amusante férocité d'appétit. Ses belles dents blanches, après avoir dévoré un poulet tout entier, lequel, il est vrai, semblait mort d'étisie, s'enfonçaient joyeusement dans la tranche rose d'un jambon de Bayonne, et faisaient, comme on dit, sauter les miettes au plafond. Il proclama les foies de canard une nourriture délicate, exquise, ambroisienne, et trouva que ce petit fromage de chèvre, jaspé et persillé de vert, était un excellent éperon à boire. Il loua aussi le vin, lequel était vieux et de bon cru, et dont la belle couleur rougissait comme pourpre dans les anciens verres de Venise. Une fois même, tant il était de bonne humeur, il faillit éclater de rire, à l'air effaré de Pierre, surpris d'avoir entendu son maître appeler « M. le duc de Vallombreuse » ce vivant réputé pour mort. Tout en tenant tête du mieux qu'il pouvait au jeune duc, Sigognac s'étonnait de voir chez lui, familièrement accoudé à sa table, cet élégant et fier seigneur, jadis son rival d'amour, qu'il avait tenu deux fois au bout de son épée, et qui avait essayé à plusieurs reprises de le faire dépêcher par des spadassins.

Le duc de Vallombreuse comprit la pensée du Baron sans que celui-ci l'exprimât, et quand le vieux serviteur se fut retiré, posant sur la table un flacon de vin généreux et deux verres plus petits que les autres, pour humer la précieuse liqueur, il fila entre ses doigts le bout de sa fine moustache, et dit au Baron avec une amicale franchise :

« Je vois bien, mon cher Sigognac, malgré toute votre politesse, que ma démarche vous semble un peu étrange et subite. Vous vous dites : « Comment se fait-il que ce Vallombreuse, si hautain, si arrogant, si impérieux, soit devenu, de tigre qu'il était, un agneau qu'une bergerette conduirait au bout d'un ruban? » Pendant les six semaines que je suis resté cloué au lit, j'ai fait quelques réflexions comme le plus brave en peut se permettre en face de l'éternité; car la mort n'est rien pour nous autres, gentilshommes, qui prodiguons notre vie avec une élégance que les bour-

geois n'imiteront jamais. J'ai senti la frivolité de bien
des choses, et me suis promis, si j'en revenais, de me
conduire autrement. L'amour que m'inspirait Isabelle
changé en pure et sainte amitié, je n'avais plus de raisons de vous haïr. Vous n'étiez plus mon rival. Un
frère ne saurait être jaloux de sa sœur; je vous sus gré
de la tendresse respectueuse que vous n'aviez cessé de
lui témoigner quand elle se trouvait encore dans une
condition qui autorise les licences. Vous avez le premier deviné cette âme charmante sous son déguisement
de comédienne. Pauvre, vous avez offert à la femme
méprisée la plus grande richesse que puisse posséder
un noble, le nom de ses aïeux. Elle vous appartient
donc, maintenant qu'elle est illustre et riche. L'amant
d'Isabelle doit être le mari de la comtesse de Lineuil.

— Mais, répondit Sigognac, elle m'a toujours obstinément refusé lorsqu'elle pouvait croire à mon absolu
désintéressement.

— Délicatesse suprême, susceptibilité angélique, pur
esprit de sacrifice, elle craignait d'entraver votre sort
et de nuire à votre fortune; mais cette reconnaissance
a renversé la situation.

— Oui, c'est moi qui maintenant serais un obstacle à
sa haute position. Ai-je le droit d'être moins dévoué
qu'elle?

— Aimez-vous toujours ma sœur? dit le duc de
Vallombreuse d'un ton grave; j'ai, comme frère, le droit
de vous adresser cette question.

— De toute mon âme, de tout mon cœur, de tout
mon sang, répondit Sigognac; autant et plus que
jamais homme ait aimé une femme sur cette terre, où
rien n'est parfait, sinon Isabelle.

— En ce cas, monsieur le capitaine de mousquetaires, bientôt gouverneur de province, faites seller
votre cheval et venez avec moi à Vallombreuse pour
que je vous présente dans les formes au prince mon
père et à la comtesse de Lineuil ma sœur. Isabelle a
refusé pour époux le chevalier de Vidalinc, le marquis
de l'Estang, deux fort beaux jeunes gens, ma foi; mais
je crois que, sans se faire trop prier, elle acceptera le
baron de Sigognac. »

Le lendemain, le duc et le baron cheminaient botte
à botte sur la route de Paris.

## XX

## DÉCLARATION D'AMOUR DE CHIQUITA

UNE foule compacte garnissait la place de Grève, malgré l'heure assez matinale encore que marquait le
cadran de l'hôtel de ville. Les grands toits de Domi-
nique Bocador se profilaient en gris violâtre sur un
ciel d'un blanc laiteux. Leur ombre froide s'allongeait
jusqu'au milieu de la place et enveloppait une charpente sinistre, dépassant d'un ou deux pieds le niveau
des fronts, et barbouillée d'un rouge sanguinolent. Aux
fenêtres des maisons quelques têtes paraissaient, qui
rentraient aussitôt, voyant que le spectacle n'était pas
commencé. Une vieille femme montra même sa face
ridée à une lucarne de la tourelle située à l'angle de
la place d'où la tradition veut que madame Margue-
rite ait contemplé le supplice de la Môle et de Cocon-
nas : changement désastreux d'une belle reine en laide
sorcière! A la croix de pierre plantée au bord de la
déclivité qui descend au fleuve, un enfant, se hissant
à grand-peine, s'était suspendu, et il s'y tenait les bras
passés au-dessus de la traverse, les genoux et les
jambes enserrant la tige, dans une pose aussi pénible
que celle du mauvais larron, mais qu'il n'eût pas quit-
tée pour une fouace ou un chausson aux pommes. De
là, il découvrait le détail intéressant de l'échafaud, la
roue pour tourner le patient, les cordelettes pour l'attacher, la barre pour lui briser les os; toutes choses
dignes d'être examinées.

Cependant si, parmi les spectateurs, quelqu'un se fût
avisé d'étudier d'un œil plus attentif cet enfant ainsi
perché, il eût démêlé dans l'expression de son visage
un autre sentiment que celui d'une curiosité vulgaire.
Ce n'était point le féroce appât d'un supplice qui avait
amené là ce jeune être au teint bistré, aux grands yeux
cernés de brun, aux dents brillantes, aux longs cheveux noirs, dont les mains gantées de hâle se cris-
paient sur les croisillons de pierre. La délicatesse de
ses traits semblait même indiquer un autre sexe que
celui qu'accusaient ses vêtements; mais personne ne
regardait de ce côté, et toutes les têtes se tournaient

instinctivement vers l'échafaud ou vers le quai par
lequel devait déboucher le condamné.

Parmi les groupes apparaissaient quelques figures de
connaissance; un nez rouge au milieu d'une face pâle
désignait Malartic, et il passait assez du profil busqué
de Jacquemin Lampourde par-dessus le pli d'un manteau jeté sur l'épaule à l'espagnole pour qu'on ne pût
douter de son identité. Bien qu'il portât son chapeau
enfoncé jusqu'au sourcil, afin de cacher l'absence de
son oreille coupée par la balle de Piedgris, il était aisé
de retrouver Bringuenarilles dans ce grand maraud
assis sur une borne et fumant une longue pipe de Hollande pour passer le temps. Piedgris lui-même causait
avec Tordgueule, et sur les marches de l'Hôtel de Ville
se promenaient d'une façon péripatétique, causant de
choses et d'autres, plusieurs habitués du *Radis couronné*. La place de Grève, où, tôt ou tard, ils doivent
fatalement aboutir, exerce sur les meurtriers, les spadassins et les filous une fascination singulière. Cet
endroit sinistre, au lieu de les repousser, les attire. Ils
tournent autour traçant d'abord des cercles larges,
ensuite plus étroits, jusqu'à ce qu'ils y tombent; ils
aiment à regarder le gibet où ils seront branchés; ils
en contemplent avidement la configuration horrible, et
ils apprennent dans les grimaces des patients à se
familiariser avec la mort; effet bien contraire à l'idée
de la justice, qui est d'effrayer les scélérats par l'aspect des tourments.

Ce qui explique en outre l'affluence de telles ribaudailles aux jours d'exécution, c'est que le protago-
niste de la tragédie est toujours un parent, une connaissance, souvent un complice. On va voir pendre son
cousin, rouer son ami de cœur, bouillir ce galant
homme dont on passait la fausse monnaie. Manquer à
cette fête serait une impolitesse. Pour un condamné, il
est agréable d'avoir autour de son échafaud un public
de figures connues. Cela soutient et ranime l'énergie.
On ne veut pas être lâche devant des appréciateurs du
vrai mérite, et l'orgueil vient au secours de la souffrance. Tel, ainsi entouré, meurt en Romain qui ferait
la femmelette s'il était dépêché incognito au fond d'une
cave.

Sept heures sonnèrent. L'exécution devait avoir lieu
à huit heures seulement. Aussi Jacquemin Lampourde,
en entendant tinter l'horloge, dit-il à Malartic : « Tu

vois bien que nous aurions eu le temps de boire encore
une bouteille; mais tu es toujours impatient et nerveux.
Si nous retournions au *Radis couronné*? je m'ennuie de
faire le pied de grue et de croquer le marmot. Voir
rouer un pauvre diable, cela vaut-il une si longue
attente? ce supplice est fade, bourgeois et commun. Si
c'était quelque bel écartèlement à quatre chevaux montés chacun par un archer de la prévôté, quelque tenail-
lement avec pinces de fer rouge, quelque application
de poix bouillante et de plomb fondu, quelque chose
d'ingénieusement tortionnaire et de férocement douloureux, faisant honneur à l'imagination du juge ou à
l'habileté du bourreau; oh! alors, je ne dis pas. Par
amour de l'art, je resterais; mais, pour si peu, fi donc!

— Je te trouve injuste à l'endroit de la roue, répondit sentencieusement Malartic en frottant son nez plus
cramoisi que jamais; la roue a du bon.

— On ne peut pas disputer des goûts. Chacun est
entraîné par sa volupté particulière, comme dit un
auteur latin fort célèbre dont j'ai oublié le nom, ma
mémoire ne retenant volontiers que ceux des grands
capitaines. La roue te plaît; je ne te contrarierai pas
là-dessus, et je te tiendrai compagnie jusqu'à la fin.
Conviens, cependant, qu'une décollation faite avec une
lame damasquinée, ayant dans le dos une rainure remplie de vif-argent pour lui donner du poids, exige du
coup d'œil, de la vigueur, de la dextérité, et présente
un spectacle aussi noble qu'attrayant.

— Oui, sans doute, mais cela passe trop vite, ce n'est
qu'un éclair; et puis la décapitation est réservée aux
gentilshommes. Le billot est un de leurs privilèges.
Parmi les supplices roturiers, la roue me paraît l'emporter sur la vulgaire pendaison, bonne tout au plus
pour les malfaiteurs subalternes. Agostin est plus qu'un
simple voleur. Il mérite mieux que la corde, et la justice a eu pour lui les égards qui lui sont dus.

— Tu as toujours eu un faible pour Agostin, sans
doute à cause de Chiquita, dont la bizarrerie agaçait
ton œil libertin; je ne partage pas ton admiration à
l'endroit de ce bandit, plus fait pour travailler sur les
grands chemins et dans les gorges de montagne, comme
un *salteador,* que pour opérer avec la délicatesse
convenable au sein d'une ville civilisée. Il ignore les
raffinements de l'art. Sa manière est bourrue, hagarde
et provinciale. Au moindre obstacle il joue des cou-

teaux et tue vaguement et sauvagement. Trancher le nœud gordien n'est pas le dénouer, quoi qu'en dise Alexandre. En outre, il n'emploie pas l'épée; ce qui manque de noblesse.

— La spécialité d'Agostin est la navaja, l'outil de son pays; il n'a point comme nous ébranlé, pendant des années, le carreau des salles d'armes. Mais son genre a de l'imprévu, de la hardiesse, de l'originalité. Son coup lancé réunit l'agrément de la balistique à la sûreté discrète de l'arme blanche. Le sujet est atteint, à vingt pas, sans bruit. Je regrette fort que sa carrière soit interrompue sitôt. Il allait bien; c'était un courage de lion.

— Moi, répondit Jacquemin Lampourde, je suis pour la méthode académique. Sans les formes, tout se perd. Toutes les fois que j'attaque, je touche mon homme sur l'épaule et lui laisse le temps de se mettre en garde; il se défend s'il veut. C'est un duel, et ce n'est plus un meurtre. Je suis un spadassin, non un assassin. Il est vrai que ma profonde science de l'escrime m'assure des chances, et que mon épée est presque infaillible; mais, savoir bien le jeu, ce n'est pas tricher. Je ramasse la bourse, la montre, les bijoux et le manteau du mort; d'autres le feraient à ma place. Puisque j'ai eu la peine, il convient que j'aie le profit. Quoi que tu prétendes, ce travail au couteau me répugne; cela est bon à la campagne, et avec des gens de bas lieu.

— Oh! toi, Jacquemin Lampourde, tu es ferré sur les principes; on ne t'en ferait pas démordre cependant, un peu de fantaisie ne messied pas en art.

— J'admettrais une fantaisie savante, compliquée et délicate; mais cette brutalité emportée et farouche me déplaît. D'ailleurs, Agostin se laisse griser par le sang, et, dans son ivresse rouge, il frappe au hasard. C'est une faiblesse : quand on boit à la coupe vertigineuse du meurtre, il faut avoir la tête forte. Ainsi dans cette maison où il s'est introduit dernièrement pour y voler des sommes, il a tué le mari, qui s'était éveillé, et la femme, qui dormait; meurtre superflu, par trop cruel et peu galant. Il ne faut tuer les femmes que quand elles crient, encore vaut-il mieux les bâillonner; car, si l'on est pris, ces carnages attendrissent les juges et le populaire, et l'on a l'air d'un monstre.

— Tu parles comme saint Jean Bouche d'or, répondit Malartic, d'une façon si magistrale et si péremptoire que je ne trouve rien à objecter; mais que deviendra cette pauvre Chiquita? »

Jacquemin Lampourde et Malartic philosophaient de la sorte quand un carrosse venant du quai déboucha sur la place et produisit sur la foule des ondulations et des remous. Les chevaux piaffaient sans pouvoir avancer, et parfois leurs sabots retombaient sur des bottes, ce qui amenait entre les malandrins et les laquais des dialogues hargneux et mêlés d'injures.

Les piétons ainsi foulés eussent volontiers assailli le carrosse si les armes ducales blasonnées sur le panneau de la portière ne leur eussent inspiré une sorte de terreur, bien que ce fussent gens à ne pas respecter grand-chose. Bientôt les groupes devinrent si drus que l'équipage fut forcé de s'arrêter au milieu de la place, où de loin le cocher, immobile sur son siège, semblait assis sur des têtes. Pour s'ouvrir un chemin et passer outre, il eût fallu écraser trop de canaille, et cette canaille, qui, à la Grève, était chez elle, ne se serait peut-être pas laissé faire.

« Ces drôles attendent quelque exécution et ne laisseront le champ libre que lorsque le patient sera expédié, dit un beau jeune homme magnifiquement vêtu à un ami de très belle mine aussi, mais en costume plus modeste, placé à côté de lui dans le fond du carrosse. Au diable l'imbécile qui va se faire rouer précisément à l'heure où nous traversons la place de Grève. Ne pouvait-il pas remettre la chose à demain?

— Croyez, répondit l'ami, qu'il ne demanderait pas mieux, et que l'incident est encore plus fâcheux pour lui que pour nous.

— Ce que nous avons de mieux à faire, mon cher Sigognac, c'est de nous résigner à tourner la tête de l'autre côté si le spectacle nous dégoûte, chose difficile pourtant, lorsqu'il se passe près de soi quelque chose de terrible; témoin saint Augustin, qui ouvrit les yeux dans le cirque, quoiqu'il se fût bien promis de les tenir fermés, à un grand cri que poussa le populaire.

— En tout cas, nous n'avons pas longtemps à attendre, répondit Sigognac, voyez là-bas, Vallombreuse; la foule se sépare devant la charrette du condamné. »

En effet, une charrette, traînée par une rosse que réclamait Montfaucon, s'avançait, entourée de quelques archers à cheval, avec un bruit de vieilles ferrailles, et traversait les groupes de curieux, se dirigeant vers l'échafaud. Sur une planche jetée en travers des ridelles était assis Agostin, auprès d'un capucin à barbe blanche qui lui présentait aux lèvres un crucifix de cuivre jaune poli par les baisers d'agonisants en bonne santé. Le bandit avait les cheveux entourés d'un mouchoir dont les bouts noués lui pendaient derrière la nuque. Une chemise de grosse toile et des grègues de vieille serge composaient tout son costume.

Il était en toilette d'échafaud; toilette succincte. Le bourreau s'était déjà emparé de la défroque du condamné, comme c'était son droit, et ne lui avait laissé que ces haillons, bien suffisants pour mourir. Un système de cordelettes, dont le bout était tenu par l'exécuteur des hautes œuvres, placé à l'arrière de la charrette, afin que le patient ne le vît pas, maintenait Agostin, tout en lui laissant une liberté apparente. Un valet de bourreau, assis de côté sur un des brancards de la charrette, tenait les guides et fouettait à tour de bras la maigre rosse.

« Eh mais, dit Sigognac dans le carrosse, c'est le bandit qui m'a autrefois arrêté sur la grand-route en tête d'une troupe de mannequins; je vous ai conté cette histoire pendant notre voyage à l'endroit où elle s'était passée.

— Je m'en souviens, fit Vallombreuse, et j'en ai ri de bon cœur; mais, depuis, il paraît que le drôle s'est livré à des exploits plus sérieux. L'ambition l'a perdu; il fait d'ailleurs assez bonne contenance. »

Agostin, un peu pâli sous son teint naturellement hâlé, promenait sur la foule un regard préoccupé et qui semblait chercher quelqu'un. En passant auprès de la croix de pierre, il aperçut le jeune enfant perché dont il a été question au commencement de ce chapitre et qui n'avait pas quitté sa place.

A cette vue un éclair de joie brilla dans ses yeux, un faible sourire entrouvrit ses lèvres; il fit de la tête un signe imperceptible, adieu et testament à la fois, et dit à mi-voix : « Chiquita! »

« Mon fils, quel mot venez-vous de prononcer, fit le capucin en agitant son crucifix; cela sonne comme un nom de femme : quelque Egyptienne sans doute ou quelque fille folle de son corps. Pensez plutôt à votre salut; vous avez le pied sur le seuil de l'éternité.

— Oui, mon père, et quoique j'aie les cheveux noirs, vous êtes plus jeune que moi avec votre barbe blanche. Chaque tour de roue vers cette charpente me vieillit de dix ans.

— Pour un brigand de province, que cela devrait intimider de mourir devant des Parisiens, dit Jacquemin Lampourde, qui s'était rapproché de l'échafaud en jouant des coudes à travers les badauds et les commères, cet Agostin se comporte assez bien; il n'est point trop défait et n'a pas par anticipation, comme d'aucuns, la mine cadavéreuse des suppliciés. Sa tête ne ballotte pas; il la tient haute et droite; signe de courage, il a regardé fixement la machine. Si mon expérience ne me trompe, il fera une fin correcte et décente, sans geindre, sans se débattre, sans demander à faire des aveux pour gagner du temps.

— Oh! pour cela, il n'y a pas de danger, dit Malartic; à la torture, il s'est laissé enfoncer huit coins plutôt que de desserrer les dents et de trahir un camarade. »

La charrette, pendant ces courts dialogues, était arrivée au pied de l'échafaud, dont Agostin monta lentement les degrés, précédé du valet, soutenu du capucin et suivi du bourreau. En moins d'une minute il fut étalé et lié solidement sur la roue par les aides de l'exécuteur. Le bourreau, ayant jeté son manteau rouge brodé à l'épaule d'une échelle en galon blanc, avait tourné sa manche en bourrelet autour de son bras, pour être plus libre et dégagé, et se baissait pour prendre la barre fatale.

C'était l'instant suprême. Une curiosité anxieuse opprimait les poitrines des spectateurs. Lampourde et Malartic étaient devenus sérieux; Bringuenarilles lui-même n'aspirait plus la fumée de sa pipe, qu'il avait ôtée de ses lèvres. Tordgueule, sentant qu'une aventure semblable lui pendait à l'oreille, prenait un air mélancolique et rêveur. Tout à coup un certain frémissement eut lieu parmi la foule. L'enfant hissé sur la croix s'était laissé couler à terre, et, se faufilant comme une couleuvre à travers les groupes, avait atteint l'échafaud, dont en deux bonds elle escaladait les marches, présentant au bourreau étonné, qui levait déjà sa masse, une figure pâle, étincelante, sublime, illuminée d'une telle résolution qu'il s'arrêta malgré lui et retint le coup prêt à descendre.

« Ote-toi de là, môme, s'écria le bourreau, ou ma barre va te briser la tête. »

Mais Chiquita ne l'écoutait point. Il lui était bien égal d'être tuée. Se penchant sur Agostin, elle le baisa au front et lui dit : « Je t'aime », puis, d'un mouvement plus prompt que l'éclair, elle lui plongea dans le cœur la navaja qu'elle avait reprise à Isabelle. Le coup était porté d'une main si ferme que la mort fut presque instantanée; à peine Agostin eut-il le temps de dire : « Merci. »

> — Cuando esta vívora pica,
> No hay remedio en la botica,

murmura l'enfant avec un éclat de rire sauvage et fou, en se précipitant à bas de l'échafaud, où l'exécuteur stupéfait de l'aventure, abaissait sa barre inutile, incertain s'il devait briser les os d'un cadavre.

« Bien, Chiquita, très bien! » ne put s'empêcher de crier Malartic, qui l'avait reconnue sous ses habits de garçon.

Lampourde, Bringuenarilles, Piedgris, Tordgueule et les amis du *Radis couronné*, émerveillés de cette action, s'arrangèrent en haie compacte, de façon à empêcher les soldats de courir après Chiquita. Les disputes et les poussées, mêlées de horions, que fit naître cet embarras factice donnèrent le temps à la petite de gagner le carrosse de Vallombreuse, arrêté au coin de la place. Elle grimpa sur le marchepied, et, s'accrochant des mains à la portière, elle reconnut Sigognac et lui dit d'une voix haletante : « J'ai sauvé Isabelle, sauve-moi. »

Vallombreuse, que cette scène bizarre avait fort intéressé, cria au cocher : « A fond de train et passe, s'il le faut, sur le ventre de cette canaille. » Mais le cocher n'eut besoin d'écraser personne. La foule s'ouvrait avec empressement devant le carrosse et se refermait aussitôt pour arrêter la molle poursuite des soudards. En quelques minutes, le carrosse eut atteint la porte Saint-Antoine, et, comme le bruit d'une aventure si récente ne pouvait être parvenu jusque-là, Vallombreuse ordonna au cocher de modérer son allure, d'autant qu'un équipage, fuyant de cette vitesse, eût semblé, à bon droit, suspect. Le faubourg dépassé, il fit entrer Chiquita dans la voiture. Elle s'assit, sans mot dire, sur un carreau, en face de Sigognac. Sous l'apparence la plus calme, elle était en proie à une exaltation extrême. Aucun muscle de sa figure ne bougeait, mais un flot de sang empourprait ses joues, ordinairement si pâles, et donnait à ses grands yeux fixes, qui regardaient sans voir, un éclat surnaturel. Une sorte de transfiguration s'était opérée dans Chiquita. Cet effort violent avait déchiré la chrysalide enfantine où dormait la jeune fille. En plongeant son couteau dans le cœur d'Agostin, elle avait du même coup ouvert le sien. Son amour était né de ce meurtre; l'être bizarre, presque insexuel, moitié enfant, moitié lutin, qu'elle avait été jusque-là, n'existait plus. Elle était femme désormais, et sa passion éclose en une minute devait être éternelle. Un baiser, un coup de couteau, c'était bien là l'amour de Chiquita.

La voiture roulait toujours, et l'on voyait déjà poindre derrière les arbres les grands toits ardoisés du château. Vallombreuse dit à Sigognac : « Vous viendrez dans mon appartement, et vous y ferez un bout de toilette avant que je vous présente à ma sœur, qui ignore mon voyage et votre arrivée; j'ai ménagé ce coup de théâtre dont j'espère le meilleur effet. Abaissez le mantelet de votre côté pour qu'on ne vous voie pas, que la surprise soit complète; mais qu'allons-nous faire de ce petit démon?

— Ordonnez, dit Chiquita, qui, à travers sa rêverie profonde, avait entendu la phrase de Vallombreuse, ordonnez qu'on me conduise à madame Isabelle; qu'elle soit l'arbitre de mon sort. »

Rideaux baissés, le carrosse entra dans la cour d'honneur : Vallombreuse prit Sigognac sous le bras et l'emmena dans son appartement, après avoir dit à un laquais de conduire Chiquita chez la comtesse de Lineuil.

A la vue de Chiquita, Isabelle posa le livre qu'elle était en train de lire et arrêta sur la jeune fille un regard plein d'interrogations.

Chiquita resta immobile et silencieuse jusqu'à ce que le laquais fût retiré. Alors, avec une sorte de solennité singulière, elle s'avança vers Isabelle, lui prit la main et dit :

« Le couteau est dans le cœur d'Agostin; je n'ai plus de maître, et je sens le besoin de me dévouer à quelqu'un. Après lui, qui est mort, c'est toi que j'aime

le plus au monde; tu m'as donné le collier de perles
et tu m'as embrassée. Veux-tu de moi pour esclave,
pour chien, pour gnome? Fais-moi donner un haillon
noir pour porter le deuil de mon amour; je coucherai
en travers sur le seuil de ta porte; cela ne te gênera
pas du tout. Quand tu me voudras, tu siffleras ainsi
— et elle siffla — et je paraîtrai tout de suite;
veux-tu? »

Isabelle, pour toute réponse, attira Chiquita sur son
cœur, lui effleura le front des lèvres et accepta simplement cette âme qui se donnait à elle.

## XXI

### HYMEN, Ô HYMÉNÉE!

ISABELLE, accoutumée aux façons énigmatiques et
bizarres de Chiquita, ne l'avait point interrogée, se
réservant de lui demander des explications quand
cette étrange fille serait plus calme. Elle entrevoyait
bien quelque histoire terrible à travers tout cela; mais
la pauvre enfant lui avait rendu de tels services qu'il
fallait l'accueillir sans enquête en cette situation évidemment désespérée.

Après l'avoir confiée à une femme de chambre, elle
reprit sa lecture interrompue, bien que le livre ne
l'intéressât guère; au bout de quelques pages, son
esprit ne suivant plus les lignes, elle mit le signet
entre les pages et reposa le volume sur la table parmi
des ouvrages d'aiguille commencés. La tête appuyée
sur la main, le regard perdu dans l'espace, elle se
laissa aller à la pente habituelle de sa rêverie :
« Qu'est devenu Sigognac, disait-elle, pense-t-il encore
à moi, m'aime-t-il toujours? Sans doute, il est retourné
dans son pauvre château, et, croyant mon frère mort,
il n'ose donner signe de vie. Cet obstacle chimérique
l'arrête. Autrement, il eût essayé de me revoir; il
m'eût écrit tout au moins. Peut-être l'idée que je suis
maintenant un riche parti retient-elle son courage. S'il
m'avait oubliée! Oh! non; c'est impossible. J'aurais dû
lui faire savoir que Vallombreuse était guéri de sa
blessure; mais il n'est pas séant à une jeune personne

bien née de provoquer ainsi un amant éloigné à
reparaître : cela blesserait toutes les délicatesses fémi-
nines. Souvent je me demande s'il n'eût pas mieux
valu pour moi rester l'humble comédienne que j'étais.
Je pouvais du moins le voir tous les jours et, sûre de
ma vertu comme de son respect, savourer en paix la
douceur d'être aimée. Malgré l'affection touchante de
mon père, je me sens triste et seule dans ce château
magnifique; encore si Vallombreuse était là, sa compagnie me distrairait; mais son absence se prolonge, et
je cherche en vain le sens de cette phrase qu'il m'a
jetée au départ avec un sourire : « Au revoir, petite
sœur, vous serez contente de moi. » Parfois, il me
semble comprendre, mais je ne veux pas m'arrêter à
une telle pensée; la déception serait trop douloureuse.
Si c'était vrai, ah! j'en deviendrais folle de joie! »

La comtesse de Lineuil, car il est peut-être un peu
bien familier d'appeler Isabelle tout court la fille légi-
timée d'un prince, en était là de son monologue intérieur lorsqu'un grand laquais vint demander si
madame la comtesse pouvait recevoir M. le duc de Vallombreuse, qui arrivait de voyage et demandait à la
saluer.

« Qu'il vienne tout de suite, répondit la comtesse,
sa visite me fera le plus grand plaisir. »

Cinq ou six minutes s'étaient à peine écoulées que
le jeune duc entrait dans le salon le teint brillant,
l'œil vif, la démarche assurée et légère, avec cet air
de gloire qu'il avait avant sa blessure; il jeta son
feutre à plume sur un fauteuil et prit la main de sa
sœur, qu'il porta à ses lèvres d'une façon aussi respectueuse que tendre.

« Chère Isabelle, je suis resté plus longtemps que
je ne l'aurais voulu, car ce m'est une grande privation
de ne pas vous voir, tant j'ai vite pris la douce habitude de votre présence; mais je me suis bien occupé
de vous pendant mon voyage et l'espoir de vous faire
plaisir me dédommageait un peu.

— Le plus grand plaisir que vous eussiez pu me
faire, répondit Isabelle, c'eût été de demeurer au château près de votre père et de moi, et de ne pas vous
mettre en route, votre blessure à peine fermée, pour
je ne sais quelle fantaisie.

— Est-ce que j'ai été blessé? dit en riant Vallombreuse; ma foi, s'il m'en souvient, il ne m'en souvient

guère. Je ne me suis jamais mieux porté, et cette petite
excursion m'a fait beaucoup de bien. La selle me vaut
mieux que la chaise longue. Mais vous, bonne sœur,
je vous trouve un peu maigrie et pâlie; vous seriez-
vous ennuyée? Ce manoir n'est pas gai et la solitude
ne convient pas aux jeunes filles. La lecture et la bro-
derie sont des passe-temps mélancoliques à la longue,
et il y a des instants où la plus sage, lasse de regarder
par la fenêtre l'eau verte du fossé, aimerait à voir le
visage d'un beau cavalier.

— Que vous êtes fâcheusement badin, mon frère, et
comme vous aimez à taquiner ma tristesse par vos
folies! N'avais-je pas la compagnie du prince, si aima-
blement paternel et abondant en paroles instructives
et sages?

— Sans doute, notre digne père est un gentilhomme
accompli, prudent au conseil, hardi à l'action, parfait
courtisan chez le roi, grand seigneur chez lui, docte
et disert en toutes sortes de sciences; mais le genre
d'amusement qu'il procure est un amusement grave,
et je ne veux pas que ma chère sœur consume sa jeunesse d'une façon solennelle et maussade. Puisque
vous n'avez pas voulu du chevalier de Vidalinc ni du
marquis de l'Estang, je me suis mis en quête, et, dans
mes voyages, j'ai trouvé votre affaire : un mari charmant, parfait, idéal, dont vous raffolerez, j'en suis sûr.

— C'est une cruauté, Vallombreuse, de me persécuter de ces plaisanteries. Vous n'ignorez pas, méchant
frère, que je ne veux point me marier; je ne saurais
donner ma main sans mon cœur, et mon cœur n'est
plus à moi.

— Vous changerez de langage quand je vous présenterai l'époux que je vous ai choisi.

— Jamais, jamais, répondit Isabelle d'une voix altérée par l'émotion; je serai fidèle à un souvenir bien
cher, car je ne pense pas que votre intention soit de
forcer ma volonté.

— Oh! non, je ne suis pas tyrannique à ce point;
je vous demande seulement de ne pas repousser mon
protégé avant de l'avoir vu. »

Sans attendre le consentement de sa sœur, Vallombreuse se leva et passa dans le salon voisin. Il en
revint aussitôt amenant Sigognac, à qui le cœur battait
bien fort. Les deux jeunes gens, se tenant par la main,
restèrent quelque temps arrêtés sur le seuil, espérant

qu'Isabelle tournerait les yeux de leur côté, mais elle les baissait modestement, regardant la pointe de son corsage et pensant à cet ami qu'elle ne soupçonnait pas si près d'elle.

Vallombreuse, voyant qu'elle ne prenait point garde à eux et retombait dans sa rêverie, avança de quelques pas vers sa sœur, conduisant le Baron par le bout des doigts comme on mène une dame à la danse, et fit un salut cérémonieux que répéta Sigognac. Seulement Vallombreuse souriait et Sigognac pâlissait. Brave avec les hommes, il était timide avec les femmes, comme tous les cœurs généreux.

« Comtesse de Lineuil, dit Vallombreuse d'un ton légèrement emphatique et comme outrant à dessein l'étiquette, permettez-moi de vous présenter un de mes bons amis que vous accueillerez favorablement, je l'espère : le baron de Sigognac. »

A ce nom, qu'elle prit d'abord pour une raillerie de son frère, Isabelle tressaillit pourtant et jeta un coup d'œil rapide au nouveau venu. Reconnaissant que Vallombreuse ne la trompait point, elle ressentit une émotion extraordinaire. D'abord elle devint toute blanche, le sang affluant au cœur; puis, la réaction se faisant, une rougeur aimable lui couvrit comme un nuage rose le front, les joues, et ce qu'on entrevoyait de son sein sous la gorgerette. Sans dire un mot, elle se leva et se jeta au col de Vallombreuse, cachant sa tête contre l'épaule du jeune duc. Deux ou trois sanglots agitèrent le gracieux corps de la jeune fille, et quelques larmes mouillèrent le velours du pourpoint à la place où elle appuyait la tête. Par ce joli mouvement, si pudique et si féminin, Isabelle montrait toute la délicatesse de son âme. Elle remerciait Vallombreuse, dont elle avait compris l'ingénieuse bonté, et, ne pouvant embrasser son amant, elle embrassait son frère.

Quand il pensa qu'elle avait eu le temps de se calmer, Vallombreuse se dégagea doucement de l'étreinte d'Isabelle, et, lui écartant les mains dont elle se voilait le visage pour cacher ses pleurs, il lui dit « Chère sœur, laissez-nous un peu voir votre figure charmante, ou mon protégé croira que vous avez pour lui une insurmontable horreur. »

Isabelle obéit et tourna vers Sigognac ses beaux yeux éclairés d'une joie céleste, malgré les perles brillantes qui tremblaient encore à ses longs cils : elle lui tendit sa belle main, sur laquelle le Baron, s'inclinant, appuya le baiser le plus tendre. La sensation en monta jusqu'au cœur de la jeune fille, qui manqua défaillir; mais on se remet vite de ces émotions délicieuses.

« Eh bien, n'avais-je pas raison, dit Vallombreuse, de soutenir que vous recevriez bien le prétendu de mon choix. Cela est bon quelquefois de s'opiniâtrer en sa fantaisie. Si je ne m'étais montré aussi entêté que vous étiez résolue, le cher Sigognac serait reparti pour sa gentilhommière sans vous avoir vue, et c'eût été dommage; convenez-en.

— J'en conviens, cher frère; vous avez été en tout cela d'une bonté adorable. Vous seul pouviez, en cette circonstance, opérer la réconciliation, puisque vous seul aviez souffert.

— Oui, dit Sigognac, M. le duc de Vallombreuse a fait preuve à mon endroit d'une âme grande et généreuse; il a mis de côté des ressentiments qui pouvaient sembler légitimes, et il est venu à moi la main ouverte et le cœur sur la main. Du mal que je lui ai fait, il se venge noblement en m'imposant une reconnaissance éternelle, fardeau léger, et que je porterai avec joie jusqu'à la mort.

— Ne parlez pas de cela, mon cher baron, répondit Vallombreuse; vous en eussiez fait tout autant à ma place. Deux vaillants finissent toujours par s'entendre; les épées liées lient les âmes, et nous devions former tôt ou tard une paire d'amis, comme Thésée et Pirithoüs, comme Nisus et Euryale, comme Pythias et Damon; mais ne vous occupez pas de moi. Dites plutôt à ma sœur combien vous la regrettiez et pensiez à elle en ce manoir de Sigognac, où j'ai pourtant fait un des meilleurs repas de ma vie, quoique vous prétendiez que la règle est d'y mourir de faim.

— J'y ai aussi très bien soupé, dit Isabelle en souriant, et j'en garde un agréable souvenir.

— Vous verrez, répliqua Sigognac, que tout le monde aura fait des festins de Balthazar dans cette tour de la famine; mais je ne rougis pas de l'heureuse pauvreté qui m'a valu d'intéresser votre âme, chère Isabelle; je la bénis; je lui dois tout.

— M'est avis, dit Vallombreuse, que je ferai bien d'aller saluer mon père et de le prévenir de votre arrivée, à laquelle il s'attend un peu, je l'avoue. Ah çà, comtesse, il est bien sûr que vous acceptez le baron de Sigognac pour époux? je ne voudrais pas faire un pas de clerc. Vous l'acceptez? c'est bien. Alors je puis me retirer : des fiancés ont parfois à se dire des choses très innocentes, mais que gênerait la présence d'un frère; je vous laisse l'un à l'autre, certain que vous me remercierez, et puis, le métier de duègne n'est pas mon affaire. Adieu; je reviendrai bientôt prendre Sigognac pour le mener au prince. »

Après avoir jeté ces mots d'un air dégagé, le jeune duc se coiffa de son feutre et sortit en laissant ces parfaits amants à eux-mêmes. Quelque agréable que fût sa compagnie, son absence l'était encore davantage.

Sigognac se rapprocha d'Isabelle et lui prit la main qu'elle ne retira point. Pendant quelques minutes le jeune couple se regarda avec des yeux ravis. De tels silences sont plus éloquents que des paroles; privés si longtemps du plaisir de se voir, Isabelle et Sigognac ne pouvaient se rassasier l'un de l'autre; enfin le Baron dit à sa jeune maîtresse :

« J'ose à peine croire à tant de félicité. Oh! la bizarre étoile que la mienne! vous m'avez aimé parce que j'étais pauvre et malheureux, et ce qui devait consommer ma perte est cause de ma fortune. Une troupe de comédiens me réservait un ange de beauté et de vertu; une attaque à main armée m'a donné un ami, et votre enlèvement vous a fait reconnaître d'un père qui vous cherchait en vain; tout cela parce qu'un chariot s'est égaré dans les landes par une nuit obscure.

— Nous devions nous aimer, c'était écrit là-haut. Les âmes sœurs finissent par se trouver quand elles savent s'attendre. J'ai bien senti, au château de Sigognac, que ma destinée s'accomplissait; à votre vue, mon cœur, qu'aucune galanterie n'avait su toucher, éprouva une commotion. Votre timidité fit plus que toutes les audaces, et dès ce moment je résolus de n'appartenir jamais qu'à vous ou à Dieu.

— Et pourtant, méchante, vous m'avez refusé votre main quand je la demandais à genoux : je sais bien que c'était par générosité; mais c'était une générosité cruelle.

— Je la réparerai de mon mieux, cher baron, et la

voici, cette main, avec mon cœur que vous possédiez
déjà. La comtesse de Lineuil n'est pas obligée aux
mêmes scrupules que la pauvre Isabelle. Je n'avais
qu'une peur, c'est que vous ne voulussiez plus de moi,
par fierté. Mais, bien vrai, en renonçant à moi, vous
n'auriez pas épousé une autre femme? Vous me seriez
resté fidèle, même sans espérance? Ma pensée occupait
la vôtre lorsque Vallombreuse est allé vous relancer
dans votre manoir?

— Chère Isabelle, le jour, je n'avais pas une idée
qui ne volât vers vous, et le soir, en posant ma tête
sur l'oreiller, effleuré une fois par votre front pur,
je suppliais les divinités du rêve de me représenter
votre charmante image dans leur miroir fantastique.

— Et ces bonnes divinités vous exauçaient-elles
souvent?

— Elles n'ont pas trompé une fois mon attente, et
le matin seul vous faisait disparaître par la porte
d'ivoire. Oh! la journée me paraissait bien longue, et
j'aurais voulu toujours dormir.

— Je vous ai vu aussi bien des nuits de suite. Nos
âmes amoureuses se donnaient rendez-vous dans le
même songe. Mais, Dieu soit loué, nous voici réunis
pour longtemps, pour toujours, je l'espère. Le prince,
avec qui Vallombreuse doit être d'accord, car mon
frère ne vous aurait pas légèrement engagé dans cette
démarche, accueillera, sans nul doute, votre demande
avec faveur. A plusieurs reprises, il m'a parlé de vous
en fort bons termes, tout en me jetant un regard singulier qui me troublait extrêmement, et dont je n'osais
alors comprendre la signification, Vallombreuse
n'ayant point dit encore qu'il renonçât à sa haine
contre vous. »

En ce moment le jeune duc revint et dit à Sigognac que le prince l'attendait.

Sigognac se leva, salua Isabelle et suivit Vallombreuse à travers plusieurs appartements au bout desquels se trouvait la chambre du prince. Le vieux seigneur, vêtu de noir, décoré de ses ordres, était assis
près de la fenêtre dans un grand fauteuil, derrière
une table recouverte d'un tapis de Turquie et chargée
de papiers et de livres. Sa pose, malgré son air
affable, était un peu composée comme celle d'un
homme qui attend une visite solennelle. La lumière,
glissant sur son front en luisants satinés, y faisait

briller comme des fils d'argent quelques cheveux déta-
chés des boucles que le peigne du valet de chambre
avait disposées au long de ses tempes. Son regard
était doux, ferme et clair, et le temps, qui avait laissé
sur cette noble physionomie des traces de son passage, lui rendait en majesté ce qu'il lui dérobait en
beauté. A l'aspect du prince, même eût-il été dénué
des insignes de son rang, il était impossible de ne
pas éprouver un sentiment de vénération. Le manant
le plus inculte et le plus farouche eût reconnu en lui
un vrai seigneur. Le prince se souleva sur son fauteuil pour répondre au salut de Sigognac et lui fit signe
de s'asseoir.

« Monsieur mon père, dit Vallombreuse, je vous
présente le baron de Sigognac, autrefois mon rival,
maintenant mon ami, mon parent bientôt si vous y
consentez. Je lui dois d'être sage. Ce n'est pas une
mince obligation. Le Baron vient respectueusement
vous faire une requête qu'il me serait bien doux de
vous voir lui accorder. »

Le prince fit un geste d'acquiescement comme pour
engager Sigognac à parler.

Encouragé de la sorte, le Baron se leva, s'inclina et
dit : « Prince, je vous demande la main de madame
la comtesse Isabelle de Lineuil, votre fille. »

Comme pour se donner le temps de la réflexion, le
vieux seigneur garda quelques instants le silence, puis
il répondit : « Baron de Sigognac, j'accueille votre
demande et consens à ce mariage en tant que ma
volonté paternelle s'accordera avec le bon plaisir de
ma fille, que je ne prétends forcer en rien. Je ne veux
point user de tyrannie, et c'est à la comtesse de
Lineuil qu'il appartient de décider sur ce point en
dernier ressort. Il la faut consulter. Les fantaisies des
jeunes personnes sont parfois bizarres. » Le prince
dit ces mots avec la fine malice et le sourire spirituel
du courtisan comme s'il ne savait pas dès longtemps
qu'Isabelle aimait Sigognac; mais il était de sa dignité
de père de paraître l'ignorer, tout en laissant entrevoir qu'il n'en doutait aucunement.

Il reprit après une pause : « Vallombreuse, allez
chercher votre sœur, car sans elle, vraiment, je ne
puis répondre au baron de Sigognac. »

Vallombreuse disparut et revint bientôt avec Isabelle plus morte que vive. Malgré les assurances de

son frère, elle ne pouvait croire encore à tant de bonheur, son sein palpitant soulevait son corsage, les couleurs avaient quitté ses joues, et ses genoux se dérobaient sous elle. Le prince l'attira près de lui, et elle fut obligée, tant elle tremblait, de s'appuyer au bras du fauteuil pour ne pas choir tout de son long à terre.

« Ma fille, dit le prince, voici un gentilhomme qui vous fait l'honneur de me demander votre main. Je verrais cette union avec joie; car il est de race ancienne, de réputation sans tache, et il me semble réunir toutes les conditions désirables. Il me convient; mais a-t-il su vous plaire? les têtes blondes ne jugent pas toujours comme les têtes grises. Sondez votre cœur, examinez votre âme, et dites si vous acceptez monsieur le baron de Sigognac pour mari. Prenez votre temps; en chose si grave, il ne faut point de hâte. »

Le sourire bienveillant et cordial du prince faisait bien voir qu'il badinait. Aussi Isabelle enhardie mit ses bras autour du col de son père et lui dit d'une voix adorablement câline : « Il n'est pas nécessaire de tant réfléchir. Puisque le baron de Sigognac vous agrée, mon seigneur et père, j'avouerai avec une libre et honnête franchise que je l'aime depuis que je l'ai vu et je n'ai jamais désiré d'autre époux. Vous obéir sera mon plus grand bonheur.

— Eh bien, donnez-vous la main et embrassez-vous en signe de fiançailles, dit gaiement le duc de Vallombreuse. Le roman se termine mieux qu'on ne l'aurait pu croire d'après ses commencements embrouillés. A quand la noce?

— Il faut bien, dit le prince, une huitaine de jours aux tailleurs pour couper et assembler les étoffes, autant aux carrossiers pour mettre en état les équipages; en attendant, Isabelle, voici votre dot : le comté de Lineuil dont vous portez le titre et qui rend cinquante mille écus de rente avec ses bois, prés, étangs et terres labourables (et il lui tendit une liasse de papiers). Quant à vous, Sigognac, prenez cette ordonnance royale qui vous nomme gouverneur d'une province. Nul mieux que vous ne convient à cette place. »

Sur la fin de cette scène Vallombreuse s'était éclipsé, mais il reparut bientôt suivi d'un laquais qui portait

une boîte enveloppée d'une chemise en velours rouge.
« Ma petite sœur, dit-il à la jeune fiancée, voici
mon présent de noces », et il lui présenta la boîte.
Sur le couvercle on lisait : « Pour Isabelle. » C'était
l'écrin qu'il avait jadis offert à la comédienne et
qu'elle avait vertueusement refusé. « Vous l'accepterez
cette fois, ajouta-t-il avec un charmant sourire, empê-
chez ces diamants d'une eau magnifique et ces perles
d'un orient parfait de faire une mauvaise fin. Qu'ils
restent aussi purs que vous! »

Isabelle, en souriant, prit un collier et le passa à
son col, pour prouver à ces belles pierres qu'elle ne
leur gardait pas rancune. Ensuite elle arrangea autour
de son bras nacré un triple rang de perles, puis elle
suspendit à ses oreilles de riches pendeloques.

Qu'ajouter à cela? les huit jours passés le chapelain
de Vallombreuse unit Isabelle et Sigognac, à qui le
marquis de Bruyères servait de témoin, dans la chapelle du château toute fleurie de bouquets, tout étincelante de cierges. Des musiciens amenés par le jeune
duc chantèrent avec une voix qui semblait venir du
ciel et y remonter un motet de Palestrina. Sigognac
était radieux, Isabelle adorable sous ses longs voiles
blancs, et jamais, à moins de le savoir, on n'eût pu
soupçonner que cette belle personne si noble et si
modeste à la fois, qui ressemblait à une princesse du
sang, avait paru en des comédies, devant des chandelles. Sigognac, gouverneur de province, capitaine de
mousquetaires, vêtu superbement, n'avait aucun rapport avec le malheureux gentillâtre dont la misère a
été décrite au commencement de cette histoire.

Après un repas splendide où figuraient le prince,
Vallombreuse, le marquis de Bruyères, le chevalier de
Vidalinc, le comte de l'Estang et quelques vertueuses dames amies de la famille, les deux mariés
disparurent; mais il nous faut les abandonner sur le
seuil de la chambre nuptiale en chantant à mi-voix :
« Hymen, ô Hyménée! » à la façon antique. Les mystères du bonheur doivent être respectés, et d'ailleurs
Isabelle est si pudique qu'elle mourrait de honte si
l'on ôtait secrètement une épingle à son corsage.

## XXII

## LE CHÂTEAU DU BONHEUR

On pense bien que la bonne Isabelle, devenue baronne de Sigognac, n'avait pas oublié dans les grandeurs ses braves camarades de la troupe d'Hérode. Ne pouvant les inviter à sa noce à cause de leur condition qui ne congruait plus à la sienne, elle leur avait fait à tous des cadeaux offerts avec une grâce si charmante qu'elle en doublait la valeur. Même, jusqu'au départ de la compagnie, elle alla souvent les voir jouer, les applaudissant à propos, comme quelqu'un qui s'y connaissait. Car la nouvelle baronne ne celait point qu'elle eût été comédienne, excellent moyen d'ôter aux mauvaises langues l'envie de le dire, comme elles n'y auraient pas manqué, si elle en eût fait mystère. Du reste, le sang illustre dont elle était imposait silence à tous, et sa modestie lui eut bientôt conquis les cœurs, même ceux des femmes, qui s'accordèrent à la trouver aussi grande dame que pas une à la cour. Le roi Louis XIII, ayant entendu parler des aventures d'Isabelle, la loua fort de sa sagesse et témoigna une particulière estime à Sigognac pour sa retenue, n'aimant pas, en chaste monarque qu'il était, les jeunesses audacieuses et débordées. Vallombreuse s'était notoirement amendé à la fréquentation de son beau-frère, et le prince en ressentait beaucoup de joie. Les jeunes époux menaient donc une charmante vie, toujours plus amoureux l'un de l'autre et n'éprouvant pas cette satiété du bonheur qui gâte les plus belles existences. Cependant, depuis quelque temps, Isabelle semblait animée d'une activité mystérieuse. Elle avait des conférences secrètes avec son intendant; un architecte venait la voir qui lui soumettait des plans; des sculpteurs et des peintres avaient reçu d'elle des ordres et étaient partis pour une destination inconnue. Tout cela se faisait en cachette de Sigognac, de complicité avec Vallombreuse, qui paraissait savoir le mot de l'énigme.

Un beau matin, après quelques mois écoulés néces-

saires sans doute à l'accomplissement de son projet,
Isabelle dit à Sigognac, comme si une idée subite lui
eût traversé la fantaisie : « Mon cher seigneur, ne pen-
sez-vous jamais à votre pauvre castel de Sigognac, et
n'avez-vous pas envie de revoir le berceau de nos
amours?

— Je ne suis pas ingrat, et j'y ai plus d'une fois
songé; mais je n'ai point osé vous engager à ce voyage,
ne sachant pas s'il serait de votre goût. Je ne me serais
pas permis de vous arracher aux délices de la cour
dont vous êtes l'ornement pour vous conduire à ce
château lézardé, séjour des rats et des hiboux, lequel
je préfère pourtant aux plus riches palais, comme étant
la séculaire habitation de mes ancêtres et le lieu où
je vous vis pour la première fois, place à jamais sacrée que volontiers je marquerais d'un autel.

— Pour moi, reprit Isabelle, je me suis demandé
bien souvent si l'églantier du jardin avait encore des
roses.

— Il en a, dit Sigognac, j'en jurerais; ces arbustes
agrestes sont vivaces, et d'ailleurs, ayant été touché
par vous, il doit toujours produire des fleurs, même
pour la solitude.

— A l'encontre des époux ordinaires, répondit en
riant la baronne de Sigognac, vous êtes plus galant
après le mariage qu'avant, et vous poussez des madrigaux à votre femme comme à une maîtresse. Puisque
votre désir s'accorde avec mon caprice, vous plai-
rait-il de partir cette semaine? La saison est belle,
les fortes chaleurs sont passées, et nous ferons
agréablement le voyage. Vallombreuse viendra avec
nous et j'emmènerai Chiquita, à qui cela fera plaisir
de revoir son pays. »

Les préparatifs furent bientôt faits. On se mit en
route. Le voyage fut rapide et charmant; Vallombreuse ayant fait disposer d'avance des relais de chevaux, au bout de quelques jours on arriva à cet endroit
où s'embranchait, sur le grand chemin, l'allée conduisant au manoir de Sigognac. Il pouvait être deux
heures de l'après-midi, et le ciel brillait d'une vive
lumière.

Au moment où le carrosse tourna pour entrer dans
l'allée et où la perspective du château se découvrit tout
d'un coup, Sigognac eut comme un éblouissement; il
ne reconnaissait plus ces lieux si familiers pourtant

à sa mémoire. La route aplanie n'offrait plus d'ornières. Les haies élaguées laissaient passer le voyageur sans l'égratigner de leurs griffes. Les arbres, taillés avec art, jetaient une ombre correcte, et leur arcade encadrait une vue tout à fait nouvelle.

Au lieu de la triste masure dont on se rappelle la description lamentable, s'élevait, sous un gai rayon de soleil, un château tout neuf, ressemblant à l'ancien comme un fils ressemble à son père. Cependant rien n'avait été changé dans sa forme. Il présentait toujours la même disposition architecturale; seulement, en quelques mois, il avait rajeuni de plusieurs siècles. Les pierres tombées s'étaient remises en place. Les tourelles sveltes et blanches, coiffées d'un joli toit d'ardoises dessinant des symétries, se tenaient fièrement, comme des gardiennes féodales. aux quatre coins du castel, dressant dans l'azur leurs girouettes dorées. Un comble orné d'une élégante crête en métal avait fait disparaître le vieux toit effondré de tuiles lépreuses et moussues. Aux fenêtres, désobstruées de leurs fermetures en planches, brillaient des vitres neuves encadrées de plomb, formant des ronds et des losanges; aucune lézarde ne bâillait sur la façade complètement restaurée. Une superbe porte en chêne, soutenue de riches ferrures, fermait le porche qu'autrefois laissaient ouvert deux vieux battants vermoulus à la peinture délavée. Sur le claveau de l'arcade, au milieu de ses lambrequins refouillés par un ciseau intelligent, rayonnaient les armoiries des Sigognac : trois cigognes sur champ d'azur, avec cette noble devise, naguère effacée, maintenant parfaitement lisible, en lettres d'or : *Alta petunt.*

Sigognac garda quelques minutes le silence, contemplant ce spectacle merveilleux, puis il se tourna vers Isabelle et lui dit : « C'est à vous, gracieuse fée, que je dois cette transformation de mon manoir. Il vous a suffi de me toucher de votre baguette pour lui rendre la splendeur, la beauté et la jeunesse. Je vous sais un gré infini de cette surprise; elle est charmante et délicieuse comme tout ce qui vient de vous. Sans que j'aie rien dit, vous avez deviné le vœu secret de mon âme.

— Remerciez aussi, répondit Isabelle, un certain enchanteur qui m'a beaucoup aidée en tout ceci », et elle montrait Vallombreuse assis dans un coin du carrosse.

Le Baron serra la main du jeune duc.

Pendant cette conversation, le carrosse était parvenu sur une place régulière ménagée devant le château dont les cheminées de briques vermeilles envoyaient au ciel de larges tourbillons de fumée blanche, prouvant qu'on attendait des hôtes d'importance.

Pierre, en belle livrée neuve, était debout sur le seuil de la porte, dont il poussa les battants à l'approche de la voiture, qui déposa le baron, la baronne et le duc au bas de l'escalier. Huit ou dix laquais, rangés en haie sur les marches, saluèrent profondément ces nouveaux maîtres qu'ils ne connaissaient pas encore.

Des peintres habiles avaient redonné aux fresques des murailles leur fraîcheur disparue. Les Hercules à gaine soutenaient la fausse corniche avec un air d'aisance dû à leurs muscles ronflants à la florentine. Les empereurs romains se prélassaient dans leur pourpre d'un ton vif. Les infiltrations de pluies ne géographiaient plus la voûte de leurs taches, et le treillage simulé laissait voir un ciel exempt de nuages.

Une métamorphose semblable s'était opérée partout. Les boiseries et les parquets avaient été refaits. Des meubles neufs, d'une forme pareille, remplaçaient les anciens. Le souvenir se trouvait rajeuni et non dépaysé. La verdure de Flandres avec le chasseur de halbrans tapissait encore la chambre de Sigognac, mais un lavage savant en avait ravivé les couleurs. Le lit était le même, seulement un patient sculpteur sur bois avait bouché les piqûres de tarets, ajusté aux figurines de la frise les nez et les doigts qui manquaient, continué les feuillages interrompus, rendu leurs arêtes aux ornements frustes et remis le vieux meuble en son intégrité primitive. Une brocatelle verte et blanche du même dessin que l'autre se plissait entre les spirales des colonnes torses, bien cirées et bien frottées.

La délicate Isabelle n'avait pas voulu se livrer à un luxe intempestif, toujours facile quand on dispose de grosses sommes; mais elle avait pensé à charmer l'âme d'un mari tendrement aimé, en lui rendant ses impressions d'enfance dépouillées de leur misère et de leur tristesse. Tout semblait gai dans ce manoir naguère si mélancolique. Les portraits même des aïeux, débarbouillés de leur crasse, restaurés et vernis, souriaient dans leurs cadres d'or, avec un air juvénile. Les douairières revêches, les chanoinesses prudes ne faisaient plus, comme autrefois, la moue à Isabelle, de comédienne devenue baronne; elles l'accueillaient comme de la famille.

Il n'y avait plus dans la cour ni orties, ni ciguës, ni aucune de ces mauvaises herbes que favorisent l'humidité, la solitude et l'incurie. Les pavés, sertis de ciment, ne présentaient plus cette bordure verte indice des maisons abandonnées. Par leurs vitres claires, les fenêtres des chambres dont les portes étaient jadis condamnées laissaient voir des rideaux de riche étoffe qui montraient qu'elles étaient prêtes à recevoir des hôtes.

On descendit au jardin par un perron dont les marches, raffermies et dégagées de mousses, ne vacillaient plus sous le pied trop confiant. Au bas de la rampe s'épanouissait, précieusement conservé, l'églantier sauvage qui avait offert sa rose à la jeune comédienne, le matin du départ de Sigognac. Il en portait encore une qu'Isabelle cueillit et mit dans son sein, voyant là un présage heureux pour la durée de ses amours. Le jardinier n'avait pas moins travaillé que l'architecte; grâce à ses ciseaux, l'ordre s'était remis dans cette forêt vierge. Plus de branches gourmandes barrant le chemin, plus de broussailles aux ongles acérés; on y pouvait passer sans laisser sa robe aux épines. Les arbres avaient repris l'habitude du berceau et de la charmille. Les buis retaillés encadraient dans leurs compartiments toutes les fleurs que peut verser la corbeille de Flore. Au fond du jardin, la Pomone, guérie de sa lèpre, étalait sa blanche nudité de déesse. Un nez de marbre adroitement soudé lui restituait son profil à la grecque. Il y avait en son panier des fruits sculptés et non plus des champignons vénéneux. Le mufle de lion vomissait dans sa vasque une eau abondante et pure. Des plantes grimpantes, balançant des clochettes de toutes couleurs et accrochant leurs vrilles à un treillage solide peint en vert, cachaient pittoresquement la muraille de clôture et donnaient un air agréablement rustique au cabinet de rocailles servant de niche à la statue. Jamais, même en leurs beaux jours, le château ni le jardin n'avaient été accommodés avec tant de richesse et de goût. La splendeur de Sigognac, si longtemps éclipsée, brillait de tout son éclat!

Sigognac, étonné et ravi comme s'il marchait dans un rêve, serrait contre son cœur le bras d'Isabelle et laissait couler sans honte, sur ses joues, deux larmes d'attendrissement.

« Maintenant, dit Isabelle, que nous avons tout bien vu, il faut visiter les domaines que j'ai rachetés sous main, pour reconstituer, telle qu'elle était ou peu s'en faut, l'antique baronnie de Sigognac. Permettez-moi d'aller mettre un habit de cheval. Je ne serai pas longue, ayant par mon premier métier l'habitude de changer prestement de costume. Pendant ce temps, choisissez vos montures et faites-les seller. »

Vallombreuse emmena Sigognac, qui vit dans l'écurie, naguère déserte, dix beaux chevaux séparés par des stalles de chêne, et piétinant une litière nattée. Leurs croupes fermes et polies brillaient d'une lueur satinée et, entendant des visiteurs, les nobles bêtes tournèrent vers eux leurs yeux intelligents. Un hennissement éclata soudain; c'était l'honnête Bayard qui reconnaissait son maître et le saluait à sa façon; ce vieux serviteur, qu'Isabelle n'avait eu garde de renvoyer, occupait au bout de la file la place la plus chaude et la plus commode. Sa mangeoire était pleine d'avoine moulue pour que ses longues dents n'eussent pas la peine de la triturer; entre ses jambes dormait son camarade Miraut, qui se leva et vint lécher la main du Baron. Quant à Béelzébuth, s'il n'avait pas paru encore, il n'en faut pas accuser son bon petit cœur de chat, mais les habitudes prudentes de sa race, que tout ce remue-ménage en un lieu jadis si tranquille effarouchait singulièrement. Caché dans un grenier, il attendait la nuit pour se produire et rendre ses devoirs à son maître bien-aimé.

Le Baron, après avoir flatté Bayard de la main, choisit un bel alezan, qu'on sortit aussitôt de l'écurie; le duc prit un genet d'Espagne à tête busquée, digne de porter un infant, et l'on mit pour la baronne, sur un délicieux palefroi blanc dont le pelage semblait argenté, une riche selle de velours vert.

Bientôt Isabelle parut habillée d'un costume d'amazone le plus galant du monde, qui faisait valoir les avantages de sa taille faite au tour. C'était une veste de velours bleu relevée de boutons, de brandebourgs et de soutaches d'argent, avec des basques tombant sur une longue jupe en satin gris de perle. Sa coiffure consistait en un chapeau d'homme, de feutre blanc, ombragé d'une plume bleue frisée, s'allongeant par derrière jusque sur le col. Pour que la rapidité de la course ne les dérangeât point, les blonds cheveux de la jeune femme étaient serrés dans un réseau d'azur à petites perles d'argent d'une coquetterie charmante.

Ajustée ainsi, Isabelle était adorable et, devant elle, les beautés les plus altières de la cour eussent été forcées d'amener pavillon. Cet habit cavalier faisait ressortir, dans la grâce ordinairement si modeste de la baronne, un côté fier qui sentait son origine illustre. C'était bien toujours Isabelle, mais c'était aussi la fille d'un prince, la sœur d'un duc, la femme d'un gentilhomme dont la noblesse datait d'avant les croisades. Vallombreuse le remarqua et ne put s'empêcher de dire : « Ma sœur, que vous avez aujourd'hui grande mine! Hippolyte, reine des Amazones, n'était certes pas plus superbe et plus triomphante! »

Isabelle, à qui Sigognac tint le pied, se mit légèrement en selle; le duc et le baron enfourchèrent leurs montures, et la cavalcade déboucha sur la place du château, où elle rencontra le marquis de Bruyères et quelques gentilshommes du voisinage, qui venaient complimenter les nouveaux époux. On voulait rentrer, comme la politesse l'exigeait, mais les visiteurs prétendirent qu'ils ne seraient pas fâcheux jusqu'à interrompre une promenade commencée, et firent tourner tête à leurs chevaux, pour accompagner le jeune couple et le duc de Vallombreuse.

La chevauchée, grossie de cinq ou six personnes en habit de gala, car les hobereaux s'étaient faits les plus braves qu'ils avaient pu, prenait un air cérémonieux et magnifique. C'était un vrai cortège de princesse. On parcourut, en suivant un chemin bien entretenu, des prés verdoyants, des terres auxquelles la culture avait rendu la fertilité, des métairies en plein rapport, des bois savamment aménagés.

Tout cela appartenait à Sigognac. La lande, avec les bruyères violettes, semblait s'être reculée du château.

Comme on passait dans un bois de sapins, sur la limite de la baronnie, des abois de chiens se firent entendre, et bientôt parut Yolande de Foix, suivie de son oncle le commandeur et d'un ou deux galants. Le

chemin était étroit et les deux troupes se frôlèrent en
sens inverse, bien que chacune tâchât de faire place
à l'autre. Yolande, dont le cheval piaffait et se cabrait,
effleura de sa jupe la jupe d'Isabelle. Le dépit empourprait ses joues, et sa colère cherchait quelque insulte,
mais Isabelle avait une âme au-dessus des vanités fémi-
nines; l'idée de se venger du regard dédaigneux
que Yolande avait autrefois laissé tomber sur elle avec
ce mot : « bohémienne », presque à cette même place,
ne lui vint seulement pas à l'esprit; elle pensa que ce
triomphe d'une rivale pouvait blesser, sinon le cœur,
du moins l'orgueil de Yolande, et d'un air digne,
modeste et gracieux, elle salua mademoiselle de Foix,
qui fut bien forcée, ce dont elle manqua enrager, de
répondre par une légère inclination de tête. Le baron
de Sigognac lui fit, d'un air détaché et tranquille, un
salut parfaitement respectueux, et Yolande ne surprit
pas dans les yeux de son ex-adorateur une étincelle
de l'ancienne flamme. Elle cravacha son cheval et partit au galop entraînant sa petite troupe.

« Par les Vénus et les Cupidons, dit gaiement Vallombreuse au marquis de Bruyères, près duquel il chevauchait, voici une belle fille, mais elle a l'air diablement revêche et farouche! Quels regards elle lançait à
ma sœur! C'était autant de coups de stylet.

— Quand on a été la reine d'un pays, répondit le
marquis, on n'est pas bien aise d'être détrônée, et la
victoire reste décidément à madame la baronne de
Sigognac. »

La cavalcade rentra au château. Un somptueux
repas, servi dans la salle où jadis le pauvre Baron
avait fait souper les comédiens avec leurs propres provisions, n'ayant rien en son garde-manger, attendait
les hôtes, qui furent charmés de sa belle ordonnance.
Une riche argenterie aux armes de Sigognac étincelait
sur une nappe damassée, dont la trame montrait, parmi
les ornements, des cigognes héraldiques. Les quelques
pièces de l'ancien service qui n'étaient pas tout à fait
hors d'usage avaient été religieusement conservées et
mêlées aux pièces modernes pour que ce luxe n'eût
pas l'air trop récent, et que l'ancien Sigognac contri-
buât un peu aux splendeurs du nouveau. On se mit
à table. La place d'Isabelle était la même qu'elle occupait dans cette fameuse nuit qui avait changé le destin du Baron; elle y pensait, Sigognac aussi, car les

époux échangèrent un sourire d'amants, attendri de souvenir et lumineux d'espérance.

Près de la crédence sur laquelle l'écuyer-tranchant découpait les viandes, se tenait debout un homme de taille athlétique, à large face pâle entourée d'une épaisse barbe brune, vêtu de velours noir et portant au cou une chaîne d'argent, qui, de temps à autre, donnait des ordres aux laquais d'un air majestueux. Près d'un buffet chargé de bouteilles, les unes pansues, les autres effilées, quelques-unes nattées de sparterie, selon les provenances, se trémoussait avec beaucoup d'activité, malgré son tremblement sénile, une figure falote, au nez rabelaisien tout fleuronné de bubelettes, aux joues fardées de purée septembrale, aux petits yeux vairons pleins de malice et surmontés d'un sourcil circonflexe. Sigognac, regardant par hasard de ce côté, reconnut dans le premier le tragique Hérode, dans le second le grotesque Blazius. Isabelle, voyant qu'il s'était aperçu de leur présence, lui dit à l'oreille que, pour mettre désormais ces braves gens à l'abri des misères de la vie théâtrale, elle avait fait l'un intendant et l'autre sommelier de Sigognac, conditions fort douces et n'exigeant pas grand travail; de quoi le Baron tomba d'accord et approuva sa femme.

Le repas allait son train, et les flacons, activement remplacés par Blazius, se succédaient sans interruption, lorsque Sigognac sentit une tête s'appuyer sur un de ses genoux, et sur l'autre des griffes acérées jouer un air de guitare bien connu. C'étaient Miraut et Béelzébuth qui, profitant d'une porte entrouverte, s'étaient glissés dans la salle, et, malgré la peur que leur inspirait cette splendide et nombreuse compagnie, venaient réclamer de leur maître leur part du festin. Sigognac opulent n'avait garde de repousser ces humbles amis de sa misère; il flatta Miraut de la main, gratta le crâne essorillé de Béelzébuth, et leur fit à tous deux une abondante distribution de bons morceaux. Les miettes consistaient cette fois en lardons de pâté, en reliefs de perdrix, en filets de poisson et autres mets succulents. Béelzébuth ne se sentait pas d'aise et, de sa patte griffue, il réclamait toujours quelque nouveau rogaton, sans lasser l'inaltérable patience de Sigognac, que cette voracité amusait. Enfin, gonflé comme une outre, marchant à pas écarquillés, pouvant à peine filer son rouet, le vieux chat noir se retira dans la chambre tapissée en verdure de Flandre, et se roula en boule à sa place accoutumée pour digérer cette copieuse réfection.

Vallombreuse tenait tête au marquis de Bruyères, et les hobereaux ne se lassaient pas de porter la santé des époux avec des rouges-bords, à quoi Sigognac, sobre de nature et d'habitude, répondait en trempant le bout de ses lèvres dans son verre toujours plein, car il ne le vidait jamais. Enfin les hobereaux, la tête pleine de fumées, se levèrent de table chancelants, et gagnèrent, un peu aidés des laquais, les appartements qu'on avait préparés pour eux.

Isabelle, sous prétexte de fatigue, s'était retirée au dessert. Chiquita, promue à la dignité de femme de chambre, l'avait défaite et accommodée de nuit, avec cette activité silencieuse qui caractérisait son service. C'était maintenant une belle fille que Chiquita. Son teint, que ne tannaient plus les intempéries des saisons, s'était éclairci, tout en gardant cette pâleur vivace et passionnée que les peintres admirent fort. Ses cheveux, qui avaient fait connaissance avec le peigne, étaient proprement retenus par un ruban rouge dont les bouts flottaient sur sa nuque brune; à son col, on voyait toujours le fil de perles donné par Isabelle, et qui, pour la bizarre jeune fille, était le signe visible de son servage volontaire, une sorte d'*emprise* que la mort seule pouvait rompre. Sa robe était noire et portait le deuil d'un amour unique. Sa maîtresse ne l'avait pas contrariée en cette fantaisie. Chiquita, n'ayant plus rien à faire dans la chambre, se retira après avoir baisé la main d'Isabelle, comme elle n'y manquait jamais chaque soir.

Lorsque Sigognac rentra dans cette chambre où il avait passé tant de nuits solitaires et tristes, écoutant les minutes longues comme des heures tomber goutte à goutte, et le vent gémir lamentablement derrière la vieille tapisserie, il aperçut, à la lueur d'une lanterne de Chine suspendue au plafond, entre les ridaux de brocatelle verte et blanche, la jolie tête d'Isabelle qui se penchait vers lui avec un chaste et délicieux sourire.

C'était la réalisation complète de son rêve, alors que, n'ayant plus d'espoir et se croyant à jamais séparé d'Isabelle, il regardait le lit vide avec une mélancolie profonde. Décidément, le destin faisait bien les choses!

Vers le matin, Béelzébuth, en proie à une agitation

étrange, quitta le fauteuil où il avait passé la nuit et grimpa péniblement sur le lit. Arrivé là, il heurta de son nez la main de son maître endormi encore, et il essaya un ronron qui ressemblait à un râle. Sigognac s'éveilla et vit Béelzébuth le regardant comme s'il implorait un secours humain, et dilatant outre mesure ses grands yeux verts vitrés déjà et à demi éteints. Son poil avait perdu son brillant lustré et se collait comme mouillé par les sueurs de l'agonie; il tremblait et faisait pour se tenir sur ses pattes des efforts extrêmes. Toute son attitude annonçait la vision d'une chose terrible. Enfin il tomba sur le flanc, fut agité de quelques mouvements convulsifs, poussa un sanglot semblable au cri d'un enfant égorgé, et se roidit comme si des mains invisibles lui distendaient les membres. Il était mort. Ce hurlement funèbre interrompit le sommeil de la jeune femme.

« Pauvre Béelzébuth, dit-elle en voyant le cadavre du chat, il a supporté la misère de Sigognac, il n'en connaîtra pas la prospérité! »

Béelzébuth, il faut l'avouer, mourait victime de son intempérance. Une indigestion l'avait étouffé. Son estomac famélique n'était pas habitué à de telles frairies.

Cette mort toucha Sigognac plus qu'on ne saurait dire. Il ne pensait point que les animaux fussent de pures machines, et il accordait aux bêtes une âme de nature inférieure à l'âme des hommes, mais capable cependant d'intelligence et de sentiment. Cette opinion, d'ailleurs, est celle de tous ceux qui, ayant vécu longtemps dans la solitude en compagnie de quelque chien, chat, ou tout autre animal, ont eu le loisir de l'observer et d'établir avec lui des rapports suivis. Aussi, l'œil humide et le cœur pénétré de tristesse, enveloppa-t-il soigneusement le pauvre Béelzébuth dans un lambeau d'étoffe, pour l'enterrer le soir, action qui eût peut-être paru ridicule et sacrilège au vulgaire.

Quand la nuit fut tombée, Sigognac prit une bêche, une lanterne, et le corps de Béelzébuth, roide dans son linceul de soie. Il descendit au jardin, et commença à creuser la terre au pied de l'églantier, à la lueur de la lanterne dont les rayons éveillaient les insectes, et attiraient les phalènes qui venaient en battre la corne de leurs ailes poussiéreuses. Le temps était noir. A peine un coin de lune se devinait-il à

travers les crevasses d'un nuage couleur d'encre, et la
scène avait plus de solennité que n'en méritaient les
funérailles d'un chat. Sigognac bêchait toujours, car
il voulait enfouir Béelzébuth assez profondément pour
que les bêtes de proie ne vinssent pas le déterrer. Tout
à coup le fer de sa bêche fit feu comme s'il eût rencontré un silex. Le Baron pensa que c'était une pierre,
et redoubla ses coups; mais les coups sonnaient bizarrement et n'avançaient pas le travail. Alors Sigognac
approcha la lanterne pour reconnaître l'obstacle et
vit, non sans surprise, le couvercle d'une espèce de
coffre en chêne, tout bardé d'épaisses lames de fer
rouillé, mais très solides encore; il dégagea la boîte
en creusant la terre alentour, et, se servant de sa
bêche comme d'un levier, il parvint à hisser, malgré
son poids considérable, le coffret mystérieux jusqu'au
bord du trou, et le fit glisser sur la terre ferme. Puis
il mit Béelzébuth dans le vide laissé par la boîte, et
combla la fosse.

Cette besogne terminée, il essaya d'emporter sa trouvaille au château, mais la charge était trop forte pour
un seul homme, même vigoureux, et Sigognac alla
chercher le fidèle Pierre, pour qu'il lui vînt en aide. Le
valet et le maître prirent chacun une poignée du coffre
et l'emportèrent au château, pliant sous le faix.

Avec une hache, Pierre rompit la serrure, et le couvercle en sautant découvrit une masse considérable de
pièces d'or : onces, quadruples, sequins, génovines,
portugaises, ducats, cruzades, angelots et autres monnaies de différents titres et pays, mais dont aucune
n'était moderne. D'anciens bijoux enrichis de pierres
précieuses étaient mêlés à ces pièces d'or. Au fond
du coffre vidé, Sigognac trouva un parchemin scellé
aux armes de Sigognac, mais l'humidité en avait
effacé l'écriture. Le seing était seul encore un peu
visible, et, lettre à lettre, le Baron déchiffra ces mots :
« Raymond de Sigognac. » Ce nom était celui d'un
de ses ancêtres, parti pour une guerre d'où il n'était
jamais revenu, laissant le mystère de sa mort ou de sa
disparition inexpliqué. Il n'avait qu'un fils en bas âge
et, au moment de s'embarquer dans une expédition
dangereuse, il avait enfoui son trésor, n'en confiant
le secret qu'à un homme sûr, surpris sans doute par
la mort avant de pouvoir révéler la cachette à l'héritier légitime. A dater de ce Raymond commençait la

décadence de la maison de Sigognac, autrefois riche et puissante. Tel fut, du moins, le roman très probable qu'imagina le Baron d'après ces faibles indices; mais ce qui n'était pas douteux, c'est que ce trésor lui appartînt. Il fit venir Isabelle et lui montra tout cet or étalé.

« Décidément, dit le Baron, Béelzébuth était le bon génie des Sigognac. En mourant, il me fait riche, et s'en va quand arrive l'ange. Il n'avait plus rien à faire puisque vous m'apportez le bonheur. »

# TABLE

IMPRIMERIE UNION, MULHOUSE
Imprimé en France
6919 - 9 - Dépôt légal n° 5739, 3e trimestre 1966
LE LIVRE DE POCHE - 4, rue de Galliéra, Paris
30 - 23 - 0707 - 04

# Le Livre de Poche classique